A ILHA SOB O MAR

Da autora:

A casa dos espíritos
De amor e de sombra
Eva Luna
Contos de Eva Luna
O plano infinito
Paula
Afrodite
Filha da fortuna
Retrato em sépia
Meu país inventado
Zorro
Amor
Inês da minha alma
A soma dos dias
A ilha sob o mar
O caderno de Maya
O jogo de ripper
O amante japonês
Muito além do inverno
Longa pétala de mar
Mulheres de minha alma
Violeta
O vento sabe meu nome

Trilogia *As Aventuras da Águia e do Jaguar*

A cidade das feras
O reino do dragão de ouro
A floresta dos pigmeus

isabel allende

A ILHA SOB O MAR

14ª EDIÇÃO

Tradução
Ernani Ssó

2024

Título original: *La Isla Bajo el Mar*

Capa: Silvana Mattievich
Ilustração de capa: Ana Juan
Foto da Autora: Lori Barra

Editoração: DFL

Texto revisado segundo o novo
Acordo Ortográfico da Língua Portuguesa

2024
Impresso no Brasil
Printed in Brazil

CIP-Brasil. Catalogação na fonte
Sindicato Nacional dos Editores de Livros, RJ.

A428i
14ª ed.

Allende, Isabel, 1942-
A ilha sob o mar / Isabel Allende; tradução Ernani Ssó. – 14ª ed. – Rio de Janeiro: Bertrand Brasil, 2024.
476p.

Tradução de: La isla bajo el mar
ISBN 978-85-286-1444-2

1. Escravos – Espanha – Colônias – Condições sociais – Século XVIII – Ficção. 2. Espanha – Colônias – América – Século XVIII – Ficção. 3. Romance chileno. I. Ssó, Ernani, 1953-. II. Título.

10-3398

CDD – 868.99333
CDU – 821.134.2(83)-3

EDITORA BERTRAND BRASIL LTDA.
Rua Argentina, 171 – 3º andar – São Cristóvão
20921-380 – Rio de Janeiro – RJ
Tel.: (21) 2585-2070

Atendimento e venda direta ao leitor:
sac@record.com.br

A meus filhos, Nicolás e Lori.

zarité

Eu, Zarité Sedella, do alto dos meus quarenta anos, posso dizer que tive mais sorte do que as outras escravas. Vou viver muito e a minha velhice será feliz porque a minha estrela — minha z'etoile *— brilha também quando a noite está nublada. Conheço o prazer de estar com o homem escolhido pelo meu coração quando as suas mãos grandes despertam a minha pele. Tive quatro filhos e um neto, e os que estão vivos são livres. Minha primeira lembrança de felicidade, quando era uma pirralha magrela e desgrenhada, é a de me mexer ao som dos tambores, e essa é também a minha mais recente felicidade, porque na noite passada estive na praça do Congo dançando e dançando, sem pensamentos na cabeça, e hoje o meu corpo está quente e cansado. A música é um vento levado pelos anos, pelas lembranças e pelo temor, esse animal preso que carrego dentro de mim. Com os tambores desaparece a Zarité de todos os dias e volto a ser a menina que dançava quando mal começava a andar. Bato no chão com as solas dos pés, e a vida sobe pelas minhas pernas, percorre meus ossos, apodera-se de mim, acaba com a minha tristeza e adoça a minha memória. O mundo estremece. O ritmo nasce de uma ilha sob o mar, sacode a terra, atravessa-me como um relâmpago e segue em direção ao céu, levando as minhas aflições para que Papa Bondye as mastigue, engula e me deixe leve e feliz. Os tambores vencem o medo. Os tambores são a herança da minha mãe, a força da Guiné que está no meu sangue. Ninguém então pode comigo, torno-me incontrolável como Erzuli,* loa *do amor, e mais veloz do que o açoite. Os búzios chocalham nos meus tornozelos e nos meus pulsos, as cabaças perguntam, os tambores*

Djembes respondem com sua voz de floresta e os timbales com sua voz de metal, os Djun Djuns que sabem falar convidam e o grande Maman ruge quando o tocam para chamar os loas. *Os tambores são sagrados, e é através deles que falam os* loas.

Na casa onde me criei, os tambores permaneciam calados no quarto que eu dividia com Honoré, o outro escravo, mas frequentemente saíam para passear. Madame Delphine, minha dona naquele tempo, não queria ouvir o barulho dos negros, a ela interessavam somente as queixas melancólicas de seu clavicórdio. Às segundas e terças-feiras, ela dava aulas para moças de cor, e no restante da semana ensinava nas mansões dos grands blancs, *onde as moças possuíam seus próprios instrumentos porque não podiam usar os mesmos tocados pelas mulatas. Aprendi a limpar as teclas do clavicórdio com suco de limão, mas não podia tocá-lo porque a madame nos proibia qualquer aproximação. De todo modo não nos fazia falta. Honoré podia tirar música até de uma panela, qualquer coisa em suas mãos tinha compasso, melodia, ritmo e voz; ele carregava os sons no corpo, trouxera-os do Daomé. Meu brinquedo era uma cabaça oca que fazíamos soar; depois ele me ensinou a acariciar devagarinho seus tambores. E isso desde o começo, quando ele ainda me carregava nos braços e me levava às danças e aos serviços de vodu, onde marcava o ritmo com o tambor principal para que os demais o seguissem. É como eu me lembro. Honoré parecia muito velho porque seus ossos haviam esfriado, embora naquela época ele não tivesse mais idade do que tenho agora. Bebia cachaça para suportar o sofrimento de se mexer, porém, mais do que esse licor áspero, o seu melhor remédio era a música. Seus gemidos se transformavam em riso ao som dos tambores. Honoré mal conseguia descascar as batatas para o almoço da nossa dona com as suas mãos deformadas, mas tocando o tambor ele era incansável e, se decidia dançar, ninguém levantava os joelhos mais alto, nem bamboleava a cabeça com mais força e nem mexia as nádegas com maior prazer. Quando eu ainda não sabia andar, ele me fazia dançar sentada, e, assim que pude me sustentar nas pernas, me convidava a me perder na música como quem se perde num sonho. "Dance, dance, Zarité, porque escravo que dança é livre... enquanto dança." Eu sempre dancei.*

primeira parte

Saint-Domingue, 1770-1793

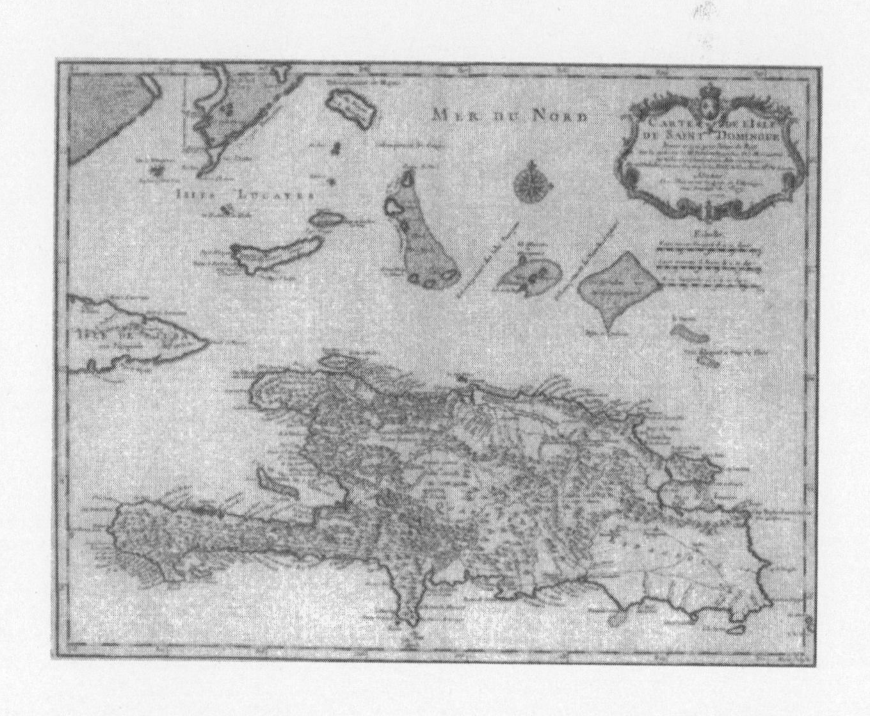

O mal espanhol

Toulouse Valmorain chegou a Saint-Domingue em 1770, no mesmo ano em que o delfim da França se casou com a arquiduquesa austríaca Maria Antonieta. Antes de viajar à colônia, quando ainda não suspeitava que o seu destino lhe pregaria uma peça e acabaria enterrado nos canaviais das Antilhas, ele foi convidado a Versalhes para uma das festas em honra da nova alteza, uma menina loura de catorze anos, que bocejava sem dissimular em meio ao rígido protocolo da corte francesa.

Tudo isso ficou no passado. Saint-Domingue era outro mundo. O jovem Valmorain tinha uma ideia bastante vaga do lugar onde seu pai sovava o pão da família com a ambição de transformá-lo em fortuna. Havia lido em algum lugar que os nativos da ilha, os arahuacos, chamavam-na de Haiti, antes de os conquistadores mudarem seu nome para A Espanhola e acabarem com eles. Em menos de cinquenta anos, não sobrou um só arahuaco vivo para contar a história: todos morreram, vítimas da escravidão, das doenças europeias e do suicídio. Era uma raça de pele avermelhada, de cabelos negros e grossos, de dignidade inabalável, e tão tímidos que um só espanhol desarmado podia vencer dez deles. Viviam em comunidades polígamas, cultivando a terra com cuidado para não esgotá-la: batata-doce, milho, abóbora, amendoim, pimentões, batatas e mandioca. A terra, como o céu e a água, não tinha dono até os estrangeiros se apoderarem dela para cultivar plantas nunca vistas, valendo-se do trabalho forçado dos arahuacos. Nesse tempo, surgiu o costume de "aperrear": matar pessoas indefesas atiçando cães contra elas. Quando exterminaram os indígenas, eles importaram escravos sequestrados na África e brancos da Europa, assassinos, órfãos, prostitutas e rebeldes.

Em fins de 1600, a Espanha cedeu a parte ocidental da ilha à França, que a chamou de Saint-Domingue e que haveria de se transformar na colônia mais rica do mundo. Na época em que Toulouse Valmorain chegou lá, um terço das exportações da França, por meio do açúcar, café, tabaco, algodão, anil e cacau, provinha da ilha. Já não havia escravos brancos, mas os negros somavam centenas de milhares. O cultivo mais exigente era o da cana-de-açúcar, o ouro doce da colônia; cortar a cana, triturá-la e reduzi-la a melaço não era trabalho de gente, mas de bicho, como diziam os plantadores.

Valmorain acabara de fazer vinte anos quando foi convocado com urgência à colônia por uma carta do agente comercial de seu pai. Ao desembarcar, vestia-se na última moda: punhos de renda, peruca cacheada e sapatos de salto alto, certo de que os livros de viagens que havia lido o capacitavam sobremaneira a assessorar o pai por algumas semanas. Viajava com um *valet*, quase tão elegante quanto ele, e com vários baús com seu vestuário e livros. Definia-se como um homem de letras e pensava em se dedicar à ciência quando voltasse à França. Admirava os filósofos e enciclopedistas, que tanto impacto haviam causado na Europa nas últimas décadas, e concordava com algumas de suas ideias liberais: *O contrato social* de Rousseau tinha sido seu livro de cabeceira aos dezoito anos. Assim que desembarcou, depois de uma travessia que por pouco não terminou em tragédia ao enfrentar um furacão no Caribe, teve a primeira surpresa desagradável: seu pai não o aguardava no porto. Foi recebido pelo tal agente, um judeu amável, vestido de preto da cabeça aos pés, que o informou das precauções necessárias para locomover-se na ilha, facilitou-lhe cavalos, duas mulas para a bagagem, um guia e um miliciano para acompanhá-los à *habitation* Saint-Lazare. O jovem nunca tinha posto os pés fora da França e havia prestado muito pouca atenção às histórias — corriqueiras, além de tudo — que seu pai costumava contar em suas visitas escassas à família em Paris. Nunca imaginou que tivesse de ir à plantação; o acordo tácito era que o pai consolidaria a fortuna na ilha enquanto ele cuidava de sua mãe e irmãs, e supervisionava os negócios na França. A carta que havia recebido aludia a problemas de saúde, e ele supôs que se tratava de uma febre passageira, mas ao chegar a Saint-Lazare, após um dia de caminhada aos atropelos por uma natureza voraz e hostil, deu-se conta de que o pai estava morrendo. Não sofria de malária, como ele acreditava, mas de sífilis, que devastava igualmente brancos, negros e mulatos. A doença havia atingido seu último estágio, e seu pai estava quase inválido, coberto de pústulas, com os dentes moles e a mente conturbada. Os tratamentos dantescos — sangrias, mercúrio e cauterizações do pênis com arames em brasa — não o aliviavam, embora continuasse a utilizá-los como legítimos atos de contrição. Acabara de fazer cinquenta anos e estava transformado num velho que dava ordens disparatadas, urinava-se sem controle e vivia deitado numa rede com suas mascotes, duas negrinhas que mal haviam alcançado a puberdade.

Enquanto os escravos desempacotavam sua bagagem sob as ordens do *valet*, um almofadinha que mal suportara a travessia de barco e estava chocado com as condições primitivas do lugar, Toulouse Valmorain foi percorrer a vasta propriedade. Não entendia nada de plantação de cana, mas bastou aquele passeio para perceber que os escravos estavam famintos e a lavoura só havia se salvado da ruína porque o mundo consumia açúcar com voracidade crescente. Nos livros de contabilidade encontrou a explicação para as péssimas finanças do pai, que não podia manter a família em Paris com o decoro que correspondia a sua posição. A produção era um desastre e os escravos morriam como moscas;

não teve dúvidas de que os capatazes roubavam, aproveitando-se da terrível deterioração do seu senhor. Praguejou contra sua sorte e resolveu arregaçar as mangas e trabalhar, coisa a que nenhum jovem de seu meio se propunha: o trabalho era para outro tipo de gente. Conseguiu um substancioso empréstimo, graças ao apoio e às ligações que o agente comercial de seu pai tinha com banqueiros, depois mandou os *commandeurs* aos canaviais para trabalhar lado a lado com os mesmos que eles haviam martirizado antes e os substituiu por outros menos depravados, reduziu os castigos e contratou um veterinário que passou dois meses em Saint-Lazare tentando devolver um mínimo de saúde aos negros. O veterinário não conseguiu salvar o seu *valet*, que foi despachado por uma diarreia fulminante em menos de trinta e oito horas. Valmorain se deu conta de que os escravos de seu pai duravam em média dezoito meses antes de fugir ou cair mortos de cansaço, tempo muito inferior ao das outras plantações. As mulheres viviam mais do que os homens, mas rendiam menos no trabalho agonizante dos canaviais e tinham o péssimo costume de engravidar. Como muito poucas crianças sobreviviam, os plantadores concluíram que a fertilidade entre os negros era tão baixa que não se tornava rentável. O jovem Valmorain realizou as mudanças necessárias de forma automática, sem planejamento e rápido, decidido a ir logo embora, mas quando o pai morreu, alguns meses mais tarde, teve de enfrentar a terrível evidência de que havia caído numa armadilha. Não pretendia deixar seus ossos naquela colônia infestada de mosquitos, mas, se partisse antes do tempo, perderia a plantação e, com ela, a renda e a posição social de sua família na França.

Valmorain não tentou se relacionar com outros colonos. Os *grands blancs*, proprietários de outras plantações, consideravam-no um presunçoso que não duraria muito na ilha; por isso se espantavam ao vê-lo com as botas enlameadas e queimado de sol. A antipatia era mútua. Para Valmorain, aqueles franceses transplantados para as Antilhas eram uns brutamontes, o oposto da sociedade que ele havia frequentado, em que se exaltavam as ideias, a ciência e as artes, e onde ninguém falava de dinheiro nem de escravos. Da "idade da razão" em Paris passou a se afundar num mundo primitivo e violento em que os vivos e os mortos andavam de mãos dadas. Também não fez amizade com os *petits blancs*, cujo único capital era a cor da pele, uns pobres-diabos envenenados pela inveja e pela maledicência, como ele dizia. Vinham dos quatro pontos cardeais, e era absolutamente impossível investigar a pureza de seu sangue ou mesmo o seu passado. Na melhor das hipóteses, eram mercadores, artesãos, padres de reputação duvidosa, marinheiros, militares e funcionários de baixo escalão, mas também havia malandros, cafetões, criminosos e piratas que utilizavam cada canto do Caribe para suas canalhices. Não tinha nada em comum com essa gente.

Entre os mulatos livres, ou *affranchis*, existiam mais de sessenta classificações segundo a percentagem de sangue branco, que determinava seu nível social. Valmorain nunca conseguiu distinguir os tons nem aprender a denominação de cada combinação das duas raças. Os *affranchis* não tinham poder político, mas lidavam com muito dinheiro; por isso, eram odiados pelos brancos pobres. Alguns ganhavam a vida com tráficos ilícitos, desde contrabando até prostituição, mas outros haviam sido educados na França e possuíam fortuna, terras e escravos. Além das sutilezas da cor, os mulatos estavam unidos por sua aspiração comum de se fazer passar por brancos e pelo desprezo visceral que sentiam pelos negros. Os escravos, cujo número era dez vezes maior do que o dos brancos e *affranchis* juntos, não significavam nada, nem no censo populacional nem na consciência dos colonos.

Como não lhe convinha se isolar por completo, Toulouse Valmorain frequentava, de vez em quando, algumas famílias de *grands blancs* em Le Cap, a cidade mais próxima da sua plantação. Nessas viagens, comprava o necessário para se abastecer e, se não podia evitar, passava pela Assembleia Colonial para cumprimentar seus pares, assim não esqueceriam seu sobrenome, mas não participava das sessões. Também aproveitava para assistir a comédias no teatro, ir a festas das *cocottes* — as exuberantes cortesãs francesas, espanholas e de outras raças que dominavam a vida noturna — e se encontrar com exploradores e cientistas que se hospedavam na ilha antes de partir para outros lugares mais interessantes. Saint-Domingue não atraía visitantes, mas, às vezes, chegavam alguns para estudar a natureza ou a economia das Antilhas, a quem Valmorain convidava para ir a Saint-Lazare com a intenção de recuperar, ainda que brevemente, o prazer da conversação elevada que havia temperado seus anos em Paris. Três anos depois da morte de seu pai, podia lhes mostrar com orgulho a propriedade; havia transformado aquele estrupício de negros doentes e canaviais secos numa das plantações mais prósperas entre as oitocentas da ilha, havia multiplicado por cinco o volume de açúcar sem refino para exportação e instalado uma destilaria onde produzia seletas barricas de um rum muito mais fino do que se costumava beber. Seus visitantes passavam uma ou duas semanas no rústico casarão de madeira, impregnando-se da vida rural e apreciando de perto a mágica invenção do açúcar. Passeavam a cavalo pelos densos pastos que assobiavam ameaçadores pela brisa, protegidos do sol por grandes chapéus de palha e derretendo na umidade escaldante do Caribe, enquanto os escravos, como sombras esguias, cortavam as plantas rente à terra sem matar a raiz, para que houvesse outras colheitas. De longe, pareciam insetos no meio dos canaviais que tinham duas vezes a sua altura. O serviço de limpar as canas duras, triturá-las nas máquinas dentadas, esmagá-las nas prensas e ferver o caldo em profundos tachos de cobre para obter um melaço escuro era fascinante para aquelas pessoas da cidade que só tinham visto os alvos cristais que adoçavam o café. Esses visitantes atualizavam Valmorain sobre o que acontecia na Europa, cada vez mais remota para ele, sobre os novos avanços tecnológicos e científicos e as ideias filosóficas da moda. Abriam, assim, uma janela para que ele espiasse o mundo e lhe deixavam de presente alguns livros. Valmorain se divertia com seus hóspedes, mas se divertia mais quando eles iam embora; não gostava de ter testemunhas na sua vida nem na sua propriedade. Os estrangeiros observavam a escravidão com um misto de repugnância e mórbida curiosidade, ofensivas para ele que se considerava um patrão justo: se soubessem como os negros eram tratados por outros plantadores, veriam que ele tinha razão. Sabia que mais de um voltaria à civilização convertido em abolicionista e disposto a sabotar o consumo de açúcar. Antes de se ver obrigado a viver na ilha também teria ficado chocado com a escravidão. E teria ficado escandalizado se tivesse conhecido a fundo os detalhes, mas seu pai nunca se referira ao assunto. Agora, com centenas de escravos sob seu comando, suas ideias a esse respeito haviam mudado.

Toulouse Valmorain gastou os primeiros anos tirando Saint-Lazare da devastação. Não pôde viajar uma única vez e perdeu o contato com a mãe e as irmãs, exceto por cartas esporádicas em tom formal que transmitiam somente as banalidades da existência diária e da saúde.

Havia experimentado dois administradores trazidos da França — os nativos tinham reputação de corruptos —, mas o fracasso foi absoluto: um morreu picado por uma cobra e o outro se entregou à tentação do rum e das concubinas, até aparecer a esposa para resgatá-lo e levá-lo embora sem discussão. Agora experimentava Prosper Cambray, que, como todos os mulatos livres na colônia, havia servido três anos na milícia — a Marechaussée — encarregada de fazer respeitar a lei, manter a ordem, cobrar impostos e perseguir os escravos fugitivos. Cambray não possuía fortuna nem padrinhos e optou por ganhar a vida na ingrata tarefa de caçar negros naquela geografia de selvas hostis e montanhas escarpadas, onde nem as mulas pisavam com segurança. Era de pele amarela, marcado pela varíola, tinha os cabelos encaracolados cor de ferrugem, os olhos esverdeados, sempre irritados, e uma voz bem modulada e suave que contrastava como um deboche com seu caráter brutal e seu físico de matador. Exigia subserviência desprezível dos escravos e, ao mesmo tempo, rastejava para quem estivesse acima dele. No começo, tratou de ganhar a estima de Valmorain com intrigas, mas logo compreendeu que os separava um abismo intransponível de raça e classe. Valmorain lhe ofereceu um bom salário, a oportunidade de exercer autoridade e a isca de se tornar chefe dos capatazes.

Com isso, pôde dispor de mais tempo para ler, caçar e viajar a Le Cap. Conheceu Violette Boisier, a *cocotte* mais requisitada da cidade, uma jovem livre, com reputação de ser limpa e saudável, com herança africana e aparência de branca. Sabia que, pelo menos com ela, não terminaria como o pai, com o sangue aguado pelo "mal espanhol".

Ave da noite

Violette Boisier era filha de outra cortesã, uma mulata magnífica que morrera aos vinte e nove anos, trespassada pelo sabre de um oficial francês — possivelmente o pai de Violette, embora isso nunca tenha sido confirmado — enlouquecido de ciúmes. A jovem começou a exercer a profissão aos onze anos sob a tutela da mãe; aos treze, quando esta foi assassinada, dominava as artes deliciosas do prazer, e aos quinze levava vantagem sobre todas as suas rivais. Valmorain preferia não pensar com quem sua *petite amie* brincava em sua ausência, já que não estava disposto a comprar a exclusividade da mulata. Estava enrabichado por Violette, pura sensualidade e riso, mas possuía suficiente sangue-frio para dominar sua imaginação, ao contrário do militar que matara a mãe dela arruinando, assim, sua carreira e seu nome. Conformava-se em levá-la ao teatro e a festas de homens que as mulheres brancas não frequentavam e onde sua beleza radiante atraía os olhares. A inveja que provocava em outros homens ao se exibir com ela de braços dados lhe causava uma satisfação perversa; muitos sacrificariam a honra para passar uma noite inteira com Violette, em vez de uma ou duas horas, como era o estipulado, mas esse privilégio pertencia apenas a ele. Pelo menos era o que pensava.

A jovem tinha um apartamento de três cômodos e uma sacada com grades de ferro de flores-de-lis no segundo andar de um edifício perto da praça Clugny, única herança deixada pela mãe, além de uns poucos vestidos adequados ao ofício. Ali residia com certo luxo em companhia de Loula, uma escrava africana, gorda e masculinizada, que fazia as vezes de criada e guarda-costas. Violette passava as horas mais quentes do dia descansando ou dedicada a cuidar de sua beleza: massagens com leite de coco, depilação com calda de açúcar, banhos de azeite para os cabelos, infusões de ervas para purificar a voz e iluminar o olhar. Em alguns momentos de inspiração, preparava com Loula pomadas para a pele, sabonete de amêndoa, cremes e pós de maquiagem que vendia para as amigas. Seus dias transcorriam lentos e ociosos. Ao entardecer, quando os frágeis raios do sol já não podiam lhe manchar a pele, saía para caminhar quando o clima permitia ou numa liteira carregada por dois escravos que alugava de uma vizinha; assim, evitava se sujar com a bosta de cavalo, o lixo e a lama das ruas de Le Cap. Vestia-se discretamente para não insultar as outras mulheres: nem as brancas nem as mulatas toleravam de bom grado tanta concorrência. Ia às lojas fazer suas compras e ao porto para conseguir artigos contrabandeados pelos marinheiros, visitava a modista, o cabeleireiro e suas amigas. Com a desculpa de tomar um suco de frutas, entrava em um hotel ou em algum café, onde nunca faltava um cavalheiro disposto a convidá-la à sua mesa. Conhecia intimamente os brancos mais poderosos da colônia, inclusive o militar de maior patente, o governador. Depois voltava para casa para se aprontar para o exercício de sua profissão, tarefa complicada que requeria umas duas horas. Possuía trajes de todas as cores do arco-íris em tecidos vistosos, vindos da Europa e do Oriente, sapatilhas e bolsas que combinavam, chapéus emplumados, xales bordados da China, pelerines para arrastar pelo chão, já que o clima não permitia usá-las, e um cofre de bijuterias. Toda noite, o sortudo amigo da vez — não se chamava cliente — a levava a algum espetáculo e também para jantar; depois, a uma festa que durava até a madrugada. Só então a acompanhava até em casa, onde ela se sentia segura, porque Loula dormia num colchão de palha ao alcance de sua voz e, em caso de necessidade, podia despachar um homem violento. Seu preço era conhecido e dele ninguém falava; o dinheiro era deixado numa caixa de laca em cima da mesa, e da generosidade da gorjeta dependia o próximo encontro.

Num vão entre duas tábuas da parede que só Loula conhecia, Violette escondia um estojo de camurça com suas pedras preciosas, algumas dadas por Toulouse Valmorain, de quem se podia dizer qualquer coisa menos que fosse avarento, e algumas moedas de ouro adquiridas aos poucos e que eram as suas economias para o futuro. Preferia os enfeites de bijuteria, para não tentar os ladrões e nem provocar mexericos, mas usava as joias para sair com quem as havia presenteado. Usava sempre um modesto anel de opala de modelo antiquado que Étienne Relais, um oficial francês, lhe botara no dedo como sinal de compromisso. Violette o via muito pouco, porque ele passava a vida montado num cavalo, no comando de sua unidade, mas, quando ele estava em Le Cap, ela adiava os encontros com os outros amigos para atendê-lo. Relais era o único com quem podia se abandonar ao encanto de ser protegida. Toulouse Valmorain não suspeitava que dividia com esse rude soldado a honra de passar uma noite inteira com Violette. Ela não dava explicações e nunca tivera que escolher, porque não acontecia de os dois estarem ao mesmo tempo na cidade.

— O que vou fazer com esses dois homens que me tratam como namorada? — perguntou Violette a Loula, em certa ocasião.

— Essas coisas se resolvem sozinhas — respondeu a escrava, aspirando fundo sua cigarrilha.

— Ou se resolvem com sangue. Lembre-se da minha mãe.

— Isso não vai acontecer, meu anjo, porque estou aqui para cuidar de você.

Loula tinha razão: o tempo se encarregara de eliminar um dos pretendentes. Decorridos dois anos, a relação com Valmorain deu lugar a uma amizade carinhosa, sem a urgência da paixão dos primeiros meses, quando ele era capaz de galopar estropiando os animais, só para poder abraçá-la. Os presentes caros começaram a espaçar, e muitas vezes ele visitava Le Cap já sem fazer questão de vê-la. Violette não reclamava, porque sempre tivera claros os limites daquela relação, mas mantinha o contato que um dia poderia beneficiar aos dois.

O capitão Étienne Relais tinha fama de ser incorruptível num ambiente onde o vício era a norma, a honra estava à venda, as leis eram feitas para serem violadas e partia-se do pressuposto de que quem não abusava do poder não merecia exercê-lo. Assim, sua integridade o impediu de enriquecer como outros numa posição similar, e nem mesmo a tentação de acumular o suficiente para se aposentar na França, como havia prometido a Violette Boisier, conseguiu desviá-lo do que ele considerava retidão militar. Não hesitava em sacrificar seus homens numa batalha ou em torturar uma criança para obter informação sobre sua mãe, mas jamais botava a mão em dinheiro que não tivesse ganhado decentemente. Era obsessivo quando se tratava de sua honra e dignidade. Desejava levar Violette aonde não os conhecessem, onde ninguém suspeitasse que ela tinha ganhado a vida com práticas de pouca virtude e onde não fosse evidente a sua raça mestiça: era preciso ter o olho treinado nas Antilhas para adivinhar o sangue africano que corria sob sua pele clara.

A ideia de ir para a França não atraía Violette, porque temia mais os invernos gelados do que as más línguas, contra as quais era imune, mas tinha aceitado acompanhá-lo. Segundo os cálculos de Relais, se vivesse com austeridade, se aceitasse missões de grande risco pelas quais ofereciam recompensas, se fosse promovido, poderia realizar seu sonho. Esperava que nesse tempo Violette tivesse amadurecido e não chamasse tanto a atenção com a insolência do seu riso, o brilho travesso dos seus olhos negros e o bamboleio rítmico do seu andar. Nunca passaria despercebida, mas talvez pudesse assumir o papel de esposa de um militar na reserva. *Madame* Relais... Saboreava essas duas palavras, repetia-as como um encantamento. A decisão de se casar com ela não havia sido o resultado de uma estratégia minuciosa, como de resto tudo em sua vida, mas de um impulso tão violento que jamais duvidou dele. Não era um homem sentimental, mas havia aprendido a confiar em seu instinto, sempre muito útil na guerra.

Conhecera Violette uns dois anos antes, num domingo, em pleno mercado em meio à gritaria dos vendedores e ao aglomerado de pessoas e animais, onde, num teatro miserável com apenas um cenário coberto com um toldo de panos roxos, se exibia um sujeito de bigodes enormes e tatuado de arabescos, enquanto um menino anunciava aos gritos suas virtudes como o mais portentoso mágico de Samarcanda. Aquele patético espetáculo não teria atraído o capitão, não fosse a luminosa presença de Violette. Quando o mágico solicitou um voluntário do público, ela abriu passagem entre os curiosos e subiu ao palco com entusiasmo infantil, rindo e saudando com seu leque. Acabara de completar quinze anos, mas já tinha o corpo e a atitude de uma mulher experiente, como costumava acontecer naquele clima onde as meninas, como as frutas, amadureciam precocemente. Obedecendo às instruções do ilusionista, Violette se encolheu dentro de um baú pintado com símbolos egípcios. O pregoeiro, um negrinho de dez anos fantasiado de turco, fechou a tampa com dois cadeados maciços, e outro espectador foi chamado para comprovar sua firmeza. O mágico de Samarcanda fez alguns passes com sua capa e, em seguida, entregou duas chaves ao voluntário para abrir os cadeados. Ao levantar a tampa do baú, viu-se que a garota já não estava dentro, porém, momentos depois, um rufar de tambores do negrinho anunciou sua prodigiosa aparição atrás do público. Todos se viraram para admirar, boquiabertos, a garota que havia se materializado do nada e se abanava com uma das pernas sobre um barril.

À primeira vista, Étienne Relais soube que não poderia arrancar de sua alma aquela garota de seda e mel. Sentiu que alguma coisa explodia em seu corpo, que a boca secava, e perdeu completamente o senso de orientação. Precisou fazer um esforço para voltar à realidade e se dar conta de que estava no mercado rodeado de gente. Tentando se controlar, aspirou fundo a umidade do meio-dia e o fedor de peixes e carnes fustigados pelo sol, fruta podre, lixo e merda de animais. E mesmo não sabendo o nome daquela bela jovem achou que não seria difícil descobrir. Deduziu que não era casada, porque nenhum marido permitiria que se expusesse com tanta desenvoltura. Era tão esplêndida que todos os olhos estavam cravados nela, de modo que ninguém, afora Relais, treinado para observar até o mínimo detalhe, prestou atenção ao truque do ilusionista. Em outras circunstâncias, talvez tivesse desmascarado o fundo duplo do baú e a trapaça no palco, por pura ânsia de precisão, mas imaginou que a garota participava como cúmplice do mágico e preferiu evitar-lhe um constrangimento. Não ficou para ver o cigano tatuado tirar um macaco da garrafa e nem para vê-lo decapitar um voluntário, como anunciava o menino. Afastou a multidão a cotoveladas e partiu atrás da jovem, que se distanciava depressa e de braços dados com um homem fardado, provavelmente um soldado do seu regimento. Não conseguiu alcançá-la por ter sido detido bruscamente por uma negra de braços musculosos e cobertos de pulseiras ordinárias, que se plantou na sua frente e o advertiu de que entrasse na fila, porque ele não era o único interessado em sua patroa, Violette Boisier. Ao ver a expressão desconcertada do capitão, inclinou-se para lhe sussurrar ao ouvido o valor necessário para que ela o colocasse em primeiro lugar entre os clientes da semana. Foi assim que soube que estava inevitavelmente apaixonado por uma daquelas cortesãs que davam fama a Le Cap.

Relais se apresentou no apartamento de Violette Boisier, pela primeira vez, tenso dentro de seu uniforme recém-passado, com uma garrafa de champanhe e um presente modesto. Depositou o pagamento onde Loula lhe indicou e se dispôs a apostar a própria vida em duas horas. Loula desapareceu discretamente e ele ficou sozinho, suando e levemente enjoado no ar quente e adocicado pelas mangas maduras que descansavam num prato. Violette não se fez esperar mais que dois minutos.

Entrou deslizando silenciosa e lhe estendeu as duas mãos, enquanto o estudava com as pálpebras semicerradas e um sorriso vago. Relais pegou aquelas mãos longas e finas entre as suas, ansioso por saber qual seria o próximo passo. Ela então se desprendeu, acariciou-lhe o rosto, lisonjeada por ele ter se barbeado para ela, e lhe indicou que abrisse a garrafa. A rolha saltou e a espuma do champanhe transbordou com a pressão antes que ela conseguisse levar a taça até ele, molhando-lhe o pulso. Passou os dedos úmidos pelo pescoço, e Relais sentiu vontade de lamber as gotas que brilhavam naquela pele perfeita, mas estava imobilizado em seu lugar, desprovido de coragem. Ela serviu a taça e a depositou, sem prová-la, na mesinha perto do divã. Depois se aproximou e, com dedos experientes, desabotoou-lhe a grossa casaca do uniforme. "Tire-a, está fazendo muito calor. E tire as botas também", disse, ao mesmo tempo que lhe alcançava um roupão chinês com garças pintadas. Mesmo o achando impróprio, ele o vestiu sobre a camisa, lutando com um emaranhado de mangas largas, e depois se sentou angustiado no divã. Tinha o costume de mandar, mas compreendeu que entre aquelas quatro paredes era Violette quem mandava. As frestas da persiana deixavam entrar o ruído da praça e o último raio do sol, que penetrava em lâminas verticais, iluminando a salinha. A jovem usava uma túnica de seda cor de esmeralda presa na cintura por um cordão dourado, sapatilhas turcas e um complicado turbante bordado com miçangas. Uma mecha de cabelo negro ondulado caía-lhe sobre o rosto. Violette tomou um gole de champanhe e lhe ofereceu a própria taça, que ele esvaziou sofregamente, como um náufrago. Ela tornou a enchê-la e a segurou pela haste delicada, esperando, até que ele a chamou para se sentar ao seu lado no divã. Essa foi a última iniciativa de Relais; a partir daquele momento, ela se encarregou de conduzir o encontro à sua maneira.

O ovo de pomba

Violette havia aprendido a satisfazer seus amigos no tempo estipulado, sem dar a sensação de estar apressada. Tanta graça e submissão brincalhona naquele corpo de adolescente desarmaram Relais por completo. Ela desatou lentamente o longo pano do turbante, que caiu com o tilintar das miçangas no assoalho de madeira, e sacudiu a cascata escura de sua cabeleira sobre os ombros e as costas. Seus movimentos eram lânguidos, sem nenhuma afetação, com a leveza de uma dança. Seus seios ainda não haviam alcançado o tamanho definitivo, e seus mamilos levantavam a seda verde, como pedrinhas. Estava nua sob a túnica. Relais admirou aquele corpo de mulata, as pernas firmes de tornozelos finos, as nádegas e as coxas grossas, a cintura definida, os dedos elegantes, curvados para trás, sem anéis. Seu riso começava com um ronrom surdo no ventre e se elevava aos poucos, cristalino, escandaloso, a cabeça erguida, os cabelos vivos e o pescoço longo, palpitante. Violette cortou com uma faca de prata um pedaço de manga, pondo-o na boca com avidez, e o sumo lhe escorreu no decote, úmido de suor e champanhe. Com um dedo recolheu o líquido, uma gota ambarina e espessa, e a esfregou nos lábios de Relais, enquanto montava sobre suas pernas com a leveza de um felino. O rosto do homem ficou entre seus seios, que cheiravam a manga. Ela se inclinou, envolvendo-o em seus cabelos selvagens, beijou-o em cheio na boca e lhe passou com a língua um pedaço da fruta que havia mordido. Relais recebeu a polpa mastigada com um calafrio de surpresa; jamais experimentara nada tão íntimo, tão chocante e maravilhoso. Ela lhe lambeu o queixo, pegou sua cabeça com as duas mãos e o cobriu de beijos rápidos, como bicadas de pássaro, nas pálpebras, nas faces, nos lábios, no pescoço, brincando, rindo. O homem cingiu a cintura de Violette e, com mãos desesperadas, lhe arrebatou a túnica, revelando uma jovem esbelta e almiscarada, que se colava, se fundia, se desmanchava contra os ossos salientes e os músculos duros de seu corpo de soldado curtido em batalhas e privações. Quis levantá-la nos braços para conduzi-la à cama, que podia ver no cômodo contíguo, mas Violette não lhe deu tempo; suas mãos de odalisca abriram o roupão das garças e lhe baixaram a calça, enquanto seus opulentos quadris começaram a se remexer sabiamente sobre ele até encaixar seu membro pétreo com um profundo suspiro de alegria. Étienne Relais sentiu que mergulhava num pântano de deleite, sem memória nem vontade. Fechou os olhos, beijando aquela boca suculenta, saboreando o aroma da manga, enquanto percorria com suas mãos calejadas de soldado a suavidade impossível daquela pele e a abundante riqueza daqueles cabelos. Afundou-se nela, abandonando-se ao calor, ao sabor e ao perfume da jovem, com a sensação de que, por fim, havia encontrado seu lugar no mundo depois de tanto andar sozinho e à deriva. Em poucos minutos, explodiu como um adolescente aturdido, num gozo espasmódico, e soltou um grito de frustração por não ter dado prazer a ela, porque desejava, mais que tudo na vida, apaixoná-la. Violette esperou que terminasse, imóvel, molhada, ofegante, montada sobre ele, com o rosto enfiado em seu ombro, murmurando palavras incompreensíveis.

Relais não soube quanto tempo ficaram assim abraçados, até que voltou a respirar com normalidade e sentiu que se desfazia um pouco a densa bruma que o envolvia. Então se deu conta de que ainda estava dentro dela, contido por aqueles músculos elásticos que o massageavam ritmicamente, apertando e soltando. Chegou a se perguntar como aquela menina havia aprendido aquelas artes de cortesã experiente antes de se perder novamente no magma do desejo e na confusão do amor instantâneo. Quando Violette o sentiu firme novamente, contornou-lhe a cintura com as pernas, cruzou os pés em suas costas e lhe indicou com um gesto que fossem para o quarto ao lado. Relais a levou nos braços, sempre segura em seu membro, e caiu com ela na cama, onde puderam se divertir à vontade até bem tarde da noite, várias horas a mais do que o estipulado por Loula. A mulherona entrou umas duas vezes disposta a pôr fim àquele exagero, mas Violette, comovida ao ver que aquele militar ardente soluçava de amor, a dispensou sem mais explicações.

O amor, que ainda não havia conhecido, envolveu Étienne Relais como uma onda imensa, pura energia, sal e espuma. Calculou que não podia competir com os outros clientes da moça, mais bonitos, poderosos ou ricos, e por isso decidiu, ao amanhecer, oferecer a ela o que poucos homens brancos estariam dispostos a lhe dar: seu sobrenome. "Case-se comigo", pediu entre dois abraços. Violette se sentou de pernas cruzadas sobre a cama, com os cabelos úmidos grudados na pele, os olhos incandescentes, os lábios inchados pelos beijos. Iluminavam-nos os restos de três velas moribundas, que os haviam acompanhado em suas intermináveis acrobacias. "Não fui feita para esposa", respondeu ela, acrescentando que ainda não havia sangrado com os ciclos da lua e que, segundo Loula, já era tarde para isso, e que ela nunca poderia ter filhos. Relais sorriu, porque as crianças lhe pareciam um estorvo.

— Se me casasse com você, eu ficaria sempre sozinha enquanto você estivesse andando em suas campanhas. Não tenho lugar entre os brancos, e meus amigos me rejeitariam porque têm medo de você, dizem que você é sanguinário.

— Meu trabalho exige isso, Violette. Assim como o médico amputa um membro gangrenado, eu cumpro com a minha obrigação para evitar um mal maior, mas nunca machuquei alguém sem ter uma boa razão.

— Eu posso lhe dar todo tipo de boas razões. Não quero ter o mesmo destino de minha mãe.

— Nunca vai precisar ter medo de mim, Violette — disse Relais, pegando-a pelos ombros e olhando-a nos olhos por um longo tempo.

— Assim espero — suspirou ela, por fim.

— Vamos nos casar, eu lhe prometo.

— O que você ganha não dá para me manter. Com você, iria me faltar tudo: vestidos, perfumes, teatro e tempo para desperdiçar. Sou preguiçosa, capitão. Esta é a única forma que posso ganhar a vida sem estragar as mãos, e não vai me sobrar muito tempo mais.

— Quantos anos você tem?

— Poucos, mas esse ofício tem fôlego curto. Os homens se cansam das mesmas caras e das mesmas bundas. Tenho de tirar proveito da única coisa que tenho, como diz Loula.

O capitão procurou vê-la com tanta frequência quanto lhe permitiam suas campanhas e, ao cabo de alguns meses, conseguiu se tornar uma companhia indispensável; cuidou dela e a aconselhou como um verdadeiro tio, até que ela não pôde mais imaginar a sua vida sem ele e começou a considerar a possibilidade de se casar num futuro poético. Relais calculava que poderiam fazê-lo dentro de uns cinco anos. Isso lhes daria tempo para pôr à prova o amor e poupar dinheiro separadamente. Ele se resignou a que Violette continuasse em seu ofício de sempre e a lhe pagar seus serviços como os outros clientes, grato por passar algumas noites inteiras com ela. No começo, faziam amor até ficar machucados, mas depois a veemência cedeu à ternura, e dedicavam horas preciosas a conversar, fazer planos e descansar abraçados na penumbra quente do apartamento de Violette. Relais aprendeu a conhecer o corpo e o caráter da jovem, podia prever suas reações, evitar seus ataques de raiva, que eram como tormentas tropicais, súbitas e breves, e conseguir agradá-la. Descobriu que aquela menina tão sensual havia sido treinada para dar prazer, não para recebê-lo, e se esmerou para a satisfazer com paciência e bom humor. A diferença de idade e seu temperamento autoritário compensavam a falta de seriedade de Violette, que se deixava orientar em algumas matérias práticas para lhe fazer a vontade, mas mantinha sua independência e defendia seus segredos.

Loula administrava o dinheiro e controlava os clientes de cabeça fria. Uma vez, Relais encontrou Violette com um olho roxo e, furioso, quis saber quem era o responsável para fazê-lo pagar muito caro o atrevimento. "Loula já cobrou a conta. Nós nos arrumamos muito bem sozinhas", ela riu, e não houve jeito de que confessasse o nome do agressor. A eficiente escrava sabia que a saúde e a beleza de sua patroa eram o capital de ambas e que chegaria o momento em que, inevitavelmente, começariam a diminuir. E também era preciso não esquecer a concorrência das novas fornadas de adolescentes que todo ano ingressavam no ramo. Era uma pena que o capitão fosse pobre, pensava Loula, porque Violette merecia uma boa vida. Achava o amor irrelevante, porque o confundia com a paixão e tinha visto como essa dura pouco, mas não se atreveu a recorrer a intrigas para dispensar Relais. Aquele homem era temível. Além disso, Violette não dava mostras de ter pressa em se casar e, nesse meio-tempo, podia aparecer outro pretendente com uma situação financeira melhor. Loula decidiu economizar a sério; não bastava encher um cofrinho com bugigangas, era preciso se esmerar com investimentos mais imaginativos, para o caso de não dar certo o casamento com o oficial. Restringiu os gastos e subiu a tarifa de sua patroa, e, quanto mais caro cobrava, mais exclusivos se consideravam seus favores. Encarregou-se de inflar a fama de Violette com uma estratégia de boatos: dizia que sua patroa podia manter um homem dentro dela toda uma noite ou que podia ressuscitar a energia do mais cansado dos amantes doze vezes seguidas, como aprendera com uma moura. E que se exercitava com um ovo de pomba: ia às compras, ao teatro e às rinhas de galos com o ovo em seu lugar secreto sem quebrá-lo nem deixá-lo cair. Não faltou quem duelasse com sabres pela jovem *poule*, o que contribuiu imensamente para o aumento de seu prestígio. Os brancos mais ricos e influentes se inscreviam docilmente na lista e esperavam a sua vez. Foi Loula que idealizou o plano de investir em ouro para que as economias não escorressem como areia entre os dedos. Relais, que não estava em condições de contribuir com muito, deu a Violette o anel de sua mãe, o único que restava de sua família.

A noiva de Cuba

Em outubro de 1778, no oitavo ano de sua permanência na ilha, Toulouse Valmorain fez outra de suas rápidas viagens a Cuba, onde tinha negócios que não lhe convinha divulgar. Como todos os colonos de Saint-Domingue, devia negociar apenas com a França, mas existiam mil maneiras engenhosas de burlar a lei, e ele conhecia inúmeras. Não achava pecado sonegar impostos que, no fim das contas, acabavam nos cofres sem fundo do Rei. A tormentosa costa se prestava para que uma embarcação discreta se distanciasse à noite rumo a outras enseadas do Caribe sem que ninguém percebesse, e a permeável fronteira com a parte espanhola da ilha, menos povoada e muito mais pobre do que a francesa, permitia um constante tráfico de toda sorte de contraventores pelas costas das autoridades. Passava por ali todo tipo de contrabando, desde armas até marginais, porém, mais do que qualquer outra coisa, sacos de açúcar, café e cacau das plantações, que dali partiam para outros destinos, desviando-se das alfândegas.

Depois que Valmorain saldou as dívidas do pai e começou a ganhar muito mais do que havia sonhado, decidiu manter reservas de dinheiro em Cuba, onde as teria mais seguras do que na França e à mão em caso de necessidade. Chegou a Havana com a intenção de ficar apenas uma semana para se reunir com seu banqueiro, mas a visita se prolongou mais do que o planejado porque, num baile do consulado da França, conheceu Eugenia García del Solar. De um canto do pretensioso salão avistou uma jovem corpulenta, de pele diáfana, coroada por farta cabeleira castanha e vestida como uma provinciana, o oposto da elegante Violette Boisier, mas, aos seus olhos, não menos bonita do que a outra. Distinguiu-a de imediato no meio da multidão do salão de baile e, pela primeira vez, se sentiu inadequado. Seus trajes, adquiridos em Paris vários anos antes, estavam fora de moda, o sol havia lhe curtido a pele como couro, tinha as mãos de um ferreiro, a peruca lhe causava coceira, as rendas no pescoço o asfixiavam, e os sapatos de almofadinha, pontiagudos e de saltos tortos, que o obrigavam a caminhar como um pato, lhe apertavam os pés. Seus modos, antes refinados, eram rudes comparados à desenvoltura dos cubanos. Os anos que levara na plantação o haviam endurecido por dentro e por fora, e naquele momento, quando mais precisava, mais carecia das artes cortesãs que eram tão naturais em sua juventude. E, como se não bastasse, as danças da moda eram, agora, um rápido emaranhado de piruetas, reverências, voltas e saltinhos, que se achava incapaz de imitar.

Soube que a jovem era irmã de um espanhol, Sancho García del Solar, de uma família da baixa nobreza, com sobrenome pomposo, mas empobrecida já havia duas gerações. A mãe dera fim aos seus dias, saltando do campanário de uma igreja, e o pai morrera jovem depois de atirar pela janela os bens familiares. Eugenia se educara num convento gelado de Madri, onde as monjas lhe infundiram o necessário para adornar o caráter de uma dama: recato, orações e bordado. Enquanto isso, Sancho chegava a Cuba para tentar fortuna, porque na Espanha não havia espaço para uma imaginação tão obscena como a dele; em troca, aquela ilha caribenha, onde iam parar aventureiros de toda laia, se prestava para negócios lucrativos, embora nem sempre lícitos. Ali ele levava uma vida agitada de solteiro, na corda bamba de suas dívidas, que pagava a duras penas e sempre na última hora, mediante acertos em mesas de jogo e com a ajuda dos amigos. Era um homem bonito, possuía uma lábia particular para enrolar o próximo e dava-se ares de tanta importância que ninguém suspeitava do tamanho do buraco do seu bolso. De repente, quando menos esperava, as monjas lhe enviaram sua irmã acompanhada por uma freira e uma sucinta carta explicando que Eugenia carecia de vocação religiosa e que cabia a ele, seu único parente e guardião, encarregar-se dela dali em diante.

Com essa jovem virginal sob seu teto, acabaram-se as farras para Sancho: agora ele tinha o dever de lhe encontrar um marido adequado antes que ela passasse da idade e ficasse para vestir santos, com ou sem vocação. Sua intenção era casá-la com o melhor partido possível, alguém que tirasse ambos da penúria em que os mergulhara o esbanjamento dos pais, mas não imaginou que o peixe pesasse tanto como Toulouse Valmorain. Sabia muito bem quem era e quanto valia o francês, tinha-o na mira para lhe propor alguns negócios, mas não lhe apresentou a irmã no baile porque ela estava em franca desvantagem comparada às célebres beldades cubanas. Eugenia era tímida e, além do mais, não possuía roupas adequadas, já que ele não podia comprá-las. Ela não sabia se pentear, embora, por sorte, lhe sobrassem cabelos, e não tinha o talhe diminuto imposto pela moda. Por isso mesmo se surpreendeu quando, no dia seguinte, Valmorain lhe pediu permissão para visitá-los com intenções sérias, como disse.

— Deve ser um velho manco — brincou Eugenia ao saber, batendo no irmão com o leque fechado.

— É um cavalheiro culto e rico, mas, mesmo que fosse corcunda, você se casaria com ele de qualquer jeito. Vai fazer vinte anos e não tem dote...

— Mas sou bonita! — interrompeu ela, rindo.

— Há muitas mulheres mais bonitas e magras que você em Havana.

— Você me acha gorda?

— Você não está em condições de se fazer de rogada e muito menos em se tratando de alguém como Valmorain. Ele é um excelente partido e possui títulos e propriedades na França, embora o grosso de sua fortuna seja uma plantação de cana-de-açúcar em Saint-Domingue — explicou Sancho.

— Santo Domingo? — perguntou ela, alarmada.

— Saint-Domingue, Eugenia. A parte francesa da ilha é muito diferente da espanhola. Vou lhe mostrar num mapa, para que veja que está bem perto; vai poder vir me visitar toda vez que quiser.

— Não sou ignorante, Sancho. Sei que essa colônia é um purgatório de doenças mortais e negros fujões.

— Será por pouco tempo. Os colonos brancos vão embora assim que podem. E, dentro de alguns anos, você vai poder estar em Paris. Não é esse o sonho de todas as mulheres?

— Não falo francês.

— Você aprenderá. A partir de amanhã mesmo terá um tutor — concluiu Sancho.

Se Eugenia García del Solar planejava se opor aos desígnios do irmão, desistiu da ideia assim que Toulouse Valmorain se apresentou em sua casa. Era mais jovem e atraente do que ela esperava, de estatura média, bem-proporcionado, com ombros largos, um rosto viril de feições harmoniosas, a pele bronzeada e os olhos acinzentados. Tinha uma expressão dura na boca de lábios finos. E sob a peruca torta lhe fugiam uns cabelos louros, e notava-se com facilidade que não estava à vontade na roupa, que parecia apertada. Eugenia gostou de sua forma de falar sem rodeios e de olhá-la como se a despisse, provocando nela um formigamento pecaminoso que teria horrorizado as monjas do lúgubre convento de Madri. Lamentou que Valmorain vivesse em Saint-Domingue, mas, se o irmão não a havia enganado, seria por pouco tempo. Sancho convidou o pretendente a beber *sambumbia** de caldo de cana na pérgula do jardim e, em menos

* Bebida refrescante, preparada com caldo de cana, água e pimenta. (N.T.)

de meia hora, o trato foi dado tacitamente por concluído. Eugenia não soube dos detalhes posteriores, acordados pelos homens a portas fechadas; ela apenas se encarregou do enxoval. Encomendou-o na França, aconselhada pela mulher do cônsul, e seu irmão o financiou com um empréstimo de um agiota graças à sua irresistível lábia de trapaceiro. Em suas missas matinais, Eugenia agradecia a Deus, com fervor, a sorte única de poder se casar por conveniência com alguém de quem poderia acabar gostando.

Valmorain ficou em Cuba por uns dois meses cortejando Eugenia com métodos improvisados, porque havia perdido o costume de lidar com mulheres como ela; os métodos utilizados com Violette Boisier não serviam neste caso. Ia diariamente à casa de sua prometida, das quatro às seis da tarde, para tomar um refresco e jogar cartas, sempre na presença da freira vestida inteiramente de preto que fazia rendas com um olho e os vigiava com o outro. A casa de Sancho deixava muito a desejar, e Eugenia, que não tinha vocação doméstica, nada fazia para arrumar um pouco as coisas. Para evitar que a sujeira do mobiliário estragasse a roupa do namorado, recebia-o no jardim, onde a voraz vegetação dos trópicos transbordava como uma ameaça botânica. Às vezes, iam passear acompanhados por Sancho ou se viam de relance, ao longe, na igreja, onde não podiam se falar.

Valmorain havia notado as precárias condições em que viviam os García del Solar e deduziu que, se sua noiva se sentia confortável ali, com maior razão se sentiria na *habitation* Saint-Lazare. Enviava delicados presentes para ela, flores e cartinhas formais que ela guardava num cofre forrado de veludo, mas que deixava sem resposta. Até aquele momento, Valmorain havia tido pouco contato com espanhóis — suas amizades eram francesas —, mas logo comprovou que se sentia bem entre eles. Não teve problemas para se comunicar, porque o segundo idioma da classe alta e das pessoas cultas em Cuba era o francês. Confundiu os silêncios de sua prometida com recato, a seus olhos uma apreciável virtude feminina, e não lhe ocorreu que ela mal o entendia. Eugenia não tinha bom ouvido, e os esforços do tutor foram insuficientes para lhe revelar as sutilezas da língua francesa. A discrição de Eugenia e seus modos de noviça pareceram a ele uma garantia de que não incorreria na conduta libertina de tantas mulheres em Saint-Domingue que se esqueciam do pudor com o pretexto do clima. Uma vez que compreendeu o caráter espanhol, com seu exagerado senso de honra e sua falta de ironia, sentiu-se à vontade com a moça e aceitou de bom grado a ideia de se entediar conscientemente com ela. Não se importava. Desejava uma esposa honrada e uma mãe exemplar para a sua prole; para se distrair, tinha seus livros e seus negócios.

Sancho era o oposto da irmã e de outros espanhóis que Valmorain conhecia: cínico, inconstante, imune ao melodrama e aos sobressaltos dos ciúmes, descrente e hábil para pegar no ar as oportunidades. Embora alguns aspectos de seu futuro cunhado o chocassem, Valmorain se divertia com ele e se deixava levar, disposto a perder uma boa soma de dinheiro pelo prazer da conversa espirituosa e pela oportunidade de rir um pouco. Como primeiro passo, transformou-o em sócio num contrabando de vinhos franceses que planejava realizar de Saint-Domingue para Cuba, onde eram muito apreciados. Assim se deu início a uma longa e sólida cumplicidade que haveria de uni-los até a morte.

A casa do patrão

Em fins de novembro, Toulouse Valmorain voltou a Saint-Domingue para preparar a chegada da sua futura esposa. Como todas as plantações, Saint-Lazare contava com a "casa-grande", que nesse caso era pouco mais do que um barracão retangular de madeira e tijolos, sustentada por pilares de três metros de altura sobre o nível do terreno para evitar inundações na estação dos furacões e para se defender numa possível rebelião de escravos. Possuía uma série de dormitórios escuros, vários deles com as tábuas podres, e com um salão e uma sala de jantar amplos, providos de janelas opostas para que circulasse a brisa, e um sistema de leques de lona pendurados no teto que os escravos acionavam puxando uma corda. Com o vaivém dos ventiladores, desprendia-se uma tênue nuvem de pó e de asas secas de mosquitos, que se depositava como caspa na roupa. As janelas não tinham vidros, mas papel encerado, e os móveis eram toscos, próprios de uma moradia provisória de um homem solitário. No teto se aninhavam morcegos, nos cantos era comum encontrar lagartos e, à noite, ouviam-se passinhos de ratos nos quartos. Uma varanda ou terraço coberto, com móveis de vime destruídos, circundava a casa por três lados. Ao redor havia uma horta descuidada de verduras e árvores frutíferas bichadas, vários pátios onde ciscavam galinhas atordoadas pelo calor, um estábulo para os cavalos de raça, canis e uma cocheira; mais adiante, o oceano rumoroso dos canaviais, e, como pano de fundo, as montanhas de cor violeta perfiladas contra um céu extravagante. Antes talvez tivesse havido um jardim, mas dele não restava nem a lembrança. Os depósitos, as cabanas e os barracões dos escravos não eram vistos da casa. Toulouse Valmorain percorreu tudo com olho crítico, notando pela primeira vez sua precariedade e vulgaridade. Comparada com a casa de Sancho era um palácio, mas diante das mansões dos outros *grands blancs* da ilha e do pequeno *château* de sua família na França, onde ele não pisava fazia oito anos, era de uma fealdade vergonhosa. Decidiu começar sua vida de casado com o pé direito e dar à sua esposa a surpresa de uma casa digna dos sobrenomes Valmorain e García del Solar. Era preciso fazer alguns ajustes.

Violette Boisier recebeu a notícia do casamento de seu cliente com filosófico bom humor. Loula, que sabia de tudo, comentou com ela que Valmorain tinha uma noiva em Cuba. "Vai sentir saudades suas, meu anjo. Garanto que voltará", disse. Assim foi. Pouco depois, Valmorain tocou na porta do apartamento, mas não em busca dos serviços habituais e sim para que sua antiga amante o ajudasse a receber sua futura esposa como era devido. Não sabia por onde começar e não lhe ocorreu mais ninguém a quem pudesse pedir um favor daqueles.

— É verdade que as espanholas dormem com um camisolão de freira com um buraco na frente para fazer amor? — perguntou-lhe Violette.

— Como posso saber? Ainda não me casei. Mas, se for o caso, vou rasgá-lo inteirinho — riu o noivo.

— Não, homem, traga o camisolão para mim. Aqui, eu e Loula abriremos outro buraco atrás — disse ela.

A jovem *cocotte* se dispôs a assessorá-lo mediante uma comissão razoável de quinze por cento sobre os gastos para enfeitar a casa. Pela primeira vez, suas relações com um homem não incluíam acrobacias na cama, e empreendeu a tarefa com entusiasmo. Viajou com Loula para Saint-Lazare a fim de ter uma ideia da missão que lhe haviam confiado, e, mal cruzou a entrada, do teto de madeira lhe caiu no decote uma lagartixa. Seu grito atraiu vários escravos do pátio, que ela aproveitou para recrutar e fazer uma limpeza para valer. Durante uma semana, a bela cortesã, que Valmorain tinha visto à luz dourada das lamparinas, enfeitada de seda e tafetá, maquiada e perfumada, comandou descalça um bando de escravos, usando um avental de tecido grosseiro e um pano enrolado na cabeça. Parecia muito à vontade, como se tivesse feito aquele trabalho rude durante toda a vida. Sob as suas ordens lixaram as tábuas boas e substituíram as podres, trocaram o papel das janelas e os mosquiteiros, ventilaram, colocaram veneno para os ratos, queimaram tabaco para espantar os bichos, mandaram os móveis quebrados para o beco dos escravos e, por fim, a casa ficou limpa e nua. Violette mandou pintá-la de branco por fora e, como sobrou cal, a usou nas cabanas dos escravos domésticos, que ficavam perto da casa grande. Depois mandou plantar buganvílias roxas ao pé da varanda. Valmorain se propôs a manter a casa asseada e destinou vários escravos para fazer um jardim inspirado em Versalhes, mesmo que o clima exageradamente quente não se prestasse à arte geométrica dos paisagistas da corte francesa.

Violette voltou a Le Cap com uma lista de compras. “Não gaste demais, esta casa é temporária. Assim que eu contratar um bom administrador, iremos para a França”, disse-lhe Valmorain, entregando uma soma que lhe pareceu justa. Ela não deu muita importância à advertência do amigo, pois nada a agradava mais na vida do que comprar.

Pelo porto de Le Cap saía o tesouro infinito da colônia e entravam os produtos legais e o contrabando. Uma multidão se acotovelava nas ruas enlameadas, pechinchando em muitas línguas entre carroções, mulas, cavalos e cães vadios que se alimentavam de lixo. Ali se vendiam dos luxos de Paris e das bugigangas do Oriente ao tesouro dos piratas, e todos os dias, exceto aos domingos, se arrematavam escravos para suprir a demanda:

entre vinte e trinta mil ao ano, nada mais que para manter o número estável, porque duravam pouco. Violette esvaziou a bolsa e continuou adquirindo a crédito com a garantia do nome de Valmorain. Apesar de sua juventude, escolhia com grande sensatez, porque a vida mundana lhe havia traquejado e apurado o gosto. A um capitão de barco que fazia a travessia entre as ilhas encomendou um serviço de prata, cristais e porcelana para visitas. A noiva devia trazer lençóis e cobertores que, sem dúvida, havia bordado desde a infância; portanto, disso não se ocupou. Violette conseguiu móveis da França para o salão, uma pesada mesa americana com dezoito cadeiras destinadas a durar várias gerações, tapetes holandeses, biombos laqueados, baús espanhóis para a roupa, um excesso de candelabros de ferro e lamparinas de azeite, porque dizia que não se pode viver no escuro, louça de Portugal para o uso diário e um sortimento de enfeites, mas nada de tapetes para o chão porque apodreciam com a umidade. Os *comptoirs* se encarregaram de enviar as compras e mandar a conta a Valmorain. Logo começaram a chegar à *habitation* Saint-Lazare carretas carregadas até o topo com caixões e canastras; do meio da palha os escravos extraíam uma série interminável de objetos: relógios alemães, gaiolas de pássaros, caixas chinesas, réplicas de estátuas romanas mutiladas, espelhos venezianos, gravuras e pinturas de diversos estilos escolhidos por seu tema, já que Violette não entendia nada de arte, instrumentos musicais que ninguém sabia tocar e até um incompreensível conjunto de lentes grossas, tubos e rodinhas de bronze que Valmorain montou como um quebra-cabeça e que se revelou ser uma luneta que ele usou para espiar os escravos da varanda. Toulouse achou os móveis ostensivos e os adornos completamente inúteis, mas se resignou porque não podia devolvê-los. Uma vez concluída a orgia de gastos, Violette cobrou sua comissão e anunciou que a futura esposa de Valmorain ia necessitar de serviço doméstico: uma boa cozinheira, criados para a casa e uma empregada pessoal. Era o mínimo necessário, como lhe havia garantido madame Delphine Pascal, que conhecia todas as pessoas da boa sociedade em Le Cap.

— Menos eu — notou Valmorain.

— Quer que eu ajude ou não?

— Está bem. Ordenarei a Prosper Cambray que treine alguns escravos.

— Nem pensar! Não pode economizar logo nisto! Os escravos do campo não servem, estão completamente embrutecidos. Eu mesma me encarregarei de encontrá-los — decidiu Violette.

Zarité ia fazer nove anos quando Violette a comprou de madame Delphine, uma francesa de cachos abundantes e peito de pavão, já madura, mas bem conservada, considerando os estragos que o clima causava. Delphine Pascal era viúva de um modesto funcionário civil francês, mas se dava ares de pessoa importante por causa de suas relações com os *grands blancs*, embora esses só a procurassem para negociatas ilícitas. Estava a par de muitos segredos, o que lhe dava vantagens na hora de obter favores. Vivia, aparentemente, da pensão de seu defunto marido e de dar aulas de clavicórdio para senhoritas, mas, por baixo dos panos, revendia objetos roubados, servia de alcoviteira e, em caso de emergência, fazia abortos. Também às ocultas ensinava francês a algumas *cocottes* que pretendiam passar por brancas, pois, embora tivessem a cor apropriada, eram traídas pelo sotaque. Foi assim que conheceu Violette Boisier, uma das mais claras dentre suas alunas, mas sem nenhuma pretensão de se afrancesar; pelo contrário, a garota se referia sem complexo a sua avó senegalesa. Tinha interesse em falar corretamente o francês para se fazer respeitar entre seus amigos brancos. Madame Delphine tinha somente dois escravos: Honoré, um velho para todo serviço, inclusive a cozinha, comprado muito barato porque tinha os ossos tortos, e Zarité — Tété —, uma mulatinha que chegara a suas mãos com poucas semanas de vida e não havia custado nada. Quando Violette a obteve para Eugenia García del Solar, a menina era toda um desenho de linhas verticais e ângulos, com uma cabeleira emaranhada e impenetrável, mas se movia com graça, tinha um rosto nobre e bonitos olhos da cor de mel. Talvez descendesse de uma senegalesa assim como ela, pensava Violette. Tété havia aprendido cedo as vantagens de se calar e obedecer às ordens com expressão vazia, sem dar mostras de entender o que acontecia ao seu redor, mas Violette sempre suspeitou que era muito mais esperta do que se podia perceber à primeira vista. Habitualmente não prestava atenção aos escravos — com exceção de Loula, pois os considerava mercadorias —, mas aquela criança lhe causava simpatia. Em alguns aspectos elas se pareciam, mas, ao contrário de Tété, Violette era livre, bonita e tinha a vantagem de ter sido mimada por sua mãe e desejada por todos os homens que haviam cruzado seu caminho. Nada disso Tété tinha a seu favor; era apenas uma escrava esfarrapada, mas Violette intuiu sua força de caráter. Na idade de Tété, ela também havia sido um feixe de ossos, até que se desenvolveu na puberdade, as arestas se transformaram em curvas que se definiram nas graciosas formas que lhe deram fama. Então, sua mãe começou a treiná-la na profissão com que ganhara a vida, pensando que assim a filha não se arrebentaria em vida trabalhando como criada. Violette acabou sendo uma boa aluna e, na época em que a mãe foi assassinada, já podia se virar sozinha com a ajuda de Loula, que a defendia com zelosa lealdade. Graças a essa boa mulher, ela não necessitava da proteção de um cafetão e prosperava num ofício ingrato em que outras jovens deixavam a saúde e muitas vezes a própria vida. E, assim que surgiu a ideia de conseguir uma escrava pessoal para a esposa de Toulouse Valmorain, lembrou-se de Tété. "Por que você se interessa tanto por essa pirralha?", perguntou-lhe Loula, sempre desconfiada, quando soube de suas intenções. "É um palpite, uma espécie de premonição; algo me diz que nossos caminhos vão voltar a se cruzar um dia" foi a explicação que ocorreu a Violette. Loula consultou os búzios sem obter uma resposta satisfatória; aquele método de adivinhação não se prestava para esclarecer assuntos fundamentais.

Madame Delphine recebeu Violette numa sala diminuta, onde o clavicórdio adquiria dimensões de um paquiderme. Sentaram-se em cadeiras frágeis de pés curvos para tomar café em xícaras para anões, pintadas com flores, e conversar sobre tudo um pouco, como tinham feito outras vezes. Depois de alguns rodeios, Violette disse a que vinha. A viúva se surpreendeu que alguém pudesse se interessar por Tété, mas era rápida e farejou logo a possibilidade de lucro.

— Não tinha pensado em vender Tété, mas, como se trata de você, uma amiga tão querida...

— Espero que a menina seja saudável. Está muito magra — interrompeu Violette.

— Não é por falta de comida! — exclamou a viúva, ofendida.

Serviu mais café, e logo falaram do preço, que para Violette pareceu exagerado. Quanto mais pagasse, maior seria sua comissão, mas não podia enganar Valmorain descaradamente; todo mundo sabia os preços dos escravos, especialmente os plantadores, que sempre estavam comprando. Uma pirralha esquálida daquelas não era exatamente um artigo de valor, no máximo podia ser considerada algo que se presenteia para se retribuir uma atenção.

— Sinto pena de me separar de Tété — suspirou madame Delphine, secando uma lágrima invisível, depois de acertarem o preço. — É uma boa menina, não rouba e fala francês como se deve. Nunca permiti que se dirigisse a mim no dialeto dos negros. Na minha casa ninguém destrói a bela língua de Molière.

— Não sei para que vai lhe servir tanto francês — comentou Violette, divertida.

— Como para quê! Uma criada que fala francês é muito elegante. Tété vai lhe servir bem, eu garanto. Agora, confesso, mademoiselle, que me custou algumas surras tirar-lhe o péssimo costume de fugir.

— Isso é sério! Há quem diga que isso não tem cura...

— É o que acontece com alguns negros boçais, que eram livres antes, mas não com Tété, que já nasceu escrava. Liberdade! Que soberba! — exclamou a viúva, cravando seus olhinhos de galinha na menina, que esperava de pé perto da porta. — Mas não se preocupe, mademoiselle, ela não vai tentar de novo. Na última vez ficou perdida durante vários dias e, quando a trouxeram de volta, tinha sido mordida por um cachorro e delirava de febre. Não imagina o trabalho que me deu curá-la, mas não escapou do castigo!

— Quando foi isso? — perguntou Violette, percebendo o silêncio hostil da escrava.

— Faz um ano. Agora não lhe ocorreria uma besteira dessas, mas é melhor vigiá-la. Tem o sangue maldito da mãe. Não seja boazinha, ela precisa de mão firme.

— E o que me conta da mãe da menina?

— Era uma rainha. Todas dizem que eram rainhas lá na África — zombou a viúva. — Chegou aqui grávida; é sempre assim, são piores do que cadelas no cio.

— A *pariade*. Os marinheiros as estupram nos barcos, como você sabe. Não escapa nenhuma — replicou Violette, sentindo um calafrio e pensando na própria avó, que havia sobrevivido à travessia do oceano.

— Essa mulher quase matou a filha. Imagine só! Tiveram que arrancá-la das mãos da própria mãe. Monsieur Pascal, meu marido, que Deus o tenha em sua glória, me trouxe a menininha de presente.

— Que idade ela tinha então?

— Uns poucos meses, não lembro ao certo. Honoré, meu outro escravo, deu-lhe esse nome esquisito, Zarité, e a criou com leite de burra; por isso é forte e trabalhadora, e teimosa também. Ensinei todos os serviços domésticos a ela. Vale mais do que estou pedindo, mademoiselle Boisier. Só a vendo porque penso voltar logo para Marselha. Ainda posso refazer a minha vida, não acha?

— Certamente, madame — respondeu, examinando a cara empoada da mulher.

Violette levou Tété no mesmo dia, sem outros bens que os farrapos que vestia e uma tosca boneca de madeira, daquelas que os escravos usavam nas cerimônias de vodu. "Não sei de onde tirou essa porcaria", comentou madame Delphine, fazendo um gesto de quem ia pegá-la, mas a menina se agarrou a seu único tesouro com tal desespero que Violette interveio. Honoré se despediu de Tété chorando e prometeu que iria visitá-la, se lhe permitissem.

Toulouse Valmorain não pôde evitar uma exclamação de desagrado quando Violette lhe mostrou quem havia escolhido para ser a criada de sua mulher. Esperava alguém mais velho, com melhor aparência e experiente, não aquela criatura desgrenhada, uma menina com marcas de surras, que se encolheu como um caracol quando ele lhe perguntou o nome, mas Violette lhe garantiu que sua esposa iria ficar muito satisfeita quando ela preparasse a menina como convinha.

— E isso vai me custar quanto?

— O que a gente combinar quando Tété estiver pronta.

Três dias mais tarde, Tété falou pela primeira vez para perguntar se aquele senhor ia ser seu dono; achava que Violette a tinha comprado para ela. "Não faça perguntas e não pense no futuro. Para os escravos só o presente conta", advertiu-a Loula. A admiração que Tété sentia por Violette quebrou sua resistência, e logo ela se entregou com entusiasmo ao rimo da casa. Comia com a voracidade de quem viveu com fome e, em poucas semanas, exibia um pouco de carne sobre o esqueleto. Estava ávida por aprender. Seguia Violette como um cão, devorando-a com os olhos, enquanto alimentava no fundo do coração o desejo impossível de ser como ela, tão bonita e elegante, mas, antes de tudo, livre. Violette lhe ensinou a executar os elaborados penteados que estavam na moda, a fazer massagens, engomar e passar roupa fina e outras coisas que sua futura dona poderia lhe exigir.

Segundo Loula, não era necessário tanto esmero, porque as espanholas careciam do refinamento das francesas; eram, no fundo, muito brutas e sem nenhuma sofisticação. Raspou o cabelo imundo de Tété e a obrigava a tomar banho com frequência, hábito desconhecido para a menina, porque, segundo madame Delphine, a água enfraquecia; ela mesma só passava um pano úmido pelas partes escondidas e se perfumava superficialmente. Loula se sentia invadida pela menina, as duas mal cabiam no quartinho que dividiam à noite. Atormentava-a com ordens e insultos, mais por hábito do que por maldade, e costumava lhe aplicar cascudos quando Violette estava ausente, mas não economizava na comida. "Quanto mais cedo engordar, mais cedo irá embora", dizia-lhe. Em compensação, era de uma amabilidade total com o velho Honoré quando ele aparecia timidamente de visita. Instalava-o na melhor cadeira da sala, servia-lhe rum de qualidade e o escutava, embasbacada, falar dos tambores e da artrite. "Esse Honoré é um verdadeiro senhor. Como gostaríamos que alguns de seus amigos fossem tão finos como ele!", comentava depois com Violette.

zarité

Por um tempo, duas ou três semanas, não pensei em fugir. Mademoiselle era divertida e bonita, tinha vestidos de muitas cores, cheirava a flores e saía à noite com os amigos, que depois voltavam para casa e faziam o que tinham de fazer, enquanto eu tapava os ouvidos no quarto de Loula, embora os ouvisse assim mesmo. Quando mademoiselle acordava, lá pelo meio-dia, eu levava seu lanche na sacada, como havia me ordenado, e então ela me falava de suas festas e me mostrava os presentes de seus admiradores. Eu polia a unhas dela com um pedacinho de camurça, e elas ficavam brilhantes como madrepérola, depois escovava seus cabelos ondulados e a massageava com óleo de coco. Sua pele parecia um crême caramel, *o doce de leite e gemas que Honoré preparava algumas vezes para mim, escondido de madame Delphine. Aprendi rápido. Mademoiselle dizia que sou esperta e nunca me batia. Talvez eu não tivesse fugido se fosse ela a minha dona, mas estava me preparando para servir a uma espanhola numa plantação longe de Le Cap. Esse negócio de ser uma espanhola não era nada bom, e Loula, que sabia tudo e era adivinha, viu em meus olhos que eu ia fugir antes mesmo de me decidir e avisou mademoiselle, mas ela não lhe deu ouvidos. "Perdemos muito dinheiro! O que vamos fazer agora?", gritou Loula quando desapareci. "Esperemos", respondeu-lhe mademoiselle e continuou bebendo seu café com toda a calma. Em vez de contratar um caçador de negros, como sempre se fazia, pediu ao namorado, o capitão Relais, para mandar seus guardas me procurarem sem alvoroço e não me machucarem. Assim me contaram. Foi muito* fácil ir embora daquela casa. Enrolei uma manga e um pão num lenço, saí pela porta principal sem correr, para não chamar atenção. Levei também a minha boneca, que era sagrada. Sagrada como os santos de madame Delphine, porém mais poderosa, como me disse Honoré quando a entalhou para mim. Honoré sempre me falava da Guiné, dos loas, do vodu, e me advertiu de que eu nunca pedisse ajuda aos deuses de brancos, porque são nossos inimigos. Explicou-me que, na língua de seus pais, vodu quer dizer espírito divino. Minha boneca representava Erzuli, loa do amor e da maternidade. Madame Delphine me fazia rezar para a Virgem Maria, uma deusa que não dança, só chora, porque mataram seu filho e porque nunca teve o prazer de estar com um homem. Honoré cuidou de mim nos meus primeiros anos, até que os ossos dele enfraqueceram como galhos secos, e então fui eu que cuidei dele. O que terá sido feito de Honoré? Deve estar com seus antepassados na ilha sob o mar, porque, desde a última vez que o vi, sentado na sala do apartamento de mademoiselle na praça Clugny, tomando café com rum e saboreando os bolinhos de Loula, já se passaram trinta anos. Espero que tenha sobrevivido à revolução, com todas as suas atrocidades, e tenha conseguido ser um homem livre na República Negra do Haiti, antes de morrer tranquilamente de velhice. Ele sonhava ter um pedaço de terra, criar alguns animais e plantar suas ervas, como faziam seus pais no Daomé. Eu o chamava de vovô, porque, conforme ele dizia, não precisa ser do mesmo sangue nem da mesma tribo para ser da mesma família, mas, na realidade, eu devia chamá-lo mesmo é de maman. Foi a única mãe que conheci.

Ninguém me parou nas ruas quando fugi da casa de mademoiselle; andei várias horas e acho que cruzei a cidade inteira. Eu me perdi no bairro do porto, mas podia ver as montanhas ao longe, e tudo era uma questão de andar naquela direção. Nós, escravos, sabíamos que os que fugiam se escondiam nas montanhas, mas não sabíamos que atrás dos primeiros topos havia muitos outros, tantos que não se podia nem contar. Anoiteceu, comi o pão e guardei a manga. Me escondi num estábulo, embaixo de um monte de palha, mesmo com medo dos cavalos, com suas patas que pareciam martelos e seus focinhos fumegantes.

Os animais estavam muito perto; eu podia sentir sua respiração através da palha, um bafo verde e doce como as ervas do banho de mademoiselle. Dormi a noite inteira, agarrada à minha boneca Erzuli, mãe da Guiné, sem maus sonhos, protegida pelo calor dos cavalos. Ao amanhecer, um escravo entrou no estábulo e me encontrou roncando e com os pés aparecendo no meio da palha; ele me agarrou pelos tornozelos e me puxou com força. Não sei o que esperava encontrar, mas certamente não uma menina, porque, em vez de me surrar, ele me carregou no colo para a luz e me observou boquiaberto. "Você está louca? Como passou pela sua cabeça se esconder aqui?", perguntou-me sem levantar a voz. "Tenho que chegar às montanhas", expliquei, também num sussurro. O castigo por ajudar um escravo fugitivo era por demais conhecido, e o homem hesitou. "Me solte, por favor. Ninguém vai saber que estive aqui", implorei. Ele pensou um pouco e por fim me ordenou que ficasse quieta no estábulo, assegurou-se de que não havia ninguém pelos arredores e saiu. Voltou em seguida com uma bolacha dura e uma cabaça de café muito açucarado, esperou eu comer e depois me indicou a saída da cidade. Se ele tivesse me denunciado, teria recebido uma recompensa, mas não o fez. Espero que Papa Bondye tenha lhe dado um presente. Saí correndo e deixei para trás as últimas casas de Le Cap. Naquele dia, andei sem parar, embora meus pés sangrassem e eu suasse pensando nos cães dos caçadores de negros, a Marechaussée. O sol estava alto quando entrei na selva; verde, tudo verde, não se via o céu, e a luz mal penetrava as folhas. Ouvia o barulho de animais e o murmúrio dos espíritos. O caminho foi sumindo. Comi a manga, mas vomitei-a em seguida. Os guardas do capitão Relais não perderam seu tempo me procurando, porque voltei para casa sozinha depois de passar a noite encolhida entre as raízes de uma árvore viva — podia ouvir seu coração pulsando como o de Honoré. Assim me lembro.

Passei o dia andando e andando, perguntando e perguntando, até chegar de volta à praça Clugny. Entrei no apartamento de mademoiselle tão faminta e cansada que mal senti a bofetada de Loula, que me atirou longe. Nisso apareceu mademoiselle, que estava se preparando para sair, ainda envolta em seu déshabillé *e com seus cabelos soltos.*

Ela me pegou pelo braço, me levou suspensa no ar até seu quarto e, com um empurrão, me sentou na sua cama; ela era muito mais forte do que parecia. Ficou de pé, com os braços na cintura, olhando-me sem dizer nada, e depois me entregou um lenço para que eu limpasse o sangue do bofetão. "Por que você voltou?", perguntou-me. Eu não tinha resposta. Entregou-me um copo d'água, e então as lágrimas desceram como chuva quente, misturando-se com o sangue do nariz. "Agradeça por eu não lhe dar uma surra como você merece, sua pirralha idiota. Aonde você acha que iria? Às montanhas? Não chegaria lá nunca. Somente uns poucos homens conseguem, os mais desesperados e valentes. Se, por um milagre, você conseguisse fugir da cidade, atravessar a mata e os pântanos sem botar os pés nas plantações, onde seria devorada pelos cães, se você conseguisse enganar os milicianos, escapar dos demônios e das cobras venenosas e chegar às montanhas, os negros rebeldes a matariam. Diga-me para que iam querer uma menina como você? Por acaso você é capaz de caçar, de lutar ou de empunhar um facão? Pelo menos sabe agradar um homem?" Tive de admitir que não. Disse-me, então, que agradecesse a minha sorte, que não era das piores. Supliquei-lhe que me permitisse ficar com ela, mas sua resposta foi que não precisava de mim para nada. Aconselhou-me a me comportar bem, se eu não quisesse terminar cortando cana. E que estava me treinando para ser a escrava pessoal de madame Valmorain, um trabalho leve: viveria na casa e comeria bem, estaria bem melhor do que com madame Delphine. Acrescentou que não desse ouvidos ao que Loula dizia, pois ser espanhola não era uma doença, significava apenas falar diferente de nós. Ela conhecia meu novo dono, disse que era um cavalheiro decente e que qualquer escrava ficaria contente de pertencer a ele. "Eu quero ser livre como a senhora", disse-lhe entre soluços. Então, ela me falou de sua avó raptada no Senegal, onde nascem as pessoas mais lindas do mundo. E que fora comprada por um comerciante rico, um francês que tinha uma esposa na França, mas que se apaixonara por ela ao vê-la no mercado de negros. Ela lhe deu vários filhos e ele emancipou todos; inclusive pensava em educá-los para lhes dar prosperidade, como tanta gente de cor em Saint-Domingue, mas morreu de repente e os deixou na miséria, porque sua esposa reclamou todos os bens. A avó senegalesa botou uma banca de frituras no porto para manter a família, mas sua filha menor, de doze anos, não quis saber de se acabar destripando peixe no meio da fumaça de azeite rançoso e optou por se dedicar a atender cavalheiros. Essa menina, que herdou a beleza nobre da mãe, acabou se tornando a cortesã mais solicitada da cidade e, por sua vez, teve uma filha, Violette Boisier, a quem ensinou tudo que sabia. Assim me contou mademoiselle. "Se não tivesse sido pelos ciúmes de um branco que a matou, minha mãe ainda seria a rainha da noite em Le Cap. Mas não se iluda, Tété, a história de amor da minha avó raramente acontece. O escravo continua sendo escravo. Se foge e tem sorte, morre na fuga. E se não tem sorte, agarram-no vivo. Tire o desejo de liberdade do seu coração. É o melhor que pode fazer", disse-me. Depois mandou que Loula me desse o que comer.

Quando o patrão Valmorain foi me buscar algumas semanas mais tarde, ele não me reconheceu. Eu havia engordado, estava limpa, com o cabelo curto e um vestido novo que Loula costurara para mim. Perguntou-me meu nome e lhe respondi com a minha voz mais firme, sem levantar os olhos, porque nunca se olha um branco na cara. "Zarité de Saint-Lazare, patrão", como mademoiselle havia me ensinado. Meu novo dono sorriu e, antes de irmos embora, deixou um saco de dinheiro. Não soube quanto pagou por mim. Na rua, outro homem esperava com dois cavalos; ele me examinou de cima a baixo e me fez abrir a boca para ver meus dentes. Era Prosper Cambray, o chefe dos capatazes. Puxou-me com força para a garupa do seu cavalo, um animal alto, grande e quente, que resfolegava, inquieto. Minhas pernas eram curtas para me firmar e tive que me agarrar na cintura dele. Nunca havia cavalgado, mas engoli o medo: ali ninguém se importava com o que eu sentia. O patrão Valmorain montou também e nos afastamos. Virei-me para olhar a casa. Mademoiselle estava na sacada, despedindo-se com a mão até dobrarmos a esquina e eu já não poder mais vê-la. Assim me lembro.

A execução

Suor e mosquitos, coaxar de sapos e chicotadas, dias de cansaço e noites de medo para a caravana de escravos, capatazes, soldados, e para os patrões, Toulouse e Eugenia Valmorain. Seriam três longas jornadas desde a plantação até Le Cap, que continuava sendo o porto mais importante da colônia, embora já não fosse a capital, que havia sido transferida para Port-au-Prince com a esperança de se controlar melhor o território. A medida não dera muito resultado: os colonos burlavam a lei, os piratas passeavam pela costa e milhares de escravos fugiam para as montanhas. Esses rebeldes, cada vez mais numerosos e atrevidos, caíam sobre as plantações e os viajantes com fúria justificada. O capitão Étienne Relais, "o mastim de Saint-Domingue", havia capturado cinco chefes, missão difícil porque os fugitivos conheciam o terreno, moviam-se como a brisa e se ocultavam em morros inacessíveis aos cavalos. Armados somente com facas, facões e porretes, eles não se atreviam a enfrentar os soldados em campo aberto; aquela era uma guerra de escaramuças, assaltos de surpresa, contraordens e retiradas, incursões noturnas, roubos, incêndios e assassinatos, que esgotavam as forças regulares da Marechaussée e do exército. Os escravos das plantações os protegiam, alguns porque esperavam, um dia, se unir a eles, e outros simplesmente porque os temiam.

Relais nunca perdia de vista a vantagem dos rebeldes, uma gente desesperada que defendia a vida e a liberdade, sobre os seus soldados, que apenas obedeciam ordens. O capitão era um homem de ferro, seco, magro, forte, puro músculo e nervos, tenaz e valente. Tinha olhos frios e sulcos profundos num rosto sempre exposto ao sol e ao vento; era de poucas palavras, preciso, impaciente e severo. Ninguém se sentia à vontade em sua presença, nem os *grands blancs*, cujos interesses protegia, nem os *petits blancs*, a cuja classe pertencia, nem os *affranchis*, que compunham a maior parte de suas tropas. Os civis o respeitavam porque impunha ordem, e os soldados porque não lhes exigia nada que ele mesmo não estivesse disposto a cumprir. Demorou a encontrar os rebeldes nas montanhas, seguindo incontáveis pistas falsas, mas nunca teve dúvidas de que conseguiria. Obtinha informação com métodos tão brutais que, em tempos normais, não seriam mencionados em sociedade, mas que, desde os tempos de Macandal, até as damas se deleitavam com os escravos revoltados — as mesmas senhoras que desfaleciam diante de um escorpião ou do cheiro de merda, não perdiam os suplícios e depois os comentavam entre copos de refresco e bolos.

Le Cap, com suas casas de telhados vermelhos, movimentadas ruelas e mercados, com o porto onde sempre havia dezenas de barcos ancorados para voltar à Europa com seu tesouro de açúcar, tabaco, anil e café, continuava sendo a Paris das Antilhas. Era assim como o chamavam de gozação os colonos franceses, já que a aspiração comum era fazer fortuna rápida e voltar a Paris para esquecer o ódio que flutuava no ar da ilha, como as nuvens de mosquitos e a pestilência de abril. Alguns deixavam as plantações nas mãos de gerentes ou administradores, que as dirigiam como bem entendiam, roubando e explorando os escravos até a morte, mas tratava-se de uma perda calculada, que significava o preço pago para voltar à civilização. Não era o caso de Toulouse

Valmorain, que já estava enterrado na *habitation* Saint-Lazare havia vários anos.

O chefe dos capatazes, Prosper Cambray, mordia o freio de sua ambição e agia com cuidado, porque seu chefe era desconfiado e não se tornara uma presa fácil, como pensara a princípio, mas alimentava esperanças de que ele não durasse muito na colônia: não tinha colhões nem sangue frio necessários para administrar uma plantação. Além do mais, carregava agora aquela espanhola, uma mulherzinha de nervos fracos, cujo único desejo era fugir dali.

Na temporada seca, a travessia até Le Cap podia ser feita em um dia inteiro com bons cavalos, mas Toulouse Valmorain viajava com Eugenia numa liteira, e os escravos, a pé. Ele havia deixado na plantação as mulheres, as crianças e aqueles homens que tinham perdido a vontade de fugir e não precisavam mais de uma lição. Cambray havia escolhido os mais jovens, aqueles que ainda podiam imaginar a liberdade. Por mais que os *commandeurs os* fustigassem, não podiam apressá-los além da capacidade humana. A rota era incerta, e estavam em plena estação das chuvas. Somente o instinto dos cães e o olho certeiro de Prosper Cambray, *créole*, nascido na colônia e conhecedor do terreno, impediam que se perdessem na mata, onde os sentidos eram confundidos e se podia andar em círculos para sempre. Todos iam assustados: Valmorain receava um assalto de escravos rebeldes ou uma rebelião de seus próprios escravos (não seria a primeira vez que, diante da possibilidade de fuga, os negros oporiam o peito nu às armas de fogo, acreditando que seus *loas* os protegeriam das balas), os escravos temiam os chicotes e os espíritos maléficos da mata, e Eugenia, suas próprias alucinações. Cambray só tremia diante dos mortos-vivos, os zumbis, e esse medo não consistia em enfrentá-los, já que eram muito poucos e tímidos, mas em acabar transformado em um deles. O zumbi era o escravo de um bruxo, um *bokor*, e nem a morte podia libertá-lo, porque já estava morto.

Prosper Cambray havia percorrido aquela região muitas vezes, perseguindo fugitivos com outros milicianos da Marechaussée. Sabia decifrar os sinais da natureza, pegadas que seriam invisíveis a outros olhos, podia seguir um rasto como o melhor sabujo, farejar o medo e o suor de uma presa a várias horas de distância, enxergar de noite como os lobos e até mesmo adivinhar uma rebelião antes que explodisse e acabar com ela. Vangloriava-se de que, sob seu comando, poucos escravos tinham fugido de Saint-Lazare. Seu método consistia em lhes destruir a alma e a vontade. Nada como o medo e o cansaço para vencer a sedução da liberdade. Produzir, produzir, produzir até o último suspiro, que não tardava muito a chegar, porque lá ninguém envelhecia os ossos: duravam três ou quatro anos, e nunca mais do que seis ou sete. "Não exagere nos castigos, Cambray, porque assim você enfraquece o meu pessoal", ordenara-lhe Valmorain mais de uma vez, enojado com as chagas purulentas e com as amputações que inutilizavam os negros para o trabalho, mas nunca o contradizia na frente dos escravos; a palavra do chefe dos capatazes devia ser inapelável para manter a disciplina. Era assim que Valmorain desejava, porque lhe repugnava ter de lidar com os negros. Preferia que Cambray fosse o carrasco, enquanto ele se reservava o papel de patrão benevolente, o que combinava com os ideais humanistas de sua juventude. Segundo Cambray, era mais rentável substituir os escravos que tratá-los com consideração; uma vez pago seu custo, convinha explorá-los até a morte e depois comprar outros mais jovens e fortes. Se alguém tinha dúvidas sobre a necessidade de usar a força bruta, a história de Macandal, o mandinga mágico, as dissipava.

Entre 1751 e 1757, quando Macandal semeara a morte entre os brancos da colônia, Toulouse Valmorain era um menino mimado que vivia nos arredores de Paris, num pequeno *château*, propriedade da família havia várias gerações, e nunca ouvira falar de Macandal. Não sabia que seu pai tinha escapado por milagre dos envenenamentos coletivos em Saint-Domingue e que, se não tivessem prendido Macandal, o vento da rebelião teria varrido a ilha. Adiaram sua execução para dar tempo aos plantadores de chegarem até Le Cap com seus escravos; assim, os negros se convenceriam, de uma vez por todas, que Macandal era mortal. “A história sempre se repete, nada muda nesta ilha maldita”, comentou Toulouse Valmorain com sua mulher, enquanto percorriam o mesmo caminho feito antes pelo pai, pela mesma razão: presenciar uma execução. Explicou a ela que aquela era a melhor forma de enfraquecer os revoltosos, como haviam decidido o governador e o intendente, que, pelo menos por uma vez, estavam de acordo em alguma coisa. Esperava que o espetáculo tranquilizasse Eugenia, mas não imaginou que a viagem iria se transformar num pesadelo. Estava tentado a dar meia-volta e regressar a Saint-Lazare, mas não podia retroceder, os plantadores deviam se constituir numa espécie de frente unida contra os negros. Sabia que circulavam mexericos às suas costas, diziam que se casara com uma espanhola meio louca, que ele era arrogante e se aproveitava dos privilégios de sua posição social, mas que não cumpria com as suas obrigações na Assembleia Colonial, onde a cadeira dos Valmorain permanecia desocupada desde a morte do pai. O *Chevalier* havia sido um monarquista fanático, mas seu filho desprezava Luís XVI, aquele monarca irresoluto em cujas mãos gorduchas descansava a monarquia.

Macandal

A história de Macandal, contada por seu marido, foi o que detonou a loucura de Eugenia, mas não o que a causou, pois ela já corria em suas veias: ninguém advertira Toulouse Valmorain, quando ele ambicionava a mão da espanhola em Cuba, que havia várias lunáticas na família García del Solar. Macandal era um boçal trazido da África, muçulmano, culto, que lia e escrevia em árabe, e tinha conhecimentos de medicina e botânica. Perdera o braço direito num acidente terrível, que teria matado outro menos forte, e, inutilizado para os canaviais, seu dono mandara-o cuidar do gado. Percorria a região alimentando-se de leite e frutas, até aprender a usar a mão esquerda e os dedos dos pés para preparar armadilhas e dar nós; assim, passara a caçar roedores, répteis e pássaros. Na solidão e no silêncio, recuperara as imagens de sua adolescência, quando treinava para a guerra e a caça, como cabia a um filho de rei: fronte alta, peito erguido, pernas rápidas, olhos alertas e a lança empunhada com firmeza. A vegetação da ilha era diferente daquela das regiões encantadas da sua juventude, mas ele começara a experimentar folhas, raízes, cascas, cogumelos de diversos tipos e descobrira que alguns serviam para curar, outros para provocar sonhos e estados de transe, e outros mais para matar. Sempre soubera que iria fugir, porque preferia deixar a pele nos piores suplícios a continuar sendo escravo, mas se preparara com cuidado e esperou com paciência a ocasião propícia. Por fim, escapara para as montanhas e de lá iniciara a sublevação de escravos que haveria de sacudir a ilha como um terrível furacão. Juntara-se a outros negros fugitivos, e logo se pudera ver o efeito de sua fúria e de sua astúcia: um ataque surpresa na densa escuridão da noite, resplendor de tochas, golpes de pés nus, gritos, metal contra correntes, e o incêndio nos canaviais. O nome do mandinga era repetido de boca em boca pelos negros como uma oração de esperança. E assim, Macandal, o príncipe da Guiné, se transformava em pássaro, lagartixa, mosca, peixe. O escravo amarrado ao tronco conseguia ver passar uma lebre correndo antes de receber a chicotada que o mergulharia na inconsciência: era Macandal, testemunha do suplício. Um iguana impassível observava a moça estuprada que jazia na poeira. "Levante-se, lave-se no rio e não esqueça, porque logo virei com a desforra", silvava o iguana. Macandal. Galos decapitados, símbolos pintados com sangue, machados nas portas, uma noite sem lua, outro incêndio.

Primeiro começara a morrer o gado. Os colonos acharam que o motivo era uma planta mortífera que crescia dissimulada nos campos e consultaram, sem resultado, botânicos europeus e feiticeiros locais para descobri-la e erradicá-la. Depois fora a vez dos cavalos nos estábulos, dos cães ferozes e, por fim, caíram fulminadas famílias inteiras. As vítimas ficavam com o ventre inchado, as gengivas e as unhas pretas, o sangue aguava, a pele se soltava aos pedaços e morriam contorcendo-se de modo atroz. Os sintomas não combinavam com nenhuma das doenças que assolavam as Antilhas, mas só se manifestavam nos brancos; então, já não havia mais dúvidas de que era veneno. Macandal, outra vez Macandal. Caíam homens ao tomar um trago de cachaça; as mulheres e as crianças, por causa de uma xícara de chocolate, todos os convidados de um banquete antes que a sobremesa fosse servida. Não se podia confiar na fruta das árvores nem numa garrafa de vinho fechada, nem mesmo num charuto, porque não se sabia de que forma se administrava o veneno. Torturaram centenas de escravos sem investigar como a morte entrava nas casas, até que uma menina de quinze anos, uma de tantas que o mandinga visitava pelas noites em forma de morcego, diante da ameaça de ser queimada viva, dera a pista para encontrar Macandal. Queimaram-na assim mesmo, e sua confissão levara os milicianos ao esconderijo de Macandal. Tiveram de escalar, como cabritos, picos e quebradas até os cumes cinzentos dos antigos caciques arahuacos. Capturaram-no vivo. Até então haviam morrido seis mil pessoas. "É o fim de Macandal", diziam os brancos. "É o que veremos", sussurravam os negros.

A praça ficara apertada para o público que viera das plantações. Os *grands blancs* se instalaram sob seus toldos, abastecidos de comes e bebes, os *petits blancs* se resignaram com as galerias, e os *affranchis* alugaram as sacadas em volta da praça, que pertenciam a pessoas de cor livres. A melhor vista fora reservada para os escravos, arrebanhados por seus donos desde os lugares mais distantes para que comprovassem que Macandal era apenas um pobre negro manco que seria assado como um porco. Amontoaram os africanos ao redor da fogueira, vigiados pelos cães, que forçavam as correntes, enlouquecidos com o cheiro humano. A manhã da execução despontara nublada, quente e sem brisa. O fedor da multidão compacta se misturava com o cheiro de açúcar queimado, gordura das frituras e flores selvagens que cresciam enroladas nas árvores. Vários frades aspergiam água benta e ofereciam um filhó para cada confissão. Os escravos haviam aprendido a enganar os frades com pecados confusos, já que as faltas admitidas iam parar direto nos ouvidos dos patrões, mas naquele dia ninguém estava com ânimo para filhós. Esperavam Macandal em êxtase.

O céu encoberto ameaçava chuva, e o governador calculara que deviam apressar-se antes que o temporal desabasse, mas era preciso aguardar o intendente, representante do governo civil. Por fim, em um dos dois camarotes de honra apareceram o intendente e sua esposa, uma adolescente curvada pelo vestido pesado, o toucado de penas e sua visível contrariedade; era a única francesa de Le Cap que não desejava estar ali. Seu marido, ainda jovem, embora tivesse o dobro da idade dela, tinha as pernas tortas, era bundudo e barrigudo, e possuía uma bela cabeça de antigo senador romano sob sua complicada peruca. Um rufar de tambores anunciara a chegada do prisioneiro, recebido por um coro de ameaças e insultos dos brancos, zombarias dos mulatos e gritos de entusiasmo frenético dos africanos. Desafiando os cães, as chicotadas e as ordens dos capatazes e soldados, os escravos ficaram de pé, pulando com os braços voltados para o céu para saudar Macandal. Aquilo produzira uma reação unânime, e o governador e o intendente também se levantaram.

Macandal era alto, muito escuro, com o corpo inteiramente marcado por cicatrizes, coberto apenas por um calção imundo e manchado de sangue coagulado. Vinha acorrentado, mas aprumado, altaneiro, indiferente. Desdenhara dos brancos, dos soldados, dos frades e dos cães; seus olhos percorreram lentamente os escravos, e cada um soubera que aquelas pupilas negras os identificavam, entregando-lhes o sopro de seu espírito indomável. Não era um escravo que seria executado, mas o único homem verdadeiramente livre no meio daquela multidão. Fora o que todos intuíram, e um silêncio profundo caíra sobre a praça. Por fim, os negros reagiram e um coro incontrolável esbravejara o nome do herói, Macandal, Macandal, Macandal. O governador compreendera que era melhor acabar com aquele espetáculo o mais rápido possível, antes que aquele circo armado se transformasse num banho de sangue; dera o sinal e os soldados acorrentaram o prisioneiro no tronco da fogueira. O carrasco acendera a palha, e logo a lenha, ensopada de gordura, começara a arder, soltando uma fumaça densa. Não se ouvia nenhum suspiro na praça quando se elevara a voz profunda de Macandal: "Voltarei! Voltarei!"

O que acontecera, então? Essa seria a pergunta mais frequente na ilha pelo resto de sua história, como costumavam dizer os colonos. Os brancos e os mulatos viram Macandal se soltar das correntes e pular por cima dos troncos ardentes, mas os soldados caíram em cima dele, contiveram-no a pauladas e o levaram de volta à pira, onde, minutos mais tarde, as chamas e a fumaça o transformaram num amontoado de cinzas. Os negros viram Macandal se soltar das correntes, saltar por cima dos troncos ardentes e, quando os soldados caíram em cima dele, se transformar num mosquito e sair voando através da fumaça, dar uma volta completa em torno da praça para que todos pudessem se despedir e, depois, ganhar a imensidão do céu, exatamente antes que o temporal apagasse a fogueira. Os brancos e *affranchis* viram o corpo chamuscado de Macandal. Os negros viram apenas o tronco vazio. Os primeiros se retiraram correndo embaixo de chuva, e os outros ficaram cantando, lavados pela tormenta. Macandal tinha vencido e cumpriria sua promessa. Macandal voltaria. E por isso, porque era necessário acabar para sempre com aquela lenda absurda, como explicara Valmorain para sua desequilibrada esposa, iam com seus escravos presenciar outra execução em Le Cap, vinte e três anos depois.

A longa caravana era vigiada por quatro milicianos com mosquetes, por Prosper Cambray e Toulouse Valmorain com pistolas e pelos *commandeurs* que, por serem escravos, apenas com sabres e facões. Esses não eram de confiança, pois no caso de um ataque poderiam se unir aos rebeldes. Os negros, magros e famintos, avançavam muito lentamente, presos por uma corrente que atrapalhava a marcha, levando a bagagem nas costas; o patrão achava aquela medida exagerada, mas não podia desautorizar o chefe dos capatazes. “Ninguém vai tentar fugir. Os negros têm mais medo dos demônios da selva que dos bichos venenosos”, explicou Valmorain a sua mulher, mas Eugenia não queria saber de negros, demônios ou bichos. A menina Tété ia solta, caminhando perto da liteira de sua dona, de mãos dadas com ela, liteira essa carregada pelos escravos escolhidos entre os mais fortes. A trilha se perdia no emaranhado da vegetação e do lodo, e o cortejo parecia uma triste cobra que se arrastava em silêncio para Le Cap. De vez em quando, um latido dos cães, um relincho de um cavalo ou um silvo seco de uma chicotada, e um grito interrompia o murmúrio da respiração humana e o rumor da mata. No começo, Prosper Cambray pretendia que os escravos cantassem para se animar e espantar as cobras, como faziam nos canaviais, mas Eugenia, tonta de enjoo e cansaço, não suportava aquilo.

Na mata, escurecia cedo sob a densa cúpula das árvores e amanhecia tarde por causa da neblina enredada nas samambaias. O dia se fazia curto para Valmorain, mas eterno para os demais. A comida dos escravos era uma papa de milho ou batata com carne-seca e um canecão de café, distribuídos à noite, quando acampavam. O patrão havia ordenado que acrescentassem ao café um torrão de açúcar e um gole de *tafia*, a aguardente dos pobres, para aquecer os escravos, que dormiam no chão ensopado de chuva e sereno, expostos ao assalto de um acesso de febre. Naquele ano, as epidemias haviam sido catastróficas na plantação: fora preciso substituir muitos escravos, e nenhum recém-nascido sobrevivera. Cambray preveniu seu patrão que a cachaça e o doce viciariam os escravos e depois não haveria jeito de evitar que chupassem cana. Havia uma pena especial para esse delito, mas Valmorain não era partidário de torturas complicadas, exceto para os fugitivos — nesse caso, seguia ao pé da letra o Código Negro. Achava a execução dos fugitivos em Le Cap uma perda de tempo e dinheiro: teria bastado enforcá-los sem precisar fazer tanto alarde.

Os milicianos e os *commandeurs* se alternavam durante a noite para vigiar o acampamento e as fogueiras, que mantinham os animais agrupados e acalmavam as pessoas. Ninguém ficava tranquilo na escuridão. Os patrões dormiam em redes dentro de uma ampla tenda de lona encerada, com seus baús e alguns móveis. Eugenia, antes gulosa, tinha agora um apetite de canário, mas sentava-se cerimoniosa à mesa, porque ainda obedecia à etiqueta. Naquela noite, ocupava uma cadeira de pelúcia azul, vestida de cetim, com o cabelo sujo preso num coque, tomando limonada com rum. Diante dela, seu marido — sem gibão, com a camisa aberta, barba incipiente e os olhos avermelhados — tomava a bebida diretamente na garrafa. A mulher mal podia conter as náuseas diante dos pratos: cordeiro com pimenta e especiarias para dissimular o mau cheiro do segundo dia de viagem, feijão, arroz, torta salgada de milho e fruta em calda. Tété a abanava sem poder evitar o mal-estar da patroa. Havia se afeiçoado à dona Eugenia, que era como esta preferia ser chamada. A patroa não batia nela e lhe confiava suas aflições, embora no começo não a entendesse porque lhe falava em espanhol. Contava como seu marido a havia cortejado em Cuba com galanteios e presentes, e como depois, em Saint-Domingue, mostrara o seu verdadeiro caráter: estava corrompido pelo clima ruim e pela magia dos negros, como todos os colonos das Antilhas. Ela, em troca, era da melhor sociedade de Madri, de família nobre e católica. Tété não suspeitava como era sua patroa na Espanha ou em Cuba, mas notava que ia se deteriorando a olhos vistos. Quando a conhecera, Eugenia era uma jovem robusta, disposta a se adaptar à sua vida de recém-casada, mas em poucos meses adoecera da alma. Assustava-se com tudo e chorava por nada.

zarité

Os patrões jantavam na tenda, como na sala de jantar da casa-grande. Um escravo varria bichos do chão e espantava os mosquitos, enquanto outros dois mantinham-se de pé atrás das cadeiras deles, descalços, com a libré encharcada e as perucas brancas fedorentas prontos para servi-los. O patrão engolia distraído, quase sem mastigar, enquanto dona Eugenia cuspia pedaços inteiros de comida no seu guardanapo, porque achava tudo com gosto de enxofre. Seu marido insistia para que comesse tranquila, porque a rebelião havia sido sufocada antes mesmo de estourar e os líderes estavam presos em Le Cap com mais ferros em cima do que poderiam levantar, mas seu medo era que arrebentassem as correntes, como fizera o bruxo Macandal. Fora uma péssima ideia o patrão contar-lhe a respeito de Macandal, pois acabara assustando Eugenia. Ela já tinha ouvido falar na queima de hereges que se praticara em seu país e não desejava presenciar semelhante horror. Naquela noite, queixara-se de um torniquete que lhe apertava a cabeça, já não aguentava mais, queria ir para Cuba ver o irmão, podia ir sozinha, a viagem era curta. Tentei secar-lhe a testa com um lenço, mas ela me afastou. O patrão disse-lhe que nem pensasse naquilo, pois era muito perigoso e não seria apropriado chegar sozinha em Cuba. "Não se fala mais nisso!", exclamou irritado, ficando de pé antes que o escravo pudesse lhe retirar a cadeira e saindo para dar as últimas instruções ao chefe dos capatazes. Eugenia me fez um sinal, peguei seu prato e o levei para um canto, coberto com um pano, para eu comer as sobras mais tarde, e em seguida a preparei para dormir. Ela já não usava espartilho, e nem as meias e as anáguas que lotavam seus baús de noiva; na plantação, vestia batas leves, mas sempre se arrumava para comer. Despi sua roupa, trouxe-lhe o penico, lavei-a com um pano molhado, passei-lhe cânfora em pó para afastar os mosquitos, leite em seu rosto e nas suas mãos, tirei os grampos do penteado e escovei seus cabelos castanhos cem vezes, enquanto ela esperava com o olhar perdido. Estava transparente. O patrão dizia que era muito bonita, mas seus olhos verdes e seus caninos pontudos não me pareciam humanos. Quando terminei, ela se ajoelhou no seu oratório e rezou em voz alta um rosário completo, repetido por mim, como era minha obrigação. Eu havia aprendido as orações, ainda que não entendesse o seu significado. Nesse tempo, eu já sabia várias palavras em espanhol e podia lhe obedecer, porque ela não dava ordens em francês nem em créole. *Não lhe cabia fazer o esforço de se comunicar conosco, e sim a nós. Era o que ela dizia. As contas de madrepérola passavam entre seus dedos brancos enquanto eu calculava quanto tempo faltava para eu poder comer e dormir. Por fim, beijou a cruz do rosário e guardou-a num saco de couro achatado e largo como um envelope, que costumava levar pendurado no pescoço. Era a sua proteção, assim como a minha era a minha boneca Erzuli. Servi-lhe uma taça vinho do Porto para ajudá-la a dormir, e ela a bebeu com uma careta de nojo. Ajudei-a a estender a rede e a cobri com o mosquiteiro; depois comecei a balançá-la, rezando para que dormisse logo sem se distrair com o barulho dos morcegos, os passinhos sigilosos dos animais e as vozes que àquela hora a atormentavam. Não eram vozes humanas, explicara-me; provinham das sombras, da selva, dos subterrâneos, do inferno, da África, e não falavam com palavras, mas com uivos e risadas destemperadas. "São os espectros que os negros invocam", chorava, aterrorizada. "Psiu, dona Eugenia, feche os olhos, reze..." Eu ficava tão assustada quanto ela, embora nunca tivesse ouvido as vozes nem visto os espectros. "Você nasceu aqui, Zarité, e por isso tem os ouvidos surdos e os olhos cegos. Se você tivesse vindo da Guiné, saberia que há espectros em tudo quanto é canto", garantia Tante Rose, a curandeira de Saint-Lazare. Coubera a ela ser a minha madrinha quando cheguei à plantação; ela teve que me ensinar tudo e vigiar para que eu não fugisse. "Nem pense em tentar, Zarité.*

Você vai se perder nos canaviais, e as montanhas estão mais longe do que a lua."

Dona Eugenia dormiu e eu me arrastei para o meu canto, onde a luz trêmula das lamparinas de azeite não chegava. Tateei, procurando o prato, peguei um pouco do ensopado de cordeiro com os dedos e pude perceber que as formigas haviam chegado primeiro. Mas comi assim mesmo porque gosto do sabor picante delas. Estava na segunda porção, quando o patrão e um escravo entraram, duas sombras longas no tecido da tenda e o cheiro intenso de couro, tabaco e cavalo dos homens. Cobri o prato e esperei sem respirar, fazendo força com o coração para que não prestassem atenção em mim. "Virgem Maria, Mãe de Deus, rogai por nós, pecadores", murmurou a patroa em seu sonho e acrescentou com um grito: "Puta dos diabos!" Saltei para balançar a rede antes que ela acordasse.

O patrão se sentou em sua cadeira e o escravo lhe tirou as botas; depois o ajudou a se livrar da calça e do resto da roupa, até que ficou apenas de camisa, que lhe chegava à altura dos quadris e deixava seu sexo à mostra, rosado e flácido como uma tripa de porco, num ninho de pelos cor de palha. O escravo segurou o penico para que ele urinasse, esperou que o despedisse, apagou as lamparinas de azeite, deixando as velas, e se retirou. Dona Eugenia se agitou novamente e desta vez acordou com os olhos apavorados, mas eu já havia lhe servido outra taça vinho do porto. Continuei embalando-a e ela tornou a dormir. O patrão se aproximou com uma vela e iluminou a esposa; não sei o que procurava, talvez a moça que o havia seduzido um ano antes. Fez um gesto de quem ia tocá-la, mas pensou melhor e se limitou a observá-la com uma expressão estranha.

— Minha pobre Eugenia. Passa a noite atormentada por pesadelos e o dia atormentada pela realidade — murmurou.

— Sim, patrão.

— Você não entende nada do que digo, não é, Tété?

— Não entendo não, patrão.

— Melhor assim. Quantos anos você tem?

— Não sei, patrão. Dez, mais ou menos.

— Então ainda falta um pouco para ser mulher, não é?

— Deve ser, patrão.

Seu olhar me percorreu de cima a baixo. Levou uma das mãos ao membro e o segurou, como se o pesasse. Recuei com o rosto queimando. Da vela caiu uma gota de cera sobre sua mão, e ele soltou uma praga. Então me mandou dormir com um olho aberto para velar pela patroa e se estendeu em sua rede, enquanto eu deslizava como um lagarto para o meu canto. Esperei que o patrão dormisse, e comi com cuidado, sem fazer o menor barulho. Do lado de fora começou a chover. Assim me lembro.

O baile do intendente

Os extenuados viajantes de Saint-Lazare chegaram a Le Cap um dia antes da execução dos negros rebeldes, quando a cidade palpitava de expectativa. Era tanta gente que o ar fedia a multidão e a esterco de cavalo. Não havia acomodações. Valmorain enviou com antecedência um batedor a galope para reservar um barracão para o seu pessoal, mas ele chegou tarde e só conseguiu alugar um espaço no ventre de uma galeota ancorada no porto. Não foi fácil convencer os escravos para que subissem nos botes e dali para o barco, porque eles se jogavam no chão gritando de pavor, convencidos de que se repetiria a viagem macabra que os trouxera da África. Prosper Cambray e os *commandeurs* os arrastaram à força e os acorrentaram no porão para evitar que se jogassem ao mar. Os hotéis para brancos estavam lotados. Os patrões acabaram chegando com um dia de atraso e ficaram sem quarto. Valmorain não podia levar Eugenia para uma pensão de *affranchis*. Se estivesse sozinho, não teria hesitado em procurar Violette Boisier, que lhe devia alguns favores. Já não eram amantes, mas sua amizade havia se fortalecido com a decoração da casa em Saint-Lazare e com algumas doações que ele havia feito para ajudá-la a se livrar de dívidas. Violette se divertia comprando a crédito sem calcular os gastos, até que as reprimendas de Loula e de Étienne Relais obrigaram-na a viver com mais prudência.

Naquela noite, o intendente ofereceria um jantar à nata da sociedade civil, enquanto, a poucas quadras, o governador receberia as maiores patentes do exército para festejar por antecipação o fim dos rebeldes. Em vista das circunstâncias prementes, Valmorain se apresentou na mansão do intendente para pedir pousada. Faltavam três horas para a recepção e reinava o espírito agitado que precede a um furacão: os escravos corriam com garrafas de bebida, jarros de flores, móveis de última hora, lamparinas e candelabros, enquanto os músicos, todos mulatos, testavam seus instrumentos sob as ordens de um regente francês, e o mordomo, com a lista em mãos, contava os talheres de ouro para a mesa. A infeliz Eugenia chegou quase desmaiada em sua liteira, seguida por Tété carregando um frasco de sais e um penico. Depois que o intendente se refez da surpresa de vê-los tão cedo diante de sua porta, deu-lhes as boas-vindas, embora mal os conhecesse, abrandado pelo prestígio do nome de Valmorain e o lamentável estado de sua mulher. O homem havia envelhecido prematuramente — devia ter cinquenta e tantos anos, mas muito mal vividos. A barriga o impedia de ver os pés, caminhava com as pernas tensas e separadas, os braços eram curtos para abotoar a jaqueta, resfolegava como um fole e seu perfil aristocrático estava perdido entre bochechas coradas e um nariz bulboso de *bon vivant*, mas sua esposa havia mudado muito pouco. Estava pronta para a recepção segundo a última moda de Paris, com uma peruca adornada de borboletas e um vestido cheio de laços e cascatas de rendas, em cujo decote profundo se insinuavam seus seios de menina. Continuava sendo o mesmo pardal insignificante que era aos dezenove anos, quando assistira, num camarote, à queima de Macandal. Desde aquele tempo, ela havia presenciado tormentos suficientes para alimentar pesadelos pelo resto de suas noites. Arrastando o peso do vestido, guiou seus hóspedes ao segundo andar, instalou Eugenia num quarto e ordenou que lhe preparassem um banho, mas sua hóspede só desejava descansar.

Umas duas horas mais tarde, começaram a chegar os convidados, e logo a mansão se animou com música e vozes que, para Eugenia, estendida na cama, chegavam em surdina. As náuseas a impediam de se mexer enquanto Tété lhe aplicava compressas de água fria na testa e a abanava. Sobre um sofá a aguardavam suas complicadas vestes de brocado, que uma escrava da casa havia passado, suas meias de seda branca e seus escarpins de tafetá negro com saltos altos. No primeiro andar, as damas bebiam champanhe de pé, porque a amplidão das saias e a estreiteza do espartilho dificultavam que se sentassem, e os cavalheiros comentavam o espetáculo do dia seguinte em tom comedido, já que não era de bom gosto extasiar-se demais com o suplício de alguns negros sublevados. Dali a pouco os músicos interromperam as conversas com um toque de corneta e o intendente fez um brinde pela volta à normalidade na colônia. Todos ergueram suas taças, e Valmorain bebeu a sua, perguntando-se que diabos significava normalidade: brancos e negros, livres e escravos, todos viviam doentes de medo.

O mordomo, com um uniforme teatral de almirante, bateu três vezes no chão com um bastão de ouro para anunciar com a devida pompa o jantar. Aos vinte e cinco anos, aquele homem era jovem demais para um posto de tanta responsabilidade e visibilidade. Tampouco era francês, como se podia esperar, mas um belo escravo africano de dentes perfeitos, a quem algumas damas já haviam piscado o olho. Era impossível não notá-lo: media quase dois metros e se comportava com mais graça e autoridade do que o mais importante dos convidados. Após o brinde, a assistência se dirigiu à pomposa sala de jantar, iluminada por centenas de velas. Do lado de fora, a noite havia refrescado, mas no salão o calor só aumentava. Valmorain, incomodado com o cheiro pegajoso de suor e perfumes, ficou observando as mesas compridas, refulgentes de ouro e prata, cristais Baccarat e porcelanas de Sèvres, os escravos de libré, um atrás de cada cadeira, e outros alinhados contra as paredes para servir vinho, passar as travessas e levar os pratos, e calculou que seria uma noite muito longa; a etiqueta excessiva impacientava-o tanto quanto a conversação banal. Talvez fosse verdade que estava se transformando num canibal, como o acusava sua mulher. Os convidados demoraram a se acomodar em meio ao barulho das cadeiras arrastadas, do crepitar das sedas, da conversa e da música. Por fim, entrou uma fila dupla de criados com o primeiro dos quinze pratos anunciados no cardápio de letras em ouro: codornizes recheadas com ameixas flambadas nas chamas azuis de um conhaque ardente. Valmorain não havia acabado de destrinchar sua ave quando se aproximou dele o admirável mordomo e lhe sussurrou que sua esposa se encontrava indisposta. A mesma coisa foi anunciada no mesmo instante à anfitriã, que fez um sinal do lado oposto da mesa. Ambos se levantaram sem chamar a atenção em meio ao rumor de vozes e ao som dos talheres contra a porcelana, e subiram ao segundo andar.

Eugenia estava verde, e o quarto fedia a vômito e fezes. A mulher do intendente sugeriu que o doutor Parmentier, que por sorte se encontrava na sala de jantar, a atendesse, e no mesmo instante o escravo de guarda diante da porta partiu para buscá-lo. O médico, de uns quarenta anos, pequeno, magro, de feições quase femininas, era o homem de confiança dos *grands blancs* de Le Cap por sua discrição e seus acertos profissionais, mesmo que seus métodos não fossem os mais ortodoxos: preferia utilizar o herbário dos pobres em vez de purgantes, sangrias, enemas, cataplasmas e placebos da medicina europeia. O doutor Parmentier havia conseguido desacreditar o elixir de lagarto com ouro em pó, que tinha a reputação de curar somente a febre amarela dos ricos, já que os demais não podiam pagá-lo. Pôde comprovar que aquela beberagem era tão tóxica que, se o paciente sobrevivia ao mal do Sião, morria envenenado. Não demorou em ir ver madame Valmorain; pelo menos, poderia se livrar um pouco do ar denso da sala de jantar. Encontrou-a exangue entre dois travesseiros na cama, e tratou de examiná-la, enquanto Tété retirava as bacias e os panos que havia usado para limpá-la.

— Viajamos três dias para a função de amanhã, e olhe o estado em que está minha esposa — comentou Valmorain do umbral, com um lenço no nariz.

— A senhora não poderá assistir à execução, deverá ficar em repouso por uma ou duas semanas — anunciou Parmentier.

— Os nervos outra vez? — perguntou o marido, irritado.

— Precisa descansar para evitar complicações. Está grávida — disse o doutor, cobrindo Eugenia com o lençol.

— Um filho! — exclamou Valmorain, adiantando-se para acariciar as mãos inertes de sua mulher. — Ficaremos aqui todo o tempo que você ordenar, doutor. Vou alugar uma casa para não impor nossa presença ao senhor intendente e sua gentil esposa.

Ao ouvi-lo, Eugenia abriu os olhos e se levantou com uma inexplicável energia.

— Vamos embora agora mesmo! — gemeu.

— Impossível, *ma chérie*, você não pode viajar nessas condições. Depois da execução, Cambray levará os escravos para Saint-Lazare e eu ficarei aqui para cuidar de você.

— Tété, me ajude a me vestir! — gritou, jogando o lençol para o lado.

Toulouse tentou segurá-la, mas ela lhe deu um empurrão e, com os olhos em chamas, exigiu que fugissem imediatamente, porque os exércitos de Macandal já estavam em marcha para resgatar os negros rebeldes do calabouço e se vingar dos brancos. Seu marido rogou que baixasse a voz para que o resto da casa não a ouvisse, mas ela continuou gritando. O intendente apareceu para saber o que estava acontecendo e encontrou sua hóspede quase nua, lutando com o marido. O doutor Parmentier tirou um frasco da sua maleta, e os três homens obrigaram a mulher a engolir uma dose de láudano capaz de botar um bucaneiro para dormir. Dezessete horas mais tarde, o cheiro de queimado que entrava pela janela acordou Eugenia Valmorain. Sua roupa e a cama estavam ensanguentadas; assim acabou a ilusão do primeiro filho. E assim Tété se livrou de presenciar a execução dos condenados que morreram na fogueira como Macandal.

A louca da plantação

Sete anos mais tarde, em 1787, num mês escaldante e fustigado por furacões, Eugenia Valmorain deu à luz seu primeiro filho vivo, depois de várias gestações que lhe custaram a saúde. Esse filho tão desejado chegou quando ela já não podia amá-lo. Transformara-se num amontoado de nervos e perdia-se em estados mentais confusos e caóticos em que vagava por outros mundos durante dias, às vezes semanas. Nesses períodos de desvario, sedavam-na com tintura de ópio, e, no resto de tempo, acalmavam-na com as infusões de plantas de Tante Rose, a sábia curandeira de Saint-Lazare, que substituíam a angústia de Eugenia pela perplexidade, mais suportável para aqueles que deviam conviver com ela. No começo, Valmorain zombava das "ervas de negros", mas depois mudou de opinião ao comprovar o respeito do doutor Parmentier por Tante Rose. O médico ia à plantação quando seu trabalho permitia, apesar do incômodo que a cavalgada produzia em seu frágil organismo, com o pretexto de examinar Eugenia, mas, na realidade, ia estudar os métodos de Tante Rose. Depois os experimentava em seu hospital, anotando com minuciosa precisão os resultados, porque pensava escrever um tratado sobre os remédios naturais das Antilhas, limitado à botânica, já que seus colegas nunca levariam a sério a magia, que a ele intrigava tanto quanto as plantas. Depois que Tante Rose se acostumou à curiosidade daquele branco, costumava permitir que ele a acompanhasse à mata para buscar os ingredientes. Valmorain lhes fornecia mulas e duas pistolas, que Parmentier levava cruzadas no cinto, embora não soubesse usá-las. A curandeira não deixava que um *commandeur* armado os acompanhasse, porque, segundo ela, era a melhor maneira de atrair os bandidos. Se Tante Rose não encontrava o necessário em suas excursões e não tinha oportunidade de ir a Le Cap, pedia ao médico; assim, ele chegou a conhecer como a palma da própria mão as mil lojinhas de ervas e de magia do porto que abasteciam pessoas de todas as cores. Parmentier passava horas conversando com os "doutores das folhas" nas tendas das ruas e nos cantos escondidos nos fundos das lojas, onde vendiam os remédios da natureza, poções de encantamento, fetiches vodus e cristãos, drogas e venenos, artigos para a boa sorte e outros para amaldiçoar, pó de asas de anjo e de chifre de demônio. Tinha visto Tante Rose curar feridas que ele teria resolvido amputando, realizar amputações que teriam gangrenado com ele e tratar com sucesso as febres, as diarreias e as disenterias, que costumavam causar estragos entre os soldados franceses amontoados nos quartéis. "Que não tomem água. Que tomem muito café fraco e sopa de arroz", ensinou-lhe Tante Rose. Parmentier deduziu que tudo era questão de ferver a água, mas se deu conta de que sem a infusão de ervas da curandeira não havia recuperação. Os negros se defendiam melhor contra esses males, pois os brancos caíam fulminados e, se não morriam em poucos dias, padeciam de tonteiras durante meses. Entretanto, para as alterações mentais tão profundas como a de Eugenia, os doutores negros não possuíam mais do recursos que os europeus. As velas abençoadas, as defumações de sálvia e as massagens com gordura de cobra eram tão inúteis quanto as soluções de mercúrio e os banhos de água gelada que recomendavam os textos de medicina. No asilo de loucos de Charenton, onde Parmentier tinha feito um rápido estágio em sua juventude, não existia tratamento para os que haviam perdido o juízo.

Aos vinte e sete anos, Eugenia havia perdido a beleza que apaixonara Toulouse Valmorain naquele baile do consulado em Cuba. Estava consumida por obsessões e enfraquecida pelo clima e pelos abortos espontâneos. Sua deterioração começou a se manifestar pouco tempo depois de sua chegada na plantação e se acentuou a cada gravidez que não chegou a bom termo. Tomou horror a insetos, cuja variedade era infinita em Saint-Lazare; usava luvas, um enorme chapéu de aba larga com véu grosso que ia até o chão e camisolões de mangas compridas. Dois meninos escravos se alternavam para abaná-la e esmagar qualquer bicho que aparecesse por perto. Um simples besouro podia lhe provocar uma crise incontrolável. A mania se tornou tão acentuada que poucas vezes saía de casa, especialmente ao entardecer, na hora dos mosquitos. Vivia ensimesmada e sofria momentos de terror ou de exaltação religiosa, seguidos por outros de impaciência, em que batia em qualquer um a seu alcance, mas nunca em Tété. Dependia da garota para tudo, mesmo nas coisas mais íntimas; era sua confidente, a única que permanecia a seu lado quando os demônios a atormentavam. Tété cumpria seus desejos antes mesmo de serem pronunciados, estava sempre alerta para lhe entregar o copo de limonada mal a sede se manifestava, pegar no ar o prato que atirava ao chão, ajeitar os grampos enfiados na cabeça, secar o suor ou sentá-la no penico. Eugenia não notava a presença da escrava, apenas a sua ausência. Em seus ataques de pavor, quando gritava até ficar sem voz, Tété se trancava com ela e cantava ou rezava para dissipar o acesso e ela desmoronar num sono profundo, do qual emergia depois sem nenhuma lembrança. Durante seus longos períodos de melancolia, a menina se metia em sua cama para acariciá-la como um amante até que se esgotava de tanto chorar. "Que vida tão triste a da dona Eugenia! Ela é mais escrava do que eu, porque não pode fugir dos seus terrores", comentou, certa vez, Tété com Tante Rose. A curandeira conhecia de sobra os anseios de liberdade da menina, porque lhe coubera segurá-la várias vezes, mas já fazia uns dois anos que Tété parecia resignada ao seu destino e não voltara a mencionar a vontade de fugir.

Tété foi a primeira a se dar conta de que as crises de sua patroa coincidiam com o chamado dos tambores nas noites de *calenda*, quando os escravos se reuniam para dançar. Essas *calendas* costumavam se transformar em cerimônias vodus, que eram proibidas, mas Cambray e os *commandeurs* não se atreviam a impedi-las por medo dos poderes sobrenaturais da *mambo* Tante Rose. Para Eugenia, os tambores chamavam toda sorte de espectros, bruxarias e maldições. E todas as suas infelicidades eram culpa do vodu. Em vão, doutor Parmentier lhe explicara que o vodu não tinha nada de aterrorizante, que era um conjunto de crenças e rituais como qualquer outra religião, inclusive a católica, e que ali, em especial, era muito útil, porque dava sentido à existência miserável dos escravos. "Herege! Tinha que ser francês para comparar a santa fé de Cristo às superstições desses selvagens", gritava Eugenia. Para Valmorain, racionalista e ateu, os transes dos negros estavam na mesma categoria dos rosários de sua mulher e, em princípio, não se opunha a nenhum dos dois. Tolerava igualmente as cerimônias vodus e as missas dos padres que costumavam cair na plantação, atraídos pelo fino rum de sua destilaria. Os africanos recebiam o batismo em massa assim que eram desembarcados no porto, como exigia o Código Negro, mas seu contato com o cristianismo não passava disso e daquelas missas realizadas às pressas pelos padres itinerantes. Se o vodu os consolava, não havia razão para impedi-lo, opinava Toulouse Valmorain.

Tendo em vista a inexorável deterioração de Eugenia, seu marido quis levá-la para Cuba, para ver se a mudança de ares a aliviava, mas seu cunhado Sancho explicou-lhe por carta que o bom nome dos Valmorain e dos García del Solar estava em jogo. Antes de tudo, convinha ser discreto. Seria muito inconveniente para os negócios de ambos que se comentassem as extravagâncias de Eugenia. De passagem, manifestou o quanto se sentia desolado por haver dado em casamento uma mulher desaparafusada. Na verdade, não suspeitava de nada. No convento, sua irmã nunca havia apresentado sintomas perturbadores e parecia normal quando a mandaram de volta, apesar da inteligência bastante curta. Não se lembrou dos antecedentes familiares. Não imaginava que a melancolia religiosa da avó e a histeria delirante da mãe fossem hereditárias. Toulouse Valmorain não deu ouvidos à advertência do cunhado, levou a doente para Havana e a deixou, durante oito meses, aos cuidados das monjas. Nesse período, Eugenia nunca mencionou o marido, mas costumava perguntar por Tété, que tinha ficado em Saint-Lazare. Na paz e no silêncio do convento, ela vivenciou um pouco de sossego. Quando o marido foi buscá-la, encontrou-a mais bem-disposta e alegre. A boa saúde durou pouco em Saint-Domingue. Logo tornou a ficar grávida, repetiu-se o drama da perda da criança e de novo escapou de morrer graças à intervenção de Tante Rose.

E, durante as breves temporadas em que Eugenia parecia recuperada do seu transtorno, as pessoas na casa respiravam aliviadas, e até os escravos nos canaviais, que só a entreviam de longe quando ela aparecia ao ar livre, envolta em seu mosquiteiro, percebiam a melhora. "Ainda sou bonita?", perguntava a Tété, apalpando o corpo que havia perdido toda a voluptuosidade. "Sim, muito bonita", assegurava a jovem. Mas tratava de impedi-la de se olhar no espelho veneziano do salão antes de lhe dar banho, lavar seus cabelos, pôr um de seus vestidos finos e fora de moda, maquiar com carmim as faces e passar o lápis de carvão nas pálpebras. "Feche as janelas da casa e queime folhas de tabaco para os insetos, vou jantar com meu marido", ordenava Eugenia, mais animada. Enfeitada, vacilante, com os olhos saltando para fora das órbitas e as mãos trêmulas devido ao ópio, ela se apresentava na sala de jantar, onde não pisava havia semanas. Valmorain a recebia com um misto de surpresa e desconfiança, porque nunca sabia como terminariam aquelas esporádicas reconciliações. Depois de tantos dissabores matrimoniais, havia optado por deixá-la de lado, como se aquele fantasma esfarrapado não tivesse nada a ver com ele, mas, quando Eugenia surgia vestida para uma festa sob a luz agradável dos candelabros, por alguns instantes lhe voltava a ilusão. Já não a amava, mas ela era sua esposa e teriam que permanecer juntos até a morte. Aqueles intervalos de normalidade costumavam levá-los à cama, onde ele a assaltava sem preâmbulos, com uma urgência de marinheiro. Esses encontros não tinham a força de reconciliá-los e nem de trazer Eugenia de volta ao terreno da razão, mas, às vezes, a levavam a outra gravidez, e assim se repetia o ciclo de esperança e frustração. Em junho daquele ano, soube-se que estava grávida de novo, mas ninguém, muito menos ela, se animou a festejar a notícia. Por coincidência, houve uma *calenda* na mesma noite em que Tante Rose lhe confirmou a gravidez, e Eugenia acreditou que os tambores lhe anunciavam a gestação de um monstro. Estava convencida de que a criança que crescia em seu ventre estava amaldiçoada pelo vodu, que era um menino zumbi, um morto-vivo. Não houve jeito de acalmá-la, e sua alucinação chegou a ser tão vívida que terminou por contagiar a própria Tété. "E se fosse verdade?", perguntou a Tante Rose, tremendo. A curandeira garantiu a ela que nunca alguém havia gerado um zumbi, que era preciso fazê-lo com um cadáver fresco, procedimento nada fácil, e propôs realizar uma cerimônia para amenizar os temores imaginários da patroa. Esperaram que Valmorain se ausentasse, e Tante Rose tratou de reverter a suposta magia negra dos tambores com complicados rituais e encantamentos destinados a transformar o pequeno zumbi num bebê normal. "Como saberemos se isto deu certo?", perguntou Eugenia no final. Tante Rose deu para ela tomar uma beberagem nauseabunda e lhe disse que, se urinasse azul, tudo teria corrido bem. No dia seguinte, Tété retirou um penico com um líquido azul que não tranquilizou Eugenia completamente, porque achou que haviam posto alguma coisa no penico. O doutor Parmentier, a quem não contaram nem uma palavra sobre a intervenção de Tante Rose, ordenou que mantivessem Eugenia Valmorain numa longa vigília até que desse à luz. A essa altura, já havia perdido a esperança de curá-la; achava que o ambiente da ilha a estava matando aos poucos.

Oficiante de cerimônias

A drástica medida de manter Eugenia sedada deu melhor resultado do que esperava o próprio Parmentier. Nos meses seguintes, o ventre cresceu normalmente, enquanto ela passava o tempo deitada embaixo de um mosquiteiro num divã da varanda, cochilando ou distraída com a passagem das nuvens, desligada por completo do milagre que acontecia em seu interior. "Se ficasse sempre calma assim, seria perfeito", ouviu Tété dizer a seu patrão. Ela se alimentava de açúcar e de uma canja de galinha e vegetais moídos num almofariz de pedra, capaz de ressuscitar defunto, inventada por Tante Mathilde, a cozinheira. Tété cumpria suas obrigações na casa e depois se instalava na varanda para costurar o enxoval do bebê e cantar com sua voz rouca os hinos religiosos de que Eugenia gostava. Às vezes, quando estavam sozinhas, Prosper Cambray aparecia com o pretexto de pedir um copo de limonada, que bebia com incrível lentidão, sentado com uma perna na balaustrada, batendo nas botas com seu chicote enrolado. Os olhos sempre avermelhados do chefe dos capatazes passeavam pelo corpo de Tété.

— Está calculando o preço, Cambray? Não está à venda — surpreendeu-o uma tarde Toulouse Valmorain, aparecendo de repente na varanda.

— O quê, senhor? — respondeu o mulato em tom desafiador, sem mudar a postura.

Valmorain o chamou com um gesto, e o outro o seguiu de má vontade ao escritório. Tété não soube o que falaram; seu patrão só lhe comunicou que não queria ninguém rondando a casa sem a sua autorização, nem mesmo o chefe dos capatazes. A atitude insolente de Cambray não mudou depois daquela conversa com o patrão; sua única precaução, antes de se aproximar da varanda para pedir a bebida e despir Tété com os olhos, era se assegurar de que ele não estivesse por perto. Havia perdido o respeito por Valmorain fazia tempo, mas não se atrevia a puxar demais a corda, porque continuava alimentando a ambição de que, um dia, fosse nomeado administrador-geral.

Quando chegou dezembro, Valmorain convocou o doutor Parmentier para ficar na plantação pelo tempo necessário até Eugenia dar à luz, porque não queria deixar o encargo nas mãos de Tante Rose. "Ela sabe mais do que eu sobre esse assunto", argumentou o médico, mas aceitou o convite porque teria tempo de descansar, ler e anotar novos remédios da curandeira para o seu livro. Tante Rose era consultada por gente de outras plantações e atendia da mesma maneira escravos e animais, combatia infecções, suturava cortes, aliviava febres, cuidava de acidentes, ajudava em partos e tentava salvar a vida dos negros castigados. Permitiam que fosse longe à procura de suas plantas e costumavam levá-la a Le Cap para comprar seus ingredientes, onde a deixavam com algumas moedas e voltavam para buscá-la dois dias depois. Era a *mambo*, a oficiante das *calendas*, a que compareciam negros de outras plantações, e Valmorain também a isso não se opunha, apesar de ter sido advertido por seu chefe dos capatazes de que elas terminavam em orgias sexuais ou com dezenas de possuídos rolando pelo chão com os olhos revirados. "Não seja tão severo, Cambray, deixe que se desafoguem, assim voltam mais dóceis ao trabalho", respondia o patrão com bom humor. Tante Rose se perdia durante dias, e, quando o chefe dos capatazes já anunciava que a mulher havia fugido com os rebeldes ou cruzado o rio para o território espanhol, ela voltava mancando, extenuada e com um saco cheio de ervas. Tante Rose e Tété escapavam da autoridade de Cambray, porque este temia que a primeira o transformasse em zumbi, e a segunda porque era escrava pessoal da patroa, indispensável na casa-grande. "Ninguém vigia você. Por que não foge, madrinha?", perguntou Tété uma vez. "Como correria com a minha perna ruim? E o que seria dessa gente sem os meus cuidados? Além disso, não adianta nada eu ser livre e os outros permanecerem escravos", respondeu a curandeira. Isso não havia passado pela cabeça de Tété, e a ideia ficou lhe rondando como uma mosca. Muitas vezes, tornou a falar com a madrinha, mas nunca conseguiu aceitar a ideia de que a sua liberdade estava fatalmente ligada à dos outros escravos. Se pudesse fugir, fugiria sem pensar nos que ficavam para trás, disso tinha certeza. Na volta de suas excursões, Tante Rose a convocava a sua cabana e as duas se trancavam para fazer os remédios que necessitavam de matéria fresca da natureza, preparo exato e ritos adequados. Feitiçaria, dizia Cambray, era feitiçaria o que aquelas duas mulheres faziam. Nada que ele não pudesse resolver com uma boa sova. Mas não se atrevia a tocas nelas.

Um dia, o doutor Parmentier, depois de ficar as horas mais quentes da tarde mergulhado no torpor da sesta, foi visitar Tante Rose com o propósito de averiguar se havia cura para a picada de centopeia. Como Eugenia estava calma e vigiada por uma criada, pediu a Tété que o acompanhasse. Encontraram a curandeira sentada numa cadeira de vime diante da porta de sua cabana arruinada pelas últimas tempestades, cantarolando numa língua africana, enquanto separava folhas de um ramo seco e as colocava sobre um pano; estava tão concentrada na tarefa que não os viu até eles pararem na frente dela. Deu mostras de que ia se levantar, mas Parmentier a deteve com um gesto. O doutor secou o suor da testa e do pescoço com um lenço, e a curandeira lhe ofereceu água. Sua cabana era mais ampla do que parecia por fora, muito organizada, cada coisa em seu lugar preciso, escura e ventilada. O mobiliário era esplêndido comparado ao de outros escravos: uma mesa de tábuas, um armário holandês descascado, um baú enferrujado, várias caixas que Valmorain havia lhe dado para guardar seus remédios e uma coleção de panelinhas de barro para suas cozeduras. Folhas secas e palha, cobertas com um pano xadrez e um cobertor fino, serviam de cama. Do teto de folhas de palmeira pendiam ramos, punhados de ervas, répteis dissecados, penas, colares de contas, sementes, búzios e outras coisas necessárias para a sua ciência. O doutor bebeu dois goles de uma cabaça, esperou alguns minutos até recuperar o fôlego e, quando se sentiu mais aliviado, foi observar de perto o altar, onde havia oferendas de flores de papel, pedaços de batata-doce, um dedal com água e tabaco para os *loas*. Sabia que a cruz não era cristã, representava as encruzilhadas, mas não teve dúvida de que a estátua de gesso pintado era da Virgem Maria. Tété lhe explicou que ela mesma havia entregado a sua madrinha, era um presente da patroa. "Mas eu prefiro Erzuli, a minha madrinha também", acrescentou. O médico levou uma das mãos para pegar o sagrado *asson* do vodu, uma cabaça pintada com símbolos, montada num pau, decorada com contas e cheia de ossinhos de um defunto recém-nascido, mas se conteve a tempo. Ninguém devia tocá-lo sem a permissão do seu dono. "Isso confirma o que ouvi: Tante Rose é uma sacerdotisa, uma *mambo*", comentou. Comumente o *asson* ficava em poder do *hungan*, mas em Saint-Lazare não havia um *hungan* e era Tante Rose que conduzia as cerimônias. O médico bebeu mais água, molhou o lenço e o amarrou ao pescoço antes de voltar para o calor. Tante Rose não tirou os olhos de seu trabalho meticuloso e também não lhes disse para sentar, porque só tinha uma cadeira. Era difícil calcular sua idade, tinha o rosto jovem, mas o corpo maltratado. Seus braços eram magros e fortes, os seios pendiam como mamões sob a blusa. Tinha a pele muito escura, o nariz reto e largo na base, os lábios bem delineados e o olhar intenso. Cobria a cabeça com um lenço, sob o qual se adivinhava a massa abundante dos cabelos que nunca havia cortado e usava divididos em rolos ásperos e apertados, como cordas de sisal. Uma carreta passara por cima de uma de suas pernas aos catorze anos, quebrando-a em várias partes que mal calcificaram, e por isso caminhava com dificuldade, apoiada numa bengala que um escravo agradecido talhara para ela. Tante Rose considerava que o acidente havia sido um golpe de sorte, porque a libertara dos canaviais. Qualquer outra escrava aleijada teria acabado mexendo o melaço fervente ou lavando roupa no rio, mas ela era uma exceção, porque desde muito jovem os *loas* haviam-na distinguido como uma *mambo*. Parmentier nunca a vira numa cerimônia, mas podia imaginá-la em transe, transformada. No vodu, todos eram oficiantes e todos podiam experimentar a divindade ao ser montados pelos *loas*. O papel do *hungan* ou da *mambo* consistia apenas em preparar os *hounfort* para a cerimônia. Valmorain havia manifestado suas dúvidas a Parmentier a respeito de Tante Rose ser uma charlatã que se valia da ignorância de seus pacientes. "O importante são os resultados. Ela acerta mais com os seus métodos do que eu com os meus", respondeu o médico.

Dos campos chegavam as vozes dos escravos cortando cana, todos no mesmo compasso. O serviço começava antes do amanhecer, porque deviam buscar forragem para os animais e lenha para as fogueiras, para depois trabalhar de sol a sol, com uma pausa de duas horas ao meio-dia, quando o céu ficava branco e a terra parecia transpirar. Cambray havia querido eliminar esse descanso, estipulado pelo Código Negro e rejeitado pela maioria dos plantadores, mas Valmorain o considerava necessário. Também lhes dava um dia de descanso, para que cultivassem seus legumes e verduras, e um pouco de comida, nunca o suficiente, mas que era mais do que em outras plantações, onde se acreditava que os escravos sobreviviam com o cultivo de suas próprias hortas. Tété tinha ouvido comentários a respeito de uma reforma do Código Negro: três dias de folga por semana e a abolição do chicote, mas também tinha ouvido que nenhum colono acataria tal lei, na hipótese de o Rei aprová-la. Quem ia trabalhar para os outros sem chicote? O doutor não entendia as palavras da canção dos trabalhadores. Fazia muitos anos que estava na ilha, e seu ouvido havia se acostumado ao *créole* da cidade, uma derivação do francês, entrecortado e com ritmo africano, mas o *créole* das plantações era incompreensível para ele, porque os escravos haviam-no transformado numa espécie de código incompreensível para os brancos; por isso necessitava de Tété como tradutora. Inclinou-se para examinar uma das folhas que Tante Rose estava separando. "Para que serve?", perguntou-lhe. Ela explicou que o *koulant* era para os tambores do peito, os ruídos de cabeça, o cansaço do entardecer e o desespero. "Seria bom para mim? Sinto que meu coração está falhando", disse ele. "Sim, seria bom sim, porque o *koulant* também acaba com os peidos", respondeu ela, e os três começaram a rir. Nesse momento, ouviram o galope de um cavalo que se aproximava. Era um dos *commandeurs* que vinha em busca de Tante Rose porque tinha acontecido um acidente no galpão. "Séraphine meteu a mão onde não devia!", gritou da montaria e partiu imediatamente, sem se oferecer para levar a curandeira. Ela envolveu delicadamente as folhas com um pano e as guardou na cabana, pegou o saco que sempre estava preparado e saiu o mais depressa possível, seguida por Tété e o médico.

Ultrapassaram pelo caminho várias carroças que avançavam ao passo lento dos bois, carregadas até o topo com um feixe de cana recém-cortada, que não podia esperar mais do que dois dias para ser processada. Ao se aproximarem das toscas construções de madeira do moinho, o cheiro forte de melaço grudou na pele deles. De ambos os lados do caminho, os escravos trabalhavam com facas e facões, vigiados pelos *commandeurs*. À menor mostra de fraqueza de seus capatazes, Cambray os mandava cortar cana de novo e os substituía por outros. Para reforçar seus escravos, Valmorain havia alugado dois grupos de seu vizinho Lacroix, e, como Cambray não se importava com quanto durassem, a sorte deles era pior. Vários meninos percorriam as filas repartindo água com baldes e uma concha. Muitos negros estavam magérrimos, os homens só vestiam um calção de algodão grosseiro e um chapéu de palha, e as mulheres, uma bata longa e um pano na cabeça. As mães cortavam cana dobradas pela cintura, com seus filhos nas costas, e tinham os minutos contados para amamentá-los nos primeiros meses; depois, deviam deixá-los num galpão, a cargo de uma velha e das crianças maiores, que cuidavam deles como podiam. Muitos morriam de tétano, paralisados, com a mandíbula cerrada, outro dos tantos mistérios da ilha, porque os brancos não padeciam desse mal. Os patrões não suspeitavam que fosse possível provocar esses sintomas sem deixar pista, cravando uma agulha na moleira, antes que os ossos do crânio soldassem — assim, a criança ia contente para a ilha sob o mar sem padecer a escravidão. Era raro ver negros com os cabelos grisalhos como Tante Mathilde, a cozinheira de Saint-Lazare, que nunca havia trabalhado nos campos. Quando Violette Boisier a adquiriu para Valmorain, há muito já não era mais jovem. Mas, no caso dela, a idade não importava, e sim a experiência; ela havia servido na cozinha de um dos *affranchis* mais ricos de Le Cap, um mulato educado na França que controlava a exportação de anil.

No moinho, encontraram uma jovem estirada no chão em meio a uma nuvem de moscas e o estrépito das máquinas movidas por mulas. O processo era delicado, confiado aos escravos mais hábeis, que deviam determinar a correta quantidade de cal a ser usada e por quanto tempo o melaço devia ferver para se obter um açúcar de qualidade. No moinho, aconteciam os piores acidentes, e dessa vez a vítima, Séraphine, estava tão ensanguentada, que Parmentier achou que alguma coisa havia estourado no seu peito, mas depois viu que o sangue escorria do coto de um braço que ela apertava sobre o ventre redondo. Com um movimento rápido, Tante Rose tirou o lenço da cabeça e o amarrou acima do cotovelo da jovem, murmurando uma invocação. A cabeça de Séraphine pendeu sobre os joelhos do doutor, e Tante Rose acomodou-a em seu próprio regaço, abriu-lhe a boca e derramou um líquido escuro de um frasco que retirou do saco. "É só melaço, para reanimá-la", disse, embora ele não tivesse perguntado. Um escravo explicou que a jovem estava empurrando cana na trituradora, distraíra-se por um instante e as paletas dentadas lhe prenderam a mão. Seus gritos o alertaram, e ele conseguiu parar as mulas antes que a sucção da máquina levasse o braço até a altura do ombro. Para libertá-la, teve de lhe cortar a mão com o machado que ficava pendurado num gancho para esse fim. "É preciso estancar o sangue. Se não infeccionar, ela viverá", afirmou o doutor, mandando o escravo ir até a casa-grande buscar sua maleta. O homem hesitou porque só recebia ordens dos *commandeurs*, mas com uma palavra de Tante Rose saiu correndo. Séraphine havia aberto um pouco os olhos e dizia algo entredentes que o doutor mal pôde captar. Tante Rose se inclinou para ouvi-la. "Não posso, *p'tite*, o branco está aqui, não posso", respondeu ela num sussurro. Dois escravos levantaram Séraphine e a levaram a um barracão de tábuas, onde a estenderam sobre uma grande mesa de madeira bruta. Tété espantou as galinhas e um porco que remexia no lixo no chão, enquanto os homens seguravam Séraphin, e a curandeira a lavava com a água de um balde. "Não posso, *p'tite*, não posso", repetia-lhe de vez em quando ao ouvido. Outro homem trouxe algumas brasas ardentes do moinho. Por sorte, Séraphine havia perdido os sentidos quando Tante Rose cauterizou o coto. O doutor notou que a moça estava grávida de uns seis ou sete meses e pensou que, com a perda de sangue, certamente abortaria.

Nesse momento, apareceu no umbral do galpão a figura de um cavaleiro; um dos escravos correu para pegar as rédeas do cavalo, e o homem saltou para o chão. Era Prosper Cambray, com uma pistola no cinto e o chicote na mão, vestido com uma calça escura e uma camisa de tecido ordinário, mas com botas de couro e um chapéu americano de boa marca, idêntico ao de Valmorain. Cego pela luz de fora, não reconheceu o doutor

Parmentier. “Que escândalo é este?”, perguntou com voz suave, o que era mais ameaçador, batendo com o chicote nas botas, como sempre fazia. Todos se afastaram para que visse por si mesmo. Então, distinguiu o doutor e mudou de tom.

— Não se incomode com esta besteira, doutor. Tante Rose vai se ocupar de tudo. Permita-me acompanhá-lo à casa-grande. Onde está seu cavalo? — perguntou com amabilidade.

— Levem esta jovem para a cabana de Tante Rose para ser cuidada. Ela está grávida — disse o doutor.

— Isso não é nenhuma novidade — riu Cambray.

— Se a ferida gangrenar, será preciso cortar seu braço — insistiu Parmentier, rubro de indignação. — Repito que devem levá-la imediatamente para a cabana de Tante Rose.

— Para isso tem o hospital, doutor — respondeu Cambray.

— Isto não é um hospital, mas um estábulo imundo!

O chefe dos capatazes percorreu o galpão com uma expressão de curiosidade, como se o estivesse vendo pela primeira vez.

— Não vale a pena se preocupar com essa mulher, doutor. De qualquer jeito, ela não servirá mais para trabalhar com o açúcar e terei que ocupá-la com outra coisa...

— Você não me entendeu, Cambray — interrompeu-o o médico, desafiador. — Prefere que eu fale com monsieur Valmorain para resolver isso?

Tété não se atreveu a espiar a expressão do chefe dos capatazes; nunca tinha ouvido ninguém falar com ele naquele tom, nem mesmo o patrão, e teve medo de que levantasse o punho contra o branco, mas, quando respondeu, sua voz era humilde como a de um criado.

— Tem razão, doutor. Se Tante Rose a salva, pelo menos teremos o filho — declarou, tocando com o cabo do chicote a barriga ensanguentada de Séraphine.

Um ser que não é humano

O jardim de Saint-Lazare, que surgiu de uma ideia impulsiva de Valmorain pouco depois de se casar, havia se transformado com os anos em seu projeto favorito. Traçou a planta copiando desenhos de um livro sobre os palácios de Luís XIV, mas as flores da Europa não vingavam nas Antilhas e teve que contratar um botânico de Cuba, amigo de Sancho García del Solar, para que o assessorasse. O jardim ficou colorido e abundante, mas precisava ser defendido da voracidade do trópico por três infatigáveis escravos, que também se ocupavam das orquídeas cultivadas à sombra. Tété sempre saía antes da hora mais quente do dia para cortar as flores para os buquês da casa. Naquela manhã, Valmorain passeava com o doutor Parmentier pelo estreito caminho do jardim que dividia os canteiros geométricos de arbustos e flores, explicando-lhe que depois do furacão do ano anterior tivera de plantar tudo de novo, mas a mente do médico vagava por outro lado. Parmentier carecia de olho artístico para apreciar plantas decorativas, considerava-as um esbanjamento da natureza; interessava-se muito mais pelas ervas feias da horta de Tante Rose, que tinham o poder de curar ou matar. Também lhe intrigavam os encantamentos da curandeira, porque havia comprovado seus benefícios nos escravos. Confessou a Valmorain que mais de uma vez havia sentido a tentação de tratar um doente com os métodos dos bruxos negros, mas era impedido pelo pragmatismo francês e pelo medo do ridículo.

— Essas superstições não merecem a atenção de um cientista como você, doutor — zombou Valmorain.

— Vi curas espantosas, *mon ami*, como também vi pessoas morrerem sem causa alguma, só porque se acreditavam vítimas de magia negra.

— Os africanos são muito sugestionáveis.

— Assim como os brancos. Sua esposa, por exemplo...

— Há uma diferença fundamental entre um africano e minha esposa, por mais demente que ela esteja, doutor! Não acha que os negros são como nós, não é mesmo? — interrompeu Valmorain.

— Do ponto de vista biológico, sim, há evidências de que são como nós.

— Nota-se que você lida muito pouco com eles. Os negros têm constituição para trabalhos pesados, sentem menos dor e cansaço, seu cérebro é limitado, não sabem discernir, são violentos, desorganizados, preguiçosos, não têm ambição e nem sentimentos nobres.

— Poderíamos dizer o mesmo de um branco embrutecido pela escravidão, monsieur.

— Que argumento mais absurdo! — sorriu o outro, desdenhoso. — Os negros precisam de mão firme. E estou me referindo à firmeza, não à brutalidade.

— Nisso não há meios-termos. Uma vez aceita a noção da escravidão, o tratamento vem a dar no mesmo — rebateu o médico.

— Não concordo. A escravidão é um mal necessário, é a única forma de lidar com uma plantação, a diferença é que pode ser feita de forma humanitária.

— Não pode ser humanitário possuir e explorar outra pessoa — replicou Parmentier.

— Nunca teve um escravo, doutor?

— Não. E tampouco terei no futuro.

— Parabéns. Você tem a sorte de não ser um plantador — disse Valmorain. — Não gosto da escravidão, posso lhe garantir, e gosto menos ainda de viver aqui, mas alguém tem que lidar com as colônias para que você possa adoçar seu café e fumar um charuto. Na França, usufruem de nossos produtos, mas ninguém quer saber como são obtidos. Prefiro a honestidade dos ingleses e dos americanos, que aceitam a escravidão com senso prático — concluiu Valmorain.

— Na Inglaterra e nos Estados Unidos também há quem questione seriamente a escravidão e se recuse a consumir os produtos das ilhas, em especial o açúcar — lembrou Parmentier.

— São em número insignificante, doutor. Acabo de ler, numa revista científica, que os negros pertencem a uma espécie diferente da nossa.

— E como o autor explica que duas espécies diferentes tenham filhos? — perguntou o médico.

— Ao cruzar um cavalo com uma burra, obtém-se uma mula, que não é nem uma coisa nem outra. Da mistura de brancos e negros nascem mulatos — disse Valmorain.

— As mulas não podem reproduzir, monsieur; os mulatos, sim. Diga-me, um filho seu com uma escrava seria humano? Teria uma alma imortal?

Irritado, Toulouse Valmorain lhe deu as costas e se dirigiu para a casa. Não voltaram a se falar até a noite. Parmentier se vestiu para o jantar e se apresentou na sala com a dor de cabeça tenaz que o atormentava desde sua chegada à plantação, treze dias antes. Sofria de enxaqueca e desmaios, dizia que seu organismo não suportava o clima da ilha; no entanto, não havia contraído nenhuma das doenças que dizimavam os brancos. O de Saint-Lazare o oprimia, e a discussão com Valmorain o havia deixado de mau humor. Desejava voltar a Le Cap, onde o aguardavam outros pacientes e o consolo discreto de sua doce Adèle, mas havia se comprometido a atender Eugenia e pretendia cumprir com a sua palavra. Examinara-a naquela manhã e calculava que o parto não iria demorar. Seu anfitrião estava aguardando-o e o recebeu sorridente, como se a desagradável polêmica do meio-dia nunca tivesse acontecido. Durante o jantar, os homens falaram sobre livros e sobre a política da Europa, cada dia mais incompreensível, e concordaram que a Revolução Americana de 1776 havia tido uma enorme influência na França, onde alguns grupos atacavam a monarquia em termos tão devastadores quanto aqueles que os americanos haviam usado em sua Declaração da Independência. Parmentier não ocultava sua admiração pelos Estados Unidos, e Valmorain a compartilhava, embora apostasse que a Inglaterra iria recuperar o controle de sua colônia americana a ferro e fogo, como faria qualquer império com as mesmas intenções. E se Saint-Domingue se tornasse independente da França como os americanos haviam se tornado da Inglaterra?, especulou Valmorain, esclarecendo em seguida que era uma pergunta retórica, de forma alguma um chamado à sedição. Também se referiram ao acidente no moinho, e o médico afirmou que poderiam ser evitados os acidentes se os turnos fossem mais curtos, porque o trabalho brutal das trituradoras e o calor dos caldeirões nublavam o entendimento. Disse que a hemorragia de Séraphine havia sido estancada e que ainda era muito cedo para detectar sinais de infecção, mas a moça havia perdido muito sangue, estava perturbada e tão fraca que mal reagia, mas se absteve de acrescentar que certamente Tante Rose a mantinha adormecida com suas poções. Não pensava voltar ao assunto da escravidão, que havia desgostado tanto seu anfitrião, mas depois do jantar, instalados na varanda, gozando do frescor da noite, conhaque e charutos, foi o próprio Valmorain quem o mencionou.

— Desculpe minha grosseria desta manhã, doutor. Temo ter perdido o bom hábito da conversação intelectual nessas solidões. Não quis ofendê-lo.

— Não me ofendeu, monsieur.

— Não vai acreditar, doutor, mas antes de vir para cá eu admirava Voltaire, Diderot e Rousseau — contou Valmorain.

— E agora não mais?

— Agora ponho em dúvida as especulações dos humanistas. A vida nesta ilha me embruteceu ou, digamos, me tornou mais realista. Não posso aceitar que os negros sejam tão humanos quanto nós, embora tenham inteligência e alma. A raça branca criou a nossa civilização. A África é um continente obscuro e primitivo.

— Esteve lá, *mon ami?*

— Não.

— Eu sim. Passei dois anos na África, viajando de um lado para outro — contou o doutor. — Na Europa, sabe-se muito pouco sobre esse imenso e variado território. Na África já existia uma civilização complexa quando nós, europeus, vivíamos em cavernas cobertos de peles. Concordo que, num aspecto, a raça branca possa ser superior: somos mais agressivos e gananciosos. Isso explica nosso poderio e a extensão de nossos impérios.

— Muito antes de os europeus chegarem na África, os negros se escravizavam uns aos outros e ainda o fazem — disse Valmorain.

— Exatamente como os brancos se escravizam uns aos outros, monsieur — rebateu o médico. — Nem todos os negros são escravos e nem todos os escravos são negros. A África é um continente de gente livre. Há milhões de africanos submetidos à escravidão, mas há muitos outros que são livres. Seu destino não é a escravidão, como tampouco é o de milhares de homens que também são escravos.

— Compreendo sua repugnância pela escravidão, doutor — disse Valmorain. — Também me atrai a ideia de substituí-la por outro sistema de trabalho, mas temo que, em certos casos, como o das plantações, não haja. A economia do mundo está repousada sobre ela; não pode ser abolida.

— Talvez não da noite para o dia, mas poderia ser feita de forma gradual. Em Saint-Domingue, acontece o contrário, aqui o número de escravos aumenta a cada ano. Já pensou no que vai acontecer quando se revoltarem? — perguntou Parmentier.

— Você é um pessimista — comentou o outro, bebendo o resto do conhaque.

— Como poderia não ser? Estou há muito tempo em Saint-Domingue, monsieur, e, para ser franco, estou farto. Vi verdadeiros horrores. Sem ir mais longe, faz pouco estive na *habitation* Lacroix, onde, nos últimos dois meses, vários escravos se suicidaram. Dois se atiraram no caldeirão de melaço fervente. Imagine como deveriam estar desesperados.

— Nada o retém aqui, doutor. Com a sua licença real pode praticar sua ciência onde desejar.

— Imagino que um dia irei embora — respondeu o médico, pensando que não podia mencionar sua única razão para permanecer na ilha: Adèle e as crianças.

— Eu também desejo levar minha família para Paris — acrescentou Valmorain, mesmo sabendo que essa possibilidade era remota.

A França estava em crise. Naquele ano, o diretor-geral de finanças havia convocado uma Assembleia de Notáveis para obrigar a nobreza e o clero a pagarem impostos e compartilharem a carga econômica, mas sua iniciativa não dera em nada. A distância, Valmorain podia ver como desmoronava o sistema político. Não era o momento de voltar à França e também não podia deixar a plantação nas mãos de Prosper Cambray. Não confiava nele, mas não o largava porque estava há muitos anos a seu serviço e trocá-lo seria pior do que continuar a suportá-lo. A verdade — que jamais havia admitido — era que tinha medo dele.

O doutor também bebeu o resto de seu conhaque, saboreando o formigamento no paladar e a ilusão de bem-estar que o invadia por breves instantes. As têmporas latejavam e a dor havia se concentrado nas cavidades dos olhos. Pensou nas palavras de Séraphine, que conseguira escutar no moinho, pedindo a Tante Rose que a ajudasse a ir com seu filho que ainda não nascera para o lugar dos Mortos e dos Mistérios, de volta à Guiné. "Não posso, *p'tite.*" Perguntou-se o que a mulher teria feito se ele não estivesse presente. Talvez a tivesse ajudado, mesmo com o risco de ser surpreendida e pagar caro por aquilo. Havia maneiras discretas de fazê-lo, pensou o doutor, muito cansado.

— Me desculpe por insistir nessa conversa da manhã, monsieur. Sua esposa se acha vítima do vodu, diz que os escravos a enfeitiçaram. Creio que podemos utilizar essa obsessão a seu favor.

— E como faríamos? — disse Valmorain.

— Poderíamos convencê-la de que Tante Rose pode combater a magia negra. Não perderemos nada em experimentar.

— Vou pensar no assunto, doutor. Depois que Eugenia der à luz nos ocuparemos de seus nervos — respondeu Valmorain com um suspiro.

Nesse momento, a silhueta de Tété passou pelo pátio, iluminada pelo luar e pelas tochas que mantinham acesas de noite para a vigilância. O olhar dos homens a seguiu. Valmorain a chamou com um assobio e, um instante depois, ela se apresentou na varanda, tão silenciosa e leve como um gato. Vestia uma saia rejeitada por sua patroa, desbotada e remendada, mas benfeita, e um engenhoso turbante com vários nós que acrescentava um palmo à sua altura. Era uma jovem esbelta, de seios proeminentes, olhos puxados de pálpebras adormecidas e pupilas douradas, com uma graça natural e movimentos precisos e elásticos. Irradiava uma energia poderosa, que o doutor sentiu na pele. Adivinhou que por baixo daquela aparência austera se ocultava a energia contida de um felino em repouso. Valmorain apontou o copo e ela se dirigiu ao aparador da sala de jantar, voltou com a garrafa de conhaque e serviu a ambos.

— Como está a madame? — perguntou Valmorain.

— Está tranquila, senhor — respondeu ela, recuando para se retirar.

— Espere, Tété. Vamos ver se nos ajuda a dirimir uma dúvida. O doutor Parmentier acha que os negros são tão humanos quanto os brancos, e eu afirmo o contrário. O que você acha? — perguntou-lhe Valmorain, num tom que ao doutor pareceu mais paternal do que sarcástico.

Ela permaneceu muda, com os olhos no chão e as mãos juntas.

— Vamos, Tété. Responda sem medo. Estou esperando...

— O senhor sempre tem razão — murmurou ela, por fim.

— Ou seja, na sua opinião, os negros não são completamente humanos...

— Um ser que não é humano não tem opiniões, senhor.

O doutor Parmentier não pôde evitar uma gargalhada espontânea, e Toulouse Valmorain, depois de um instante de dúvida, riu também. Com um gesto, despediu a escrava, que desapareceu na sombra.

zarité

No dia seguinte, pelo meio da tarde, dona Eugenia deu à luz. Foi rápido, embora ela não tenha ajudado até o último momento. O doutor estava ao seu lado, observando de uma cadeira, porque pegar bebês não é coisa de homem, como ele mesmo nos disse. O patrão Valmorain achava que um diploma de médico com o selo real valia mais do que a experiência e não quis chamar Tante Rose, a melhor parteira do norte da ilha; até as mulheres brancas a procuravam quando chegava a hora delas. Segurei minha patroa, refresquei-a, rezei em espanhol com ela e lhe dei a água milagrosa que lhe mandaram de Cuba. O doutor podia ouvir claramente as batidas do coração do menino, ele estava pronto para nascer, mas dona Eugenia se negava a ajudar. Expliquei a ele que minha patroa ia parir um zumbi, e Baron Samedi tinha vindo para levá-lo, mas o doutor começou a rir com tanta vontade que chegou a chorar. Aquele branco estudava o vodu havia anos, sabia que Baron Samedi é o servo e sócio de Ghédé, loa *do mundo dos mortos. Não sei, então, do que achava tanta graça. "Que ideia mais grotesca! Não estou vendo nenhum barão!" O Barão não se mostra para os que não o respeitam. Logo ele compreendeu que o assunto não tinha nenhuma graça porque dona Eugenia estava muito agitada. Mandou que eu fosse buscar Tante Rose. Encontrei o patrão numa poltrona na sala, adormecido depois de vários copos de conhaque, e ele autorizou que eu fosse chamar minha madrinha. Fui voando buscá-la. Ela estava me esperando pronta, com seu vestido cerimonial branco, seu saco de remédios, seus colares e o* asson. *Sem fazer perguntas, dirigiu-se para a casa-grande, subiu para a varanda e entrou pela porta dos escravos. Para chegar ao quarto de dona Eugenia, devia passar pela sala, e as batidas da bengala nas tábuas do assoalho despertaram o patrão. "Cuidado com o que vai fazer com a madame", advertiu-a com voz fanhosa. Mas ela não lhe fez caso e seguiu em frente, percorrendo o corredor às apalpadelas, até que achou o quarto onde havia estado com frequência para atender dona Eugenia. Dessa vez não vinha como curandeira, mas como* mambo: *ia enfrentar o sócio da Morte.*

Na entrada do quarto, Tante Rose viu Baron Samedi e foi sacudida por um calafrio, mas não recuou. Cumprimentou-o com uma reverência, agitando o asson *com seu chocalhar de ossinhos, e lhe pediu permissão para se aproximar da cama. O* loa *dos cemitérios e das encruzilhadas, com seu rosto branco de caveira e seu chapéu negro, se afastou, convidando-a a se aproximar de dona Eugenia, que ofegava como um peixe, encharcada, com os olhos vermelhos de terror, lutando contra seu corpo que se apressava em expulsar o bebê, enquanto ela lutava para retê-lo. Tante Rose colocou em seu pescoço um de seus colares de sementes e búzios e lhe disse algumas palavras de consolo que repeti em espanhol. Depois ela se virou para Baron.*

O doutor Parmentier observava fascinado, embora ele só visse a parte que correspondia a Tante Rose; em troca, eu via tudo. Minha madrinha acendeu um charuto e o agitou, enchendo o quarto com uma fumaça que tornava o ar irrespirável, porque a janela permanecia sempre fechada para impedir a entrada dos mosquitos; depois, desenhou um círculo de giz em torno da cama e começou a rodar com passos de dança, apontando os quatro cantos com o asson. *Concluída sua saudação aos espíritos, fez um altar com vários objetos sagrados que tirou do saco, onde colocou oferendas de rum e pedrinhas, e por último se sentou aos pés da cama, pronta para negociar com Baron. Ambos se entregaram a um prolongado regateio em* créole, *tão denso e veloz que não consegui entender nada, embora tenha ouvido várias vezes o nome de Séraphine. Discutiam, irritavam-se, riam, enquanto ela fumava o charuto e soprava a fumaça que ele engolia às golfadas. Isso continuou por muito tempo, e o doutor Parmentier começou a perder a paciência. Tentou abrir a janela, mas estava emperrada pela falta de uso. Tossindo e lacrimejando com toda aquela fumaça, tomou o pulso de dona Eugenia, como se não soubesse que as crianças saem por baixo, muito longe do pulso.*

Por fim, Tante Rose e Baron chegaram a um acordo. Ela se dirigiu para a porta e, com profunda reverência, despediu o loa, *que saiu dando seus saltinhos de rã. Depois, Tante Rose explicou a situação para a patroa: o que tinha na barriga não era carne de cemitério, mas um bebê normal que Baron Samedi não levaria. Dona Eugenia parou de se debater e se concentrou em empurrar com toda vontade e, logo, um jorro de líquido amarelado e sangue manchou os lençóis. Quando surgiu a cabeça da criança, minha madrinha a pegou suavemente e ajudou o resto do corpo a sair. Entregou-me o recém-nascido e anunciou à mãe que era um menino, mas ela não quis nem vê-lo: virou o rosto para a parede e fechou os olhos, exausta. Eu o apertei contra meu peito, segurando-o com cuidado, porque estava todo coberto de manteiga e escorregadio. Tive certeza absoluta de que amaria aquele menino como se fosse meu. E agora, depois de tantos anos e de tanto amor, sei que não me enganei. Comecei a chorar.*

Tante Rose esperou que a patroa expulsasse o que restava dentro dela e a limpou, depois bebeu um trago da oferenda de rum do altar, pôs seus pertences no saco e saiu do quarto apoiada na bengala. O doutor escrevia depressa em seu caderno, enquanto eu continuava chorando e lavava o menino, que era leve como um gatinho. Protegi-o com a manta tecida em minhas tardes na varanda e o levei para o pai para que o conhecesse, mas o patrão tinha bebido tanto conhaque que não consegui acordá-lo. No corredor, aguardava uma escrava com os seios entumescidos, que acabava de tomar banho e tinha a cabeça raspada por causa dos piolhos; ela ia dar seu leite ao filho dos patrões na casa-grande, enquanto o dela se criava com água de arroz no setor dos negros. Nenhuma branca amamentava seus filhos, era o que eu pensava naquele tempo. A mulher se sentou de pernas cruzadas no chão, abriu a blusa e recebeu o bebezinho, que se aferrou ao seu peito. Senti que a minha pele ardia e que meus mamilos endureciam: meu corpo estava pronto para aquele menino.

Naquele mesmo instante, na cabana de Tante Rose, Séraphine morria sozinha, sem se dar conta, porque estava profundamente adormecida. Assim foi.

A concubina

Chamaram-no Maurice. O pai estava comovido até os ossos com aquele inesperado presente do céu que vinha combater sua solidão e conter sua ambição. Aquele filho ia prolongar a dinastia Valmorain. Declarou dia de festa, ninguém trabalhou na plantação, mandou assar vários animais e designou três ajudantes para Tante Mathilde; que não faltassem guisados picantes de milho, legumes ensopados e bolos para todo mundo. Autorizou uma *calenda* no pátio principal, em frente à casa-grande, que se encheu de uma multidão barulhenta. Os escravos se enfeitaram com o pouco que possuíam — um pano colorido, um colar de búzios, uma flor —, levaram seus tambores e outros instrumentos improvisados, e em pouco tempo havia música e gente dançando sob o olhar debochado de Cambray. O patrão mandou distribuir dois barris de *tafia*, e cada escravo recebeu em sua cabaça uma boa dose para brindar. Tété apareceu na varanda com o menino enrolado numa manta e o pai ergueu-o acima de sua cabeça para mostrá-lo aos escravos. "Este é o meu herdeiro! Vai se chamar Maurice Valmorain, como meu pai!", exclamou, rouco de emoção e ainda sob efeito da bebedeira da noite anterior. Um silêncio de fundo de mar acolheu suas palavras. Até Cambray se assustou. Aquele branco ignorante havia cometido a infeliz imprudência de dar ao filho o nome de um avô defunto, que ao ser invocado podia sair do túmulo e raptar o neto para o mundo dos mortos. Valmorain acreditou que o silêncio se deveu ao respeito e deu ordem de passar uma segunda rodada de *tafia* e prosseguir com a festa. Tété recuperou o recém-nascido e o levou para dentro correndo, borrifando-lhe o rosto com uma chuva de saliva para protegê-lo da desgraça invocada pela imprudência do pai.

No dia seguinte, enquanto os escravos domésticos limpavam as sobras do carnaval no pátio e os demais tinham voltado ao trabalho nos canaviais, o doutor Parmentier se aprontou para voltar à cidade. O pequeno Maurice mamava em sua ama de leite como um bezerro e Eugenia não manifestava os sintomas da fatal febre do ventre. Tété havia lhe massageado os seios com uma mistura de manteiga e mel, e os vendara com um pano vermelho, método que Tante Rose havia ensinado para secar o leite antes de começar a escorrer. Na mesa de cabeceira de Eugenia, eram vistos uma carreira de frascos de gotas para tirar a insônia, comprimidos para angústia e xaropes para suportar o medo; nada que pudesse curá-la, como o próprio doutor admitia, mas que terminavam por aliviar a sua existência. A espanhola era uma sombra de pele esmaecida e rosto descomposto, mais pela tintura do ópio do que pela confusão de sua cabeça. Maurice havia sofrido dentro de sua mãe os efeitos da droga, explicou o médico a Valmorain, e por isso nascera tão pequeno e frágil. Certamente seria uma criança doente, necessitando mais do que qualquer outro bebê de ar fresco, sol e uma boa alimentação. Ordenou que dessem três ovos crus por dia à sua ama de leite para lhe fortalecer o leite. “Agora sua patroa e o bebê passam a ficar sob a sua responsabilidade, Tété. Não poderiam estar em melhores mãos”, acrescentou. Toulouse Valmorain lhe pagou com generosidade pelos seus serviços e se despediu com pesar, porque estimava de verdade aquele homem culto e de boa índole com quem havia jogado incontáveis partidas de cartas nas longas tardes de Saint-Lazare. Sentiria falta das conversas com ele, especialmente daquelas em que discordavam, porque eram as que o obrigavam a exercitar-se na esquecida arte de argumentar por prazer. Destinou dois capatazes armados para acompanhar o médico de volta a Le Cap.

Parmentier estava arrumando a bagagem, tarefa que não delegava aos escravos porque era muito meticuloso com suas posses, quando Tété bateu com discrição na porta e perguntou com um fio de voz se podia falar um instante com ele em particular. Parmentier estivera frequentemente com ela e a usava para se comunicar com Eugenia, que parecia ter esquecido o francês, e também com os escravos, em especial com Tante Rose. "Você é uma enfermeira muito boa, Tété. Mas não trate sua patroa como uma inválida; ela tem que começar a se cuidar sozinha", advertiu Tété quando a viu dando papinha na boca da espanhola com uma colher e soube que a sentava no penico e lhe limpava o traseiro para que não se sujasse de pé. A jovem respondia a suas perguntas com precisão, num francês correto, mas nunca iniciava um diálogo nem o encarava. Isso lhe havia permitido observá-la à vontade. Devia ter uns dezessete anos, embora seu corpo não parecesse mais o de uma adolescente, e sim o de uma mulher feita. Valmorain havia lhe contado a história de Tété numa das caçadas que tinham feito juntos. Sabia que a mãe da escrava havia chegado grávida à ilha e fora comprada por um *affranchis* dono de um negócio de cavalos em Le Cap. A mulher tentara provocar um aborto, e por isso recebera mais chicotadas do que nenhuma outra teria suportado, mas a criança em seu ventre era tenaz e, no devido tempo, nascera uma menina saudável. E, assim que lhe fora possível se levantar, ela tentara arrebentá-la contra o chão, mas novamente a menina fora protegida a tempo. Outra escrava cuidara dela durante algumas semanas, até que seu dono decidira usá-la para pagar uma dívida de jogo com um funcionário francês de sobrenome Pascal, mas a mãe da menina nem chegara a ficar sabendo porque se atirara de um parapeito no mar. Valmorain lhe disse que havia comprado Tété para ser a criada de sua mulher e saíra ganhando, porque a moça acabara sendo enfermeira e empregada doméstica. E que, pelo visto, seria também a babá de Maurice.

— O que você quer, Tété? — perguntou o doutor, enquanto colocava com cuidado seus valiosos instrumentos de prata e bronze numa caixa de madeira polida.

Ela fechou a porta e lhe contou, com um mínimo de palavras e sem nenhuma expressão no rosto, que tinha um filho de pouco mais de um ano, que vira apenas por um instante quando nascera. Parmentier percebeu sua voz entrecortada, mas, quando ela tornou a explicar que tivera o menino enquanto sua patroa descansava num convento em Cuba, usou o mesmo tom neutro de antes.

— O patrão me proibiu de falar no menino, e dona Eugenia não sabe de nada — concluiu Tété.

— Monsieur Valmorain fez bem. Sua esposa não podia ter filhos e se perturbava muito quando via crianças. Alguém sabe do seu filho?

— Só Tante Rose. Acho que o chefe dos capatazes suspeita, mas não tenho certeza.

— Agora que a madame tem o seu próprio bebê, a situação mudou. Certamente seu patrão vai querer recuperar seu filho, Tété. Afinal de contas, o menino é propriedade dele, não? — comentou Parmentier.

— Sim, é propriedade dele. E filho dele também.

"Como não havia me ocorrido o mais óbvio?!", pensou o doutor. Nunca vislumbrara o menor sinal de intimidade entre Valmorain e a escrava, mas era de imaginar que, com uma esposa naquele estado, o homem se consolaria com qualquer mulher ao alcance de sua mão. Tété era muito atraente, tinha algo de enigmático e sensual. E mulheres como ela são como gemas que somente um olho experiente sabe distinguir entre os cascalhos, pensou. São como caixas fechadas que o amante deve abrir aos poucos para revelar seus mistérios. Qualquer homem poderia se sentir muito feliz com seu afeto, mas tinha dúvidas de que

Valmorain soubesse realmente apreciá-la. Lembrou-se de sua Adèle com saudade. Ela também era um diamante bruto. Havia lhe dado três filhos e muitos anos de uma companhia tão discreta que ele nunca precisara dar explicações na mesquinha sociedade onde exercia sua ciência. Se soubessem que tinha uma concubina e filhos de cor, os brancos o teriam repudiado. Em troca, aceitavam com a maior naturalidade os boatos de que era maricas e que por isso continuava solteiro e desaparecia com frequência no bairro dos *affranchis*, onde os rufiões ofereciam meninos para todos os caprichos. Por amor a Adèle e aos filhos, não podia voltar para a França, por mais desesperado que vivesse na ilha. "Então, o pequeno Maurice tem um irmão... Na minha profissão, a gente fica sabendo de tudo", murmurou entredentes. Valmorain não havia mandado sua mulher a Cuba para recuperar a saúde, como anunciara na ocasião, mas para lhe ocultar o que acontecia em sua própria casa. Por que tantos melindres? Aquela era uma situação comum e aceita, a ilha estava cheia de bastardos mestiços, inclusive achava ter visto, pelo menos, uns dois mulatinhos entre os escravos de Saint-Lazare. A única explicação era que Eugenia não teria suportado que o marido se deitasse com Tété, sua única âncora na profunda desordem de sua loucura. Valmorain devia ter adivinhado que isso a mataria e seu cinismo não foi bastante para pensar que, na realidade, sua mulher talvez estivesse melhor morta. Enfim, não era assunto que lhe dizia respeito, concluiu o médico. Valmorain devia ter suas desculpas, e não cabia a ele investigá-las, mas lhe intrigava saber se havia vendido o menino ou se apenas pretendia mantê-lo afastado por um tempo prudente.

— O que você quer que eu faça, Tété? — perguntou Parmentier.

— Por favor, doutor, pode perguntar a monsieur Valmorain? Preciso saber se meu filho está vivo, se o vendeu e para quem...

— Não posso fazer isso, seria uma descortesia. Se eu fosse você, não pensaria mais nele.

— Sim, doutor — respondeu ela, com voz quase inaudível.

— Não se preocupe, tenho certeza de que ele está em boas mãos — acrescentou Parmentier, penalizado.

Tété saiu do quarto e fechou a porta sem um ruído.

Com o nascimento de Maurice mudaram as rotinas na casa. Se Eugenia amanhecia calma, Tété a vestia e a levava para caminhar um pouco pelo pátio e depois a instalava na varanda com Maurice em seu berço. De longe, Eugenia parecia uma mãe normal vigiando o sono de seu filho, exceto pelos mosquiteiros que cobriam ambos, mas essa ilusão se desvanecia de perto, com a expressão ausente da mulher. Poucas semanas depois de dar à luz, sofreu outra de suas crises e não quis mais sair ao ar livre, convencida de que os escravos a espiavam para assassiná-la. Passava o dia em seu quarto, oscilando entre o aturdimento do láudano e o delírio de sua demência, tão perdida que mal se lembrava da existência do filho. Nunca perguntou como o alimentavam e ninguém lhe disse que Maurice crescia pendurado no bico do seio de uma africana, porque teria concluído que mamava leite envenenado. Valmorain esperava que o implacável instinto maternal pudesse devolver a sensatez a sua mulher, como uma ventania que lhe chegasse aos ossos e ao coração, curando-a por dentro. Mas quando a viu sacudir Maurice como um fantoche para fazê-lo calar, com o risco de lhe quebrar o pescoço, compreendeu que a ameaça mais séria contra o menino era a própria mãe. Arrancou o menino das mãos dela e, sem se conter, deu-lhe uma bofetada que a jogou de costas no chão. Nunca havia batido em Eugenia, e ele mesmo se surpreendeu com tamanha violência. Tété ajudou a patroa a se levantar, que chorava sem entender o que acontecera, deitou-a na cama e saiu para lhe preparar uma infusão para os nervos. Toulouse a encontrou a meio caminho e lhe pôs o menino nos braços.

— De agora em diante, você vai cuidar do meu filho. Por qualquer coisa que acontecer a ele, você vai pagar muito caro. Não permita que Eugenia toque nele outra vez! — berrou.

— E se a patroa pedir o filho? — perguntou Tété, apertando o diminuto Maurice contra o peito.

— Não me importa o que você vai fazer! Maurice é meu único filho e não vou deixar que essa imbecil o machuque.

Tété cumpriu as instruções pela metade. Levava o menino até Eugenia por períodos curtos e a deixava pegá-lo, enquanto a vigiava. A mãe ficava imóvel com o volumezinho nos joelhos, olhando-o com uma expressão de espanto que logo dava passagem à impaciência. Dali a pouco o devolvia a Tété, e sua atenção vagava em outra direção. Tante Rose teve a ideia de enrolar uma boneca de pano no cobertor de Maurice, e as duas comprovaram que a mãe não notava a diferença, e assim puderam espaçar as visitas até que já não foram mais necessárias. Instalaram Maurice em outro quarto, onde dormia com sua ama de leite, e, durante o dia, Tété o pendurava nas costas enrolado num xale, como as mães africanas. Se Valmorain estava em casa, colocava-o em seu berço na sala ou na varanda, para que pudesse vê-lo. O cheiro de Tété foi o único que Maurice identificou durante seus primeiros meses de vida; a ama de leite tinha de vestir uma blusa usada de Tété para que o menino aceitasse seu peito.

Na segunda semana de julho, Eugenia saiu antes do amanhecer, descalça e de camisola, e caminhou cambaleante em direção ao rio pela avenida de coqueiros que dava acesso à casa-grande. Tété deu o alarme e imediatamente se formaram grupos para procurá-la, que logo se uniram às patrulhas de vigilância da propriedade. Os sabujos os levaram até o rio, onde a descobriram com a água pelo pescoço e os pés grudados no barro do fundo. Ninguém entendeu como havia chegado tão longe, devido ao medo que sentia da escuridão. Pelas noites afora, seus uivos de endemoniada costumavam chegar às choças dos escravos, deixando-os arrepiados. Valmorain deduziu que Tété não lhe dava gotas suficientes do frasco azul, uma vez que não teria escapado se estivesse dopada, e, pela primeira vez, ameaçou chicoteá-la. Ela passou vários dias esperando o castigo com terror, mas ele nunca deu a ordem.

Em pouco tempo, Eugenia acabou se desligando completamente do mundo; só tolerava Tété, que dormia de noite a seu lado, encolhida no chão, pronta para tirá-la de seus pesadelos. Quando Valmorain desejava a escrava, indicava com um gesto durante o jantar. Ela esperava que a doente adormecesse, cruzava os corredores silenciosamente e chegava ao quarto principal, no outro extremo da casa. Numa dessas vezes, ao acordar sozinha em seu quarto, Eugenia fugiu novamente para o rio, e talvez por isso seu marido não tenha castigado a escrava. Aqueles encontros noturnos a portas fechadas entre o patrão e a escrava na cama matrimonial, escolhida anos antes por Violette Boisier, nunca eram mencionados à luz do dia e pareciam existir apenas no plano dos sonhos. Com a segunda tentativa de suicídio de Eugenia, dessa vez com um incêndio que por pouco não destruiu a casa, a situação se definiu e ninguém tentou manter as aparências. Na colônia, soube-se que madame Valmorain estava louca e poucos estranharam, porque fazia anos que corriam rumores de que a espanhola provinha de uma família de doidas varridas. Além disso, não era raro que as mulheres brancas vindas de fora enlouquecessem na colônia. Os maridos as enviavam para repousar em outro clima e se consolavam com a variedade de moças de todos os tons que a ilha oferecia. As *créoles*, em compensação, floresciam naquele ambiente de decadência, onde se podia sucumbir às tentações sem precisar arcar com as consequências. No caso de Eugenia, já era tarde para mandá-la a qualquer lugar, exceto o asilo, opção que Valmorain jamais considerara por senso de responsabilidade e orgulho: roupa suja se lavava em casa. E a dele contava com muitos quartos, salão e sala de jantar, um escritório e duas adegas, de modo que podia passar semanas sem ver a mulher. Confiou Eugenia a Tété e se voltou para o filho. Nunca imaginou que fosse possível amar tanto outro ser, mais do que a soma de todos os afetos anteriores, mais do que a si mesmo. Nenhum sentimento se parecia ao que Maurice lhe provocava. Podia passar horas contemplando-o e se surpreendia a todo o momento pensando nele. Uma vez, deu meia- volta quando ia para Le Cap e regressou a galope com o pressentimento atroz de que havia acontecido uma desgraça ao filho. O alívio, ao comprovar que não era nada daquilo, foi tão esmagador que caiu em prantos. Ele se sentava na poltrona com o menino nos braços, sentindo o suave peso da cabeça em seu ombro e a respiração quente em seu pescoço, aspirando o cheiro azedo de leite e suor infantil. Tremia só de pensar nos acidentes ou pestes que poderiam arrebatá-lo dele. Metade das crianças em Saint-Domingue morria antes de alcançar os cinco anos. Elas eram as primeiras vítimas numa epidemia, e isso sem contar os perigos intangíveis como as maldições, das quais ele zombava somente da boca para fora, ou uma insurreição dos escravos em que morreria até o último branco, como Eugenia havia profetizado durante anos.

Escrava para todo serviço

A doença mental de Eugenia deu a Valmorain uma boa desculpa para evitar a vida social, que o entediava, e três anos depois do nascimento de seu filho estava transformado num autêntico recluso. Seus negócios o obrigavam a ir a Le Cap e, de vez em quando, a Cuba, mas era perigoso viajar por causa dos numerosos bandos de negros que desciam das montanhas e assolavam as estradas. A execução na fogueira dos rebeldes de 1780 e outras posteriores não haviam conseguido esmorecer os escravos de fugir nem os rebeldes de atacar as plantações e os viajantes. Preferia ficar em Saint-Lazare. "Não preciso de ninguém", dizia a si mesmo, com o orgulho teimoso daqueles que têm vocação para a solidão. À medida que os anos passavam desencantava-se mais com as pessoas; todo mundo, menos o doutor Parmentier, lhe parecia idiota ou corrupto. Tinha apenas relações comerciais com o seu agente judeu em Le Cap ou o seu banqueiro em Cuba. A outra exceção, afora Parmentier, era o seu cunhado Sancho García del Solar, com quem mantinha farta correspondência, mas a quem via muito pouco. Sancho o divertia, e os negócios que haviam empreendido juntos eram lucrativos para ambos. Como costumava confessar Sancho de muito bom humor, aquilo era um verdadeiro milagre, porque nada tinha dado certo com ele antes de conhecer Valmorain. "Prepare-se, cunhado, porque qualquer dia levo você à ruína", brincava, mas continuava pedindo-lhe dinheiro emprestado e, ao cabo de algum tempo, devolvia-o multiplicado.

Tété dirigia os escravos domésticos com amabilidade e firmeza, atenuando os problemas para evitar a intervenção do patrão. Sua figura delgada, vestida com saia escura, blusa de percal e um *tignon* engomado na cabeça, com seu guizo de chaves na cintura e o peso de Maurice a cavalo no quadril ou agarrado em sua saia quando aprendeu a caminhar, parecia estar em todos os lugares ao mesmo tempo. Nada escapava a sua atenção, nem as instruções para a cozinha, nem o alvejamento da roupa, nem os pontos das costureiras, nem as necessidades do patrão ou do menino. Como sabia delegar, pôde treinar uma escrava que já não servia nos canaviais para ajudá-la com Eugenia e livrá-la de dormir no quarto da doente. A mulher a acompanhava, mas Tété administrava os remédios e dava-lhe banho, porque Eugenia não se deixava tocar por mais ninguém. A única coisa que Tété não delegava a ninguém era o cuidado de Maurice. Adorava com ciúmes de mãe aquele menininho manhoso, delicado e sentimental. Naquele tempo, a ama de leite já havia voltado para o beco dos escravos e Tété compartilhava o quarto com ele. Ela se deitava num colchonete no chão, e Maurice, que se negava a ocupar a própria cama, se encolhia a seu lado, aconchegado em seu corpo grande e morno, e seus seios generosos. Às vezes, ela acordava com a respiração do menino e, na escuridão, o acariciava, comovida até as lágrimas com seu cheiro, seus cachos alvoroçados, suas mãozinhas macias, seu corpo abandonado no sono, pensando no próprio filho, se por acaso haveria outra mulher em algum lugar dispensando a ele o mesmo carinho. Dava a Maurice tudo aquilo que Eugenia não podia lhe dar: histórias, canções, risos, beijos e, de vez em quando, um cascudo para que obedecesse. Nas raras vezes em que brigava com ele, o menino se atirava de bruços no chão, esperneando, e ameaçava denunciá-la ao pai, mas nunca o fez, porque, de alguma maneira, pressentia que as consequências seriam graves para aquela mulher que era todo o seu mundo.

Prosper Cambray não tinha conseguido impor a sua lei de terror entre os empregados da casa, porque havia se criado uma tácita fronteira entre o pequeno território de Tété e o restante da plantação. A parte dela funcionava como uma escola, a dele como uma prisão. Na casa havia tarefas precisas designadas a cada escravo e desempenhadas com calma e desenvoltura. Nos canaviais, as pessoas marchavam em fila sob o chicote sempre pronto dos *commandeurs*, obedeciam sem chiar e viviam em estado de alerta, já que qualquer descuido era pago com sangue. Cambray se encarregava pessoalmente da disciplina. Valmorain não levantava a mão contra os escravos, coisa que considerava degradante, mas assistia aos castigos para firmar sua autoridade e se assegurar de que o chefe dos capatazes não se excederia. Nunca o repreendia em público, mas sua presença diante do tronco da tortura lhe impunha certa moderação. A casa e os campos eram mundos à parte, mas a Tété e ao chefe dos capatazes não faltavam ocasiões para se encontrar. E então o ar se carregava com a energia ameaçadora de uma tempestade. Cambray a procurava, excitado pelo desprezo evidente da jovem, e ela o evitava, apreensiva com sua lascívia descarada. "Se Cambray se meter com você, quero saber na hora, entendeu?", advertiu-a Valmorain mais de uma vez, mas ela nunca mencionava nada; não lhe convinha provocar a raiva do chefe dos capatazes.

Por ordem do patrão, que não tolerava ouvir Maurice *parler nèg*, falar negro, Tété sempre usava o francês em casa. Com todas as outras pessoas na plantação se comunicava em *créole*, e com Eugenia num espanhol que ia se reduzindo a umas poucas palavras indispensáveis. A doente estava mergulhada numa melancolia tão intensa e numa indiferença tão total dos sentidos, que, se Tété não a alimentasse ou banhasse, teria acabado desmaiando de fome e suja como uma porca, e, se não a movesse para trocá-la de posição, os ossos dela teriam se calcificado, e, se não a incentivasse a falar, ficaria muda. Já não sofria ataques de pânico; passava, agora, seus dias sonâmbula numa poltrona, com o olhar fixo, como se fosse uma boneca grande. Mas rezava o rosário que sempre levava no saquinho de couro pendurado no pescoço, embora já não desse mais atenção às palavras. "Quando eu morrer, fique com o meu rosário, não deixe que ninguém o tire de você, porque foi benzido pelo Papa", dizia a Tété. Em seus raros momentos de lucidez, rezava para que Deus a levasse. Segundo Tante Rose, seu *ti-bon-ange* estava preso a este mundo e era necessário um *serviço* especial para libertá-lo, nada doloroso ou complicado, mas Tété não se decidia a um desfecho tão irrevogável. Desejava ajudar sua infeliz patroa, mas a responsabilidade por sua morte seria uma carga angustiante, mesmo a compartilhando com Tante Rose. Talvez o *ti-bon-ange* de dona Eugenia ainda tivesse algo a fazer em seu corpo; deviam lhe dar tempo para que fosse se desprendendo sozinho.

Toulouse Valmorain impunha seus abraços a Tété com frequência, mais por hábito do que por carinho ou desejo, já sem a ânsia da época em que ela entrara na puberdade e ele ficara transtornado por uma paixão súbita. Somente a demência de Eugenia explicava que ela não houvesse se dado conta do que acontecia diante de seus olhos. "A patroa suspeita, mas vai fazer o quê? Não pode impedir", opinou Tante Rose, a única pessoa em quem Tété se atrevera a confiar quando engravidara. Temia a reação de sua patroa quando percebesse, mas, antes que isso viesse a acontecer, Valmorain levou a mulher para Cuba, onde a teria deixado de boa vontade para sempre se as monjas do convento tivessem aceitado se encarregar dela. Quando a trouxe de volta para a plantação, o recém-nascido de Tété havia desaparecido, e Eugenia nunca perguntou por que as lágrimas de sua escrava escorriam como pedrinhas. A sensualidade de Valmorain era voraz e apressada na cama. Ele se saciava sem gastar tempo com preâmbulos. Da mesma forma que lhe entediava o ritual da toalha rendada e dos candelabros de prata, que antes Eugenia lhe impunha no jantar, também achava inútil o jogo amoroso.

Para Tété era uma tarefa a mais, que cumpria em poucos minutos, afora as vezes em que o diabo se apoderava do seu patrão, o que não acontecia seguidamente, embora ela sempre receasse. Agradecia sua sorte, porque Lacroix, o dono da plantação vizinha a Saint-Lazare, mantinha um harém de meninas acorrentadas num barracão para satisfazer suas fantasias, e das quais participavam seus convidados e alguns negros que ele chamava de "meus potros". Valmorain tinha ido uma só vez a essas cruéis noitadas e ficara tão profundamente abalado que não voltara mais. Não era homem escrupuloso, mas achava que os crimes fundamentais, cedo ou tarde, eram cobrados e pagos, e não desejava estar perto de Lacroix quando coubesse a ele pagá-los. Era seu amigo, tinham interesses comuns, desde a criação de animais até o aluguel de escravos na safra; ia a suas festas, seus rodeios e brigas de animais, mas não queria pôr os pés naquele barracão. Lacroix tinha absoluta confiança nele e lhe entregava suas economias, sem mais garantias do que um simples recibo assinado, para que as depositasse numa conta secreta quando ia a Cuba, longe das garras ambiciosas da mulher e dos parentes. E Valmorain devia empregar muito tato para recusar uma vez após outra os convites para suas orgias.

Tété havia aprendido a se deixar usar com a passividade de uma ovelha, o corpo frouxo, sem opor resistência, enquanto sua mente e sua alma voavam para outro lugar. Assim, seu patrão acabava logo e depois desmoronava num sono de morte. Sabia que o álcool era seu aliado se o administrasse na medida certa. Com uma ou duas taças, o patrão se excitava, com a terceira devia ter cuidado porque se tornava violento, com a quarta o envolvia a neblina da embriaguez e, se ela o evitasse com delicadeza, dormia antes mesmo de tocá-la.

Valmorain nunca se perguntou o que ela sentia naqueles encontros, como não teria lhe ocorrido perguntar o que sentia seu cavalo quando o montava. Estava acostumado com ela e raramente procurava outras mulheres. Às vezes, acordava com uma vaga sensação de angústia na cama vazia, onde ainda estava a marca quase imperceptível do corpo morno de Tété. Então, evocava suas remotas noites com Violette Boisier ou alguns namoros de sua juventude na França, que pareciam ter acontecido com outro homem, alguém que deixava a imaginação voar à vista de um tornozelo feminino e que era capaz de se excitar com brios renovados. Agora isso era impossível. Tété já não o excitava como antes, mas não pensava em substituí-la, porque se sentia cômodo assim, e era um homem de hábitos arraigados. Às vezes, agarrava de passagem alguma escrava jovem, mas a coisa não ia além de uma violação apressada e menos prazerosa do que uma página do livro que lia no momento. Atribuía seu desânimo a um ataque de malária que quase o despachara para o outro mundo e o deixara debilitado. O doutor Parmentier prevenira-o contra os efeitos do álcool, tão perniciosos quanto a febre nos trópicos, mas ele não bebia demais, disso tinha certeza, apenas o indispensável para atenuar o tédio e a solidão. E nem percebia a insistência de Tété em lhe encher a taça. Antes, quando sempre ia a Le Cap, aproveitava para se divertir com alguma cortesã na moda, uma daquelas lindas *poules* que reacendiam sua paixão, mas que o deixavam desapontado. Pelo caminho, ele se prometia prazeres que, uma vez consumados, já não conseguia lembrar, em parte porque naquelas viagens se embebedava para valer. Pagava àquelas moças para fazer a mesma coisa que, no final das contas, fazia com Tété, o mesmo ato grosseiro, com a mesma pressa, e no fim ia embora cambaleando, com a impressão de ter sido enganado. Com Violette havia sido diferente, mas ela tinha largado a profissão desde que passara a viver com Relais. Valmorain sempre voltava para Saint-Lazare antes do previsto, pensando em Maurice e ansioso por recuperar a segurança de suas rotinas.

"Estou ficando velho", resmungava ele ao se observar no espelho, quando seu escravo o barbeava e via a teia de rugas finas em volta dos olhos e o começo de uma papada. Tinha quarenta anos, a mesma idade de Prosper Cambray, mas faltava-lhe a sua energia e estava começando a engordar. "É culpa desse clima desgraçado", acrescentava. Sentia que sua vida era uma navegação sem timão nem bússola, encontrava-se à deriva, esperando algo que não sabia nomear. Detestava aquela ilha. De dia se mantinha ocupado com os afazeres da plantação, mas as tardes e noites pareciam infindáveis. O sol se punha, caía a escuridão, e as horas começavam a se arrastar com a sua carga de lembranças, medos, arrependimentos e fantasmas. Enganava o tempo lendo e jogando cartas com Tété. Eram os únicos momentos em que ela baixava a guarda e se abandonava ao entusiasmo do jogo. No começo, quando a ensinou a jogar, ele sempre ganhava, mas acabou adivinhando que ela perdia de propósito por medo de irritá-lo. "Assim não tem graça nenhuma para mim. Trate de ganhar", exigiu, e então começou a perder com frequência. Com espanto se perguntava como aquela mulata podia competir de igual para igual com ele num jogo de lógica, astúcia e cálculo. Ninguém havia ensinado aritmética a Tété, mas ela contava as cartas por instinto, como fazia com os gastos da casa. A possibilidade de que fosse tão hábil como ele o perturbava e confundia.

O patrão comia cedo à noite, na sala de jantar, três pratos simples e consistentes, sua alimentação forte do dia, servida por dois escravos silenciosos. Bebia algumas taças de bom vinho. O mesmo que enviava de contrabando a seu cunhado Sancho, que vendia em Cuba pelo dobro do que lhe custava em Saint-Domingue. E, depois da sobremesa, Tété lhe trazia a garrafa de conhaque e colocava-o a par os assuntos domésticos. A jovem deslizava em seus pés descalços como se flutuasse, mas ele percebia o tilintar delicado das chaves, o roçar de suas saias e o calor de sua presença antes de ela entrar. "Sente-se. Não gosto que fale comigo por cima da minha cabeça", repetia-lhe toda noite. Ela esperava a ordem para se sentar a curta distância, muito aprumada na cadeira, as mãos na saia e os olhos baixos. À luz das velas seu rosto harmonioso e seu pescoço delgado pareciam talhados em madeira. Os olhos puxados e adormecidos brilhavam com reflexos dourados. Respondia a suas perguntas sem entusiasmo, exceto quando falava de Maurice; então se animava, festejando cada travessura do garoto como uma proeza. "Todos os meninos perseguem as galinhas, Tété", zombava ele, mas no fundo compartilhava sua crença de que estavam criando um gênio. Por isso, mais do que qualquer outra coisa, Valmorain apreciava Tété: seu filho não podia estar em melhores mãos. Apesar de si mesmo, porque não era partidário de mimos excessivos, comovia-se ao vê-los juntos naquela cumplicidade de carícias e segredos de mães com seus filhos. Maurice retribuía o carinho de Tété com uma fidelidade tão excludente que o pai costumava ficar enciumado. Valmorain havia proibido que a chamasse de *maman*, mas Maurice lhe desobedecia. "*Maman*, jure que nunca, nunca vamos nos separar", tinha ouvido seu filho sussurrar às suas costas. "Juro, meu querido." Na falta de outro interlocutor, acostumou-se a confiar a Tété suas preocupações dos negócios, da administração da plantação e dos escravos. Não se tratava de conversas, já que não esperava resposta, mas de monólogos para se desafogar e ouvir o som de uma voz humana, embora fosse apenas a própria. Às vezes, trocavam ideias e ele achava que ela não contribuía em nada, porque não se dava conta de como o manipulava em poucas frases.

— Viu a mercadoria que Cambray trouxe ontem?

— Sim, patrão. Ajudei Tante Rose a examiná-los.

— E?

— Não estão bem.

— Acabaram de chegar. Perdem muito peso na viagem. Cambray arrematou todos pelo mesmo preço. Esse método é péssimo, não se pode examinar a mercadoria e nos passam gato por lebre. Os negreiros são especialistas em trapaças. Mas, enfim, imagino que o chefe dos capatazes sabe o que faz. O que diz Tante Rose?

— Há dois com diarreia, não podem nem ficar de pé. Diz para deixarem eles por uma semana para curá-los.

— Uma semana!

— É preferível isso a perdê-los, patrão. É o que diz Tante Rose.

— Há alguma mulher no lote? Precisamos de outra na cozinha.

— Não, mas há um rapaz de uns catorze anos...

— Foi esse que Cambray chicoteou no caminho? Disse que quis escapar e teve que lhe dar uma lição lá mesmo.

— É o que o senhor Cambray diz, patrão.

— E você, Tété, o que acha que aconteceu?

— Não sei, patrão. Mas acho que o menino renderá mais na cozinha do que no campo.

— Aqui tentaria fugir de novo, há pouca vigilância.

— Nenhum escravo da casa fugiu até hoje, patrão.

O diálogo ficava inconcluso, porém, mais adiante, quando Valmorain examinava suas novas aquisições, distinguia o rapaz e tomava uma decisão. Terminado o jantar, Tété ia ver se Eugenia estava limpa e calma em sua cama, e fazia companhia a Maurice até ele dormir. Valmorain se instalava na varanda, se o clima permitia, ou no salão sombrio, acariciando seu terceiro conhaque, mal iluminado por uma lamparina de azeite, com um livro ou um jornal. As notícias chegavam com semanas de atraso, mas ele não se importava, os fatos pareciam ocorrer em outro mundo. Dispensava os escravos domésticos, porque no fim do dia já estava cansado de que lhe adivinhassem o pensamento, e ficava lendo sozinho. Mais tarde, quando o céu era um impenetrável manto negro e ouviam-se apenas o assobio incessante dos canaviais, o murmúrio das sombras dentro da casa e, às vezes, a vibração secreta de tambores distantes, ele ia para seu quarto e se despia à luz de uma única vela. Tété chegaria logo.

zarité

Assim me lembro. Lá fora, os grilos e o canto da coruja; dentro, o luar iluminando em listras precisas seu corpo adormecido. Tão jovem! Cuide dele, Erzuli, loa *das águas mais profundas, rogava eu, acariciando minha boneca, aquela que meu avô Honoré me dera e que ainda me acompanhava naquele tempo. Venha, Erzuli, mãe, amante, com seus colares de ouro puro, sua capa de penas de tucano, sua coroa de flores e seus três anéis, um para cada esposo. Ajude-nos,* loa *dos sonhos e das esperanças. Proteja-o de Cambray, faça-o invisível aos olhos do patrão, cauteloso diante dos outros, mas soberbo em meus braços, cale seu coração de boçal à luz do dia, para que sobreviva, e dê-lhe coragem à noite, para que não perca o desejo de liberdade. Olhe-nos com benevolência, Erzuli,* loa *dos ciúmes. Não nos inveje, porque esta felicidade é frágil como asas de mosca. Ele irá embora. Se não for, morrerá, você sabe, mas não o tire de mim ainda, deixe-me acariciar suas costas magras de rapaz antes que se transformem nas de um homem.*

Era um guerreiro, aquele meu amor, como o nome que lhe dera seu pai, Gambo, que quer dizer guerreiro. Eu sussurrava seu nome proibido quando estávamos sozinhos, Gambo, e essa palavra ressoava em minhas veias. Custou a ele muitas surras responder ao nome que lhe deram aqui e ocultar o seu verdadeiro. Gambo, disse-me, tocando no peito, na primeira vez que nos amamos. Gambo, Gambo, repetiu, até que me atrevi a dizê-lo. Então, ele falava em sua língua e eu respondia na minha. Levou algum tempo para aprender o créole *e me ensinar um pouco do seu idioma, o mesmo que minha mãe não conseguira me ensinar, mas desde o começo não precisamos falar. O amor tem palavras mudas, mais transparentes do que o rio.*

Gambo acabara de chegar, parecia um menino, era pele e osso, espantado. Outros cativos maiores e mais fortes tinham ficado flutuando à deriva no mar amargo, buscando a rota para a Guiné. Como ele suportara a travessia? Vinha em carne viva devido aos açoites, o método de Cambray para dobrar os novos, o mesmo que usava com os cães e os cavalos. No peito, sobre o coração, tinha a marca em brasa com as iniciais da companhia negreira que lhe fizeram na África antes de embarcá-lo e que ainda não cicatrizara. Tante Rose me disse que lavasse as feridas dele com água, muita água, e as cobrisse com emplastros de folhas de amoreira, babosa e manteiga. Deviam fechar de dentro para fora. Na queimadura, nada de água, só gordura. Ninguém sabia curar como ela, até o doutor Parmentier pretendia conhecer seus segredos, e ela os dava, mesmo servindo para aliviar outros brancos, porque o conhecimento vem de Papa Bondye, pertence a todos e, se não for compartilhado, se perde. É assim. Naqueles dias, ela estava ocupada com os escravos que haviam chegado doentes, e coube a mim cuidar de Gambo.

A primeira vez que o vi, ele estava deitado de bruços no hospital de escravos, coberto de moscas. Levantei-o com dificuldade para lhe dar um gole de tafia *e uma colherzinha das gotas da patroa, que eu havia roubado de seu frasco azul. Em seguida, comecei a tarefa ingrata de limpá-lo. As feridas não estavam inflamadas demais, porque Cambray não tinha podido encharcá-lo de sal e vinagre, mas a dor devia ser terrível. Gambo mordia os lábios, sem se queixar. Depois me sentei a seu lado para cantar para ele, já que eu não conhecia palavras de consolo em sua língua. Queria lhe explicar como se fazia para não provocar a mão que empunhava o chicote, como se fazia para trabalhar e obedecer, enquanto se ia alimentando a vingança, essa fogueira que queima por dentro. Minha madrinha convenceu Cambray de que o rapaz tinha peste e era melhor deixá-lo sozinho para que não contaminasse o restante do grupo. O chefe dos capatazes autorizou-a a instalá-lo em sua cabana, porque não perdia as esperanças de que Tante Rose se conta-*

giasse com alguma febre mortal, mas ela era imune, tinha um trato com Légbé, o loa *dos encantamentos. Enquanto isso, comecei a soprar para o patrão a ideia de colocar Gambo na cozinha. Não ia durar nada nos canaviais, porque o chefe dos capatazes o tinha na mira desde o começo.*

Tante Rose nos deixava sozinhos em sua cabana durante os curativos. Adivinhara. E, no quarto dia, aconteceu. Gambo estava tão abatido pela dor e por tudo que havia perdido — sua terra, sua família, sua liberdade — que desejei abraçá-lo como teria feito sua mãe. O carinho ajuda a curar. Um movimento levou ao seguinte e fui deslizando debaixo dele sem lhe tocar as costas, para que apoiasse a cabeça em meu peito. O corpo dele ardia, ainda estava muito febril; não acho que soubesse o que estávamos fazendo. Eu não conhecia o amor. O que o patrão fazia comigo era obscuro e vergonhoso, foi o que lhe disse, mas ele não acreditou em mim. Com o patrão, minha alma, meu ti-bon-ange, *se desprendia e ia embora voando para outro lugar, e apenas meu* corps-cadavre *ficava naquela cama. Gambo. Seu corpo leve sobre o meu, suas mãos em minha cintura, sua respiração em minha boca, seus olhos me olhando desde o outro lado do mar, desde a Guiné; aquilo era amor. Erzuli,* loa *do amor, salve-o de todo mal, proteja-o. Assim eu implorava.*

Tempos de revoltas

Há mais de trinta anos, Macandal, o bruxo lendário, havia plantado a semente da insurreição. Desde então, seu espírito viajava com o vento de um extremo a outro da ilha e entrava nos barracões, nas cabanas, nas *ajoupas*, nos depósitos, tentando os escravos com a promessa de liberdade. Adotava forma de serpente, besouro, macaco, arara; consolava com o sussurro da chuva, bradava com o trovão, incitava à rebelião com o vozeirão da tempestade. E os brancos também o pressentiam. Cada escravo era um inimigo; já havia mais de meio milhão, e dois terços tinham vindo direto da África com sua carga imensa de ressentimento e viviam somente para arrebentar suas correntes e se vingar. Milhares de escravos chegavam a Saint-Domingue, mas nunca eram suficientes para a insaciável demanda das plantações. Chicote, fome, trabalho. Nem a vigilância nem a repressão mais brutal impediam que muitos fugissem; alguns escapavam assim que desembarcavam no porto e lhes eram tiradas as correntes para batizá-los. Davam um jeito para correr, mesmo nus e doentes, com um único pensamento: fugir dos brancos. Atravessavam planícies arrastando-se nos pastos, e se embrenhavam na selva e subiam as montanhas daquele território desconhecido. E, quando conseguiam se unir a um bando de rebeldes, salvavam-se da escravidão. Guerra, liberdade. Os boçais, nascidos livres na África e dispostos a morrer para reconquistar sua liberdade, contagiavam com a sua coragem os nascidos na ilha, que não conheciam a liberdade e para quem a Guiné era um reino distante no fundo do mar. Os plantadores viviam armados, esperando por eles. O regimento de Le Cap havia sido reforçado com quatro mil soldados franceses, que, assim que pisaram terra firme, caíram fulminados pela cólera, malária e disenteria.

Os escravos achavam que os mosquitos, causadores daquela mortandade, eram os exércitos de Macandal combatendo os brancos. Macandal, que havia se livrado da fogueira, se transformara num mosquito. Macandal voltara, como havia prometido. Em Saint-Lazare haviam fugido menos escravos do que em outras plantações, e Valmorain achava que se devia ao fato de não maltratar seus negros: nada de untá-los com melaço e entregá-los à voracidade das formigas vermelhas, como fazia Lacroix. Em seus estranhos monólogos noturnos, comentava com Tété que ninguém podia acusá-lo de crueldade, mas, se a situação continuasse piorando, ele teria de dar carta branca a Cambray. Ela tomava todo o cuidado para não mencionar a palavra rebelião na frente dele. Tante Rose assegurava-lhe que uma revolta geral dos escravos era só uma questão de tempo, e Saint-Lazare, como todas as demais plantações da ilha, iria desaparecer nas chamas.

Prosper Cambray havia comentado aquele improvável boato com seu patrão. Desde onde lhe alcançava a memória, falava-se a mesma coisa e nada nunca se concretizava. O que alguns miseráveis escravos podiam fazer contra a milícia e homens como ele mesmo, decididos a tudo? Como iam se organizar e se armar? Quem ia comandá-los? Impossível. Passava o dia a cavalo, dormia com duas pistolas ao alcance da mão e um olho aberto, sempre alerta. O chicote era um prolongamento do seu punho, a linguagem que melhor conhecia e que todos temiam; nada lhe dava mais prazer que o medo que inspirava. Somente os escrúpulos de seu patrão o haviam impedido de usar métodos de repressão mais imaginativos, mas isso estava para mudar desde que haviam se multiplicado os focos de insurreição. Chegara a oportunidade de demonstrar que podia lidar com a plantação mesmo nas piores condições. Havia muitos anos que esperava pelo posto de administrador. Não podia se queixar, porque acumulava um capital considerável mediante subornos, furtos e contrabando. Valmorain não suspeitava do quanto desaparecia de suas adegas. Cambray se vangloriava de ser garanhão — nenhuma moça escapava de servi-lo na rede e ninguém se metia nisso. Enquanto não incomodasse Tété, podia fornicar à vontade, mas a única que o incendiava de luxúria e despeito era ela, porque estava fora de seu alcance. Observava-a de longe, espiava-a de perto, encurralava-a a qualquer descuido e ela sempre escapulia dele. "Tenha cuidado, senhor Cambray. Se me tocar, contarei para o patrão", advertia Tété, tratando de dominar o tremor da voz. "Tenha cuidado você, sua puta! Vai me pagar quando eu botar as mãos em você. Quem você pensa que é, sua desgraçada? Já tem vinte anos, e logo o patrão vai trocá-la por outra mais jovem, e aí será a minha vez. Vou comprar você. Vou comprar barato, porque você não vale nada, nem boa reprodutora é. Ou o patrão não tem colhões? Comigo você vai ver o que é bom. O patrão vai ficar feliz de vender você", ameaçava, brincando com o chicote de couro trançado.

Enquanto isso, a Revolução Francesa havia chegado à colônia como uma rabanada de dragão, sacudindo-a até os alicerces. Os *grands blancs*, conservadores e monarquistas, viam as mudanças com horror, mas os *petits blancs* apoiavam a República, que havia acabado com as diferenças de classes: liberdade, igualdade e fraternidade para os homens brancos. Por sua vez, os *affranchis* tinham enviado delegações a Paris para reclamar seus direitos de cidadão perante a Assembleia Nacional, porque em Saint-Domingue nenhum branco, rico ou pobre, estava disposto a reconhecê-los. Valmorain adiou indefinidamente sua volta à França ao compreender que nada mais o ligava a seu país. Antes, ele se irritava com o esbanjamento da monarquia, e agora, com o caos republicano. Ao fim de tantos anos na contramão, havia acabado aceitando que seu lugar estava no Novo Mundo. Sancho García del Solar escreveu-lhe com sua habitual franqueza para lhe propor que esquecesse a Europa, em geral, e a França, em particular, onde não havia lugar para homens empreendedores: o futuro estava na Louisiana. Contava com boas conexões em Nova Orleans, mas só lhe faltava capital para tocar um projeto para o qual já tinha vários interessados, e desejava lhe dar preferência por causa de seus laços familiares e porque brotava ouro em tudo que botavam o dedo juntos. Explicou que, no começo, a Louisiana fora uma colônia francesa, mas fazia uns vinte anos que pertencia à Espanha, só que a população permanecia obstinadamente leal às suas origens. O governo era espanhol, mas a cultura e a língua continuavam sendo francesas. O clima se parecia com o das Antilhas, e as mesmas plantações vingavam bem, com a vantagem de que sobrava espaço, e a terra estava desvalorizada; poderiam adquirir uma grande plantação e explorá-la sem problemas políticos e nem escravos fujões. Acumulariam uma fortuna em poucos anos, prometeu.

Depois de perder seu primeiro filho, Tété queria ser estéril como as mulas do moinho. Para amar e sofrer como mãe lhe bastava Maurice, aquele menino delicado, capaz de chorar de emoção com a música e se urinar diante de uma crueldade. Maurice tinha medo de Cambray. Bastava ouvir os saltos de suas botas na varanda para ir voando se esconder. Tété recorria aos remédios de Tante Rose para evitar outra gravidez, tal como faziam as escravas, mas nem sempre surtiam efeito. A curandeira dizia que algumas crianças insistem em vir ao mundo, porque não suspeitam do que as aguarda. Foi assim com o segundo filho de Tété. De nada serviram os punhados de estopa impregnados em vinagre para evitá-lo, nem as infusões de borragem, as defumações de mostarda e o galo sacrificado aos *loas* para abortá-lo. Na terceira lua cheia sem menstruar, foi pedir à sua madrinha que acabasse com seu problema mediante um pedaço de pau pontudo, mas ela se negou: o risco de uma infecção era enorme, e, se fossem surpreendidas atentando contra a propriedade do patrão, Cambray teria o motivo perfeito para lhe tirar o couro a chicote.

— Imagino que este também seja filho do patrão — comentou Tante Rose.

— Não tenho certeza, madrinha. Também pode ser de Gambo — murmurou Tété, sobressaltada.

— De quem?

— Do ajudante de cozinha. Seu nome verdadeiro é Gambo.

— É apenas um rapaz, mas, pelo que estou vendo, já sabe agir como os homens. Deve ser uns cinco ou seis anos mais novo do que você.

— E daí? O que importa é que o patrão vai nos matar se a criança for negra!

— Muitas vezes as crianças mestiças nascem escuras como os avós — assegurou Tante Rose.

Aterrorizada diante das possíveis consequências daquela gravidez, Tété imaginava que tinha um tumor, mas no quarto mês sentiu um voejar de pomba, um sopro obstinado, a primeira inconfundível manifestação de vida, e não pôde evitar o carinho e a compaixão pelo ser encolhido em seu ventre. À noite, estendida ao lado de Maurice, pedia perdão ao filho pela ofensa terrível de trazê-lo ao mundo como escravo. Desta vez não foi necessário esconder a barriga, e o patrão não precisou sair disparado com a esposa para Cuba, porque a infeliz já não se dava conta de nada. Fazia muito que Eugenia não tinha contato com o marido, e as poucas vezes que o vislumbrava no âmbito brumoso de sua loucura perguntava quem era aquele homem. Também não reconhecia Maurice. Em seus bons momentos, voltava à adolescência, tinha catorze anos e brincava com outras colegiais agitadas no convento das monjas em Madri, enquanto esperavam o chocolate quente do desjejum. O restante do tempo vagava numa paisagem enevoada, sem contornos precisos, onde já não sofria como outrora. Tété decidiu, por conta própria, suprimir aos poucos o ópio de Eugenia, e não percebeu nenhuma diferença na conduta dela. Segundo Tante Rose, a patroa havia cumprido sua missão ao ter Maurice e já não lhe restava nada a fazer naquele mundo.

Valmorain conhecia o corpo de Tété melhor do que conseguira conhecer o de Eugenia ou de alguma de suas amantes fugazes, e logo se deu conta de que a cintura dela estava aumentando e seus seios inchavam. Interrogou-a quando estavam na cama, depois de um daqueles coitos que ela suportava resignada e que para ele eram apenas um alívio nostálgico, e Tété começou a chorar. Aquilo o surpreendeu, porque não a tinha visto mais verter lágrimas desde que lhe arrebatara seu primeiro filho. Ouvira dizer que os negros tinham menos capacidade de sofrer. A prova era que nenhum branco aguentaria o que eles suportavam, e assim como se tiravam os filhotes das cadelas ou os bezerros das vacas podia-se separar as escravas de seus filhos, pois, em pouco tempo, elas se recompunham da perda e depois nem se lembravam mais deles. Nunca havia pensado nos sentimentos de Tété, partia do princípio de que eram muito limitados. Na sua ausência, ela se dissolvia, se apagava, ficava suspensa no nada até que ele a reclamasse, e então se materializava de novo; só existia para servi-lo. Já não era uma menina, mas achava que não havia mudado. Lembrava vagamente da menina magra que Violette Boisier entregara a ele anos antes, da moça apetitosa que emergira daquele casulo tão pouco promissor e a quem ele deflorara num ímpeto no mesmo quarto onde Eugenia dormia drogada, da jovem que dera à luz sem um só gemido com um pedaço de madeira entre os dentes, da mãe de dezesseis anos que se despedira com um beijo na testa do filho que nunca mais haveria de ver, da mulher que embalava Maurice com infinita ternura, da que fechava os olhos e mordia os lábios quando ele a penetrava, da que, às vezes, dormia a seu lado extenuada pelos cansaços do dia, mas que logo acordava sobressaltada com o nome de Maurice nos lábios e ia embora correndo. E todas aquelas imagens de Tété se fundiam numa só, como se o tempo não passasse por ela. Naquela noite em que apalpou as mudanças em seu corpo, ordenou que acendesse a lamparina para olhá-la. Gostou do que viu, aquele corpo de linhas longas e firmes, a pele cor de bronze, os quadris generosos, os lábios sensuais, e concluiu que ela era a sua posse mais valiosa. Com um dedo recolheu uma lágrima que deslizava ao longo do nariz e, sem pensar, a levou aos lábios. Era salgada, como as lágrimas de Maurice.

— O que está acontecendo? — perguntou.

— Nada, patrão.

— Não chore. Desta vez você poderá ficar com a criança. Eugenia já não pode se importar.

— Se é assim, patrão, por que não traz de volta o meu filho?

— Isso seria muito complicado.

— Me diga se está vivo...

— Claro que está vivo, mulher! Deve ter uns quatro ou cinco anos. Seu dever agora é cuidar de Maurice. Não mencione de novo esse menino na minha frente e se conforme em poder criar o que tem aí dentro.

zarité

Gambo preferia cortar cana ao trabalho humilhante da cozinha. "Se meu pai me visse, ele se levantaria dentre os mortos para me cuspir nos pés e me renegar, seu filho mais velho fazendo coisas de mulher. Meu pai morreu lutando contra os invasores de nossa aldeia, como é natural que morram os homens." Assim me falava. Os caçadores de escravos eram de outra tribo, vieram de longe, do oeste, com cavalos e mosquetes, como o do chefe dos capatazes. Outras aldeias haviam desaparecido incendiadas, os jovens foram levados, mataram os velhos e as crianças pequenas, mas seu pai achou que eles estavam a salvo, protegidos pela distância e pela floresta. Os caçadores venderam seus cativos a uns seres com caninos de hiena e garras de crocodilo que se alimentavam de carne humana. Ninguém voltou. Gambo foi o único de sua família que agarraram com vida, para minha sorte e para a infelicidade dele. Resistiu no primeiro trecho do trajeto que durou dois ciclos completos da lua, a pé, amarrado aos demais com cordas e com uma canga no pescoço, fustigado a cacete, quase sem alimento nem água. Quando já não podia dar mais um passo, surgiram diante de seus olhos o mar, que nenhum da longa fila de cativos conhecia, e um castelo imponente sobre a areia. Não conseguiram se maravilhar com a extensão e a cor da água, que se confundia com o céu no horizonte, porque os trancaram. Foi quando Gambo viu os brancos pela primeira vez e achou que eram demônios; depois ficou sabendo que eram gente, mas nunca acreditou que fossem humanos como nós. Estavam vestidos com panos suados, couraças de metal e botas de couro, gritavam e batiam sem motivos. Nada de caninos nem de garras, mas tinham pelos na cara, armas e chicotes, e seu cheiro era tão repugnante que nauseava os pássaros no céu. Assim me contou. Foi separado das mulheres e das crianças, enfiaram-no num curral, quente de dia e frio de noite, com centenas de homens que não falavam a sua língua. Não soube quanto tempo ficou ali, porque se esqueceu de acompanhar as passagens da lua, nem quantos morreram, porque ninguém tinha nome e ninguém se lembrava de contar. No começo estavam tão apertados que não podiam se deitar no chão, mas à medida que os cadáveres foram sendo tirados abriu-se mais espaço. Depois veio o pior, o que ele não queria lembrar, mas vivia de novo nos sonhos: o barco. Iam estendidos um ao lado do outro, como troncos, em várias prateleiras de tabuões, com ferros no pescoço e correntes nos pés, sem saber para onde estavam sendo levados nem por que se balançavam naquela enorme cabaça, todos gemendo, vomitando, cagando e morrendo. O fedor era tanto que chegava até o mundo dos mortos, e seu pai podia sentir. Gambo também não conseguiu calcular o tempo, embora tenha estado sob o sol e as estrelas várias vezes, quando os levavam em grupos para o convés para lavá-los com baldes de água do mar e obrigá-los a dançar para que não se esquecessem do uso das pernas e dos braços.

Os marinheiros atiravam pela borda os mortos e os doentes, depois escolhiam alguns cativos e os chicoteavam por mera diversão. Os mais atrevidos eram pendurados pelos pulsos e baixados lentamente na água, que fervia de tubarões, e, quando eram suspensos, só lhes restavam os braços. Gambo também viu o que faziam com as mulheres. Esperou uma oportunidade para se atirar ao mar, achando que, depois do festim dos tubarões que seguiam o barco desde a África até as Antilhas, sua alma iria nadando para a ilha sob o mar, para se reunir com o pai e o restante de sua família. "Se meu pai soubesse que eu pretendia morrer sem lutar, de novo me cuspiria nos pés." Assim me contou.

Sua única razão para permanecer na cozinha de Tante Mathilde era que estava se preparando para fugir. Sabia dos riscos. Em Saint-Lazare havia escravos sem nariz nem orelhas ou com grilhões soldados nos tornozelos; não podiam tirá-los e era impossível correr com eles. Acho que adiava sua fuga por mim — pela forma como nos olhávamos, pelas mensagens com pedrinhas no galinheiro, pelas guloseimas que roubava na cozinha para mim, pela expectativa de irmos para a cama, que era como a ardência de pimenta por todo o corpo, e por aqueles raros momentos em que ficávamos sozinhos e nos tocávamos. "Vamos ser livres, Zarité, e ficaremos sempre juntos. Amo você mais do que ninguém, mais do que meu pai e suas cinco esposas, que eram minhas mães, mais do que meus irmãos e minhas irmãs, mais do que todos eles juntos, mas não mais do que a minha honra." Um guerreiro faz o que deve fazer, isso é mais importante que o amor. Como não entender? Nós, mulheres, amamos mais profunda e longamente, isso eu sei também. Gambo era orgulhoso, e não há maior perigo para um escravo do que o orgulho. Implorava-lhe para ficar na cozinha se queria continuar vivendo, que se tornasse invisível para evitar Cambray, mas isso era pedir demais a ele, era pedir que levasse uma vida de covarde. A vida está escrita em nossa z'etoile *e não podemos mudá-la. "Você virá comigo, Zarité?" Eu não podia ir com ele, estava muito pesada e, juntos, não teríamos ido longe.*

Os amantes

Fazia vários anos que Violette Boisier abandonara a vida noturna de Le Cap, não por ter envelhecido, pois ainda podia competir com qualquer uma de suas rivais, mas por Étienne Relais. A relação havia se transformado numa cumplicidade amorosa temperada pela paixão dele e pelo bom humor dela. Estavam juntos há quase dez anos, que haviam passado muito rápido. No começo, viviam separados, só podiam se encontrar durante as rápidas visitas de Relais entre as campanhas militares. Por um tempo, ela permaneceu em seu ofício, mas só oferecia seus magníficos serviços a poucos clientes, os mais generosos. Tornou-se tão seletiva que Loula suprimiu da lista os impetuosos, os irremediavelmente feios e os de mau hálito; em troca, deu preferência aos velhos, porque eram agradecidos. Poucos anos depois de conhecer Violette, Relais foi promovido a tenente-coronel e o encarregaram da segurança do norte; então, viajava por períodos mais curtos. Logo que pôde se estabelecer em Le Cap, deixou de dormir no quartel e se casou com ela. Fez isso de forma desafiadora, com pompa e cerimônia na igreja e anúncio no jornal, como os casamentos dos *grands blancs*. E enfrentou o desconcerto de seus companheiros de armas, incapazes de entender suas razões para desposar uma mulher de cor, de reputação duvidosa, quando podia mantê-la apenas como amante; mas nenhum lhe perguntou nada cara a cara e ele não deu explicações. Contava com o fato de que ninguém se atreveria a fazer uma desfeita à sua mulher. Violette comunicou a seus "amigos" que já não estava mais disponível e dividiu entre outras *cocottes* os vestidos de festa que não pôde transformar em peças mais discretas. Vendeu seu apartamento e foi viver com Loula numa casa alugada por Relais num bairro de *petits blancs* e *affranchis*. Suas novas amizades eram mulatos, alguns bastante ricos, proprietários de terras e escravos, católicos, embora em segredo costumassem recorrer ao vodu. Descendiam dos mesmos brancos que os desprezavam, eram seus filhos ou netos, e os imitavam em tudo, mas negavam até onde podiam o sangue africano de suas mães. Relais não era amistoso, só se sentia à vontade na camaradagem rude do quartel, mas de vez em quando acompanhava sua mulher às reuniões sociais. "Sorria, Étienne, para que meus amigos percam o medo do mastim de Saint-Domingue", ela lhe pedia. Violette comentou com Loula que sentia saudades do brilho das festas e dos espetáculos que antes preenchiam suas noites. "Naquela ocasião, você tinha dinheiro e se divertia, meu anjo. Agora é pobre e se chateia. Ganhou o que com o seu soldado?" Viviam com o soldo de tenente-coronel, mas, sem que ele soubesse, faziam negócios: pequenos contrabandos, empréstimos a juros. Assim, aumentavam o capital que Violette havia ganhado e Loula sabia investir.

Étienne Relais não esquecera seus planos de voltar à França, especialmente agora que a República havia dado poder aos cidadãos comuns como ele. Estava farto da vida na colônia, mas não havia poupado dinheiro suficiente para se afastar do exército. Não torcia o nariz para a guerra, era um centauro de muitas batalhas, acostumado a sofrer e a fazer sofrer, mas estava cansado da agitação. Não entendia a situação em Saint-Domingue: alianças eram feitas e desfeitas em questão de horas, os brancos brigavam entre si e contra os *affranchis*, e ninguém parecia se importar com a crescente insurreição dos negros, que para ele era o mais grave de tudo. Apesar da anarquia e da violência, o casal encontrou uma felicidade agradável que nenhum dos dois conhecia. Evitavam falar de filhos — ela não podia concebê-los e ele não se interessava em tê-los —, mas quando, numa tarde inesquecível, Toulouse Valmorain se apresentou em sua casa com um recém-nascido enrolado numa manta, receberam-no como a uma mascote que preencheria as horas de Violette e Loula, sem suspeitar que iria se transformar no filho que não haviam se atrevido a sonhar. Valmorain o levou para Violette porque não lhe ocorreu outra solução para fazê-lo desaparecer antes da volta de Eugenia de Cuba. Devia impedir que sua mulher se inteirasse de que o filho de Tété também era filho dele. Não podia ser de outro, porque ele era o único branco de Saint-Lazare. Ignorava que Violette havia se casado com o militar. Não a encontrou no apartamento da praça Clugny, que agora tinha outro proprietário, mas foi fácil averiguar seu novo paradeiro e lá chegou com o menino e uma ama de leite cedida por seu vizinho Lacroix. Expôs a situação ao casal como um acerto temporário, sem ter ideia de como iria resolver mais adiante; por isso mesmo, foi um alívio quando Violette e o marido aceitaram a criança sem perguntar mais que seu nome. "O menino ainda não foi batizado. Podem chamá-lo como quiserem", disse na ocasião.

Étienne Relais continuava tão feroz, vigoroso e saudável como em sua juventude. Era o mesmo feixe de músculos e fibra, com uma farta cabeleira grisalha e o caráter férreo que o fizera progredir no exército e ganhar várias medalhas. Primeiro havia servido ao Rei e agora servia à República com igual lealdade. Ainda desejava fazer amor com Violette com muita frequência e ela o acompanhava de bom grado nessas acrobacias de amantes, que, segundo Loula, eram impróprias para esposos maduros. Era notável o contraste entre a sua fama de impiedoso e a brandura recôndita que esbanjava com sua mulher e o menino, que rapidamente ganhou seu coração, esse órgão que ele parecia não ter, conforme garantiam no quartel. "Esse menino poderia ser meu neto”, sempre dizia, e, na verdade, ele tinha caduquices de avô. Violette e o menino eram as duas únicas pessoas que havia amado na vida e, se o pressionavam um pouco, admitia que também gostava de Loula, aquela africana mandona que tanta guerra lhe fizera no começo, quando pretendia que Violette arranjasse um namorado mais conveniente. Relais lhe ofereceu emancipação; a reação de Loula foi a de se jogar ao chão, gemendo que pretendiam se livrar dela (como a tantos escravos imprestáveis por serem velhos ou doentes, que os patrões abandonavam na rua para não ter que mantê-los), que tinha passado sua vida cuidando de Violette e que agora que não necessitavam mais dela iam condená-la a pedir esmola ou morrer de fome, e assim por diante numa gritaria infindável. Quando finalmente Relais conseguiu se fazer ouvir, assegurou-lhe que ela podia continuar sendo escrava até seu último suspiro, se era o que queria. A partir daquela promessa, a atitude da mulher mudou e, em vez de colocar bonecos espetados com alfinetes embaixo da cama dele, esmerou-se em lhe preparar seus pratos favoritos.

Violette havia amadurecido como as mangas, lentamente. Com os anos não havia perdido o frescor, o porte altivo ou o riso torrencial; engordara só um pouco, o que encantava o marido. Tinha a atitude confiante dos que gozam do amor. Com o tempo e a estratégia de boatos de Loula, transformara-se numa lenda, e os olhares e murmúrios a seguiam aonde quer que fosse, inclusive das mesmas pessoas que não a recebiam em suas casas. “Devem estar se perguntando pelo ovo de pomba”, ria Violette.

Os homens mais orgulhosos lhe tiravam o chapéu à sua passagem quando estavam sozinhos, e muitos se lembravam das noites ardentes no apartamento da praça Clugny, mas as mulheres de qualquer cor desviavam o olhar por pura inveja. Violette se vestia com cores alegres, e seus únicos adornos eram o anel de opala, presente do marido, pesadas argolas de ouro nas orelhas, que ressaltavam seus traços magníficos, e o marfim de sua pele, resultado de uma vida sem se expor aos raios de sol. Não possuía outras joias; vendera todas para aumentar o capital indispensável aos seus negócios de agiota. Havia depositado suas economias, sólidas moedas de ouro, durante anos num buraco no pátio, sem que seu marido suspeitasse. Até que chegou o momento de irem embora. Estavam estirados na cama, num domingo na hora da sesta, sem se tocar porque fazia calor demais, quando ela lhe anunciou que se ele desejava mesmo voltar para a França, como vinha dizendo fazia uma eternidade, contavam com os meios para tal. Naquela mesma noite, amparada pela escuridão, desenterrou seu tesouro com Loula. Depois que o tenente-coronel sopesou o saco de moedas, refez-se do espanto e deixou de lado suas objeções de macho humilhado pela astúcia das fêmeas, decidiu pedir baixa do exército. Havia servido de sobra à França. Então, o casal começou a planejar a viagem, e Loula teve de se resignar à ideia de ser livre, porque, na França, a escravidão havia sido abolida.

Os filhos do patrão

Naquela tarde, o casal Relais esperava a visita mais importante de sua vida, como explicou Violette a Loula. A casa do militar era um pouco mais ampla do que o apartamento de três cômodos na praça Clugny, confortável, mas sem luxos. A simplicidade adotada por Violette no vestuário se estendia à sua moradia, decorada com móveis de artesãos locais e sem as bugigangas de que tanto gostava antes. A casa era acolhedora, com travessas de frutas, vasos de plantas, gaiolas de pássaros e diversos gatos. O primeiro a se apresentar naquela tarde foi o tabelião com seu jovem escrivão e um grande livro de capa azul. Violette os instalou num quarto ao lado da sala principal, que servia de escritório a Relais, e lhes ofereceu café com delicados *beignets* das monjas, que, segundo Loula, eram só massa frita e que ela podia fazer muito melhor. Pouco depois, Toulouse Valmorain bateu à porta. Havia engordado vários quilos e estava mais envelhecido e gordo do que Violette lembrava, mas conservava intacta sua arrogância de *grand blanc*, que ela sempre achara cômica, porque fora treinada para despir os homens só com o olhar, e nus eles não valiam títulos, poder, fortuna ou raça; contavam apenas o estado físico e as intenções. Valmorain a cumprimentou com a menção de beijar sua mão, mas não a tocou com os lábios, o que teria sido uma descortesia diante de Relais, e aceitou a cadeira e o copo de suco de frutas que lhe ofereceram.

— Passaram-se uns bons anos desde a última vez que nos vimos, monsieur — disse ela, com uma formalidade nova entre eles, procurando dissimular a ansiedade que lhe oprimia o peito.

— O tempo parou para a senhora, madame, pois está a mesma.

— Não me ofenda, acho-me melhor — sorriu ela, espantada porque o homem corou; talvez estivesse tão nervoso quanto ela.

— Como sabe por minha carta, monsieur Valmorain, pensamos ir para a França em breve — começou Étienne Relais, de uniforme, teso como um poste em sua cadeira.

— Sim, sim — interrompeu-o Valmorain. — Antes de mais nada, devo agradecer a ambos por terem cuidado do menino durante todos esses anos. Como se chama?

— Jean-Martin — disse Relais.

— Imagino que já está um homenzinho. Gostaria de vê-lo, se for possível.

— Daqui a pouco. Foi passear com Loula. Logo estarão de volta.

Violette alisou seu vestido sóbrio de *crêpe* verde-escuro com debruns roxos e serviu mais suco nos copos. Suas mãos tremiam. Durante dois minutos eternos, ninguém falou. Um dos canários começou a cantar em sua gaiola, quebrando o pesado silêncio. Valmorain observou Violette com dissimulação, tomando nota das mudanças naquele corpo que algumas vezes teimara em amar, embora já não lembrasse muito bem o que faziam antes na cama. Perguntou-se que idade teria e se, por acaso, usava bálsamos misteriosos para preservar a beleza, como havia lido em algum lugar que faziam as antigas rainhas egípcias, que, no fim das contas, acabavam mumificadas. Sentiu inveja ao imaginar a felicidade de Relais com ela.

— Não podemos levar Jean-Martin nas condições atuais, sem que a sua situação seja legalizada, Toulouse — disse por fim Violette, no tom familiar que empregava quando eram amantes, pondo uma das mãos no ombro dele.

— Não nos pertence — acrescentou o tenente-coronel, com um ricto na boca e os olhos fixos em seu antigo rival.

— Gostamos muito desse menino, e ele acha que somos seus pais. Sempre quis ter filhos, Toulouse, mas Deus não me deu nenhum. Por isso, desejamos comprar Jean-Martin, emancipá-lo e levá-lo para a França com o sobrenome Relais, como nosso filho legítimo — disse Violette, e de repente começou a chorar, sacudida pelos soluços.

Nenhum dos dois homens tratou de consolá-la. Ficaram olhando os canários, incomodados, até que ela conseguiu se acalmar, justamente quando Loula entrava com um garotinho pela mão. Era bonito. Correu para Relais, para lhe mostrar algo que apertava na mão, tagarelando excitado, com as bochechas vermelhas. Relais lhe apontou o visitante, e o menino se aproximou, estendeu uma das mãos gordinhas e o cumprimentou sem timidez. Valmorain o estudou com prazer e comprovou que não se parecia em nada com ele e nem com seu filho Maurice.

— O que você tem aí? — perguntou-lhe.

— Um caracol.

— Dá para mim?

— Não posso, é para meu *papa* — respondeu Jean-Martin, voltando para junto de Relais para subir em seus joelhos.

— Vai com Loula, filho — ordenou o militar. O menino obedeceu imediatamente, agarrou a mulher pela saia e ambos desapareceram.

— Se você concorda... Bem, chamamos um tabelião para o caso de você aceitar nossa proposta, Toulouse. Depois você teria que procurar um juiz — balbuciou Violette, a ponto de chorar de novo.

Valmorain tinha ido sem um plano para a entrevista. Sabia aquilo que iam lhe pedir, porque Relais explicara na carta, mas ainda não havia se decidido, pois desejava ver o garoto primeiro. Causou-lhe uma impressão muito boa, era bonito e, pelo visto, não lhe faltava caráter, valia bastante dinheiro, mas para ele seria um estorvo. Tinham-no mimado desde que nascera, era evidente, e ele não suspeitava de sua verdadeira posição na sociedade. O que faria com aquele pequeno bastardo de sangue mestiço? Teria que mantê-lo em casa nos primeiros anos. Não imaginava como Tété reagiria; certamente se voltaria para o filho, e Maurice, que até aquele momento tinha sido criado como filho único, se sentiria abandonado. O delicado equilíbrio de sua casa poderia vir abaixo. Também pensou em Violette Boisier, na lembrança enevoada do amor que lhe tivera, nos serviços que haviam se prestado mutuamente ao longo dos anos e na simples verdade de que ela era muito mais mãe de Jean-Martin do que Tété. Os Relais ofereciam ao menino o que ele não tinha condições de lhe dar: liberdade, educação, um sobrenome e uma situação respeitável.

— Por favor, monsieur, venda Jean-Martin para nós. Pagaremos o que pedir, mesmo não sendo ricos, como pode ver — rogou Étienne Relais, crispado e tenso, enquanto Violette tremia apoiada na entrada da porta que os separava do tabelião.

— Diga-me, senhor, quanto gastou para mantê-lo durante todos esses anos? — perguntou Valmorain.

— Nunca fiz essa conta — respondeu Relais, surpreso.

— Bem, isso é o que vale o menino. Estamos quites. Você já tem o seu filho.

A gravidez de Tété transcorreu sem mudanças para ela; continuou trabalhando de sol a sol como sempre fazia e indo para a cama do patrão toda vez que ele a desejava. E quando a barriga se tornou um obstáculo, assaltava-a pelas costas como fazem os cachorros. Tété o amaldiçoava calada, mas também tinha medo que ele a trocasse por outra escrava e a vendesse a Cambray, a pior sorte imaginável.

— Não se preocupe, Zarité, se um dia essa hora chegar, eu me encarrego do chefe dos capatazes — prometeu Tante Rose.

— Por que não dá um jeito nele agora, madrinha? — perguntou a jovem.

— Porque não se deve matar sem uma boa razão.

Naquela tarde, Tété estava inchada, com a sensação de quem carrega uma melancia dentro da barriga, costurando num canto a poucos passos de Valmorain, que lia e fumava em sua poltrona. A fragrância picante do tabaco, de que gostava em tempos normais, agora lhe embrulhava o estômago. Fazia meses que ninguém chegava de visita a Saint-Lazare, porque até mesmo o hóspede mais assíduo, o doutor Parmentier, temia a estrada; não era possível viajar pelo norte da ilha, sem forte proteção. Valmorain havia criado o hábito de Tété acompanhá-lo depois do jantar, uma obrigação a mais entre as muitas que lhe impunha. Àquela hora do dia, ela só desejava se deitar, aconchegada com Maurice, e dormir. Mal podia com seu corpo sempre quente, exausto, suado, com a pressão do bebê nos ossos, a dor nas costas, os seios endurecidos e os mamilos queimando. Aquele dia, tudo parecia pior, faltava-lhe o ar para respirar. Ainda era cedo, mas como um temporal havia precipitado a noite e tinha obrigado Tété a fechar os postigos, a casa parecia sufocante como uma prisão. Fazia meia hora que Eugenia dormia acompanhada por sua ajudante e Maurice a esperava, mas tinha aprendido a não chamá-la porque seu pai ficava aborrecido.

O temporal cedeu tão de repente como havia começado: acabaram-se a saraivada de água e o açoite do vento, que deram passagem a um coro de sapos. Tété se dirigiu a uma das janelas e abriu os postigos, aspirando fundo o sopro de umidade e o frescor que varreu a sala. O dia se fizera eterno para ela. Tinha aparecido umas duas vezes na cozinha com o pretexto de falar com Tante Mathilde, mas não vira Gambo. Onde o rapaz havia se metido? Temia por ele. A Saint-Lazare chegavam os rumores do restante da ilha, levados de boca em boca pelos negros e comentados abertamente pelos brancos, que nunca davam atenção ao que diziam diante de seus escravos. A última notícia era a Declaração dos Direitos do Homem proclamada na França. Os brancos estavam inquietos, e os *affranchis*, que sempre tinham sido marginalizados, viam finalmente uma possibilidade de obter igualdade junto aos brancos. Os direitos humanos não incluíam os negros, como explicou Tante Rose ao pessoal reunido numa *calenda*, a liberdade não era grátis, era preciso lutar por ela. Todos sabiam que haviam desaparecido centenas de escravos das plantações vizinhas para se unir aos bandos de rebeldes. Em Saint-Lazare, vinte haviam fugido, mas Prosper Cambray e seus homens os haviam caçado e voltado com quatorze. Os outros seis morreram a tiros, segundo o chefe dos capatazes, mas ninguém chegou a ver os corpos, e Tante Rose achava que eles tinham conseguido chegar às montanhas. Isso fortaleceu a determinação de Gambo para fugir. Tété já não podia segurá-lo e havia começado o calvário da despedida e de arrancá-lo do coração. Não há pior sofrimento do que amar com medo, dizia Tante Rose.

Valmorain afastou o olhar da página para tomar outro gole de conhaque e seus olhos se fixaram na escrava, que estava de pé perto da janela aberta. Na luz frágil das lamparinas, viu-a ofegando, suada, com as mãos contraídas sobre a barriga. De repente, Tété soltou um gemido e puxou a saia acima dos tornozelos, olhando desconcertada a poça que alagava o assoalho e seus pés nus. "Chegou a hora", murmurou e saiu se apoiando nos móveis em direção à varanda. Dois minutos depois, outra escrava entrou apressada e passou um pano no chão.

— Chame Tante Rose — ordenou Valmorain.

— Já foram chamar, patrão.

— Me avise quando nascer. E me traga mais conhaque.

zarité

Rosette nasceu no mesmo dia que Gambo desapareceu. Assim foi. Rosette me ajudou a suportar a angústia que senti de que fosse capturado vivo e o vazio que ele deixou em meu corpo. Eu estava concentrada na minha menina. Gambo correndo pela floresta, perseguido pelos cachorros de Cambray, ocupava apenas uma parte de meu pensamento. Erzuli, loa *mãe, cuide dessa menina. Eu nunca havia sentido essa forma de amor, porque não tinha conseguido levar meu primeiro filho ao peito. O patrão avisara Tante Rose que eu não devia vê-lo, porque assim a separação seria mais fácil, mas ela me deixou pegá-lo por um instante, antes de ele o levar. Depois, enquanto me limpava, disse que era um menino saudável e forte. Com o nascimento de Rosette, compreendi melhor o que havia perdido. E, se a tivessem tirado de mim, eu teria ficado louca, como dona Eugenia. Eu não queria nem imaginar tal possibilidade, porque isso poderia fazer que as coisas acontecessem, mas uma escrava sempre vive com essa incerteza. Não podemos proteger os filhos nem lhes prometer que estaremos com eles quando precisarem da gente. Nós os perdemos cedo demais, por isso é melhor não os trazer à vida. Enfim, pude perdoar minha mãe, que não quis passar por esse tormento.*

Sempre soube que Gambo iria embora sem mim. No pensamento, havíamos aceitado isso, mas não no coração. Gambo poderia se salvar sozinho, se assim estivesse assinalado em sua z'etoile *e se assim os* loas *o permitissem, mas nem todos os* loas *juntos poderiam evitar que o pegassem se eu fosse com ele. Gambo botava a mão na minha barriga e sentia a criança se mexer, certo de que era dele e de que se chamaria Honoré, em memória do escravo que me criara na casa de madame Delphine. Não podia dar o nome do próprio pai, que estava com* os Mortos e os Mistérios, *mas Honoré não era meu parente de sangue, e por isso não era uma imprudência usar seu nome. Honoré seria um nome adequado para alguém que sempre colocara a honra acima de tudo, inclusive do amor. "Sem liberdade não há honra para um guerreiro. Venha comigo, Zarité." Eu não podia ir porque estava grávida, também não podia deixar dona Eugenia, que já não era mais do que uma boneca inerte em sua cama, e muito menos Maurice, meu menino, a quem havia prometido que nunca nos separaríamos.*

Gambo não ficou sabendo que dei à luz, porque, enquanto eu fazia força na cabana de Tante Rose, ele corria como o vento. Planejara tudo. Fugira ao entardecer, antes que os vigilantes saíssem com os cachorros. Tante Mathilde não dera o alarme até o dia seguinte ao meio-dia, mesmo tendo notado sua ausência ao amanhecer, o que lhe dera várias horas de vantagem. Ela era madrinha de Gambo. Em Saint-Lazare, como em outras plantações, os boçais tinham outro escravo para lhes ensinar a obedecer, um padrinho, mas, como Gambo havia sido destinado à cozinha, deram-no para Tante Mathilde, que já tinha idade, havia perdido seus filhos e se afeiçoara a ele, e por isso o ajudara. Prosper Cambray andava com um grupo da Marechaussée perseguindo os escravos que haviam fugido pouco antes. Como afirmava que os tinha matado, ninguém entendia seu empenho em prosseguir na busca. Gambo partira na direção contrária, e o chefe dos capatazes levara algum tempo para se organizar e incluí-lo na caçada. Fora naquela noite, porque os loas *assim o indicaram: coincidira com a ausência de Cambray e com a lua cheia; não se pode correr numa noite sem lua. Assim eu acho.*

Minha filha nasceu com os olhos abertos e puxados, da cor dos meus. Demorou a respirar, mas, quando o fez, seus berros fizeram a chama da vela tremer. Antes de lavá-la, Tante Rose a colocou sobre meu peito, ainda unida a mim por uma tripa grossa. Chamei-a de Rosette por causa de Tante Rose, a quem pedi que fosse sua avó, já que não tínhamos mais família. No outro dia, o patrão a batizou, jogando-lhe água na testa e murmurando umas palavras cristãs, mas, no domingo seguinte, Tante Rose organizou uma verdadeira cerimônia para Rosette. O patrão nos autorizou a fazer uma calenda *e nos deu duas cabras para assar. Assim foi. Era uma honra, porque na plantação não se festejavam os nascimentos dos escravos. As mulheres prepararam a comida, e os homens acenderam as fogueiras e as tochas, e tocaram os tambores no* hounfort *de Tante Rose. Minha madrinha desenhou na terra, com uma fina linha de farinha de milho, a escrita sagrada do* vévé *em volta do tronco central, o* poteau-mitan, *e por ali desceram os* loas *e montaram vários servidores, mas não a mim. Tante Rose sacrificou uma galinha: primeiro lhe quebrou as asas e depois lhe arrancou a cabeça com os dentes, como se deve. Ofereci minha filha a Erzuli. Dancei e dancei, os peitos pesados, os braços no alto, os quadris enlouquecidos, as pernas separadas do meu pensamento, respondendo unicamente aos tambores.*

No começo, o patrão não se interessou nem um pouco por Rosette. Incomodava-o ouvi-la chorar — que eu me ocupasse dela —, e também não me deixava levá-la pendurada nas costas, como havia feito com Maurice. Tinha que deixar a menina num caixote enquanto trabalhava. Sem demora, o patrão me chamou de novo a seu quarto, porque se excitava com meus seios, que haviam crescido o dobro, e bastava olhá-los para que escorresse leite. Mais tarde, começou a prestar atenção em Rosette porque Maurice se apegou a ela. Quando Maurice nasceu, ele era apenas um ratinho pálido e silencioso que cabia inteiro na minha mão, muito diferente de minha filha, grande e chorona. Foi bom para Maurice passar os seus primeiros meses de vida grudado em mim como as crianças africanas, que, segundo me disseram, não tocavam o chão até aprenderem a caminhar, porque estavam sempre no colo. Com o calor de meu corpo e seu bom apetite, cresceu saudável e se livrou das doenças que matam tantas crianças. Ele era esperto, entendia tudo, e desde os dois anos fazia perguntas que nem o pai sabia responder. Ninguém lhe ensinou o créole, *mas o aprendeu como o francês. O patrão não permitia que ele se misturasse com os escravos, mas Maurice fugia para brincar com os poucos negrinhos da plantação, e eu não o repreendia porque não há nada mais triste do que uma criança solitária. Desde o começo, Maurice se transformou no guardião de Rosette. Não desgrudava dela, exceto quando seu pai o levava pela plantação afora para lhe mostrar suas posses. O patrão sempre se interessou muito por sua herança, e por isso sofreu tanto, anos mais tarde, com a traição do filho. Maurice se sentava no chão durante horas para brincar com seus blocos e seu cavalinho de madeira, perto do caixote de Rosette, e chorava, se ela chorava, fazia caretas e morria de rir, se ela respondia. O patrão me proibiu de dizer que Rosette era filha dele, coisa que jamais teria me ocorrido, mas Maurice adivinhou ou inventou, porque a chamava de irmã. Seu pai lhe esfregava a boca com sabão, mas não consegui lhe tirar o costume, como lhe tirara o de me chamar de* maman. *Maurice tinha medo de sua verdadeira mãe, não queria vê-la e a chamava de "a senhora doente". Aprendeu a me chamar de Tété, como todo mundo, menos alguns que me conhecem por dentro e me chamam Zarité.*

O guerreiro

Ao fim de três dias perseguindo Gambo, Prosper Cambray estava furioso. Não havia rasto do rapaz, e tinha em mãos uma matilha de cães enlouquecidos, quase cegos e com os focinhos em carne viva. Culpou Tété. Era a primeira vez que a acusava diretamente e sabia que, naquele momento, rompia-se algo fundamental entre o patrão e ele. Até então, bastava uma palavra sua para que a condenação de um escravo fosse inapelável, e o castigo, imediato, mas com Tété nunca havia tido um confronto.

— Não se lida com a casa como se lida com a plantação, Cambray — argumentou Valmorain.

— Ela é a responsável pelos escravos domésticos! — insistiu o outro. — Se não for castigada, outros vão desaparecer.

— Resolverei isso à minha maneira — respondeu o patrão, pouco disposto a descarregar a mão em Tété, que acabara de parir e sempre havia sido uma criada impecável. A casa funcionava sem atropelos e os escravos cumpriam suas tarefas sem problemas. Além disso, havia Maurice, claro, e o carinho que o menino sentia por aquela mulher. Chicoteá-la, como pretendia Cambray, seria como chicotear Maurice.

— Eu avisei faz tempo, patrão, que aquele negro tinha má índole. Não foi à toa que eu quis quebrá-lo assim que o comprei. Mas acabei não sendo duro o bastante.

— Tudo bem, Cambray, quando o pegar, faça o que quiser com ele — autorizou Valmorain, enquanto Tété, que escutava de pé num canto como um réu, tentava dissimular sua angústia. Valmorain andava preocupado demais com seus negócios e com o estado da colônia para se incomodar com um escravo a mais ou a menos. Não conseguia se lembrar dele, era impossível distinguir um rosto entre centenas de escravos. Umas duas vezes, Tété havia se referido ao "menino da cozinha" e ele ficara com a ideia de que se tratava de um pirralho, mas não devia ser apenas um pirralho, se se atrevera a tanto — porque era preciso ter colhões para fugir. Tinha certeza de que Cambray não ia demorar a topar com ele; era muito experiente como caçador de negros. O chefe dos capatazes tinha razão: deviam intensificar a disciplina; já havia problemas demais na ilha entre as pessoas livres para se permitir o atrevimento dos escravos. A Assembleia Nacional, na França, havia tirado da colônia o pouco poder autônomo de que gozava, ou seja, alguns burocratas em Paris, que nunca tinham posto os pés nas Antilhas e mal sabiam limpar o cu, como ele dizia, e agora deliberavam sobre assuntos de enorme gravidade. Nenhum *grand blanc* estava disposto a aceitar os decretos absurdos que passavam pela cabeça deles. Quanta ignorância daquela gente! O resultado era o estrago e o caos, como o que acontecera com um tal Vincent Ogé, um mulato rico que fora a Paris exigir igualdade de direitos para os *affranchis* e voltara com o rabo entre as pernas, como era de esperar, porque aonde iríamos parar se se apagavam as distinções naturais de classes e raças? Ogé e seu comparsa Chavannes, com a ajuda de alguns abolicionistas, desses que apareciam cada vez mais, instigaram uma rebelião no norte, muito perto de Saint-Lazare. Trezentos mulatos bem armados! Foi preciso todo o peso do regimento de Le Cap para derrotá-los, comentou Valmorain com Tété, numa de suas conversas noturnas. Acrescentou que o herói da jornada havia sido um conhecido seu, o tenente-coronel Étienne Relais, militar de experiência e coragem, mas de ideias republicanas. Os sobreviventes foram capturados numa manobra veloz, e, nos dias seguintes, centenas de patíbulos foram erguidos no centro da cidade, gerando uma floresta de enforcados que se desfez aos poucos no calor, num verdadeiro festim para os abutres. Os dois chefes foram torturados lentamente em praça pública, sem a comiseração de uma machadada de misericórdia. Não que ele fosse partidário de castigos truculentos, mas, às vezes, eram edificantes para a população. Tété escutava muda, pensando no então capitão Relais, a quem mal lembrava e não poderia reconhecer se tornasse a vê-lo, porque estivera com ele apenas umas duas vezes no apartamento da praça Clugny fazia anos. Se o homem ainda amava Violette, não devia ser fácil para ele combater os *affranchis;* Ogé poderia ter sido seu amigo ou parente.

Antes de fugir, Gambo havia recebido a tarefa de cuidar dos homens capturados por Cambray, que estavam na lixeira que servia de hospital. As mulheres da plantação os alimentavam com milho, batata, quiabo, mandioca e bananas de suas provisões, mas Tante Rose se apresentara ao patrão, já que com Cambray tudo teria sido inútil, para lhe dizer que eles não sobreviveriam sem uma sopa de tutano, ervas e o fígado dos animais que eram consumidos na casa-grande. Valmorain levantou os olhos de seu livro sobre os jardins do Rei Sol, incomodado com a interrupção, mas aquela mulher estranha sempre tinha o poder de intimidá-lo, e a ouviu. "Esses negros já receberam a sua lição. Dê a eles a sua sopa, mulher, e então, se conseguir salvá-los, não vou perder tanto", respondeu. Nos primeiros dias, Gambo os alimentava, porque não podiam comer sozinhos, e dividia entre eles uma massa de folhas e cinza de quinina que, segundo Tante Rose, deviam manter rolando como uma bola na boca para suportar a dor e ganhar energia. Era um segredo dos caciques arahuacos, que, de alguma maneira, havia sobrevivido trezentos anos e que somente alguns curandeiros conheciam. A planta era muito rara, não era vendida nos mercados de magia e Tante Rose não tinha conseguido cultivá-la em sua lavoura, e por isso a reservava para os piores casos.

Gambo aproveitava aqueles momentos a sós com os escravos castigados para investigar como haviam escapado, por que haviam sido presos e o que acontecera aos seis que faltavam. Os que podiam falar contaram que haviam se separado ao sair da plantação e que alguns haviam se encaminhado para o rio com a intenção de nadar águas acima, mas que só se podia lutar contra a correnteza por um tempo, e que, no fim, ela sempre vencia. Ouviram tiros e não sabiam se os outros tinham sido mortos, mas, qualquer que fosse sua sorte, sem dúvida era melhor do que a deles. Interrogou-os sobre a floresta, as árvores, os cipós, o pântano, as pedras, a força do vento, a temperatura e a luz. Cambray e os outros caçadores de negros conheciam a região como a palma das próprias mãos, mas havia lugares que evitavam, como os pântanos e as encruzilhadas dos mortos, onde também não entravam nem os fugitivos, por mais desesperados que estivessem, assim como os lugares inacessíveis para mulas e cavalos. Dependiam por completo de seus animais e suas armas de fogo, que, às vezes, só atrapalhavam. Os cavalos, muitas vezes, quebravam as patas e tinham de ser sacrificados. Carregar um mosquete requeria vários segundos, eles costumavam engasgar ou a pólvora ficava umedecida, enquanto isso um homem nu com uma faca de cortar cana se aproveitava da vantagem. Gambo compreendeu que o perigo mais iminente eram os cães, capazes de distinguir o cheiro de um homem a um quilômetro de distância. Não havia nada tão aterrorizante quanto um coro de latidos se aproximando.

Em Saint-Lazare, os canis se localizavam atrás dos estábulos, num dos pátios da casa-grande. Os cães de caça e vigilância permaneciam trancados de dia para não se familiarizarem com as pessoas, e à noite eram soltos para a ronda. Os dois mastins da Jamaica, tomados de cicatrizes e treinados para matar, pertenciam a Prosper Cambray. Ele os adquirira para brigas de cães, que tinham o duplo mérito de satisfazer o seu gosto pela crueldade e para dar lucro. Com esse esporte, havia substituído os torneios de escravos, que tivera de abandonar porque Valmorain os proibia. Um bom campeão africano, capaz de matar seu adversário com as mãos nuas, podia ser muito lucrativo para o seu dono. Cambray tinha seus truques, alimentava-os com carne crua, enlouquecia-os com uma mistura de cachaça, pólvora e pimenta antes de cada torneio, premiava-os com mulheres depois de uma vitória e cobrava caro uma derrota. Com seus campeões, um congo e um mandinga, havia aumentado seus lucros quando era caçador de negros, mas depois os vendera e comprara os mastins, cuja fama havia chegado até Le Cap. Mantinha-os com fome e sede amarrados para que não se destroçassem um ao outro. Gambo precisava eliminá-los, mas, se os envenenasse, Cambray torturaria cinco escravos por cão até que alguém confessasse.

Na hora da sesta, quando Cambray se refrescava no rio, o rapaz se dirigiu à cabana do chefe dos capatazes, situada no final da avenida de coqueiros e separada da casa-grande e dos alojamentos dos escravos domésticos. Tinha investigado os nomes das duas concubinas que o chefe dos capatazes havia escolhido naquela semana, umas meninas que mal haviam despertado para a puberdade e já andavam encolhidas como animais espancados. Elas o receberam assustadas, mas Gambo as acalmou com um pedaço de bolo que roubara da cozinha e lhes pediu café para acompanhá-lo. Enquanto avivavam o fogo, ele deslizou para o interior da casa. Era de proporções reduzidas, mas confortável, orientada para aproveitar a brisa e construída sobre uma elevação do terreno, como a casa-grande, para evitar estragos nas inundações. Os móveis, poucos e simples, eram alguns dos que Valmorain havia jogado fora quando se casara. Gambo percorreu-a em menos de um minuto. Pretendia roubar um cobertor, mas viu num canto uma canastra com roupa suja e rapidamente tirou uma camisa do chefe dos capatazes, enrolou-a e a jogou pela janela no mato. Depois tomou seu café sem pressa e se despediu das meninas com a promessa de lhes trazer mais bolo assim que pudesse. Ao anoitecer, voltou para buscar a camisa. Na despensa, cujas chaves estavam sempre na cintura de Tété, guardava-se um saco de pimenta e um pó tóxico para combater lacraias e roedores, que amanheciam secos depois de cheirá-lo. Se Tété se deu conta de que se estava consumindo muita pimenta, não disse nada.

No dia marcado pelos *loas*, o rapaz partiu ao entardecer, com o último restinho da luz do dia. Teve que passar pela aldeia dos escravos, que lembrou aquela onde tinha vivido os primeiros quinze anos de sua vida e que ardia como uma fogueira na última vez que a vira. As pessoas ainda se encontravam nos campos, e a aldeia estava quase vazia. Uma mulher, que carregava dois grandes baldes de água, não achou estranha a cara desconhecida, porque os escravos eram muitos e sempre estavam chegando novos. Aquelas primeiras horas marcariam para Gambo a diferença entre a liberdade e a morte. Tante Rose, que podia andar de noite por onde outros não se aventuravam nem de dia, havia descrito para ele o terreno com o pretexto de lhe falar das plantas medicinais e também das que era preciso evitar: cogumelos fatídicos, árvores cujas folhas arrancavam a pele inteira, anêmonas onde se escondiam sapos que, com um esguicho, provocavam a cegueira. Explicou a ele como sobreviver na floresta com frutos, nozes, raízes e talos tão suculentos quanto um pedaço de cabrito assado e como se guiar pelos vaga-lumes, pelas estrelas e pelo assobio do vento. Gambo nunca havia saído de Saint-Lazare, mas, graças a Tante Rose, podia localizar mentalmente a região dos manguezais e pântanos, onde todas as cobras eram venenosas, e os lugares das encruzilhadas entre os dois mundos, onde aguardavam os Invisíveis. "Estive ali e vi Kalfou e Ghédé com os meus próprios olhos, mas não senti medo. É preciso cumprimentá-los com respeito, pedir permissão para passar e perguntar o caminho. Se não for a sua hora de morrer, eles vão ajudar. Eles decidem", disse a curandeira. O rapaz lhe perguntou pelos zumbis, de quem tinha ouvido falar pela primeira vez na ilha; ninguém suspeitava de sua existência na África. Ela esclareceu que dava para reconhecer um deles pela sua aparência cadavérica, seu cheiro podre e sua maneira de caminhar, com pernas e braços duros. "A gente deve ter mais medo de alguns vivos, como Cambray, do que dos zumbis", acrescentou. Gambo entendeu bem a mensagem.

Ao sair a lua, o rapaz desatou a correr em ziguezague. E a cada tanto deixava cair um pedaço da camisa do chefe dos capatazes na vegetação para confundir os mastins, que só identificavam o cheiro de Cambray porque ninguém mais se aproximava deles, e desorientar, assim, os outros cães. Duas horas mais tarde, chegou ao rio. Meteu-se na água fria até o pescoço com um gemido de alívio, mas manteve seco o saco sobre a cabeça. Lavou o suor e o sangue dos arranhões de galhos e cortes de pedras, e aproveitou para beber e urinar. Avançou pela água sem se aproximar da margem, e embora isso não despistasse os cães, que farejavam em círculos cada vez mais amplos até encontrar pegadas, sabia que podia atrasá-los. Não tentou atravessar para o outro lado. A corrente era implacável e havia poucos lugares onde um bom nadador podia se arriscar, mas ele não os conhecia e não sabia nadar. Pela posição da lua, adivinhou que era mais ou menos meia-noite e calculou a distância percorrida; então, saiu da água e começou a espalhar a pimenta em pó. Não sentia o cansaço; estava bêbado de liberdade.

Viajou três dias e três noites sem nenhum outro alimento além das folhas mágicas de Tante Rose. A bola negra que levava na boca adormecia suas gengivas e o mantinha desperto e sem fome. Dos canaviais passou para a mata, para a selva e para os pântanos, bordejando a planície em direção às montanhas. Não ouvia os latidos dos cães, e isso o animava. Bebia água dos brejos quando conseguia achá-los, mas teve de aguentar o terceiro dia em seco, com um sol escaldante que iluminou o mundo de um branco incandescente. Quando já não podia mais dar um passo, o céu desabou num temporal rápido e frio que o ressuscitou. Ia então a campo aberto, numa direção que só um louco se atreveria a empreender e que, por isso mesmo, Cambray descartaria. Não podia perder tempo procurando alimento e, se parasse para descansar, não teria forças para levantar outra vez. Suas pernas se moviam automaticamente, impulsionadas pelo delírio da esperança e pela bola de folhas na boca. Já não pensava, já não sentia dor, tinha esquecido o medo e tudo que deixara para trás, inclusive a forma do corpo de Zarité; só lembrava seu próprio nome de guerreiro. E caminhou alguns trechos com passos enérgicos, mas sem correr, vencendo os obstáculos do terreno com calma, para não se esgotar nem se perder, como Tante Rose havia dito. Achou que, num dado momento, chorava aos prantos, mas não tinha certeza, podia ser a lembrança do sereno ou da chuva sobre a pele. Viu uma cabra balindo entre dois penhascos com uma pata quebrada e resistiu à tentação de degolá-la e lhe beber o sangue, como também resistiu a se esconder nos morros, que pareciam próximos, ao alcance da mão, ou a dormir por um momento na paz da noite. Sabia onde devia chegar. Cada passo e cada minuto contavam.

Finalmente, alcançou a base das montanhas e começou o esforço da subida, pedra por pedra, sem olhar para baixo para não sucumbir à vertigem e nem para cima para não se desalentar. Cuspiu o último bocado de folhas e de novo o assaltou a sede. Tinha os lábios inchados e rachados. O ar fervia, Gambo estava confuso, nauseado, mal podia se lembrar das instruções de Tante Rose e implorava por sombra e água, mas continuou subindo agarrado às rochas e raízes. De repente se viu perto de sua aldeia, nas planícies infinitas, cuidando do gado de chifres longos e se aprontando para a comida que suas mães serviam na choça do pai, o centro do conjunto familiar. Apenas ele, Gambo, o filho mais velho, comia com o pai, lado a lado, como iguais. Estava se preparando desde seu nascimento para substituí-lo; um dia, ele também seria juiz e chefe. Um tropeção e a dor aguda do golpe contra as pedras o devolveram a Saint-Domingue; desapareceram as vacas, sua aldeia, sua família, e seu *ti-bon-ange* se encontrou de novo preso no pesadelo do seu cativeiro, que já durava um ano. Subiu as ladeiras íngremes durante muitas horas, até que já não era mais ele quem se movia, mas outro: seu pai. A voz do pai repetia seu nome: Gambo. E era quem mantinha afastada a ave negra de pescoço desnudo que voava em círculos sobre a cabeça do filho.

Gambo chegou a um caminho elevado e estreito que bordejava um precipício, serpenteando entre penhascos e fendas. Numa curva, topou com degraus talhados na rocha viva, um dos caminhos escondidos dos caciques, que, segundo Tante Rose, não desapareceram quando os brancos os mataram, porque eram imortais. Pouco antes do amanhecer se encontrou numa das temíveis encruzilhadas. Os sinais o avisaram antes que a visse: uma cruz formada por dois paus, uma caveira humana, ossos, um punhado de penas e pelos, outra cruz. O vento trazia uma ressonância de lobos entre as rochas, e duas aves negras de rapina haviam se unido ao primeiro, espreitando-o de cima. O medo que havia controlado por três dias o tomou por inteiro, mas já não podia retroceder. Seus dentes batiam e seu suor congelou. O frágil caminho dos caciques desapareceu de repente diante de uma lança cravada na terra, entre um monte de pedras: o *poteau-mitan*, a interseção entre o céu e o lugar mais de baixo, entre o mundo dos *loas* e o dos humanos. E, então, ele os viu. Primeiro duas sombras, depois o brilho do metal, facas ou facões. Não levantou os olhos. Cumprimentou com humildade repetindo a contrassenha que Tante Rose havia lhe dado. Não houve resposta, mas sentiu o calor daqueles seres tão próximos que, se estendesse a mão, poderia tocá-los. Não fediam a podridão nem a cemitério, desprendiam o mesmo cheiro dos cativos nos canaviais. Pediu permissão a Kalfou e Ghédé para prosseguir e também não obteve resposta. Por fim, com o pouco de voz que conseguiu tirar dentre a areia áspera que lhe fechava a garganta, perguntou qual era o caminho para continuar. Sentiu que lhe pegavam pelos braços.

Gambo acordou muito tempo depois, na escuridão. Quis se levantar, mas lhe doíam todos os músculos do corpo e não pôde se mexer. Escapou-lhe um gemido, depois voltou a fechar os olhos e mergulhou no mundo dos mistérios, onde entrava e saía sem vontade, às vezes encolhido de sofrimento, outras flutuando num espaço escuro e profundo como o firmamento de uma noite sem lua. Recuperou a consciência aos poucos, envolto em bruma, entorpecido. Ficou imóvel e em silêncio, ajustando os olhos para poder enxergar na penumbra. Nem lua nem estrelas, nenhum murmúrio da brisa, somente silêncio e frio. Pôde se lembrar apenas da lança na encruzilhada. Percebeu, então, uma luz vacilante se movendo a curta distância, e pouco depois viu uma figura com uma lamparina, que se inclinou a seu lado, uma voz de mulher, que lhe disse alguma coisa incompreensível, um braço, que o ajudou a se levantar, e uma mão, que aproximou uma cabaça com água de seus lábios. Bebeu tudo, desesperadamente. Soube, assim, que havia chegado a seu destino: estava numa das grutas sagradas dos arahuacos, que servia de posto de vigilância aos negros rebeldes.

Nos dias, semanas e meses seguintes, Gambo iria descobrir o mundo dos fugitivos, que existia na mesma ilha e ao mesmo tempo, mas em outra dimensão, um mundo como o da África, embora muito mais primitivo e miserável. Escutaria línguas familiares e histórias conhecidas, comeria *fufú** como o de suas mães, voltaria a se sentar perto de uma fogueira para afiar suas armas de guerra, como fazia com o pai, mas sob outras estrelas. Os acampamentos estavam espalhados nos pontos mais impenetráveis das montanhas, verdadeiras aldeias, milhares e milhares de homens e mulheres fugidos da escravidão, e seus filhos, nascidos livres. Viviam na defensiva, desconfiavam dos escravos que

---

* Comida africana, preparada com banana, inhame ou abóbora. (N.T.)

fugiam das plantações porque podiam traí-los, mas Tante Rose havia avisado por meios misteriosos que Gambo estava a caminho. Dos vinte fugitivos de Saint-Lazare, apenas seis tinham chegado até a encruzilhada e dois deles tão feridos que não sobreviveram. Então, Gambo confirmou sua suspeita de que Tante Rose servia de contato entre os escravos e os bandos de rebeldes. Nenhuma tortura havia conseguido arrancar o nome de Tante Rose dos homens que Cambray tinha prendido.

A conspiração

Oito meses mais tarde, na casa-grande da *habitation* Saint-Lazare, morreu Eugenia García del Solar, sem estardalhaço nem angústia. Tinha trinta e um anos — vivera sete fora do mundo, sem juízo, e quatro, dopada pelo ópio. Naquela madrugada, sua criada dormia, e coube a Tété, que entrou como sempre para lhe dar sua papinha e asseá-la para o dia, encontrá-la encolhida como um recém-nascido entre seus travesseiros. Sua patroa sorria, e, no contentamento de morrer, havia recuperado um certo ar de beleza e juventude. Tété foi a única que lamentou a morte de Eugenia, porque, de tanto cuidar dela, acabara gostando de verdade da patroa. Banhou-a, vestiu-a e penteou-a pela última vez; depois, colocou o missal entre suas mãos cruzadas sobre o peito. Guardou o rosário abençoado no saquinho de camurça, a herança que sua patroa havia lhe deixado, e o pendurou no pescoço, por baixo do corpete. Antes de se despedir de Eugenia, pegou uma pequena medalha de ouro com a imagem da Virgem, que a patroa sempre usava, para dá-la a Maurice. E depois chamou Valmorain.

O pequeno Maurice não se deu conta da morte da mãe porque havia meses que "a senhora doente" permanecia reclusa e porque o impediram de ver o cadáver. Enquanto tiravam de dentro de casa o ataúde de nogueira com rebites de prata que Valmorain comprara contrabandeado de um americano, na época em que Eugenia havia tentado se suicidar, Maurice estava no pátio com Rosette, improvisando o funeral para um gato morto. Nunca havia presenciado ritos daquele tipo, mas lhe sobrava imaginação e pôde enterrar o animal com mais sentimento e solenidade do que teve sua mãe.

Rosette era atrevida e precoce. Engatinhava com surpreendente velocidade sobre seus joelhos gordinhos, seguida por Maurice, que nunca perdia o rasto dela. Tété mandou trancar os baús e os móveis, onde podia prender os dedos, e bloquear os acessos à varanda com telas de galinheiro para impedi-la de cair para fora. Resignou-se à convivência com os ratos e escorpiões, porque sua filha poderia aproximar o nariz da fatídica pimenta em pó, ideia que Maurice, muito mais prudente, jamais teria. Era uma menina bonita. Sua mãe admitia isso com pesar, porque a beleza constituía uma desgraça para uma escrava; muito mais conveniente era a invisibilidade. Tété, que aos dez anos tinha desejado tanto ser como Violette Boisier, comprovou maravilhada que, por um truque de mágica do destino, Rosette se parecia com aquela bela mulher, com seu cabelo ondulado e seu sorriso cativante com covinhas. Na complicada classificação racial da ilha, ela era uma quarteirona, filha de branco e mulata, e havia puxado mais ao pai do que à mãe na cor. Nessa idade, Rosette resmungava numa língua que soava como um idioma de endemoniados, mas que Maurice traduzia sem dificuldade. O menino aceitava seus caprichos com paciência de avô, paciência que depois se transformou num carinho diligente que haveria de marcar suas vidas para sempre. Ele seria o seu único amigo, ele a consolaria em suas tristezas e lhe ensinaria o indispensável, desde como evitar os cães bravos até as letras do alfabeto, mas isso seria mais tarde. O que de mais importante e essencial o menino ensinou a Rosette, desde o começo, foi o caminho para chegar ao coração do pai. Maurice fez o que Tété não se atreveu, impôs a menina a Toulouse Valmorain de maneira inapelável. O patrão deixou de considerá-la uma de suas propriedades e começou a procurar em seus traços e em seu caráter algo de si mesmo. Não encontrou, mas o conquistou aquele carinho tolerante que inspiram as mascotes e ele lhe permitiu viver na casa-grande, em vez de enviá-la para a ala dos escravos. Ao contrário de sua mãe, cuja seriedade era quase um defeito, Rosette era tagarela e sedutora, um redemoinho de atividade que alegrava a casa, o melhor antídoto contra a incerteza desordenada daqueles anos.

Quando a França dissolveu a Assembleia Colonial de Saint-Domingue, os patriotas, como se designavam os colonos monárquicos, se negaram a se submeter às autoridades de Paris. Depois de ter passado muito tempo isolado em sua plantação, Valmorain começou a confabular com seus pares. Como ia com frequência a Le Cap, alugou a casa mobiliada de um rico comerciante português que havia regressado temporariamente a seu país. Ficava perto do porto e era confortável para ele, mas pensava comprar uma casa com a ajuda do agente que negociava sua produção de açúcar, o mesmo velho judeu honrado que havia servido a seu pai.

Foi Valmorain quem iniciou conversações secretas com os ingleses. Em sua juventude havia conhecido um marinheiro que agora comandava a frota britânica no Caribe, cujas instruções eram intervir na colônia francesa assim que fosse possível. Naquele tempo, os enfrentamentos entre os brancos e os mulatos haviam alcançado níveis inconcebíveis de violência, e os negros aproveitavam o caos para se rebelar, primeiro na parte ocidental da ilha e depois no norte, em Limbé. Os patriotas acompanhavam os acontecimentos com grande atenção, esperando, ansiosos, a oportunidade para trair o governo francês.

Valmorain estava instalado havia um mês em Le Cap com Tété, as crianças e o féretro de Eugenia. Sempre viajava com seu filho, e Maurice, por sua vez, não ia a nenhum lugar sem Rosette e Tété. A situação política era instável demais para se separar do menino e também não queria deixar Tété à mercê de Prosper

Cambray, que andava de olho nela, inclusive pretendendo comprá-la. Valmorain imaginava que outro em sua situação a venderia para deixá-lo contente e, de passagem, se desfaria de uma escrava que já não o excitava, mas Maurice gostava dela como a uma mãe. Além disso, aquele assunto havia se transformado numa disputa surda de vontades entre ele e o chefe dos capatazes. Naquelas semanas, participou das reuniões políticas dos patriotas, que ocorriam na sua casa num ambiente de segredo e conspiração, embora, na verdade, ninguém os espionasse. Planejava contratar um tutor para Maurice, que ia fazer cinco anos em estado selvagem. Devia lhe dar, pelo menos, os rudimentos de educação que lhe permitissem mais à frente ser internado num colégio na França. Tété rezava para que esse momento nunca chegasse, convencida de que Maurice morreria longe dela e de Rosette. E tinha também que se desfazer de Eugenia. As crianças haviam se acostumado com o ataúde atravessado nos corredores da casa e aceitavam com naturalidade que ele guardava os restos mortais da senhora doente. Não perguntaram o que eram exatamente restos mortais, poupando Tété da necessidade de explicar algo que teria provocado novos pesadelos em Maurice, mas quando Valmorain os surpreendeu tentando abrir o ataúde com uma faca de cozinha compreendeu que havia chegado a hora de tomar uma decisão. Ordenou a seu agente que o enviasse ao cemitério das monjas em Cuba, onde Sancho havia adquirido um nicho, porque Eugenia o tinha feito jurar que não seria enterrada em Saint-Domingue, onde seus ossos poderiam acabar num barril de negros. O agente pensava aproveitar um barco que estivesse indo naquela direção para mandar o ataúde e, enquanto isso não acontecia, guardou-o de pé num canto da adega, onde permaneceu esquecido até ser consumido pelas chamas, dois anos mais tarde.

Sublevação no norte

Prosper Cambray acordou ao amanhecer, com um incêndio num dos campos da plantação e a gritaria dos escravos; muitos não sabiam o que estava acontecendo, porque não haviam participado do segredo da sublevação. Cambray aproveitou a confusão geral para cercar a ala dos alojamentos e dominar aqueles que não haviam tido tempo de reagir. Os criados domésticos se mantiveram agrupados em volta da casa-grande, esperando o pior. Cambray mandou trancar as mulheres e as crianças, e ele mesmo tratou de expulsar os homens. Não havia muito que lamentar, o incêndio foi controlado rapidamente e apenas dois *carrés* de cana seca queimaram; muito mais grave foi em outras plantações do norte. Quando os primeiros destacamentos da Marechaussée chegaram com a missão de devolver a ordem à região, Prosper Cambray se limitou a lhes entregar os escravos que considerava suspeitos. Teria preferido cuidar pessoalmente deles, mas a ideia era coordenar os esforços e esmagar a revolta pela raiz. Eles foram levados a Le Cap para que denunciassem os nomes dos cabeças.

O chefe dos capatazes só se deu conta do desaparecimento de Tante Rose no dia seguinte, quando foi preciso começar a tratar dos chicoteados em Saint-Lazare.

Enquanto isso, em Le Cap, Violette e Loula terminavam de embalar as posses da família e as guardavam num depósito no porto à espera do barco que levaria a família para a França. Finalmente, após quase dez anos de trabalho, economia, agiotagem e paciência, se cumpriria o plano concebido por Étienne Relais nos primeiros tempos de sua relação com Violette. Já começavam a se despedir dos amigos, quando o militar foi convocado ao escritório do governador, o visconde de Blanchelande. O edifício carecia dos luxos da intendência, tinha a austeridade de um quartel e cheirava a couro e metal. O visconde era um homem maduro, com uma impressionante carreira militar; havia sido marechal de campo e governador de Trinidad antes de ser enviado a Saint-Domingue. Acabara de chegar e já começava a perceber o ambiente. Não sabia que uma revolução estava sendo planejada nos arredores da cidade. Contava com as credenciais da Assembleia Nacional em Paris, cujos caprichosos delegados haviam lhe dado um voto de confiança com a mesma prontidão com que poderiam caçá-lo. Sua origem nobre e sua fortuna pesavam contra ele entre os grupos mais radicais, os jacobinos, que pretendiam acabar com todo vestígio do regime monárquico. Étienne Relais foi levado ao escritório do visconde através de várias salas quase vazias, com apenas obscuros quadros de batalhas multitudinárias enegrecidos pela fuligem das lamparinas. O governador, em traje civil e sem peruca, quase desaparecia atrás de uma tosca mesa de quartel, descascada por muitos anos de uso. Às suas costas pendia a bandeira da França coroada pelo escudo da Revolução e à sua esquerda, em outra parede, estava desdobrado um mapa fantasioso das Antilhas, ilustrado com monstros marinhos e galeões antigos.

— Tenente-coronel Étienne Relais, do regimento de Le Cap — apresentou-se o oficial, em uniforme de gala e com todas as suas condecorações, sentindo-se ridículo diante da simplicidade de seu superior.

— Sente-se, tenente-coronel. Imagino que deseje um café — suspirou o visconde, que parecia ter passado uma noite ruim.

Saiu detrás da mesa e o levou para duas poltronas de couro. Imediatamente surgiu do nada um ordenança seguido por três escravos, quatro pessoas para duas minúsculas xícaras: um dos escravos segurava a bandeja, outro despejava o café e o terceiro colocava o açúcar. Depois de servirem, os escravos se retiraram, mas o ordenança se perfilou entre as duas poltronas. O governador era um homem de estatura mediana, magro, com rugas profundas e escassos cabelos grisalhos. De perto parecia muito menos impressionante do que a cavalo, com chapéu emplumado, coberto de medalhas e a faixa de seu cargo atravessada no peito. Relais estava muito pouco à vontade na beira da poltrona, segurando desajeitado a xícara de porcelana que podia virar farelo com um sopro. Não estava acostumado a prescindir da rígida etiqueta militar imposta pela hierarquia.

— Deve estar se perguntando por que o chamei, tenente-coronel Relais — disse Blanchelande, mexendo o açúcar no café. — O que acha da situação em Saint-Domingue?

— O que eu acho? — repetiu Relais, desconcertado.

— Há colonos que desejam a independência e temos uma frota inglesa à vista do porto, disposta a ajudá-los. O que mais quer a Inglaterra além de anexar Saint-Domingue?! Você deve saber a quem estou me referindo, pode me dar os nomes dos revoltosos.

— A lista incluiria umas quinze mil pessoas, marechal: todos os proprietários e a gente de dinheiro, tanto brancos como *affranchis*.

— Era o que eu temia. Não tenho tropas suficientes para defender a colônia e fazer cumprir as novas leis da França. Serei franco com você: alguns decretos me parecem absurdos, como o de 15 de maio, que dá direitos políticos aos mulatos.

— Só afeta os *affranchis* filhos de pais livres e proprietários de terra, menos de quatrocentos homens.

— Não é esse o ponto! — interrompeu o visconde. — O ponto é que os brancos jamais aceitarão a igualdade com os mulatos, e não os culpo por isso. Desse modo, a colônia fica desestabilizada. Nada está claro na política da França e nós sofremos as consequências deste descalabro. Os decretos mudam diariamente, tenente-coronel. Um barco me traz instruções e o barco seguinte me traz a contraordem.

— E ainda há o problema dos escravos rebeldes — acrescentou Relais.

— Ah! Os negros... Não posso me ocupar disso agora. A rebelião de Lembé foi esmagada e logo teremos os cabeças.

— Nenhum dos prisioneiros revelou nomes, senhor. Não falarão.

— Veremos. A Marechaussée sabe lidar com esses assuntos.

— Com todo o respeito, marechal, acho que isso merece uma atenção maior — insistiu Étienne Relais, depositando a xícara sobre uma mesinha. — A situação em Saint-Domingue é diferente das demais colônias. Aqui os escravos nunca aceitaram sua sorte, rebelam-se vezes seguidas faz quase um século. Há dezenas de milhares escondidos nas montanhas. Atualmente temos meio milhão de escravos. Sabem que a República aboliu a escravidão na França e estão dispostos a lutar para obter a mesma condição aqui. A Marechaussée não poderá controlá-los.

— Propõe que utilizemos o exército contra os negros, tenente-coronel?

— Terá que usar o exército para impor a ordem, senhor marechal.

— Como pretende que se faça isso? Mandam-me uma décima parte dos soldados que peço e, mal botam o pé em terra, adoecem. Era aí que queria chegar, tenente-coronel Relais: não posso aceitar sua baixa nesse momento.

Étienne Relais se levantou, pálido. O governador o imitou e os dois se mediram durante alguns segundos.

— Senhor marechal, alistei-me aos dezesseis anos, servi durante trinta e cinco, fui ferido seis vezes e já tenho cinquenta e um anos — disse Relais.

— Eu tenho cinquenta e cinco e também gostaria de me retirar para minha propriedade em Dijon, mas a França precisa de mim, como precisa de você — respondeu secamente o visconde.

— Minha baixa foi assinada por seu antecessor, o governador De Peiner. Eu não tenho casa, senhor, estou com minha família numa pensão, pronta para embarcar na próxima quinta-feira na galeota *Marie Thérèse*.

Os olhos azuis de Blanchelande se cravaram nos do tenente-coronel, que por fim baixou os seus e se perfilou.

— Às suas ordens, governador — aceitou Relais, vencido.

Blanchelande suspirou de novo e esfregou os olhos, exausto, depois indicou com um gesto que o ordenança chamasse seu secretário e se dirigiu à mesa.

— Não se preocupe, o governo vai lhe arrumar uma casa, tenente-coronel Relais. E agora venha aqui e me mostre no mapa os pontos mais vulneráveis da ilha. Ninguém conhece o terreno melhor do que você.

zarité

Assim me contaram. Assim aconteceu em Bois Cayman. Assim está escrito na lenda do lugar que agora chamam Haiti, a primeira república independente dos negros. Não sei o que isso significa, mas deve ser importante, porque os negros falam aplaudindo e os brancos falam com raiva. Bois Cayman fica ao norte, perto das grandes planícies, a caminho de Le Cap, a várias horas de distância da habitation *Saint-Lazare. É uma floresta imensa, um lugar de encruzilhadas e árvores sagradas, onde se aloja Dambala em sua forma de serpente,* loa *das nascentes e dos rios, guardião da floresta. Em Bois Cayman, vivem os espíritos da natureza e dos escravos mortos que não encontraram o caminho da Guiné. Nessa noite também chegaram à floresta outros espíritos que estavam bem instalados entre os Mortos e os Mistérios, mas vieram dispostos a combater, porque foram chamados. Havia um exército de centenas de milhares de espíritos lutando junto com os negros; por isso, no final, derrotaram os brancos. Nisso concordamos todos, inclusive os soldados franceses, que sentiram sua fúria. O patrão Valmorain, que não acreditava no que não entendia e, como entendia muito pouco, não acreditava em nada, se convenceu também de que os mortos ajudaram os rebeldes. Isso explica como puderam vencer o melhor exército da Europa, como dizia. O encontro dos escravos em Bois Cayman aconteceu em meados de agosto, numa noite quente, molhada pelo suor da terra e dos homens. Como correu a notícia? Dizem que a mensagem foi levada pelos tambores de* calenda *em* calenda, *de* hounfort *em* hounfort, *de* ajoupa *em* ajoupa; *o som dos tambores viajava mais longe e mais rápido do que o barulho de um temporal, e todas as pessoas conheciam a sua linguagem. Os escravos acudiram das plantações do norte, apesar de os patrões e de a Marechaussée estarem alertas desde o levante em Limbé, que havia ocorrido poucos dias antes. Haviam prendido vivos vários rebeldes e acreditava-se que tinham conseguido arrancar a informação; ninguém aguentava sem confessar nos calabouços de Le Cap. Em poucas horas, os rebeldes transferiram seus acampamentos para os lugares mais altos, para escapar dos cavaleiros da Marechaussée, e apressaram a reunião em Bois Cayman. Não sabiam que nenhum dos prisioneiros havia delatado e que não delataria.*

Milhares de rebeldes desceram das montanhas. Gambo chegou com o grupo de Zamba Boukman, um gigante que inspirava respeito duplamente por ser chefe de guerra e hungan. *No ano e meio em que esteve livre, Gambo alcançou seu tamanho de homem, com costas largas, pernas incansáveis e um facão para matar. Ganhou a confiança de Boukman. Embrenhava-se nas plantações para roubar alimentos, ferramentas, armas e animais, mas nunca tentou ir me ver. Era arriscado. Notícias dele me chegavam por intermédio de Tante Rose. Minha madrinha não contava como recebia as mensagens, e cheguei a temer que as inventasse para me tranquilizar, porque, naquele tempo, a minha necessidade de estar com Gambo tinha voltado e queimava como brasa. "Me dê um remédio contra esse amor, Tante Rose." Mas não há remédio contra isso. Eu me deitava esgotada pela trabalheira do dia, com uma criança de cada lado, mas não conseguia dormir. Durante horas escutava a respiração inquieta de Maurice e o ronronar de Rosette, os ruídos da casa, o latido dos cães, o coaxar dos sapos, o canto dos galos e, quando finalmente dormia, era como mergulhar no melaço. Vou dizer uma coisa com vergonha: às vezes, na cama com o patrão, eu imaginava que estava com Gambo. Mordia os lábios para segurar seu nome e, no espaço escuro dos olhos fechados, fingia que o cheiro de álcool do branco era o hálito de capim verde de Gambo, que ainda não tinha os dentes podres de comer peixe estragado, que o homem peludo, pesado e ofegante em cima de mim era Gambo, magro e ágil, com sua pele jovem coberta de cicatrizes, seus lábios doces, sua língua curiosa, sua voz sussurrante. Então, meu corpo se abria e ondulava lembrando o prazer. Depois o patrão me dava uma palmada nas nádegas e ria satisfeito. Então, meu* ti-bon-ange *voltava para aquela cama e para aquele homem, e eu abria os olhos e me dava conta de onde estava. Corria para o pátio e me lavava com fúria antes de ir deitar com as crianças.*

As pessoas andaram horas e horas para chegar a Bois Cayman, algumas saíram de suas plantações de dia, outras vieram das enseadas da costa, e todas chegaram quando já era noite fechada. Dizem que um bando de rebeldes viajou desde Port-au-Prince, mas isso é muito longe; eu não acredito. A floresta estava cheia, homens e mulheres sigilosos deslizando entre as árvores em completo silêncio, misturados com os mortos e com as sombras, mas quando sentiram nos pés a vibração dos primeiros tambores, todos se animaram, avivaram o passo, falando em sussurros e depois aos gritos, cumprimentando-se, apresentando-se. A floresta se iluminou de tochas. Alguns conheciam o caminho e guiaram os outros até a grande clareira que Boukman, o hungan, *havia escolhido. Um colar de fogueiras e tochas iluminava o* hounfort. *Os homens haviam preparado o sagrado* poteau-mitan, *um tronco grosso e alto, porque o caminho devia ser largo para os* loas. *Uma longa fileira de moças vestidas de branco, as* hounsis, *chegou escoltando Tante Rose, também de branco, com o* asson *da cerimônia. As pessoas se inclinavam para tocar a barra da saia dela ou as pulseiras que tilintavam em seus braços. Havia rejuvenescido, porque Erzuli a acompanhava desde que abandonara a* habitation *Saint-Lazare: havia se tornado incansável para caminhar de um lado para o outro sem a bengala e invisível para que a Marechaussée não a encontrasse. Os tambores em semicírculo chamavam, tam tam tam. As pessoas se juntaram em grupos e comentavam o que havia acontecido em Limbé e o sofrimento dos prisioneiros em Le Cap. Boukman tomou a palavra para invocar o deus supremo, Papa Bondye, e pedir a ele que os levasse à vitória. "Escute a voz da liberdade, que canta em nossos corações!", gritou, e os escravos responderam com um clamor que sacudiu a ilha. Assim me contaram.*

Os tambores começaram a perguntar e a responder, a marcar o ritmo para a cerimônia. As hounsis *dançavam em volta do* poteau-mitan, *movendo-se como flamingos, agachando-se, levantando-se, os pescoços ondulantes, os braços alados, e cantaram chamando os* loas, *primeiro Légbé, como sempre se faz, depois os outros, um por um. A* mambo, *Tante Rose, traçou o* vévé *em torno do tronco sagrado com uma mistura de farinha para alimentar os* loas *e de cinza para honrar os mortos. Os tambores aumentaram de intensidade, o ritmo se acelerou, e a floresta inteira palpitava das raízes mais fundas até as estrelas mais remotas. Então, Ogum desceu com o espírito de guerra, Ogum-Feraille, deus viril das armas, agressivo, irritado, perigoso, e Erzuli soltou Tante Rose para dar passagem a Ogum, que a montou. Todos viram a transformação. Tante Rose se ergueu aprumada, com o dobro do seu tamanho, sem a perna ruim nem os anos nas costas, com os olhos em branco — deu um salto inaudito e caiu de pé a três metros de distância diante de uma fogueira. Da boca de Ogum saiu um bramido de trovão, e o* loa *dançou se levantando do chão, caindo e repicando como uma bola, com a força dos* loas, *acompanhado pelo estrondo dos tambores. Dois homens se aproximaram, os mais valentes, para lhe dar açúcar para acalmá-lo, mas o* loa *os agarrou como fantoches e os atirou longe. Tinha vindo para entregar uma mensagem de guerra, justiça e sangue. Ogum pegou com os dedos uma brasa, botou-a na boca, deu uma volta completa chupando o fogo e depois a cuspiu sem queimar os lábios. Em seguida, tirou uma grande faca do homem mais próximo, deixou o* asson *no chão, dirigiu-se ao porco negro do sacrifício atado a uma árvore e, com um só golpe, o degolou com seu braço de guerreiro, separando a cabeça gorda do tronco e se empapando com seu sangue. A essa altura, muitos servidores haviam sido montados e a floresta se encheu de Invisíveis, Mortos e Mistérios, de* loas *e espíritos misturados com os humanos, todos agitados, cantando, dançando, saltando e rolando com os tambores, pisando o fogo, lambendo as lâminas de facas em brasa e comendo pimenta vermelha aos punhados. O ar da noite estava carregado, como um terrível temporal, mas não soprava nenhuma brisa. As tochas iluminavam como se fosse um meio-dia, mas a Marechaussée, que rondava por perto, não as viu. Assim me contaram.*

Muito tempo depois, quando a imensa multidão estremecia como uma só pessoa, Ogum deu um rugido de leão para impor silêncio. Imediatamente os tambores se calaram, e todos, menos a mambo, *voltaram a ser eles mesmos, e os* loas *se retiraram para a copa das árvores. Ogum-Feraille apontou o* asson *para o céu, e a voz do* loa *mais poderoso explodiu na boca de Tante Rose para exigir o fim da escravidão, clamar por uma rebelião total e indicar os chefes: Boukman, Jean-François, Jeannot, Boisseau, Célestin e vários outros. Não indicou Toussaint, porque, naquele momento, o homem que se transformaria na alma dos rebeldes estava na plantação em Bréda, onde servia como cocheiro. Uniu-se à revolta somente várias semanas mais tarde, depois de colocar a salvo toda a família de seu patrão. Eu só ouvi o nome de Toussaint um ano mais tarde.*

Esse foi o começo da revolução. Muitos anos se passaram e continua correndo o sangue que encharca a terra do Haiti, mas eu não estou mais lá para chorar.

A vingança

Mal soube do levante dos escravos e do assunto dos prisioneiros de Limbé, que morreram sem confessar, Toulouse Valmorain ordenou a Tété que preparasse depressa o regresso a Saint-Lazare, ignorando as advertências de todo mundo, sobretudo do doutor Parmentier, a respeito do perigo que os brancos corriam nas plantações. "Não exagere, doutor. Os negros sempre foram rebeldes. Prosper Cambray os controla na ponta do chicote", respondeu enfático Valmorain, embora tivesse suas dúvidas. Enquanto o eco dos tambores ressoava no norte convocando os escravos para a reunião de Bois Cayman, a carruagem de Valmorain, protegida por uma guarda reforçada, se dirigia a galope para a plantação. Chegaram numa nuvem de poeira, acalorados, nervosos, com as crianças desfalecendo e Tété enjoada com o balanço do veículo. O patrão saltou da carruagem e se trancou com o chefe dos capatazes no escritório para receber o relatório das perdas, que, na realidade, eram mínimas, e depois foi percorrer a propriedade e enfrentar os escravos que, segundo Cambray, haviam se amotinado, mas não o suficiente para serem entregues à Marechaussée, como fizera com outros. Era o tipo de situação que deixava Valmorain pouco à vontade e que nos últimos tempos vinha se repetindo com frequência. O chefe dos capatazes defendia os interesses de Saint-Lazare melhor do que seu proprietário, agia com firmeza e sem remorsos, enquanto

Valmorain hesitava em sujar as mãos com sangue. Mais uma vez mostrava sua inabilidade para lidar com a situação. Nos vinte e tantos anos que estava na colônia, não havia se adaptado, continuava com a sensação de estar lá de passagem, e seu maior incômodo eram os escravos. Não tinha coragem de mandar um homem ser queimado em fogo lento, embora a medida parecesse indispensável a Cambray. Seu argumento para o chefe dos capatazes e para os *grands blancs*, já que mais de uma vez tivera de se justificar, era que a crueldade não tinha valia, os escravos sabotavam o quanto podiam, desde o fio das facas até a própria saúde, suicidavam-se ou comiam carniça para se esvaírem em vômito e merda, extremos que ele procurava evitar. Valmorain se perguntava se tais considerações serviam para alguma coisa ou se era tão odiado quanto Lacroix. Talvez Parmentier tivesse razão, e a violência, o medo e o ódio fossem inerentes à escravidão, mas um plantador não podia se dar ao luxo de ter escrúpulos. Nas raras ocasiões em que se deitava sóbrio, não conseguia dormir, atormentado por visões. A fortuna de sua família, iniciada por seu pai e multiplicada várias vezes por ele, estava manchada de sangue. Ao contrário de outros *grands blancs*, não podia ignorar as vozes que se levantavam na Europa e na América para denunciar o inferno que eram as plantações nas Antilhas.

Em fins de setembro, a rebelião havia se generalizado no norte, os escravos fugiam em massa e colocavam fogo em tudo antes de partir. Faltavam braços nos campos, e os plantadores não queriam continuar comprando escravos que fugiam ao primeiro descuido. O mercado negreiro de Le Cap estava quase paralisado. Prosper Cambray duplicou o número de *commandeurs* e fortaleceu a vigilância e a disciplina, enquanto Valmorain sucumbia à ferocidade de seu empregado sem sequer intervir. Em Saint-Lazare, ninguém dormia tranquilo. A vida, que nunca fora folgada, transformou-se unicamente em trabalho forçado e sofrimento. As *calendas* e as horas de descanso foram suprimidas, embora, no calor sufocante do meio-dia, o trabalho não rendesse. Desde o dia que Tante Rose desapareceu, não havia quem soubesse cuidar dos doentes, dar algum conselho ou ajuda espiritual. O único que ficara satisfeito com a ausência da *mambo* era Prosper Cambray, que não fazia a menor menção de persegui-la, porque quanto mais longe estivesse aquela bruxa, capaz de transformar um mortal em zumbi, melhor seria. Para que outro fim colecionava pó de sepultura, fígado de baiacu, sapos e plantas venenosas, se não fosse para essas aberrações? Por isso, o chefe dos capatazes nunca tirava as botas. Os negros espalhavam vidro quebrado pelo chão, o veneno entrava pelos cortes nas solas dos pés e, na noite seguinte ao funeral, desenterravam o cadáver transformado em zumbi e o ressuscitavam mediante uma surra monumental. "Imagino que você não acredita nessas besteiras!", riu certa vez Valmorain, quando tocaram no assunto. "Não acredito, não, monsieur, mas que os zumbis existem, existem", respondeu o chefe dos capatazes.

Em Saint-Lazare, como no restante da ilha, vivia-se em compasso de espera. Tété escutava os boatos repetidos por seu patrão ou entre os escravos, mas sem a presença de Tante Rose já não sabia interpretá-los. A plantação havia se fechado sobre si mesma, como um punho. Os dias se faziam pesados e as noites pareciam não terminar nunca. Até a louca estava fazendo falta. A morte de Eugenia deixara um vazio, sobravam horas e espaço, a casa parecia enorme e nem a bagunça das crianças a preenchia. Na fragilidade daquela época, as regras foram relaxadas e as distâncias encurtaram. Valmorain se acostumou à presença de Rosette e acabou por tolerar a familiaridade com ela. A menina não o chamava de patrão, mas de monsieur, pronunciado como um miado de gato. "Quando eu crescer, vou casar com Rosette", dizia Maurice. Haveria tempo, mais adiante, para colocar as coisas em seu devido lugar, pensava o pai deles. Tété tratou de inculcar nas crianças a diferença fundamental entre ambos: Maurice tinha privilégios vedados a Rosette, como entrar num quarto sem pedir permissão ou se sentar nos joelhos do patrão sem ser chamada. O menino estava na idade de exigir explicações, e Tété sempre respondia as suas perguntas com a mais pura verdade. "Porque você é filho legítimo do patrão, é homem, branco, livre e rico, mas Rosette não." Longe de ele ficar conformado, aquilo provocava ataques de choro em Maurice. "Por quê, por quê?", repetia entre soluços. "Porque é assim essa vida fodida, meu filho. Venha cá, vamos limpar o nariz", respondia Tété. Valmorain achava que seu filho já tinha idade suficiente para dormir sozinho, mas, cada vez que tentava forçá-lo, ele tinha um ataque de raiva e ficava febril. Continuaria dormindo com Tété e Rosette até que a situação se normalizasse, avisou o pai, mas o clima de tensão na ilha estava longe de se normalizar.

Uma tarde, chegaram vários milicianos que percorriam o norte procurando controlar a anarquia, e entre eles vinha Parmentier. O doutor viajava muito pouco para fora de Le Cap, por causa dos perigos das estradas e por suas obrigações com os soldados franceses que agonizavam no hospital. Houve um surto de febre amarela num dos quartéis, que foi controlado antes que se tornasse uma epidemia, mas a malária, a cólera e a dengue causavam sérios estragos. Parmentier se uniu aos milicianos, única forma de viajar com alguma segurança, não tanto para visitar Valmorain, que costumava ver em Le Cap, mas para consultar Tante Rose. Teve uma decepção ao saber do desaparecimento de sua mentora. Valmorain ofereceu hospitalidade ao amigo e aos milicianos, que vinham cobertos de pó, sedentos e exaustos. Durante uns dois dias, a casa-grande se encheu de atividade, vozes masculinas e até música, porque vários homens tocavam instrumentos de corda. Finalmente se usaram os que Violette Boisier havia comprado por capricho, quando decorara a casa, treze anos antes. Estavam desafinados, mas aproveitáveis. Valmorain mandou vir vários escravos com talento para os tambores, e se organizou uma festa. Tante Mathilde esvaziou a despensa do seu melhor conteúdo e preparou tortas de frutas e complicados ensopados *créoles*, gordurosos e picantes, que havia muito não fazia. Prosper Cambray se encarregou de assar um cordeiro, dos poucos disponíveis, porque desapareciam misteriosamente. O mesmo se dava com os porcos, e como era impossível que os escravos fugitivos roubassem aqueles pesados animais sem a cumplicidade dos escravos da plantação, quando faltava um, Cambray escolhia dez negros ao acaso e mandava chicoteá-los; alguém tinha de pagar pela perda. Naqueles meses, o chefe dos capatazes, investido de mais poder do que nunca, agia como se fosse o verdadeiro dono de Saint-Lazare, e seu atrevimento com Tété, cada vez mais descarado, era sua forma de desafiar o patrão, que se sentia acuado e por isso se retraíra desde que explodira a rebelião. A inesperada visita dos milicianos, todos mulatos como ele, aumentou sua jactância: distribuía as bebidas de Valmorain sem consultá-lo, dava ordens severas aos domésticos na presença dele e zombava às suas costas. O doutor Parmentier percebeu o comportamento de Cambray, assim como também notou que Tété e as crianças tremiam de medo diante dele, e quase fez um comentário a seu anfitrião, mas a experiência o deixara cauteloso. Cada plantação era um mundo à parte, com seu próprio sistema de relações, segredos e vícios. Por exemplo, Rosette, aquela menina de pele tão clara, só podia ser filha de Valmorain. E o que havia sido feito do outro filho de Tété? Bem que Parmentier gostaria de saber, mas nunca se atrevera a perguntar a Valmorain. As relações dos brancos com suas escravas era um assunto proibido na boa sociedade.

— Acho que chegou a ver os estragos da rebelião, doutor — comentou Valmorain. — Os bandos estão assolando a região.

— É verdade. Quando vínhamos para cá, vimos a fumaça de um incêndio na plantação de Lacroix — contou Parmentier. — Quando nos aproximamos, notamos que ainda ardiam os canaviais. Não havia vivalma e o silêncio era aterrorizante.

— Eu sei, doutor. Fui dos primeiros a chegar na *habitation* de Lacroix depois do assalto — explicou Valmorain. — Todos foram aniquilados: a família Lacroix inteira, seus capatazes e domésticos. Os demais escravos desapareceram. Fizemos uma vala e enterramos provisoriamente os corpos, até que as autoridades investiguem o que aconteceu. Não podíamos deixá-los jogados como carniça. Os negros fizeram uma orgia de sangue.

— Não tem medo de que aconteça algo parecido por aqui? — perguntou Parmentier.

— Estamos armados e alertas, e confio na capacidade de Cambray — respondeu Valmorain. — Mesmo assim, confesso que estou muito preocupado. Os negros se enfureceram com Lacroix e sua família.

— Seu amigo Lacroix tinha reputação de cruel — interrompeu o médico. — Isso excitou ainda mais os assaltantes, mas nesta guerra ninguém considera ninguém, *mon ami*. É preciso se preparar para o pior.

— Sabia que o estandarte dos rebeldes é uma criança branca atravessada por uma baioneta, doutor?

— Todo mundo sabe. Na França há uma reação de horror diante desses fatos. Os escravos já não têm mais nenhum simpatizante na Assembleia. Até a Sociedade de Amigos dos Negros está muda. Mas essas atrocidades são a resposta lógica às que cometemos contra eles.

— Não nos inclua, doutor! — exclamou Valmorain. — Você e eu jamais cometemos esses excessos!

— Não me refiro a ninguém em particular, mas à norma que impusemos. A vingança dos negros era inevitável. Tenho vergonha de ser francês — disse Parmentier, tristemente.

— Se a questão é vingança, chegamos ao ponto de ter de escolher entre eles ou nós. Nós, plantadores, vamos defender nossas terras e nossos investimentos. Vamos recuperar a colônia, seja como for. Não vamos ficar de braços cruzados!

Não estavam de braços cruzados. Os colonos, a Marechaussée e o exército saíam à caça, e, quando botavam as mãos em um negro rebelde, ele era esfolado vivo. Importaram mil e quinhentos cães da Jamaica e o dobro de mulas da Martinica, treinadas para subir montanhas arrastando os canhões.

O terror

As plantações do norte começaram a arder. Uma após a outra. O incêndio durou meses, o fulgor das chamas podia ser visto à noite em Cuba e a fumaça densa sufocou Le Cap e, segundo os escravos, chegou até a Guiné. O tenente-coronel Étienne Relais, que estava encarregado de informar as baixas ao governador, contou mais de duas mil entre os brancos em fins de dezembro e, se seus cálculos estavam corretos, havia mais de dez mil entre os negros. Na França, os ânimos deram uma guinada ao se saber da sorte que corriam os colonos em Saint-Domingue, e a Assembleia Nacional anulou o decreto recente que concedia direitos políticos aos *affranchis*. Como dissera Relais a Violette, aquela decisão carecia por completo de lógica, já que os mulatos nada tinham a ver com a rebelião, eram os piores inimigos dos negros e os aliados naturais dos *grands blancs*, com quem tinham tudo em comum, menos a cor. O governador Blanchelande, cuja simpatia não pendia para os republicanos, precisou usar o exército para sufocar a revolta dos escravos, que adquiria proporções catastróficas, e para intervir no bárbaro conflito entre brancos e mulatos iniciado em Port-au-Prince. Os *petits blancs* iniciaram uma matança de *affranchis*, os quais responderam cometendo selvagerias piores do que os negros e os brancos juntos. Ninguém estava a salvo. A ilha inteira trepidava com o fragor de um ódio antigo que esperava apenas um pretexto para explodir em chamas.

Em Le Cap, a ralé branca, exaltada com o que havia acontecido em Port-au-Prince, atacou as pessoas de cor nas ruas, entrou à força nas casas, ultrajou as mulheres, degolou as crianças e enforcou os homens, pendurando-os em suas próprias sacadas. Podia-se sentir o fedor dos cadáveres até dos barcos ancorados fora do porto. Num bilhete que mandou a Valmorain Parmentier, ele comentava as notícias da cidade: "Não há nada tão perigoso como a impunidade, meu amigo. É quando as pessoas enlouquecem e se cometem as piores atrocidades, não importa a cor da pele. Todos são iguais. Se você visse o que eu vi, questionaria a superioridade da raça branca que tantas vezes discutimos."

Aterrorizado com aquele verdadeiro caos, o doutor Parmentier pediu uma audiência e se apresentou no espartano escritório de Étienne Relais, que já conhecia por causa do trabalho no hospital militar. Sabia que ele havia se casado com uma mulher de cor e se mostrava de braços dados com ela, sem dar explicações para as más línguas, tudo que ele próprio nunca havia se atrevido a fazer com Adèle. Calculou que aquele homem entenderia melhor do que ninguém sua situação e se dispôs a lhe contar o seu segredo. O oficial o mandou sentar-se na única cadeira disponível.

— Desculpe-me o atrevimento de incomodá-lo com um assunto de ordem pessoal, tenente-coronel... — gaguejou Parmentier.

— Em que posso ajudá-lo, doutor? — respondeu amavelmente Relais, que devia ao doutor as vidas de vários de seus subalternos.

— A verdade é que tenho uma família. Minha mulher se chama Adèle. Não é exatamente minha esposa, você entende, não é mesmo? Mas estamos há muitos anos juntos e temos três filhos. Ela é uma *affranchie*.

— Eu já sabia, doutor — disse Relais.

— Como sabia? — perguntou o outro, desconcertado.

— Meu posto exige que eu esteja informado, e minha esposa, Violette Boisier, conhece Adèle. Comprou vários vestidos dela.

— Adèle é excelente costureira — acrescentou o doutor.

— Imagino que veio me falar dos ataques contra os *affranchis*. Não posso lhe prometer que a situação vá melhorar logo, doutor. Estamos tentando controlar a população, mas o exército não conta com recursos suficientes. Estou muito preocupado. Minha esposa não bota o nariz fora de casa há duas semanas.

— Temo por Adèle e pelas crianças...

— No que me diz respeito, acho que a única forma de proteger a minha família é enviá-la a Cuba até que passe essa tormenta. Vão partir de barco amanhã. Posso dar um jeito, se você quiser. Não será confortável, mas a viagem é curta.

Naquela noite, um pelotão de soldados escoltou as mulheres e as crianças ao barco. Adèle era uma mulata escura e gorda, sem muito atrativo à primeira vista, mas de uma doçura e bom humor inesgotáveis. Ninguém deixaria de notar a diferença entre ela, vestida como uma criada e decidida a permanecer na sombra para cuidar da reputação do pai de seus filhos, e a bela Violette com seu porte de rainha. Não eram da mesma classe social, separavam-nas vários graus de cor que, em Saint-Domingue, determinavam o destino, assim como o fato de que uma era a costureira e a outra a sua cliente, mas se abraçaram com simpatia, já que enfrentariam juntas as incertezas do exílio. Loula choramingava com Jean-Martin agarrado pela mão. Havia pendurado nele fetiches católicos e vodus embaixo da blusa, para que Relais, agnóstico decidido, não os visse. A escrava nunca havia subido num bote, muito menos num barco, e a aterrorizava a ideia de se aventurar num mar cheio de tubarões dentro daquele pacote de paus mal amarrados com umas velas que pareciam anáguas. Enquanto o doutor Parmentier fazia, de longe, discretos sinais de adeus para sua família, Étienne Relais, diante de seus soldados, se despediu de Violette, a única mulher que havia amado em sua vida, com um beijo desesperado e o juramento de que logo se reuniriam. Não tornaria a vê-la.

* * *

No acampamento de Zambo Boukman, ninguém mais passava fome e as pessoas começavam a se fortalecer: os homens não tinham mais as costelas aparentes, as poucas crianças não eram esqueletos com ventres dilatados e olhos cadavéricos, e as mulheres começaram a engravidar. Antes da rebelião, quando os rebeldes viviam escondidos em qualquer toca nas montanhas, a fome era mitigada com o sono e a sede com gotas de chuva. As mulheres cultivavam lavouras raquíticas de milho, que muitas vezes tinham de abandonar antes da colheita, e defendiam com suas próprias vidas as poucas cabras disponíveis, porque havia várias crianças nascidas em liberdade, mas destinadas a viver muito pouco se faltava o leite desses nobres animais. Gambo e outros cinco homens, os mais ousados, estavam encarregados de obter provisões. Um deles possuía um mosquete e era capaz de derrubar uma lebre numa corrida, mas, como a munição era escassa, ele a reservava para presas maiores. Os homens se embrenhavam nas plantações à noite, onde os escravos compartilhavam com eles suas provisões, fosse por bem ou por mal, mas não descartavam o perigo terrível de serem traídos ou surpreendidos. Quando conseguiam entrar no setor das cozinhas ou dos domésticos, roubavam sacos de farinha ou um barril de peixe seco, o que não era muito, mas certamente bem melhor do que comer lagartixas. Gambo, que tinha mãos mágicas para lidar com animais, costumava roubar uma das velhas mulas do moinho, que depois era aproveitada até o último osso. Essa manobra requeria sorte e audácia, porque se a mula resolvesse empacar não haveria forma de fazê-la andar, e se fosse dócil deveria dissimulá-la até chegar com ela às sombras da selva, onde lhe pedia perdão por lhe tirar a vida, como seu pai havia lhe ensinado quando iam caçar, e só então a sacrificava. Todos carregavam a carne montanha acima, apagando o rasto para enganar seus perseguidores. Agora, aquelas incursões desesperadas tinham outro aspecto.

Ninguém mais se opunha a eles nas plantações, quase todas abandonadas: podiam pegar o que havia sido salvo do incêndio. Graças a isso, no acampamento não faltavam porcos, galinhas, mais de cem cabras, sacos de milho, mandioca, batata e feijão, inclusive rum, todo o café que pudessem desejar, e açúcar, que muitos escravos nunca haviam provado, embora tivessem passado anos produzindo. Os fugitivos de antes eram os revolucionários de agora. Já não se tratava de bandidos esquálidos, mas de guerreiros decididos, porque não dava para voltar atrás: morria-se lutando ou morria-se na tortura. Só podiam apostar na vitória.

O acampamento estava cercado de estacas com caveiras e corpos empalados apodrecendo ao sol. Num curral, mantinham os prisioneiros brancos aguardando a vez de serem executados. As mulheres foram transformadas em escravas e concubinas, como antes eram as negras nas plantações. Gambo não sentia compaixão pelos cativos, daria um fim neles se fosse preciso, mas nunca havia recebido essa ordem. Como tinha pernas rápidas e bom-senso, Boukman também o enviava com mensagens a outros chefes e também para espionar. A região estava tomada por bandos que o jovem conhecia bem. O pior acampamento para os brancos era o de Jeannot, onde diariamente selecionavam vários prisioneiros para matar de forma lenta e macabra, inspirada na tradição de atrocidades iniciadas pelos próprios colonos. Jeannot, como Boukman, era um *hungan* poderoso, mas a guerra o havia transtornado e seu apetite de crueldade o tornara insaciável. Vangloriava-se de beber o sangue de suas vítimas num crânio humano. Até seus próprios companheiros viviam aterrorizados com ele. Gambo ouviu outros chefes discutirem sobre o dever de eliminá-lo antes que suas aberrações irritassem Papa Bondye, mas não repetiu isso a ninguém, porque como espião valorizava a discrição.

Num dos acampamentos, conheceu Toussaint, que cumpria a dupla função de conselheiro para a guerra e de doutor, porque conhecia o poder das plantas medicinais e exercia grande influência sobre os chefes, embora naquela época se mantivesse em segundo plano. Era um dos poucos capazes de ler e escrever; inteirava-se, embora com atraso, dos acontecimentos da ilha e da França. Ninguém conhecia melhor do que ele a mentalidade dos brancos. Havia nascido escravo e vivido numa plantação em Bréda, educara-se sozinho, abraçara com fervor a religião cristã e ganhara a estima do patrão, que inclusive lhe confiara a família chegado o momento de fugir. Essa relação provocava suspeita, muitos acreditavam que Toussaint se submetia aos brancos como criado, mas Gambo o ouvira dizer muitas vezes que o propósito de sua vida era terminar com a escravidão em Saint-Domingue, e nada nem ninguém o faria desistir. Sua personalidade o atraiu desde o princípio, e Gambo decidiu que, se Toussaint se tornasse chefe, ele trocaria de bando sem hesitar. Boukman, aquele gigante com vozeirão de tempestade, o escolhido de Ogum-Feraille, foi a faísca que acendeu a fogueira da rebelião em Bois Cayman, mas Gambo adivinhou que a estrela mais brilhante no céu era a de Toussaint, aquele homenzinho feio, de queixo protuberante e pernas arqueadas, que falava como um pregador e rezava para o Jesus dos brancos. E não se enganou, porque, alguns meses mais tarde, Boukman, o invencível, que enfrentava o fogo inimigo desviando as balas a chicotadas com um rabo de boi como se fossem moscas, foi preso pelo exército numa escaramuça. Étienne Relais deu a ordem para executá-lo imediatamente, visando se adiantar à reação dos rebeldes de outros acampamentos. Levaram sua cabeça espetada numa lança, que cravaram no centro da praça de Le Cap, onde ninguém deixou de vê-la. Gambo foi o único que escapou da morte naquela emboscada, graças à sua incrível velocidade, e com isso pôde levar a notícia a todos. Uniu-se, então, ao acampamento onde estava Toussaint, embora o de Jeannot fosse mais numeroso. Sabia que os dias de Jeannot estavam contados. E assim foi, atacaram-no ao amanhecer e o enforcaram sem lhe aplicar as torturas que ele havia imposto às suas vítimas porque não tiveram tempo; estavam se preparando para confabular com o inimigo. Gambo achou que, depois da morte de Jeannot e de vários de seus oficiais, também havia chegado a hora dos cativos brancos, mas prevaleceu a ideia de Toussaint de mantê-los vivos e usá-los como reféns para negociar.

Tendo em vista o desastre vivido na colônia, a França enviou uma comissão para negociar com os chefes negros, que se manifestaram dispostos a devolver os reféns como sinal de boa vontade. Marcaram o encontro numa plantação do norte. Quando os prisioneiros brancos que haviam sobrevivido meses no inferno inventado por Jeannot se encontraram perto da casa e compreenderam que não estavam sendo levados para serem mortos de alguma maneira horrenda, e sim para serem libertados, correram em debandada, e mulheres e crianças foram atropeladas pelos homens desesperados para se pôr a salvo. Gambo deu um jeito de seguir de perto Toussaint e os outros encarregados de negociar com os comissionados. Alguns *grands blancs*, representando o restante dos colonos, acompanhavam as autoridades recém-chegadas de Paris, que ainda não entendiam claramente como era a vida em Saint-Domingue. Gambo, assustado, reconheceu entre eles seu antigo patrão e recuou para se esconder, mas logo percebeu que Valmorain não havia prestado atenção nele e que não o reconheceria se prestasse.

As conversas aconteceram ao ar livre, sob as árvores do pátio, e, desde as primeiras palavras, a tensão foi evidente. Reinavam desconfiança e rancor entre os rebeldes e soberba cega entre os colonos. Gambo escutou estupefato os termos de paz propostos por seus chefes: liberdade para eles e um punhado de seus seguidores, em troca os rebeldes voltariam à escravidão nas plantações. Os comissionados de Paris aceitaram na hora — a cláusula não podia ser mais vantajosa —, mas os *grands blancs* de Saint-Domingue não estavam dispostos a dar nada: pretendiam que os escravos se rendessem em massa, incondicionalmente. “O que estão pensando?! Que vamos negociar com os negros?

Que se conformem por salvar a pele!", exclamou um deles. Valmorain tentou argumentar com seus pares, mas, no fim, prevaleceu a voz da maioria e ficou decidido que nada seria concedido aos negros sublevados. Os líderes rebeldes se retiraram ofendidos, e Gambo os seguiu, ardendo de raiva ao saber que estavam dispostos a trair as pessoas com quem conviviam e lutavam. "Assim que tiver oportunidade, matarei todos eles, um por um", prometeu a si mesmo. Perdeu a fé na revolução. Não podia imaginar que, naquele momento, se definia o futuro da ilha, porque a intransigência dos colonos obrigaria os rebeldes a continuar a guerra durante muitos anos até a vitória e o fim da escravidão.

Os comissionados, impotentes diante da anarquia, acabaram abandonando Saint-Domingue e, pouco depois, outros três delegados, encabeçados por Sonthonax, um advogado jovem e obeso, chegaram com seis mil soldados de reforço e novas instruções de Paris. A lei havia mudado mais uma vez para dar aos mulatos livres os direitos de todo cidadão francês. Vários *affranchis* foram nomeados oficiais do exército, e muitos militares brancos se recusaram a servir sob suas ordens e então desertaram. Isso atiçou os ânimos, e o ódio centenário entre brancos e *affranchis* alcançou proporções bíblicas. A Assembleia Colonial, que até então havia lidado com os assuntos da ilha, foi substituída por uma comissão composta por seis brancos, cinco mulatos e um negro livre. Em meio à crescente violência, que ninguém mais podia controlar, o governador Blanchelande foi acusado de não obedecer aos mandatos do governo republicano e favorecer os monarquistas. Foi deportado para a França com grilhões nos pés e pouco depois perdeu a cabeça na guilhotina.

O sabor da liberdade

As coisas continuavam do mesmo jeito no verão do ano seguinte, quando, uma noite, Tété acordou de repente com uma mão firme tapando-lhe a boca. Pensou que, por fim, assaltavam a plantação, coisa que temia havia tanto tempo, e rogou para que a morte fosse rápida, pelo menos para Maurice e Rosette, adormecidos ao seu lado. Esperou sem tentar se defender, para não acordar as crianças, até que conseguiu distinguir a figura inclinada sobre ela no tênue reflexo das tochas do pátio, que se filtrava através do papel encerado da janela. Não o reconheceu, porque, depois de um ano e meio de separação, o rapaz já não era o mesmo, mas quando ele sussurrou seu nome, Zarité, ela sentiu um disparo no peito, não mais de terror, mas de felicidade. Levantou as mãos para atraí-lo e sentiu o metal da faca que ele mantinha entre os dentes. Tirou-a de sua boca, e ele, com um gemido, se deixou cair sobre aquele corpo que se acomodava para recebê-lo. Os lábios de Gambo buscaram os dela com a sede acumulada em tanta ausência, sua língua abriu passagem em sua boca e suas mãos se agarraram a seus seios através do camisolão fino. Ela o sentiu entre as coxas e se abriu para ele, mas se lembrou das crianças, que por um instante havia esquecido, e o empurrou. "Venha comigo", sussurrou-lhe.

Levantaram-se com cuidado e passaram por cima de Maurice. Gambo recuperou sua faca e a prendeu na tira de couro de cabra do cinturão, enquanto ela esticava o mosquiteiro para proteger as crianças. Tété fez um sinal para que ele esperasse e saiu para se assegurar de que o patrão estava em seu quarto, como o havia deixado duas horas antes. Depois soprou a lamparina do corredor e voltou para o amante, levando-o às apalpadelas até o quarto da louca, na outra ponta da casa, desocupado desde sua morte.

Caíram abraçados sobre o colchão estragado pela umidade e pelo abandono e se amaram na escuridão, em total silêncio, sufocados de palavras mudas e gritos de prazer que se desfaziam em suspiros. Enquanto estiveram separados, Gambo havia se desafogado com outras mulheres dos acampamentos, mas não tinha conseguido aplacar seu apetite de amor insatisfeito. Tinha dezesseis anos e vivia abrasado pelo desejo persistente de Zarité. Lembrava-se dela, alta, abundante, generosa, mas agora via que era menor que ele, e aqueles seios, que antes lhe pareciam enormes, cabiam com folga em suas mãos. Zarité se converteu em espuma sob o corpo dele. Na agitação e voracidade do amor tão longamente contido, ele não conseguiu penetrá-la e, num instante, sucumbiu numa só explosão. Mergulhou, então, no vazio, até que a respiração ardente de Zarité em seu ouvido o trouxe de volta ao quarto da louca. Ela o acalentou, dando pancadinhas em suas costas, como fazia com Maurice para consolá-lo, e, quando sentiu que ele começava a renascer, virou-o na cama, imobilizando-o com uma das mãos no ventre, enquanto com a outra, seus lábios suaves e uma língua faminta o massageavam e o chupavam, elevando-o ao firmamento, onde se perdeu nas estrelas fugazes do amor imaginado em cada instante de repouso e em cada pausa das batalhas e em cada amanhecer enevoado nas cavernas milenares dos caciques, onde tantas vezes montava guarda. Incapaz de se aguentar por mais tempo, o rapaz a levantou pela cintura e ela o montou, atravessando-se naquele membro candente que tanto havia desejado, inclinando-se para cobrir de beijos o rosto do amado, para lamber-lhe as orelhas, acariciá-lo com seus mamilos, rebolar seus quadris enlouquecidos, espremê-lo com suas coxas de amazona, ondulando como uma enguia no fundo arenoso do mar. Brincaram como se fosse a primeira e a última vez, inventando passos novos para uma antiga dança. O ar do quarto ficou saturado com a fragrância de sêmen e suor, com a violência prudente do prazer e os extravios do amor, com os gemidos sufocados, risos calados, investidas desesperadas e arquejos de moribundo que, num instante, se transformavam em beijos alegres. Talvez não tivessem feito nada que já não tivessem feito com outros, mas era muito diferente fazer amor quando se amava.

Esgotados de felicidade, dormiram apertados num nó de braços e pernas, aturdidos pelo calor pesado daquela noite de julho. Gambo acordou pouco depois, aterrorizado por ter baixado a guarda daquela maneira, mas ao sentir a mulher abandonada, ronronando no sono, se deu tempo para apalpá-la com suavidade, sem acordá-la, e perceber as mudanças naquele corpo, que, quando ele se fora, estava deformado pela gravidez. Os seios ainda tinham leite, mas estavam mais frouxos e com os mamilos distendidos, a cintura lhe pareceu muito delgada, porque não lembrava como era antes da gravidez, o ventre, os quadris, as nádegas e as coxas eram pura opulência e suavidade. O cheiro de Tété também havia mudado, já não cheirava a sabão, mas a leite, e naquele momento estava impregnado do cheiro de ambos. Mergulhou o nariz no pescoço dela, sentindo a passagem do sangue nas veias, o ritmo de sua respiração, a batida de seu coração. Tété se esticou com um suspiro satisfeito. Estava sonhando com Gambo e levou um instante para se dar conta de que, na verdade, estavam juntos e que já não precisava imaginá-lo.

— Vim levar você, Zarité. Chegou a hora de irmos embora — sussurrou ele.

Gambo explicou que não pudera chegar antes, porque não tinha para onde levá-la, mas que agora já não podia esperar mais. Não sabia se os brancos conseguiriam acabar com a rebelião, mas teriam que matar até o último negro antes de proclamar a vitória. Nenhum dos rebeldes estava disposto a voltar à escravidão. A morte andava solta e à espreita na ilha. Não existia nem um só canto seguro, mas pior do que o medo e a guerra era aquela separação. Contou que não confiava nos chefes, nem mesmo em Toussaint, não devia nada a eles e pensava lutar à sua maneira, mudando de bando ou desertando, conforme os acontecimentos. Por um tempo poderiam viver juntos em seu acampamento, ele lhe disse; havia levantado uma *ajoupa* com paus e folhas de palmeira, e não faltaria comida. Só podia lhe oferecer uma vida dura, e ela estava acostumada às comodidades daquela casa de branco, mas nunca se arrependeria, porque quando se prova a liberdade não se pode voltar atrás. Sentiu lágrimas quentes no rosto de Tété.

— Não posso deixar as crianças, Gambo — disse ela.

— Levaremos o meu filho.

— É uma menina, se chama Rosette e não é sua filha, mas do patrão.

Gambo se levantou surpreso. Naquele ano e meio havia pensado em seu filho, o filho negro que se chamava Honoré. Não lhe passara pela cabeça a ideia de que o bebê pudesse ser uma mulata, filha do patrão.

— Não podemos levar Maurice, porque é branco, nem Rosette, que é muito pequena para enfrentar a miséria — explicou Tété.

— Você tem que vir comigo, Zarité. E deve ser nesta noite mesmo, porque amanhã será tarde. Essas crianças são filhos do branco. Esqueça elas. Pense em nós e nos filhos que teremos, pense na liberdade.

— Por que diz que amanhã será tarde? — perguntou ela, secando as lágrimas com o dorso da mão.

— Porque amanhã atacarão a plantação. É a última que resta, todas as outras já foram destruídas.

Então, ela entendeu a magnitude do que Gambo lhe pedia. Era muito mais do que se separar das crianças, era abandoná-las a uma sorte horrenda. Enfrentou-o com uma raiva tão intensa quanto a paixão de minutos antes: jamais as deixaria, nem por ele e nem pela liberdade. Gambo se estreitou contra seu peito, como se pretendesse levá-la enquanto se decidia. Disse que Maurice estaria perdido de qualquer maneira, mas que, no acampamento, poderiam aceitar Rosette, desde que ela não fosse muito clara.

— Nenhum dos dois sobreviveria entre os rebeldes, Gambo. A única forma de salvá-los será o patrão levá-los comigo. Tenho certeza de que protegerá Maurice com sua vida, mas Rosette não.

— Não há tempo para isso, seu patrão já é um cadáver, Zarité — respondeu ele.

— Se ele morrer, as crianças também morrerão. Temos que tirar os três de Saint-Lazare antes do amanhecer. Se não quer me ajudar, darei um jeito sozinha — decidiu Tété, vestindo o camisolão na penumbra.

Seu plano era de uma simplicidade pueril, mas o expôs com tanta determinação que Gambo acabou por ceder. Não podia forçá-la a ir com ele e também não podia deixá-la. Ele conhecia a região, estava habituado a se esconder, podia se locomover de noite, evitar perigos e se defender, mas ela não.

— Acha que o branco se prestará a isso? — perguntou, por fim.

— Que outra saída ele tem? Se ficar, destripam ele e Maurice. Não só vai aceitar, como vai pagar por isso. Me espere aqui — respondeu ela.

zarité

Meu corpo estava quente e úmido, o rosto inchado de beijos e lágrimas, e a pele cheirando ao que havia feito com Gambo, mas não me importei. No corredor, acendi uma das lamparinas de azeite, fui ao quarto dele e, pela primeira vez, entrei sem bater. Encontrei-o entorpecido pela bebida, deitado de costas, a boca aberta com um fio de saliva no queixo, uma barba de dois dias e o cabelo claro revolto. Toda a repulsa que sentia por ele embrulhou meu estômago, e achei que fosse vomitar. Minha presença e a luz da lamparina demoraram um pouco a atravessar a neblina do conhaque; ele acordou com um grito e, com um gesto rápido, sacou a pistola que mantinha debaixo do travesseiro. Ao me reconhecer, baixou o cano, mas não largou a arma. "Que está acontecendo, Tété?", repreendeu-me, levantando-se de um salto. "Venho lhe propor uma coisa, patrão", disse-lhe. A minha voz não tremia, assim como não tremia a lamparina na minha mão. Ele não me perguntou por que eu o estava despertando no meio da noite, pois pressentiu que se tratava de algo muito grave. Sentou-se na cama com a pistola nos joelhos, e lhe expliquei que, em algumas horas, os rebeldes assaltariam Saint-Lazare. Era inútil alertar Cambray, seria necessário um exército para detê-los. Como nos outros lugares, seus escravos se somariam aos atacantes, haveria uma matança generalizada e um incêndio, e *por isso devíamos fugir imediatamente com as crianças ou no dia seguinte estaríamos mortos. E isso se tivéssemos sorte, pior seria ficar agonizando. Assim falei para ele. Como eu sabia?*

Um de seus escravos, que havia escapado fazia mais de um ano, voltara para me avisar. Esse homem ia nos guiar, porque nunca chegaríamos sozinhos a Le Cap, pois a região estava tomada pelos rebeldes.

— Quem é ele? — perguntou-me enquanto se vestia depressa.

— Chama-se Gambo e é meu amante...

Ele me deu um bofetão no rosto que quase me aturdiu, mas quando ia me bater de novo agarrei-lhe o punho com uma força que eu mesma desconhecia. Até aquele momento, nunca o olhara no rosto e não sabia que tinha olhos claros, como céu nublado.

— Vamos tentar salvar a sua vida e a de Maurice, mas o preço será a minha liberdade e a de Rosette — disse eu, pronunciando bem cada palavra para que me entendesse.

Cravou-me os dedos nos braços, aproximando o rosto, ameaçador. Rangia os dentes enquanto me insultava, enlouquecido pela raiva. Passou-se, então, um momento muito longo, que parecia não ter fim, e tornei a sentir náuseas, mas não afastei meus olhos. Finalmente, ele se sentou, com a cabeça entre as mãos, vencido.

— Vá embora com esse desgraçado. Não precisa que eu lhe dê a liberdade.

— E Maurice? O senhor não pode protegê-lo. Não quero viver sempre fugindo, quero ser livre.

— Está bem, vai ter o que pede. Vamos, se apresse. Vista-se e prepare as crianças. Onde está esse escravo? — perguntou-me.

— Já não é um escravo. Vou chamá-lo, mas antes quero a minha liberdade e a de Rosette por escrito.

Sem dizer uma palavra, ele se sentou a sua mesa e escreveu às pressas numa folha, secou a tinta com talco e o soprou; depois, com o anel, imprimiu seu sinete em lacre, como eu o tinha visto fazer com documentos importantes, e leu em voz alta o que escrevera, já que eu não sabia. Senti um nó na garganta, o coração começou a bater no peito: aquele pedaço de papel tinha o poder de mudar a minha vida e a da minha filha. Dobrei-o com cuidado em quatro partes e guardei-o no saquinho do rosário de dona Eugenia, que eu sempre levava pendurado no pescoço, sob a blusa. Tive que deixar o rosário e espero que dona Eugenia me perdoe.

— Agora me dê a pistola — pedi.

Ele não quis se separar da arma; explicou-me que não pretendia usá-la contra Gambo, já que ele era a nossa única salvação. Não lembro muito bem como nos organizamos, mas, em poucos minutos, ele se armou com outras duas pistolas e pegou todas as moedas de ouro do escritório, enquanto eu dava láudano para as crianças de um dos frascos de dona Eugenia, que ainda tínhamos. Ficaram como mortas, e temi ter dado uma dose forte demais. Não me preocupei com os escravos do campo, a manhã seguinte seria seu primeiro dia de liberdade, mas naqueles assaltos a sorte dos domésticos costumava ser tão atroz quanto a dos patrões. Gambo decidiu avisar Tante Mathilde. A cozinheira havia dado a ele uma vantagem de várias horas quando fugira, e acabara sendo castigada por isso; agora era sua vez de devolver o favor. Depois de meia hora, quando estivéssemos distanciados o suficiente, ela poderia reunir os domésticos e se misturar com os escravos do campo. Amarrei Maurice nas costas do pai, passei dois pacotes de provisões para Gambo e carreguei Rosette. O patrão considerou uma loucura partir a pé, podíamos pegar cavalos no estábulo, mas, segundo Gambo, isso atrairia os vigilantes e o caminho que íamos fazer não era para cavalos. Atravessamos o pátio pelas sombras das casas, evitando a avenida de coqueiros, onde um guarda passeava, e nos dirigimos para os canaviais. Os ratos de caudas asquerosas, que infestavam os campos, cruzavam à nossa frente. O patrão hesitou, mas Gambo botou-lhe uma faca no pescoço e só não o matou porque segurei seu braço. Lembrei-o de que precisávamos dele para proteger as crianças.

Mergulhamos no sussurro aterrorizante das canas agitadas pela brisa — assobios, facadas, demônios escondidos nas matas, cobras, escorpiões, um labirinto onde os sons se distorciam e as distâncias se enroscavam sobre si mesmas e onde alguém podia se perder para sempre e, mesmo que gritasse muito, nunca seria encontrado. Por isso, os canaviais se dividiam em quadras ou quarteirões, e sempre se cortava das margens para o centro. Um dos castigos de Cambray consistia em abandonar um escravo de noite nos canaviais e, ao amanhecer, soltar os cães atrás dele. Não sei como Gambo nos guiou, talvez por instinto ou por experiência de roubar em outras plantações. Íamos em fila, juntos uns dos outros para não nos perdermos, protegendo-nos como podíamos das folhas afiadas, até que por fim, depois de muito tempo, saímos da plantação e entramos na selva. Andamos horas, mas avançamos pouco. Ao amanhecer, vimos claramente o céu alaranjado do incêndio de Saint-Lazare e nos sufocou a fumaça ardente e adocicada arrastada pelo vento. As crianças adormecidas pesavam como pedras nos ombros. Erzuli, loa *mãe, ajude-nos.*

Sempre andei descalça, mas não naquele tipo de terreno; meus pés estavam ensanguentados. Não aguentava mais o cansaço; em compensação, o patrão, vinte anos mais velho, caminhava sem parar, mesmo com o peso de Maurice. Por fim, Gambo, o mais jovem e forte dos três, disse que devíamos descansar. Ajudou-nos a desamarrar as crianças, e as deitamos sobre um monte de folhas, depois de mexer nelas com um pedaço de pau para espantar as cobras. Gambo queria as pistolas do patrão, mas ele o convenceu de que em suas mãos seriam mais úteis, porque Gambo nada sabia lidar com aquelas armas. Combinaram que ele levaria uma, e o patrão, as outras duas. Estávamos próximo dos pântanos, e mal entravam poucos raios de luz através da vegetação. O ar era como água quente. A areia movediça podia engolir um homem em dois minutos, mas Gambo não parecia preocupado. Encontrou um córrego, bebemos água, molhamos nossas roupas e as das crianças, que continuavam aturdidas, depois dividimos alguns pães das provisões e descansamos um pouco.

Logo Gambo nos fez prosseguir viagem de novo, e o patrão, que nunca havia recebido ordens, obedeceu calado. Os pântanos não eram um lamaçal, como eu imaginava, mas água suja estagnada e vapor malcheiroso. O lodo estava no fundo. Lembrei-me de dona Eugenia, que teria preferido cair nas mãos dos rebeldes a passar por aquela densa neblina de mosquitos; por sorte, já estava no céu dos cristãos. Gambo conhecia todas as passagens, mas não era fácil segui-lo com o peso das crianças. Erzuli, loa *da água, salve-nos. Gambo desprendeu meu* tignon, *forrou meus pés com folhas e os amarrou com o pano. O patrão usava botas de cano alto, e Gambo achava que os caninos dos animais não penetravam os calos de seus pés. Assim caminhamos.*

Maurice acordou primeiro, quando ainda estávamos nos pântanos, e se assustou. Quando Rosette acordou, dei-lhe o peito sem deixar de andar, e ela tornou a dormir. Andamos o dia inteiro e chegamos a Bois Cayman, onde não havia perigo de desaparecer no lodo, mas podíamos ser atacados. Fora lá que Gambo vira o começo da rebelião, quando minha madrinha, montada por Ogum, clamou pela guerra e designou os chefes. Assim me contou Gambo. Desde então, Tante Rose ia de um acampamento a outro, cuidando dos doentes, celebrando serviços para os loas *e olhando o futuro, temida e respeitada por todos, cumprindo o destino marcado em sua* z'etoile. *Ela havia dito a Gambo que se abrigasse sob a asa de Toussaint, porque ele seria rei quando a guerra terminasse. Gambo lhe perguntou se então seríamos livres e ela lhe garantiu que sim, mas que antes todos os brancos teriam de morrer, inclusive os recém-nascidos, e haveria tanto sangue na terra que as espigas de milho brotariam vermelhas.*

Dei mais umas gotas às crianças e as acomodamos entre as raízes de uma árvore grande. Gambo temia mais as matilhas de cães selvagens do que os humanos ou os espíritos, mas não nos atrevemos a acender uma fogueira para mantê-las afastadas. Deixamos o patrão com as crianças e as três pistolas carregadas, certos de que não se afastaria do lado de Maurice, enquanto Gambo e eu nos afastamos um pouco para fazer o que queríamos fazer. O ódio deformou o rosto do patrão quando me dispus a seguir Gambo, mas ele não disse nada. Tive medo do que pudesse me acontecer depois, porque conheço a crueldade dos brancos na hora da vingança, e essa hora ia chegar mais cedo ou mais tarde para mim. Eu estava esgotada e dolorida por causa do peso de Rosette, mas a única coisa que desejava era o abraço de Gambo. Naquele momento nada mais importava. Erzuli, loa *do prazer, permita que esta noite dure para sempre. Assim me lembro.*

Fugitivos

Os rebeldes caíram sobre Saint-Lazare na hora imprecisa em que a noite começa a recuar, momentos antes de o sino do trabalho despertar as pessoas. No início foi como a cauda resplandecente de um cometa, pontos de luz movendo-se com pressa: as tochas. Os canaviais ocultavam as figuras humanas, mas, quando começaram a emergir da densa vegetação, viu-se que eram centenas. Um dos vigilantes conseguiu chegar até o sino, mas vinte mãos brandindo facas o reduziram a uma polpa irreconhecível. As canas secas arderam primeiro, o calor acendeu as demais e, em menos de vinte minutos, o incêndio cobria os campos e avançava para a casa-grande. As chamas saltavam em todas as direções, tão altas e poderosas que nem as valas corta-fogo dos pátios puderam detê-las. Ao calor do incêndio se somou a gritaria ensurdecedora dos assaltantes e o uivo lúgubre das conchas que sopravam anunciando a guerra. Corriam nus ou apenas cobertos por trapos, armados de facões, correntes, facas, paus, baionetas, mosquetes sem bala, que empunhavam como clavas. Muitos estavam pintados de fuligem, outros em transe ou bêbados, mas no cerne da anarquia havia um único propósito: destruir tudo. Os escravos do campo, misturados aos domésticos, que tinham sido avisados a tempo pela cozinheira, abandonaram suas cabanas e se uniram à turba para participar daquela orgia de vingança e devastação. No começo, alguns hesitaram, temerosos da violência incontrolável dos rebeldes e da represália inevitável do patrão, mas já não tinham escolha. Se retrocedessem, morreriam.

Os *commandeurs* caíram um a um nas mãos da horda, mas Prosper Cambray e outros dois homens esconderam-se nas adegas da casa-grande com armas e munições para se defender por várias horas. Acreditavam que o incêndio atrairia a Marechaussée ou os soldados que percorriam a região. As investidas dos negros tinham a fúria e a pressa de um tufão, duravam umas duas horas e depois eles se dispersavam. O chefe dos capatazes estranhou a casa sem ninguém, achou que Valmorain tivesse preparado com antecedência um refúgio subterrâneo e que devia estar lá, escondido com o filho, Tété e a menina. Afastou-se de seus homens e dirigiu-se ao escritório, sempre trancafiado a chave, mas o encontrou aberto. Desconhecia a combinação da caixa-forte e se dispôs a arrebentá-la a tiros — depois ninguém saberia quem havia roubado o ouro —, mas ela também estava aberta. Sentiu, então, a primeira suspeita de que Valmorain fugira sem avisá-lo. "Covarde de merda!", exclamou, furioso. Para salvar sua pele miserável havia abandonado a plantação. Sem tempo para se lamentar, reuniu-se com os outros exatamente quando a gritaria do assalto já estava muito próxima deles.

Cambray ouviu os relinchos dos cavalos e os latidos dos cães, e pôde distinguir os de seus mastins assassinos, mais roucos e ferozes. Calculou que seus valiosos animais fariam várias vítimas antes de morrer. A casa estava cercada, os assaltantes tinham invadido os pátios e pisoteado o jardim; não restava uma só das preciosas orquídeas do patrão. O chefe dos capatazes viu-os na varanda; estavam derrubando as portas, entrando pelas janelas e destruindo o que encontravam pela frente, quebrando os móveis franceses, rasgando os tapetes holandeses, esvaziando os baús espanhóis, estilhaçando os biombos chineses e as porcelanas, os relógios alemães, as gaiolas douradas, as estátuas romanas e os espelhos venezianos, tudo que havia sido adquirido por Violette Boisier nos velhos tempos. E quando se cansaram do estrago começaram a procurar a família. Cambray e os dois *commandeurs* haviam protegido a porta da adega com sacos, barris e móveis, e começaram a disparar pelas grades de ferro que protegiam as pequenas janelas. Estavam separados dos rebeldes, soberbos de liberdade e indiferentes às balas, somente por tábuas nas paredes. Na luz da madrugada, vários foram derrubados pelos tiros; eles estavam tão próximos que podiam cheirá-los, apesar da fumaça fétida da cana queimada. Alguns caíam, mas outros passavam por cima e escapavam antes que Cambray e seus homens conseguissem recarregar as armas. Sentiram os golpes contra a porta, as madeiras retumbaram, sacudidas por um furacão de ódio que levara cem anos acumulando força no Caribe. Dez minutos mais tarde, a casa-grande ardia numa imensa fogueira. Os escravos rebeldes esperaram no pátio e prenderam vivos os *commandeurs*, quando saíram para fugir das chamas. No entanto, não puderam cobrar de Prosper Cambray as torturas que ele devia, porque preferiu meter o cano da pistola na boca e fazer a cabeça voar.

Enquanto isso, Gambo e seu pequeno grupo subiam agarrados em rochas, troncos, raízes e cipós, atravessavam precipícios e se metiam até a cintura em riachos torrenciais. Gambo não havia exagerado, não era um caminho para cavalheiros, mas para macacos. Naquele verde profundo, de repente, surgiam pinceladas de cor: o bico amarelo e alaranjado de um tucano, penas iridescentes de papagaios e araras, flores tropicais penduradas nos galhos. Havia água por todos os lados, riachinhos, charcos, córregos, chuva, cascatas cristalinas atravessadas por arco-íris que caíam do céu e se perdiam debaixo de uma massa densa de samambaias brilhantes. Tété molhou um lenço e o amarrou na cabeça para tapar o olho roxo pelo bofetão de Valmorain. Disse a Gambo que um bicho a tinha picado na pálpebra, para evitar um confronto entre os dois homens. Valmorain tirou as botas encharcadas, porque tinha os pés em carne viva, e Gambo riu ao vê-los, sem compreender como o branco podia andar pela vida com aqueles pés moles e rosados que pareciam uns coelhos esfolados. Em poucos passos, Valmorain teve de calçar novamente as botas. Não aguentava mais carregar Maurice. O menino caminhava alguns trechos de mãos dadas com o pai e, em outros, ia montado nos ombros de Gambo, agarrado na massa dura de seus cabelos.

Várias vezes tiveram que se esconder dos rebeldes que andavam por todos os lados. Numa ocasião, Gambo deixou todos numa gruta e foi sozinho se encontrar com um pequeno grupo que havia conhecido no acampamento de Boukman. Um dos homens usava um colar de orelhas, algumas ressecadas como couro, outras frescas e rosadas. Compartilharam com ele suas provisões, batatas cozidas e nacos de carne de cabra defumada. Descansaram um pouco, comentando as vicissitudes da guerra e os rumores sobre um novo chefe, Toussaint. Disseram que não parecia humano, tinha um coração de cão selvagem; era astuto e solitário, e indiferente às tentações do álcool, das mulheres e das medalhas douradas que outros chefes ambicionavam; não dormia, alimentava-se de frutas e podia passar dois dias e duas noites no lombo de um cavalo. Nunca levantava a voz, mas as pessoas tremiam em sua presença. Era doutor de folhas e adivinho, sabia decifrar as mensagens da natureza, os sinais das estrelas e as intenções mais secretas dos homens; assim se livrava de traições e emboscadas. Ao entardecer, quando mal começou a refrescar, despediram-se. Gambo levou um tempo para se localizar, porque havia se afastado muito da gruta, mas por fim se reuniu aos demais, que desfaleciam de sede e calor, porque não haviam se atrevido a buscar água do lado de fora. Conduziu-os a um córrego próximo e puderam beber até se fartar, mas tiveram que racionar as escassas provisões.

Os pés de Valmorain eram uma chaga só dentro das botas; pontadas de dor atravessavam-lhe as pernas, e ele chorava de raiva, com vontade de se deixar morrer, mas seguia em frente por causa de Maurice. Ao entardecer do segundo dia, viram dois homens nus, sem nenhum outro adereço senão uma tira de couro na cintura para segurar a faca, e iam armados com facões. Conseguiram se esconder entre as samambaias, onde aguardaram por mais de uma hora até eles se perderem na mata. Gambo se dirigiu a uma palmeira, cuja copa se elevava vários metros acima da vegetação, escalou o tronco reto, agarrado às escamas da casca e arrancou dois cocos, que caíram sem barulho sobre as samambaias. As crianças puderam beber a água e dividir a delicada polpa. Informou que lá de cima tinha visto a planície; Le Cap estava perto. Passaram a noite sob as árvores e guardaram o resto das provisões para o dia seguinte. Maurice e Rosette dormiram encolhidos, vigiados por Valmorain, que nesses dias havia envelhecido mil anos e se sentia aniquilado: havia perdido a honra, a hombridade, a alma e estava reduzido a um animal, carne e sofrimento, um molambo ensanguentado que seguia, como um cachorro, um negro desgraçado que fornicava com a sua escrava a poucos passos de distância. Poderia ouvi-los nessa noite, como ouvira nas noites anteriores; não se cuidavam nem por decência ou por medo dele. Chegavam-lhe claramente os gemidos de prazer, os suspiros de desejo, as palavras inventadas, o riso sufocado. Uma vez, outra vez e outra mais copulavam como bichos, porque não era próprio de humanos tanto desejo e tanta energia. O patrão chorava de humilhação. Imaginava o corpo conhecido de Tété, suas pernas de caminhante, suas ancas firmes, sua cintura estreita, seus seios generosos, sua pele lisa, suave, doce, úmida de suor, de desejo, de pecado, de insolência e provocação. Parecia ver o rosto dela nesses momentos, os olhos entrecerrados, os lábios macios para dar e receber, a língua atrevida, as narinas dilatadas cheirando aquele homem. E, apesar de tudo, apesar do tormento de seus pés, da incomensurável fadiga, do orgulho pisoteado e do medo aterrorizante de morrer, Valmorain se excitava.

— Amanhã deixaremos o branco e o filho dele na planície. Dali em diante será só andar em linha reta — anunciou Gambo a Tété entre beijo e beijo na escuridão.

— E se os rebeldes os encontrarem antes de chegarem a Le Cap?

— Eu fiz a minha parte, tirei-os vivos da plantação. Agora que se virem sozinhos. Nós iremos para o acampamento de Toussaint. Sua *z'etoile* é a mais brilhante do céu.

— E Rosette?

— Vem com a gente, se você quiser.

— Não posso, Gambo. Tenho que ir com o branco. Me perdoe... — sussurrou ela, dobrada de tristeza.

O rapaz a afastou, incrédulo. Ela precisou repetir duas vezes para ele compreender a firmeza daquela decisão, a única possível, porque, entre os rebeldes, Rosette seria uma miserável mestiça clara, rejeitada, faminta, exposta aos acasos da revolução. Em troca, ela estaria mais segura com Valmorain. Explicou que não podia se separar das crianças, mas Gambo não ouviu seus argumentos, só entendeu que a sua Zarité preferia o branco.

— E a liberdade? Você não se importa com isso? — Pegou-a pelos ombros e a sacudiu.

— Sou livre, Gambo. Tenho o papel aqui neste saquinho, escrito e selado. Rosette e eu somos livres. Vou continuar servindo o patrão por um tempo, até a guerra acabar. Depois irei com você aonde você quiser.

Separaram-se na planície. Gambo se apoderou das pistolas, deu as costas a eles e desapareceu correndo rumo à mata, sem se despedir e sem se virar para lhes dar uma última olhada e não sucumbir à poderosa tentação de matar Valmorain e o filho. Teria matado sem hesitar, mas sabia que perderia Tété para sempre se machucasse Maurice. Valmorain, a mulher e as crianças alcançaram o caminho, uma trilha larga para três cavalos, muito exposta no caso de se encontrar com negros rebeldes ou com mulatos irritados com os brancos. Valmorain, com os pés em carne viva, não podia dar um passo a mais, arrastava-se gemendo, seguido por Maurice, que chorava com ele. Tété encontrou sombra embaixo de uns arbustos, deu o último bocado das provisões a Maurice e lhe explicou que voltaria para buscá-lo, que poderia demorar, mas ele precisava ter coragem. Deu-lhe um beijo, deixou-o com o pai e começou a andar pela trilha com Rosette nas costas. Daí para a frente seria uma questão de sorte. O sol caía a prumo sobre sua cabeça descoberta. O terreno, de uma monotonia deprimente, era salpicado de penhascos e arbustos baixos esmagados pela força do vento, e coberto de uma grama grossa, curta e dura. A terra era seca e granulosa, e não havia água em parte alguma. Esse caminho, com grande trânsito em tempos normais, só era usado pelo exército e pela Marechaussée desde a rebelião. Tété tinha uma vaga ideia da distância, mas não podia calcular quantas horas deveria andar até chegar às fortificações próximas de Le Cap, porque sempre fizera a viagem na carruagem de Valmorain. "Erzuli, *loa* da esperança, não me desampare." Caminhou decidida, sem pensar no que faltava, mas no que havia avançado. A paisagem era desoladora, não havia referências, tudo era igual, parecia estar sempre parada no mesmo lugar, como nos pesadelos. Rosette implorava por água com os lábios secos e os olhos vidrados. Tété deu mais gotas do frasco azul e a ninou até que dormiu. Então pôde continuar.

Caminhou durante três ou quatro horas sem pausa, com a mente vazia. "Água, não poderei continuar sem água." Um passo, outro passo e mais outro. "Erzuli, *loa* das águas doces e salgadas, não nos mate de sede." As pernas se moviam sozinhas, até que ouviu tambores: o chamado do *boula*, o contraponto do *segon*, o suspiro profundo do *maman* quebrando o ritmo, os outros voltando a começar, variações, sutilezas, saltos, de repente o som alegre das maracas e de novo mãos invisíveis batendo a pele esticada dos tambores. O som foi tomando-a, e ela começou a se mover com a música. Outra hora. Flutuava num espaço incandescente. Cada vez mais desprendida, já não sentia as chicotadas nos ossos nem o ruído de pedras na cabeça. Mais um passo, mais uma hora. "Erzuli, *loa* da compaixão, ajude-me." De repente, quando seus joelhos se dobraram, a descarga de um relâmpago a sacudiu da cabeça aos pés — fogo, gelo, vento, silêncio. E, então, veio a deusa Erzuli como um vendaval e montou Zarité, sua servidora.

Étienne Relais foi o primeiro a vê-la, porque ia à frente de seu pelotão de cavaleiros. Uma linha escura e delgada na trilha, uma ilusão, uma silhueta trêmula na reverberação daquela luz implacável. Esporeou o cavalo e se adiantou para ver quem se arriscava numa viagem tão perigosa naquelas solidões e naquele calor. Ao se aproximar, viu a mulher de costas, ereta, soberba, os braços estendidos para voar e meneando ao ritmo de uma dança secreta e gloriosa. Notou o volume que levava amarrado atrás e deduziu que era uma criança, morta talvez. Chamou-a com um grito, mas ela não respondeu, continuou levitando como uma ilusão, até que ele atravessou o cavalo na sua frente. Ao notar o branco dos olhos, compreendeu que estava demente ou em transe. Vira aquela expressão exaltada nas *calendas*, mas achava que aquilo só acontecia na histeria coletiva dos tambores. Como militar francês, pragmático e ateu, Relais sentia repugnância por aquelas possessões, que considerava uma prova a mais da condição primitiva dos africanos. Erzuli se ergueu diante do cavaleiro, sedutora, bela, sua língua de cobra entre os lábios vermelhos, o corpo uma única labareda. O oficial levantou o rebenque, tocou-a num ombro e, no mesmo instante, o encantamento se desfez. Erzuli se esfumou e Tété desabou sem um suspiro, como uma trouxa de trapos na poeira da trilha. Os outros soldados haviam alcançado seu chefe e os cavalos rodearam a mulher extenuada. Étienne Relais desmontou, se inclinou sobre ela e começou a puxar sua mochila improvisada, até que libertou a carga: uma menina adormecida ou inconsciente. Virou a mulher e viu uma mulata muito diferente da que dançava no caminho, uma pobre jovem coberta de sujeira e suor, o rosto descomposto, um olho roxo, os lábios rachados de sede, os pés ensanguentados aparecendo entre os farrapos. Um dos soldados desmontou também e se agachou para despejar um jato de água de seu cantil na boca da menina e outro na da mulher. Tété abriu os olhos e, por vários minutos, não se lembrou de nada, nem de sua marcha forçada, nem de sua filha, nem dos tambores, nem de Erzuli. Ajudaram-na a se levantar e lhe deram mais água, até que se saciou e as visões em sua cabeça adquiriram algum sentido. "Rosette...", balbuciou. "Está viva, mas não responde e não podemos acordá-la", disse-lhe Relais. Então, o espanto dos últimos dias voltou à memória da escrava: o láudano, a plantação em chamas, Gambo, e seu patrão e Maurice, que esperavam por ela.

Valmorain viu a poeira no caminho e se encolheu entre os arbustos, desvairado por um medo visceral que começara diante do cadáver esfolado de seu vizinho Lacroix e fora aumentando até aquele momento em que perdera o senso do tempo, do espaço e das distâncias — não sabia por que estava metido no meio do mato como uma lebre nem quem era aquele pirralho desmaiado ao seu lado. O grupo parou perto, e um dos cavaleiros o chamou aos gritos pelo nome; então se atreveu a dar uma olhada e viu os uniformes. Um berro de alívio lhe brotou das entranhas. Saiu engatinhando, desgrenhado, coberto de arranhões, crostas e lodo seco, soluçando como uma criança, e ficou de joelhos diante dos cavalos, repetindo obrigado, obrigado, obrigado. Ofuscado pela luz e desidratado como estava, não reconheceu Relais e nem se deu conta de que todos os homens do pelotão eram mulatos. Bastou ver os uniformes do exército francês para compreender que estava a salvo. Pegou o saco que levava preso na cintura e jogou um punhado de moedas na frente dos soldados. O ouro brilhava no chão, obrigado, obrigado. Com nojo do espetáculo, Étienne Relais ordenou que ele recolhesse o dinheiro e fez um gesto para os subalternos. Um deles desmontou para dar água a Valmorain e lhe ceder o cavalo. Tété, que ia na garupa de outro, desmontou com dificuldade, porque não estava acostumada a cavalgar e levava Rosette nas costas, e foi buscar Maurice. Encontrou-o encolhido feito um novelo entre os arbustos, delirando de sede.

Estavam perto de Le Cap e, poucas horas mais tarde, entraram na cidade sem ter sofrido novos imprevistos. Nesse meio-tempo, Rosette se reanimou do torpor do láudano, Maurice dormiu extenuado nos braços de um cavaleiro e Toulouse Valmorain recuperou a compostura. As imagens daqueles três dias começaram a se desfazer e a história a mudar na mente do patrão. Quando teve oportunidade de explicar o que acontecera, sua versão não se parecia com a que Relais ouvira de Tété: Gambo havia sumido do quadro, ele havia previsto o ataque dos rebeldes e, diante da impossibilidade de defender a plantação, tinha fugido para proteger o filho, levando a escrava que criara Maurice e a menina dela. Era ele, apenas ele, que havia salvado todos. Relais não fez comentários.

A Paris das Antilhas

Le Cap estava repleto de refugiados que haviam abandonado as plantações. A fumaça dos incêndios, arrastada pelo vento, ficara flutuando no ar por semanas. A Paris das Antilhas fedia a lixo e excremento, aos cadáveres dos executados apodrecendo nos patíbulos e às valas comuns das vítimas da guerra e das epidemias. O abastecimento era muito irregular, e a população dependia dos barcos e dos botes pesqueiros para se alimentar, mas os *grands blancs* continuavam vivendo no mesmo luxo de antes, só que agora lhes custava um pouco mais caro. Não faltava nada em suas mesas, e o racionamento era somente para os outros. As festas continuavam com guardas armados nas portas, nem os teatros nem os bares foram fechados e as *cocottes* deslumbrantes ainda alegravam as noites. Não havia um único quarto onde se alojar, mas Valmorain contava com a casa do português que havia conseguido alugar antes da insurreição, onde se instalara para se refazer do susto e das feridas físicas e morais. Serviam-no seis escravos alugados sob o comando de Tété; não lhe convinha comprá-los justamente quando planejava mudar de vida. Adquiriu apenas um cozinheiro treinado na França, que depois poderia vender sem perder dinheiro; o preço de um bom cozinheiro era uma das poucas coisas estáveis. Tinha certeza de que recuperaria a sua propriedade; aquele não havia sido o primeiro levante de escravos nas Antilhas e todos tinham sido esmagados; a França não ia permitir que alguns bandidos negros arruinassem a colônia. De qualquer forma, mesmo que a situação voltasse a ser como antes, ele iria embora de Saint-Lazare, já estava decidido. Havia sido informado da morte de Prosper Cambray, porque os milicianos tinham encontrado seu corpo entre os escombros da plantação. "Não teria me livrado dele de outra maneira", pensou. Sua propriedade era agora um monte de cinzas, mas a terra continuava lá, ninguém podia levá-la. Conseguiria um administrador, alguém habituado ao clima e com experiência; não eram tempos para gerentes vindos da França, como lhe explicara seu amigo Parmentier, enquanto tratava dos pés com ervas cicatrizantes que tinha visto Tante Rose usar.

— E você, vai voltar para Paris, *mon ami?* — perguntou o doutor.

— Acho que não. Tenho negócios no Caribe, não na França. Associei-me a Sancho García del Solar, irmão de Eugenia, que descanse em paz. Compramos umas terras na Louisiana. E você, doutor, que planos tem?

— Se a situação não melhorar aqui, pretendo ir para Cuba.

— Tem família lá?

— Sim — admitiu o médico, corando.

— A paz da colônia depende do governo na França. Os republicanos são culpados pelo que aconteceu aqui. O Rei jamais teria permitido que se chegasse a esses extremos.

— Acho que a Revolução Francesa é irreversível — respondeu o médico.

— A República não tem ideia de como se administra esta colônia, doutor. Os comissionados deportaram meio regimento de Le Cap e o substituíram por mulatos. Isto é uma verdadeira provocação; nenhum soldado branco aceitará se colocar sob as ordens de um oficial de cor.

— Talvez seja a hora para que brancos e *affranchis* aprendam a conviver, já que o inimigo comum são os negros.

— Eu me pergunto o que estes selvagens pretendem — disse Valmorain.

— Liberdade, *mon ami* — explicou Parmentier. — Um dos chefes (acho que se chama Toussaint) disse que as plantações podem funcionar com mão de obra livre.

— Mesmo que fossem pagos, os negros não trabalhariam! — exclamou Valmorain.

— Isso ninguém pode garantir, porque nunca se experimentou. Toussaint disse que os africanos são camponeses, que estão familiarizados com a terra, cultivar é o que sabem e querem trabalhar — insistiu Parmentier.

— O que sabem e querem fazer é matar e destruir, doutor! Além disso, esse Toussaint passou para o lado espanhol.

— Ampara-se sob a bandeira espanhola porque os colonos franceses se negaram a negociar com os rebeldes — lembrou o médico.

— Eu estava lá, doutor. Tentei em vão convencer os outros plantadores a aceitar os termos de paz propostos pelos negros, que só pediam a liberdade dos chefes e seus tenentes, uns duzentos no total — contou Valmorain.

— Então, a culpa pela guerra não é da incompetência do governo republicano na França, mas do orgulho dos colonos em Saint-Domingue — argumentou Parmentier.

— Concordo que devemos ser mais razoáveis, mas não podemos negociar de igual para igual com os escravos. Seria um mau precedente.

— Vocês deviam se entender com Toussaint, que parece o mais sensato dos chefes rebeldes.

Tété prestava atenção quando se falava de Toussaint. Guardou no fundo de sua alma o amor por Gambo, resignada à ideia de não vê-lo durante muito tempo, talvez nunca mais, mas o levava cravado no coração e supunha que se achava nas fileiras desse tal Toussaint. Ouviu Valmorain dizer que nenhuma revolta de escravos na história havia triunfado, mas se atrevia a sonhar o contrário e a se perguntar como seria a vida sem a escravidão.

Organizou a casa como sempre havia feito, mas Valmorain lhe explicou que não podiam continuar como em Saint-Lazare, onde só importava a comodidade e dava na mesma se serviam à mesa com ou sem luvas. Em Le Cap era preciso viver com estilo. Por mais que a revolta ardesse nas portas da cidade, ele devia retribuir as atenções das famílias que o convidavam com frequência e haviam se atribuído a missão de lhe conseguir uma esposa.

O patrão fez algumas investigações e conseguiu um mentor para Tété: o mordomo da intendência. Era o mesmo adônis africano que servia na mansão quando Valmorain chegara com Eugenia doente para pedir hospitalidade em 1780, só que então mais atraente, porque havia amadurecido com extraordinária elegância. Chamava-se Zacharie e havia nascido e crescido entre aquelas paredes. Seus pais tinham sido escravos de outros intendentes, que os venderam ao sucessor quando precisaram voltar para a França; e assim eles chegaram a fazer parte do inventário. O pai de Zacharie, tão bonito quanto ele, treinou-o desde jovem para o prestigioso cargo de mordomo, porque viu que ele possuía as virtudes essenciais para o posto: inteligência, astúcia, dignidade e prudência. Zacharie se protegia do assédio das mulheres brancas porque conhecia os riscos; e assim havia evitado muitos problemas. Valmorain tentou pagar ao intendente os serviços de seu mordomo, mas ele não quis nem ouvir falar no assunto. "Dê uma gorjeta para ele. É o bastante. Zacharie está poupando para comprar a sua liberdade, embora eu não saiba por que a deseja. Sua situação atual não poderia ser mais vantajosa", disse-lhe. Combinaram que Tété iria diariamente à intendência para se aperfeiçoar.

Zacharie a recebeu com frieza, estabelecendo desde o começo uma certa distância, já que tinha o cargo mais alto na hierarquia entre os domésticos de Saint-Domingue e ela era apenas uma escrava sem importância. Mas logo o traiu seu zelo didático e acabou entregando os segredos do ofício com uma generosidade que ultrapassava em muito a gorjeta de Valmorain. Ficou surpreso por aquela jovem não parecer impressionada com ele; estava acostumado à admiração feminina. Tinha que usar muito tato para desviar cortejos e rejeitar os avanços das mulheres, mas com Tété pôde se entregar a uma relação sem segundas intenções. Tratavam-se com formalidade, monsieur Zacharie e mademoiselle Zarité.

Tété se levantava de madrugada, organizava os escravos, distribuía as tarefas domésticas, deixava as crianças a cargo da babá provisória que o patrão havia alugado, e partia com sua melhor blusa e seu *tignon* recém-engomado para suas aulas. Nunca soube quantos criados havia na intendência; somente na cozinha eram três cozinheiros e sete ajudantes, mas calculou que não havia menos de cinquenta. Zacharie administrava as despesas e servia de ligação entre o patrão e o serviço, era a autoridade máxima naquela complicada organização. Nenhum escravo se atrevia a se dirigir a ele sem ser chamado e, por isso mesmo, se ressentiram com as visitas de Tété, que, em poucos dias, quebrava as regras e entrava diretamente no templo proibido, o minúsculo escritório do mordomo. Sem se dar conta, Zacharie começou a esperar por ela, porque gostava de ensiná-la. Ela se apresentava pontualmente, tomavam café e, em seguida, ele lhe passava seus conhecimentos. Percorriam as dependências da mansão, observando o serviço. A aluna aprendia rápido, logo dominava as oito taças indispensáveis num banquete, a diferença entre um garfo de caracóis e outro parecido de lagosta, de que lado se colocava a tigelinha para lavar as mãos e a ordem de precedência dos diversos tipos de queijos, assim como a forma mais discreta de dispor os penicos numa festa, o que fazer com uma dama bêbada e a hierarquia dos hóspedes na mesa. Terminada a lição, Zacharie a convidava a tomar outro café e aproveitava para lhe falar de política, o assunto que mais o apaixonava. No começo, ela o escutava por cortesia, pensando em que podia dizer respeito a um escravo as querelas entre gente livre, até que ele mencionou a possibilidade de que se abolisse a escravidão. "Imagine, mademoiselle Zarité, há anos economizo para a minha liberdade e pode ser que ela me seja dada antes que eu venha a comprá-la", riu Zacharie. Ficava sabendo de tudo que se falava na intendência, inclusive os acordos a portas fechadas. Sabia que, na Assembleia Nacional de Paris, discutia-se a incongruência de manter a escravidão nas colônias depois de ter sido abolida na França. "Sabe alguma coisa a respeito Toussaint, monsieur?", perguntou Tété. O mordomo lhe recitou sua biografia, que havia lido numa pasta confidencial do intendente, e acrescentou que o comissionado Sonthonax e o governador teriam que chegar a um acordo com ele, porque comandava um exército muito organizado e contava com o apoio dos espanhóis do outro lado da ilha.

Noites de desgraça

Graças às aulas de Zacharie, decorridos dois meses a casa de Valmorain funcionava com um refinamento que ele não gozava desde seus anos de juventude em Paris. Decidiu dar uma festa com os serviços caros, mas prestigiosos, da empresa banqueteira de monsieur Adrien, um mulato livre recomendado por Zacharie. Dois dias antes da festa, monsieur Adrien invadiu a casa com uma equipe de escravos, ignorou o cozinheiro, substituindo-o por cinco gordas mandonas que prepararam um cardápio de catorze pratos inspirados num banquete da intendência. Embora a casa não se prestasse para festas em grande estilo, ela ficou elegante depois que eliminaram os enfeites horrorosos do proprietário português e a decoraram com palmeiras anãs em vasos, buquês de flores e lanternas chinesas. Na noite marcada, o banqueteiro se apresentou com dezenas de criados de libré azul e dourada, que ocuparam seus postos com a disciplina de um batalhão. A distância entre as casas dos *grands blancs* raramente era maior do que duas quadras, mas os convidados chegaram em seus coches, e, quando terminou o desfile de carruagens, a rua era um lodaçal de bosta de cavalo, que os lacaios limparam para evitar que o fedor interferisse com os perfumes das damas.

"Como estou?", perguntou Valmorain a Tété. Usava um colete de brocado com fios de ouro e prata, renda suficiente nos punhos e pescoço para fazer uma toalha, meias rosadas e sapatos de dança. Ela não respondeu, espantada com a peruca de cor lavanda. "Os grosseirões jacobinos estão querendo acabar com as perucas, mas ela é o toque indispensável de elegância para uma recepção como esta. Assim diz o meu cabeleireiro", informou Valmorain.

Monsieur Adrien havia oferecido a segunda rodada de champanhe entre os comensais, e a orquestra atacava outro minueto, quando um dos secretários do governo entrou esbaforido com a notícia incrível de que haviam guilhotinado Luís XVI na França. A cabeça real fora levada pelas ruas de Paris, tal como haviam passeado com a de Boukman e de tantos outros em Le Cap. Os fatos, ocorridos em janeiro, chegaram somente em março em Saint-Domingue. Houve uma debandada generalizada; os convidados, em pânico, partiram às pressas. Assim acabou, antes de se servir o banquete, a primeira e única festa de Toulouse Valmorain naquela casa.

Naquela mesma noite, depois que monsieur Adrien, monarquista fanático, se retirou soluçando com seu pessoal, Tété recolheu do chão a peruca de cor lavanda que Valmorain havia pisoteado, conferiu que Maurice estava tranquilo, trancou as portas e janelas, e foi descansar no quartinho que ocupava com Rosette. Valmorain havia aproveitado a mudança de casa para tirar seu filho do quarto de Tété, com a intenção de fazê-lo dormir sozinho, mas Maurice vivia com os nervos à flor da pele e, temendo que a febre voltasse, instalou-o num catre no canto de seu quarto. Desde que chegaram a Le Cap, Valmorain não havia mencionado Gambo nem solicitara a presença de Tété à noite. A sombra do amante interpunha-se entre eles. Foram semanas para curar os pés, mas assim que conseguiu voltar a andar saía de casa todas as noites para esquecer os maus momentos. Por sua roupa impregnada de perfumes florais pegajosos, Tété adivinhou que ele visitava as *cocottes* e imaginou que finalmente haviam acabado para ela os humilhantes abraços do patrão; por isso se afligiu ao encontrá-lo de pantufas e bata de veludo verde sentado aos pés de sua cama, onde Rosette roncava largada com a impudicícia dos inocentes. "Venha comigo!", ordenou-lhe, arrastando-a pelo braço em direção a um dos quartos de hóspedes. Virou-a com um tranco, arrancou-lhe a roupa aos repelões e a violou atropeladamente na escuridão, com uma urgência mais próxima do ódio do que do desejo.

A lembrança de Tété copulando com Gambo enfurecia Valmorain, mas também lhe provocava visões irresistíveis. Aquele desalmado tinha se atrevido a botar suas mãos imundas em nada menos do que a sua propriedade. Quando o pegasse, ele o mataria. A mulher também merecia um castigo exemplar, mas já haviam passado dois meses e ele não a fizera pagar pelo descaramento inacreditável. Cadela. Cadela no cio. Não podia exigir moral e decência de uma escrava, mas seu dever era lhe impor sua vontade. Por que não tinha feito aquilo? Não tinha desculpa. Ela o desafiara e era preciso fazê-la pagar por aquela aberração. Mas ele também estava em dívida com ela. Sua escrava havia renunciado à sua liberdade para salvá-los, a ele e Maurice. Pela primeira vez se perguntou o que aquela mulata sentia por ele. Podia reviver aquelas noites humilhantes na selva quando ela chafurdava com o amante, os abraços, os beijos, o ardor renovado, inclusive o cheiro dos corpos quando voltavam. Tété transformada num demônio, puro desejo, lambendo e suando e gemendo. Enquanto a violava no quarto de hóspedes, não tirava aquela cena da mente. E então a assaltou de novo, penetrando-a com fúria, surpreso com sua própria energia. Ela gemeu e ele começou a lhe bater, com a raiva dos ciúmes e o prazer da vingança, "cadela no cio, vou vender você, puta, puta, e também vou vender a sua filha". Tété fechou os olhos e se abandonou, o corpo frouxo, sem opor resistência nem tentar escapar dos golpes, enquanto sua alma voava para outro lugar. "Erzuli, *loa* do desejo, faça com que isso acabe rápido." Valmorain desmoronou em cima dela pela segunda vez, ensopado de suor. Tété esperou sem se mexer por vários minutos. A respiração de ambos foi se acalmando e ela começou a deslizar pouco a pouco para fora da cama, mas ele a segurou.

— Não vá ainda — ordenou.

— Quer que acenda uma vela, monsieur? — perguntou ela com a voz fraca, porque o ar lhe ardia entre as costelas machucadas.

— Não, prefiro assim.

Era a primeira vez que se dirigia a ele como monsieur em vez de patrão e Valmorain percebeu, mas deixou passar. Tété se sentou na cama, secando o sangue da boca e do nariz com a blusa rasgada pelo ataque.

— Amanhã tire Maurice do meu quarto — disse Valmorain. — Deve dormir sozinho. Você o mimou demais.

— Tem somente cinco anos.

— Com essa idade eu aprendi a ler, saía para caçar no meu próprio cavalo e tinha aulas de esgrima.

Permaneceram na mesma postura por um instante, e por fim ela tomou coragem para lhe fazer a pergunta que tinha nos lábios desde que chegaram a Le Cap.

— Quando serei livre, monsieur? — perguntou, encolhendo-se à espera de outra surra, mas ele se levantou, sem tocá-la.

— Não pode ser livre. De que viveria? Eu sustento e protejo você. Comigo você e sua filha estão seguras. Sempre tratei você bem, do que se queixa?

— Não me queixo...

— A situação é muito perigosa. Já se esqueceu dos horrores que passamos? As atrocidades cometidas? Me responda!

— Não, monsieur.

— Liberdade, hein? Por acaso quer abandonar Maurice?

— Se quiser, posso continuar cuidando de Maurice como sempre. Pelo menos até o senhor se casar de novo.

— Casar?! — riu ele. — Já tive o meu castigo com Eugenia! Isso seria a última coisa que eu faria outra vez. Se vai continuar a meu serviço, para que quer se emancipar?

— Todos querem ser livres.

— As mulheres nunca são livres, Tété. Precisam de um homem que cuide delas. Quando são solteiras, pertencem ao pai. Quando se casam, pertencem ao marido.

— O papel que o senhor me deu... É a minha liberdade, não? — insistiu ela.

— Claro.

— Mas Zacharie disse que deve ser assinado pelo juiz para ter validade.

— Quem é ele?

— O mordomo da intendência.

— Tem razão. Mas agora não é um bom momento. Vamos esperar a calma voltar a Saint-Domingue. Não vamos mais falar disso. Estou cansado. Já sabe: amanhã quero dormir sozinho e que tudo volte a ser como antes, entendeu?

O novo governador da ilha, general Galbaud, chegou com a missão de solucionar o caos da colônia. Tinha plenos poderes militares, mas a autoridade republicana era representada por Sonthonax e os outros dois comissionados. Tocou a Étienne Relais fazer o primeiro relatório. A produção da ilha estava reduzida a nada, o norte era uma fumaça só e no sul não cessavam as matanças, a cidade de Port-au-Prince tinha sido queimada inteira. Não havia transporte, portos eficientes e nem segurança para ninguém. Os negros rebeldes contavam com o apoio da Espanha e a armada britânica controlava o Caribe e se preparava para se apoderar das cidades da costa. Estavam bloqueados, não podiam receber tropas nem abastecimento da França, era quase impossível se defender. "Não se preocupe, tenente-coronel. Encontraremos uma solução diplomática", respondeu Galbaud. Estava em conversações secretas com Toulouse Valmorain e o Clube de Patriotas, partidários obstinados de tornar a colônia independente e colocá-la sob a proteção da

Inglaterra. O governador concordava com os conspiradores, que afirmavam que os republicanos de Paris não entendiam nada do que se passava na ilha e faziam uma burrada atrás da outra. Uma das mais graves era a dissolução da Assembleia Colonial; perdera-se toda a autonomia e agora cada decisão levava semanas para chegar da França. Galbaud possuía terras na ilha e estava casado com uma *créole* por quem continuava apaixonado, mesmo depois de vários anos de casamento. Entendia melhor que ninguém as tensões entre raças e classes sociais.

Os membros do Clube de Patriotas encontraram um aliado ideal no general, a quem preocupava mais a luta entre brancos e *affranchis* do que a insurreição dos negros. Muitos *grands blancs* tinham negócios no Caribe e nos Estados Unidos, não necessitavam da mãe pátria para nada e consideravam a independência como sua melhor opção, a menos que as coisas mudassem e se restaurasse uma monarquia forte na França. A execução do Rei tinha sido uma tragédia, mas também era uma bela oportunidade de subir ao trono um monarca menos bobo. Para os *affranchis*, no entanto, a independência não servia para nada, já que somente o governo republicano da França estava disposto a aceitá-los como cidadãos, o que jamais ocorreria se Saint-Domingue se colocasse sob a proteção da Inglaterra, Estados Unidos ou Espanha. O general Galbaud acreditava que, mal o problema entre brancos e mulatos fosse resolvido, seria bastante simples esmagar os negros, acorrentá-los de novo e impor a ordem, mas não disse nada disso a Étienne Relais.

— Fale-me do comissionado Sonthonax, tenente-coronel — pediu.

— Cumpre ordens do governo, general. O decreto de 4 de abril deu direitos políticos às pessoas livres de cor. O comissionado chegou aqui com seis mil soldados para fazer cumprir esse decreto.

— Sim, sim... Sei disso. Diga, confidencialmente, é claro, que tipo de homem é este Sonthonax?

— Eu o conheço pouco, general, mas dizem que é muito esperto e leva a sério os interesses de Saint-Domingue.

— Sonthonax disse que não é sua intenção emancipar os escravos, mas ouvi boatos de que poderia fazê-lo — disse Galbaud, estudando o rosto impassível do oficial. — Você se dá conta de que isso seria o fim da civilização na ilha, não é mesmo? Imagine o caos: os negros soltos, os brancos exilados, os mulatos fazendo o que lhes der na telha e a terra abandonada.

— Disso não sei nada, general.

— O que você faria nesse caso?

— Cumpriria ordens, como sempre, general.

Galbaud necessitava de oficiais de confiança no exército para enfrentar o poder da metrópole na França, mas não podia contar com Étienne Relais. Averiguara que havia se casado com uma mulata, provavelmente simpatizava com a causa dos *affranchis*, e pelo visto admirava Sonthonax. Parecia um homem de poucas luzes, com mentalidade de subalterno e sem ambição, porque era preciso carecer completamente dela para ter se casado com uma mulher de cor. Era incrível que tivesse subido em sua carreira com semelhante lastro. Mas Relais o interessava muito, porque contava com a lealdade de seus soldados: era o único capaz de misturar, sem problemas, brancos, mulatos e até negros em suas fileiras. Perguntou-se quanto valia aquele homem; todo mundo tinha um preço.

Naquela mesma tarde, Toulouse Valmorain se apresentou no quartel para falar com Relais de amigo para amigo, como disse. Começou por lhe agradecer que tivesse lhe salvado a vida quando precisara fugir de sua plantação.

— Estou em dívida com você, tenente-coronel — disse num tom que soava mais arrogante do que agradecido.

— Não está em dívida comigo, monsieur, mas com a sua escrava. Eu estava apenas passando por lá. Foi ela quem o salvou — respondeu Relais, incomodado.

— Você peca pela modéstia. Mas me diga: como está a sua família?

Relais suspeitou de imediato que Valmorain tinha ido para suborná-lo e mencionava a família para lembrá-lo de que havia lhe dado Jean-Martin. Estavam quites, a vida de Valmorain pelo filho adotado. Ficou tenso, exatamente como antes de uma batalha, e cravou os olhos nele com a frieza que fazia tremer seus subalternos e ficou esperando, para ver o que seu visitante pretendia exatamente. Valmorain ignorou o olhar de navalha e o silêncio.

— Nenhum *affranchi* está seguro nesta cidade — disse, afável. — Sua esposa corre perigo; por isso, vim lhe oferecer minha ajuda. E quanto ao menino... Como se chama?

— Jean-Martin Relais — respondeu entredentes o oficial.

— Claro. Jean-Martin. Desculpe-me, mas com tantos problemas na cabeça acabei esquecendo. Tenho uma ótima casa em frente ao porto, em um bairro onde não ocorreram distúrbios. Posso receber a senhora sua esposa e seu filho...

— Não se preocupe com eles, monsieur. Estão a salvo em Cuba — interrompeu-o Relais.

Valmorain ficou desconcertado, havia perdido o curinga naquele jogo, mas logo se recuperou.

— Ah! Meu cunhado vive lá. Dom Sancho García del Solar. Vou lhe escrever hoje mesmo para que ampare sua família.

— Não será necessário, monsieur. Obrigado.

— Claro que será, temente-coronel. Uma mulher sozinha sempre necessita da proteção de um cavalheiro, principalmente uma mulher tão bonita como a sua.

Pálido de indignação diante do insulto dissimulado, Étienne Relais ficou de pé para dar por encerrada a entrevista, mas Valmorain permaneceu sentado, as pernas cruzadas, como se o escritório lhe pertencesse, e tratou de explicar, em termos corteses mas diretos, que os *grands blancs* iam recuperar o controle da colônia, mobilizando todos os recursos a seu alcance e, por isso, era preciso se decidir e tomar partido. Ninguém, especialmente um militar de alta patente, podia permanecer indiferente ou neutro diante dos terríveis acontecimentos que haviam se desencadeado e dos que viriam a ocorrer no futuro, que, certamente, seriam piores. Ao exército correspondia evitar uma guerra civil. Os ingleses haviam desembarcado no sul e seria questão de dias Saint-Domingue se declarar independente e se abrigar sob a bandeira britânica. Isso poderia acontecer de forma civilizada ou a ferro e fogo, dependeria do exército. Um oficial que apoiasse a nobre causa da independência teria muito poder, seria o braço direito do governador Galbaud, e aquele naturalmente traria consigo uma boa posição social e econômica. Ninguém faria desfeitas a um homem casado com uma mulher de cor, se esse homem se tornasse, por exemplo, o novo comandante em chefe das forças armadas da ilha.

— Em poucas palavras, monsieur, o senhor está me incitando à traição — respondeu Relais, sem poder evitar um sorriso irônico, que Valmorain interpretou como uma porta aberta para continuar o diálogo.

— Não se trata de trair a França, tenente-coronel Relais, mas de decidir o que é melhor para Saint-Domingue. Estamos vivendo uma época de mudanças profundas não só aqui, mas também na Europa e na América. É preciso se adaptar. Diga-me, ao menos, que vai pensar no que conversamos — insistiu Valmorain.

— Vou pensar cuidadosamente, monsieur — respondeu Relais, conduzindo-o até a porta.

zarité

O patrão levou duas semanas para conseguir convencer Maurice a dormir sozinho. Acusou-me de criá-lo covarde como uma mulher, e respondi, num impulso, que nós mulheres não somos covardes. Ele levantou a mão, mas não me bateu. Alguma coisa havia mudado. Acho que começara a me respeitar. Uma vez, em Saint-Lazare, soltaram um dos cachorrões de vigilância, que destroçou uma galinha no pátio e estava a ponto de atacar outra, quando saiu ao encontro dele o cachorrinho de Tante Mathilde. Esse vira-lata do tamanho de um gato o enfrentou, grunhindo com os caninos à mostra e o focinho babando. Não sei o que passou pela cabeçorra da fera, mas ela deu meia-volta e saiu correndo com o rabo entre as pernas, perseguida pelo cãozinho. Em seguida, Prosper Cambray o matou com um tiro pela covardia. O patrão, acostumado a ladrar forte e a inspirar medo, se encolheu como o cachorrão diante do primeiro que o enfrentou: Gambo. Acho que se preocupava tanto com a coragem de Maurice porque ele mesmo não a tinha. Mal anoitecia, Maurice começava a ficar nervoso com a ideia de ter de ficar sozinho. Eu o deitava com Rosette para dormirem. Ela caía no sono em dois minutos, colada no irmão, enquanto ele ficava escutando os barulhos da casa e da rua. Na praça, erguiam um patíbulo, e os gritos dos condenados atravessavam as paredes e pairavam nos quartos; podíamos senti-los muitas horas depois que a morte os havia silenciado. "Está ouvindo, Tété?", perguntava-me Maurice, tremendo. Eu também os escutava, mas como ia contar isso ao menino? "Não estou ouvindo nada, querido, durma", e cantava para ele se acalmar. Quando por fim dormia, esgotado, eu levava Rosette para o nosso quarto. Maurice foi mencionar na frente do pai que os condenados passeavam pela casa, e o patrão o trancou num armário, guardou a chave no bolso e foi embora. Rosette e eu nos sentamos perto do armário para contar coisas alegres para Maurice, não o deixamos a sós por nenhum instante, mas os fantasmas se enfiaram lá dentro com ele. Quando o patrão voltou e o soltou, o menino estava com febre de tanto chorar. Passou dois dias fervendo, enquanto o pai não desgrudava dele ao lado da cama e eu tratava de refrescá-lo com compressas de água fria e chás de tília.

O patrão adorava Maurice, mas naquela época seu coração se voltou para outro foco; só lhe importava a política, ele não falava de outra coisa, e deixou de se ocupar do filho. Maurice não queria comer e começou a urinar na cama à noite. O doutor Parmentier, que era o único amigo verdadeiro do patrão, disse que o menino estava doente de susto e que necessitava de carinho; seu pai, então, se abrandou e consentiu que eu o levasse para o meu quarto. Nessa ocasião, o doutor ficou com Maurice, esperando que a febre baixasse, e pudemos então conversar a sós. Ele me fez muitas perguntas. Étienne Relais havia lhe contado que eu ajudara o patrão a escapar da plantação, mas essa versão não batia com a do patrão. Quis saber os detalhes. Tive que mencionar Gambo, mas não lhe falei do amor entre nós. Mostrei para ele o papel da minha liberdade. "Cuide bem dele, Tété, porque vale ouro", disse-me depois de lê-lo. Isso eu já sabia.

O patrão se reunia na casa com outros brancos. Madame Delphine, minha primeira dona, me ensinou a ser silenciosa, vigilante e me adiantar aos desejos dos patrões; uma escrava deve ser invisível, dizia ela. Foi assim que aprendi a espiar. Não compreendia direito o que o patrão falava com os patriotas e, na realidade, só me interessavam as notícias dos rebeldes, mas Zacharie, de quem continuei sendo amiga depois de suas aulas na intendência, me pedia que repetisse tudo que falavam. "Os brancos acham que os negros são surdos e que as mulheres são idiotas. Isso nos convém muito. Preste atenção e me conte tudo, mademoiselle Zarité." Por ele, eu soube que havia milhares de rebeldes acampados nos arredores de Le Cap, e a tentação de ir procurar Gambo não me deixava dormir, mas eu sabia que depois não poderia voltar. Como ia abandonar as minhas crianças? Pedi a Zacharie, que tinha contatos até na lua, que averiguasse se Gambo estava entre os rebeldes, mas ele me garantiu que não sabia nada deles. Tive que me limitar a enviar mensagens com o pensamento para Gambo. Às vezes, eu pegava o papel da minha liberdade, abria suas oito dobras com a ponta dos dedos para não estragá-lo e o observava, como se pudesse aprendê-lo de memória, mas eu não conhecia as letras.

A guerra civil explodiu em Le Cap. O patrão me explicou que, numa guerra, todos lutam contra um inimigo comum, e, numa guerra civil, as pessoas se dividem — assim como o exército — e então se matam entre si, como estava acontecendo agora entre brancos e mulatos. Os negros não contavam porque não eram gente, mas propriedade. A guerra civil não aconteceu da noite para o dia, levou mais de uma semana, e então fecharam, os mercados, as calendas *de negros e a vida social dos brancos acabaram, muito poucas lojas abriam as portas e até os patíbulos da praça ficaram vazios. A desgraça pairava no ar. "Prepare-se, Tété, porque as coisas estão a ponto de mudar", anunciou o patrão. "Como quer que eu me prepare?", perguntei, mas ele também não sabia. Fiz como Zacharie, que estava estocando provisões e embalando as coisas mais finas, caso o intendente e a esposa decidissem embarcar para a França.*

Uma noite, trouxeram pela porta de serviço um caixão cheio de pistolas e mosquetes; tínhamos munição para um regimento, disse o patrão. O calor aumentava, e por isso mantínhamos, na casa, as lajotas do assoalho molhadas e as crianças andavam nuas. Então, o general Galbaud chegou sem se anunciar; quase não reconheci, porque não usava o uniforme colorido cheio de medalhas, mas um sóbrio traje de viagem. Nunca gostei daquele branco, era muito altaneiro e estava sempre de mau humor; só se abrandava quando seus olhos de rato pousavam na esposa, uma jovem de cabelos vermelhos. Enquanto eu lhes servia vinho, queijo e rosbife, escutei que o comissionado Sonthonax havia destituído o governador Galbaud, acusando-o de conspirar contra o governo legítimo da colônia. Sonthonax planejava uma deportação em massa dos seus inimigos políticos, já tinha quinhentos no porão dos barcos do porto aguardando sua ordem para zarpar. Galbaud anunciou que havia chegado a hora de agir.

Em instantes, apareceram outros patriotas que haviam sido avisados. Escutei que os soldados brancos do exército regular e quase três mil marinheiros do porto estavam prontos para lutar junto com Galbaud. Sonthonax só contava com o apoio dos guardas nacionais e das tropas de mulatos. O general prometeu que a batalha se resolveria em poucas horas e Saint-Domingue seria independente, Sonthonax veria seu último dia, os direitos dos affranchis *seriam revogados e os escravos voltariam às plantações. Todos se puseram de pé para brindar. Eu enchi as taças mais uma vez, saí calada e corri para Zacharie, que me fez repetir tudo, palavra por palavra. Tenho boa memória. Ele me deu um copo de limonada para me acalmar e me mandou de volta com instruções de fechar a boca e trancar a casa a sete chaves. Foi o que eu fiz.*

Guerra civil

O comissionado Sonthonax, suando de calor e de nervoso, sufocado em sua casaca preta e sua camisa de colarinho apertado, explicou em poucas palavras a situação a Étienne Relais. Omitiu dizer, no entanto, que não havia se informado da conspiração de Galbaud por meio de sua complexa rede de espiões, mas por uma fofoca do mordomo da intendência. Chegou ao seu escritório um negro muito alto e bonito, vestido como um *grand blanc*, tão refrescado e perfumado como se tivesse acabado de sair do banho, que se apresentou como Zacharie e insistiu em falar a sós com ele. Sonthonax o levou a um quarto adjacente, que era, na verdade, um buraco sufocante com quatro paredes nuas sem janela, com um catre de quartel, uma cadeira, um jarro de água e uma bacia no chão. Ali dormia fazia meses. Sentou-se na cama e indicou a única cadeira ao visitante, mas este preferiu permanecer de pé. Sonthonax, baixinho e rechonchudo, notou com certa inveja a figura alta e distinta do outro, cuja cabeça roçava o teto. Zacharie lhe repetiu as palavras de Tété.

— Por que está me contando isso? — perguntou Sonthonax, desconfiado. Não conseguia classificar aquele homem, que havia se apresentado sozinho com um nome de batismo e sem sobrenome, como sendo um escravo, pois tinha a postura de uma pessoa livre e os modos da classe alta.

— Porque simpatizo com o governo republicano — foi a resposta simples de Zacharie.

— Como obteve essa informação? Tem provas?

— A informação provém diretamente do general Galbaud. As provas vocês terão em menos de uma hora, quando ouvirem os primeiros tiros.

Sonthonax enfiou um lenço no jarro de água e molhou o rosto e o pescoço. Seu ventre doía, a mesma dor surda e persistente, uma garra nas tripas, que o atormentava quando estava sob pressão, quer dizer, desde que pisara Saint-Domingue pela primeira vez.

— Volte, se souber de mais alguma coisa. Tomarei as medidas necessárias — disse, dando por concluída a entrevista.

— Se precisar de mim, já sabe que estou na intendência, comissionado — despediu-se Zacharie.

Sonthonax mandou chamar Étienne Relais imediatamente e o recebeu no mesmo quarto, porque o restante do edifício estava tomado por funcionários civis e militares. Relais, o oficial de mais alta patente com quem podia contar para enfrentar Galbaud, havia agido sempre com impecável lealdade ao governo francês que estivesse no poder.

— Desertaram alguns de seus soldados brancos, tenente-coronel? — perguntou-lhe.

— Acabo de comprovar que todos desertaram hoje ao amanhecer, comissionado. Só conto com a tropa de mulatos.

Sonthonax repetiu o que Zacharie acabara de lhe dizer.

— Então, teremos que combater os brancos de qualquer pelagem, civis e militares, além dos marinheiros de Galbaud, que chegam a três mil — concluiu.

— Estamos em grande desvantagem, monsieur Sonthonax. Precisamos de reforços — disse Relais.

— Não temos. O senhor se encarregará da defesa, tenente-coronel. Depois da vitória, pedirei a sua promoção — prometeu-lhe Sonthonax.

Relais aceitou a tarefa com sua habitual serenidade, depois de negociar com o comissionado que, em vez de uma patente superior, lhe permitisse dar baixa do exército. Estava havia muitos anos no serviço e, francamente, já não dava mais para aquilo; sua mulher e seu filho o aguardavam em Cuba, não via a hora de se reunir a eles, disse-lhe. Sonthonax lhe garantiu que assim faria, embora não tivesse a menor intenção de cumprir o que estava prometendo; a situação não lhe permitia preocupar-se com os problemas pessoais de ninguém.

Enquanto isso, o porto se transformava num formigueiro de botes repletos de marinheiros armados, que assaltaram Le Cap como uma horda de piratas. Formavam um grupo estranho de várias nacionalidades, homens sem lei que levavam meses em alto-mar e esperavam ansiosos por uns dias de farra e desordem. Não lutavam por convicção, já que não tinham certeza nem das cores de sua bandeira, mas pelo prazer de pisar terra firme e se entregar à destruição e ao saque. Não eram pagos havia muito tempo, e aquela cidade rica oferecia desde mulheres e rum até ouro, se pudessem encontrá-lo. Galbaud contava com a sua experiência militar para organizar o ataque, apoiado pelas tropas regulares de brancos, que logo se somaram ao seu bando, fartos das humilhações que os soldados de cor os fizeram passar. Os *grands blancs* se mantiveram invisíveis, enquanto os *petits blancs* e os marinheiros percorriam as ruas bairro por bairro, enfrentando grupos de escravos, que haviam aproveitado a baderna para sair também para saquear. Os negros se declararam partidários de Sonthonax para desafiar seus patrões e gozar de algumas horas de diversão, embora para eles desse na mesma quem ganhasse aquela luta da qual estavam excluídos. Ambas as facções de bandidos improvisados assaltaram os armazéns do porto, onde se guardavam os barris de rum para exportação, e logo o álcool corria pelo calçamento das ruas. Entre os bêbados circulavam ratos e cachorros desorientados, que depois de lamber a bebida andavam aos tropeções. As famílias de *affranchis* se entrincheiraram em suas casas para se defender como pudessem.

Toulouse Valmorain despediu os escravos, já que, de qualquer forma, eles iam mesmo fugir, como já fizera a maioria. Preferia não ter o inimigo por perto, como disse a Tété. Não eram seus, mas alugados, e o problema de recuperá-los seria dos donos. "Vão voltar rastejando quando a ordem for restabelecida. Vai haver muito trabalho na prisão", comentou. Na cidade, os patrões preferiam não sujar as mãos e enviavam os escravos culpados para a prisão para que os carrascos do Estado se encarregassem de lhes aplicar o castigo por um preço modesto. O cozinheiro não quis ir e se escondeu no depósito de lenha no pátio. Nenhuma ameaça conseguiu tirá-lo da toca em que estava escondido, nem puderam contar com ele para preparar uma sopa, e Tété, que mal sabia acender o fogo, porque entre suas múltiplas tarefas nunca estivera a de cozinhar, deu pão, fruta e queijo às crianças. Deitou-as cedo, fingindo calma para não assustá-las, embora ela mesma estivesse apavorada. Nas horas que se seguiram, Valmorain lhe ensinou a carregar as armas de fogo, coisa complicada que qualquer soldado fazia em poucos segundos e que ela levava vários minutos. Valmorain havia dividido parte das armas entre outros patriotas, mas ficou com uma dezena para sua própria defesa. No fundo estava seguro de que não haveria necessidade de usá-las; não era sua função entrar num campo de batalha, para isso existiam os soldados e os marinheiros de Galbaud.

Pouco depois do pôr do sol chegaram três jovens conspiradores que Tété via com frequência nas reuniões políticas, com a notícia de que Galbaud havia tomado o arsenal e libertado os prisioneiros que Sonthonax mantinha nos barcos para deportá-los, e que, naturalmente, todos haviam se colocado sob as ordens do general. Decidiram usar a casa como quartel, por causa de sua localização privilegiada, com vista plena do porto, onde se podiam contar uma centena de barcos e inúmeros botes que iam e vinham carregados de homens. Depois de uma refeição rápida, partiram para combater, como disseram, mas o entusiasmo durou pouco e voltaram antes de uma hora para dividir algumas garrafas de vinho e dormir por turnos.

Das janelas viam passar a turba de assaltantes, mas uma só vez foram obrigados a usar as armas para se proteger, e não foi nem contra os bandos de escravos e nem contra os soldados de Sonthonax, mas contra seus próprios aliados, alguns marinheiros bêbados com intenções de saquear. Assustaram-nos disparando para o ar, e Valmorain os acalmou oferecendo-lhes *tafia*. Tocou a um dos patriotas ir até a rua, rolando o barril de bebida, enquanto os outros apontavam para a multidão das janelas. Os marinheiros destaparam o tonel ali mesmo e, ao primeiro trago, vários caíram intoxicados, porque estavam bebendo desde a manhã. Por fim, eles se foram, anunciando aos gritos que a suposta batalha havia sido um fiasco, já que não tinham quem enfrentar. Era verdade. A maior parte das tropas de Sonthonax havia abandonado as ruas sem dar as caras e estava acampada nos arredores da cidade.

Por volta da metade da manhã seguinte, Étienne Relais, ferido a bala num ombro, mas firme em seu uniforme ensanguentado, explicou a Sonthonax, refugiado com seu alto escalão numa plantação próxima, que, sem algum tipo de ajuda, não poderiam derrotar o inimigo. O assalto já não tinha o clima de carnaval do primeiro dia, Galbaud conseguira organizar sua gente e estava a ponto de se apoderar da cidade. O irascível comissionado se negara a ouvir argumentos no dia anterior, quando já era evidente a esmagadora superioridade da força inimiga, mas desta vez escutou até o fim. A informação de Zacharie se cumpria ao pé da letra.

— Teremos que negociar uma saída honrosa, monsieur Sonthonax, porque não vejo de onde vamos tirar reforços — concluiu Relais, pálido, com olheiras, o braço amarrado ao peito numa tipoia improvisada e a manga da casaca pendendo vazia.

— Eu sim, tenente-coronel Relais. Pensei muito. Nos arredores de Le Cap há mais de quinze mil rebeldes acampados. Eles serão os reforços de que necessitamos — respondeu Sonthonax.

— Os negros? Não acho que queiram se meter nisto — respondeu Relais.

— Vão se meter em troca da emancipação. Liberdade para eles e suas famílias.

A ideia não era dele; na verdade, tinha ocorrido a Zacharie, que dera um jeito de falar pela segunda vez com ele. Nesse meio-tempo, Sonthonax havia investigado que Zacharie era escravo e compreendera que ele apostava tudo, porque se Galbaud saísse vitorioso, como parecia inevitável, e se chegasse a conhecer seu papel de informante, seria arrebentado a golpes de clava na roda da praça pública. Tal como lhe explicara Zacharie, a única ajuda que Sonthonax podia conseguir era dos negros rebeldes. Só precisava dar a eles o incentivo suficiente.

— Além do mais, terão direito à pilhagem na cidade. O que o senhor acha, tenente-coronel? — anunciou Sonthonax a Relais com ar de triunfo.

— Arriscado.

— Há centenas de milhares de negros rebeldes espalhados pela ilha e vou conseguir que se unam a nós.

— A maioria está do lado espanhol — lembrou Relais.

— Em troca da liberdade, vão ficar sob a bandeira francesa, garanto ao senhor. Sei que Toussaint, entre outros, deseja voltar ao seio da França. Selecione um pequeno destacamento de soldados negros e me acompanhe. Vou negociar com os rebeldes. Estão a uma hora de marcha daqui. E cuide desse braço, homem, não deixe infeccionar.

Étienne Relais, que não confiava no plano, se surpreendeu ao ver com que presteza os rebeldes aceitaram a oferta. Haviam sido traídos uma vez depois da outra pelos brancos e, no entanto, agarraram-se àquela frágil promessa de emancipação. A pilhagem foi uma isca quase tão poderosa quanto a liberdade, porque estavam inativos fazia semanas e o tédio começava a minar o ânimo deles.

Sangue e cinzas

Toulouse Valmorain foi o primeiro a ver da janela de sua sacada a massa escura que avançava dos morros para a cidade. Custou a se dar conta do que se tratava, porque sua vista já não era tão boa como antes e porque havia levantado uma tênue neblina, e o ar vibrava de calor e umidade.

— Tété! Venha cá e me diga o que é aquilo! — ordenou.

— Negros, monsieur. Milhares de negros — respondeu ela, sem poder evitar um estremecimento, misto de pavor diante do que lhes caía em cima e de esperança de que Gambo estivesse entre eles.

Valmorain acordou os patriotas que roncavam na sala e os mandou dar o alarme. Logo os vizinhos se esconderam em suas casas, trancando portas e janelas, enquanto os homens do general Galbaud se reanimavam da bebedeira e se aprontavam para uma batalha que já estava perdida antes mesmo de começar. Ainda não sabiam, mas havia cinco negros para cada soldado branco, e eles vinham inflamados pela coragem demente que Ogum lhes insuflava. Primeiro ouviram um aterrorizante alarido de uivos e, em seguida, o chamado rouco das conchas de guerra, que foi aumentando de volume. Os rebeldes eram muito mais numerosos e estavam muito mais próximos do que podiam suspeitar. Caíram sobre Le Cap em meio a uma balbúrdia ensurdecedora, quase nus, mal armados, sem ordem nem disciplina, dispostos a arrasar com tudo. Podiam se vingar e destruir à vontade com toda a impunidade. Num instante, surgiram milhares de tochas e a cidade se transformou numa única chama: as casas de madeira ardiam por contágio, uma rua após a outra, bairros inteiros. O calor se tornou intolerável, o céu e o mar se tingiram de vermelho e laranja. Entre o crepitar das chamas e o estrépito dos edifícios que desmoronavam envoltos em fumaça, ouviam-se com clareza os gritos de triunfo dos negros e de terror visceral de suas vítimas. As ruas se encheram de corpos de fugitivos espavoridos, pisoteados pelos atacantes e por centenas de cavalos que escaparam em debandada dos estábulos. Ninguém pôde opor resistência a semelhante embate. A maioria dos marinheiros foi aniquilada nas primeiras horas, enquanto as tropas regulares de Galbaud tentavam salvar os civis brancos. Milhares de refugiados corriam para o porto. Alguns tentavam fugir com bagagens, mas as deixavam para trás depois de poucos passos no afã de escapar.

De uma janela do segundo andar, Valmorain, com uma simples olhadela, pôde se dar conta da situação. O incêndio já estava muito perto, bastaria uma minúscula faísca para transformar sua casa numa fogueira. Nas ruas laterais corriam bandos de negros encharcados de suor e sangue, enfrentando sem vacilar as armas dos poucos soldados que ainda restavam de pé. Os assaltantes caíam às dezenas, mas outros vinham atrás, saltando por cima dos corpos amontoados de seus companheiros. Valmorain viu um grupo rodear uma família que tentava chegar ao cais, duas mulheres e várias crianças protegidas por um homem mais velho, certamente o pai, e dois rapazes. Os brancos, armados de pistolas, conseguiram disparar um tiro à queima-roupa cada um e em seguida foram envolvidos pela horda e desapareceram. Enquanto vários negros levavam cabeças penduradas pelos cabelos, outros botaram abaixo a porta de uma casa, cujo telhado já ardia, e entraram vociferando. Pelas janelas atiraram uma mulher degolada, móveis e utensílios, até que as chamas os obrigaram a sair.

Momentos depois, Valmorain escutou as primeiras pancadas contra a porta principal de sua própria casa. O terror que o paralisava não era desconhecido, sofrera do mesmo pavor quando escapara de sua plantação seguindo Gambo. Não entendia como as coisas haviam dado uma guinada daquelas e como a ressonante agitação dos marinheiros bêbados e soldados brancos pelas ruas, que, segundo Galbaud, duraria apenas algumas horas e terminaria numa vitória segura, havia se transformado naquele pesadelo de negros enfurecidos. Apertava as armas com os dedos tão retesados que não teria conseguido dispará-las. Ensopava-o um suor azedo cujo fedor podia reconhecer: era o cheiro da impotência e do terror dos escravos torturados por Cambray. Sentia que sua sorte estava lançada e, como os escravos em sua plantação, não tinha escapatória. Lutou contra as náuseas e contra a tentação insuportável de se encolher num canto, paralisado em desprezível covardia. Um líquido quente lhe molhou as calças.

Tété estava de pé no centro do quarto, com as crianças escondidas na sua saia, e segurava uma pistola com as duas mãos, com o cano para cima. Havia perdido a esperança de se encontrar com Gambo, porque, se ele estava na cidade, nunca a alcançaria antes da multidão. Sozinha não podia defender Maurice e Rosette. Ao ver Valmorain se urinar de medo, compreendeu que o sacrifício de ter se separado de Gambo havia sido inútil, porque o patrão era incapaz de protegê-los. Teria sido melhor ter ido embora com os rebeldes e correr o risco de levar as crianças junto com ela. A visão do que estava a ponto de acontecer a suas crianças lhe deu uma coragem cega e a calma terrível dos que se dispõem a morrer. O porto estava a apenas duas quadras, e embora a distância parecesse insuperável naquelas circunstâncias não havia outra salvação. "Vamos sair por trás, pela porta dos domésticos", anunciou Tété com voz firme.

A porta principal retumbava e podia-se ouvir o estouro dos vidros das janelas no primeiro andar, mas Valmorain achava que dentro de casa eles estavam mais seguros, talvez pudessem se esconder em algum canto. "Vão botar fogo na casa. Eu vou embora com as crianças", respondeu ela, dando-lhe as costas. Naquele instante, Maurice mostrou sua carinha suja de lágrimas e ranho escondida na saia de Tété e correu para abraçar as pernas do pai. Valmorain foi sacudido por uma descarga de amor pelo menino e teve consciência de seu estado vergonhoso. Não podia permitir que seu filho, caso sobrevivesse por milagre, se lembrasse dele como um covarde. Respirou fundo, tentando conter o tremor do corpo, enfiou uma pistola no cinto, engatilhou a outra, pegou Maurice por uma mão e o levou quase suspenso atrás de Tété, que já descia com Rosette nos braços pela estreita escada de caracol que unia o segundo andar aos quartos dos escravos no porão.

Saíram pela porta de serviço no beco traseiro, salpicado de escombros e cinzas dos edifícios incendiados, mas vazio. Valmorain se sentiu desorientado, nunca usara aquela porta nem aquela passagem, e não sabia aonde ela levava, mas Tété seguia em frente sem hesitar, direto para a conflagração da batalha. Naquele instante, quando o encontro com a turba parecia inevitável, ouviram um tiroteio e viram um reduzido pelotão de tropas regulares de Galbaud, que já não tentava defender a cidade e que batia em retirada para os barcos. Os soldados disparavam com ordem, calmos, sem romper as fileiras. Os negros rebeldes ocupavam parte da rua, mas os tiros os mantinham afastados. Então, Valmorain pôde pensar pela primeira vez com alguma clareza e viu que não havia tempo para hesitação. "Vamos! Corram!", gritou. Saltaram atrás dos soldados, entrincheirando-se entre eles. Assim, saltando entre corpos caídos e escombros em chamas, percorreram aquelas duas quadras, as mais longas de suas vidas, enquanto as armas de fogo iam abrindo caminho. Sem saber como, chegaram ao porto, iluminado como dia claro pelo incêndio, onde já se amontoavam milhares de refugiados e continuavam chegando muitos mais. Várias filas de soldados protegiam os brancos disparando contra os negros, que atacavam por três lados, enquanto a multidão lutava como um animal para subir nos botes disponíveis. Ninguém estava encarregado de organizar a retirada, era um tropel espavorido. No desespero, alguns se atiravam na água e tentavam nadar para os barcos, mas o mar fervia de tubarões atraídos pelo cheiro do sangue.

Foi quando apareceu o general Galbaud a cavalo, com sua mulher na garupa, rodeado por uma pequena guarda pretoriana que o protegia e abria passagem, golpeando a multidão com suas armas. O ataque dos negros havia tomado Galbaud de surpresa; era a última coisa que ele esperava, mas se dera conta no mesmo instante e lhe restava apenas tentar salvar a própria pele. Ele teve o tempo exato para resgatar a esposa que há dois dias estava de cama, refazendo-se de um ataque de malária, e não suspeitava do que acontecia lá fora. Ela ia coberta por um xale sobre o *déshabillé*, descalça, com os cabelos presos numa trança que lhe pendia às costas e uma expressão indiferente, como se não estivesse percebendo a batalha e o incêndio. De alguma forma havia chegado intacta ao porto; ao contrário do marido, que tinha a barba e os cabelos chamuscados e a roupa rasgada, manchada de sangue e fuligem.

Valmorain correu para o militar, brandindo a pistola, conseguiu passar pelos guardas, ficou diante dele e, com a mão livre, o agarrou numa perna. "Um bote! Um bote!", suplicou a quem considerava seu amigo, mas Galbaud o afastou com um pontapé no peito. Um ataque de raiva e desespero cegou Valmorain. Veio abaixo o andaime de bons modos que o sustentara em seus quarenta e três anos de vida, e ele se transformou numa fera acuada. Com uma força e uma agilidade desconhecidas deu um salto, agarrou a esposa do general pela cintura e a desmontou com um violento puxão. A mulher caiu esparramada no calçamento quente e, antes que a guarda conseguisse reagir, Valmorain colocou a pistola na cabeça dela. "Um bote ou a mato aqui mesmo!", ameaçou com tal determinação que ninguém teve dúvidas de que o faria. Galbaud deteve seus soldados. "Está bem, amigo, acalme-se. Conseguirei um bote", disse com a voz rouca pela fumaça e pela pólvora. Valmorain pegou a mulher pelos cabelos, levantou-a do chão e a obrigou a andar na frente, com a pistola na nuca. O xale ficou no chão; através do tecido do *déshabillé*, transparente na luz alaranjada daquela noite endemoniada, via-se seu corpo delgado avançando aos tropeções, na ponta dos pés, suspensa no ar pela trança. Assim chegaram ao bote que aguardava Galbaud. No último instante, o general tentou negociar: só havia lugar para Valmorain e seu filho, alegou, não podia dar preferência à mulata enquanto milhares de brancos se empurravam para subir. Valmorain levou a esposa do general até a borda do cais sobre as águas vermelhas pelo reflexo do fogo e pelo sangue. Galbaud compreendeu que, à menor hesitação, aquele homem transtornado a lançaria aos tubarões e cedeu. Valmorain subiu com os seus no bote.

Ajudar a morrer

Um mês mais tarde, sobre os fumegantes restos de Le Cap reduzido a escombros e cinzas, Sonthonax proclamou a emancipação dos escravos em Saint-Domingue. Sem eles não podia lutar contra seus inimigos internos e contra os ingleses, que já ocupavam o sul. Nesse mesmo dia, Toussaint declarou também a emancipação em seu acampamento em território espanhol. Assinou o documento como Toussaint Louverture, o nome com o qual entraria para a história. Suas fileiras aumentavam. Exercia mais influência que qualquer um dos outros chefes rebeldes, e nessa época já pensava em mudar de bandeira, porque só a França republicana reconheceria a liberdade de sua gente, o que nenhum outro país estaria disposto a tolerar.

Zacharie havia esperado aquela oportunidade desde que fizera uso da razão. Vivera obcecado pela liberdade, embora seu pai tivesse se encarregado de lhe inculcar desde o berço o orgulho de ser mordomo da intendência, posição que normalmente um branco ocuparia. Tirou seu uniforme de almirante de opereta, pegou suas economias e embarcou no primeiro barco que zarpou do porto sem perguntar aonde ia.

Deu-se conta de que a emancipação era só uma carta política que podia ser revogada a qualquer momento e decidiu que não estaria mais lá quando isso acontecesse. De tanto conviver com os brancos havia chegado a conhecê-los a fundo e concluiu que, se os monarquistas vencessem a próxima eleição da Assembleia na França, destituiriam Sonthonax de seu posto, votariam contra a emancipação e os negros na colônia teriam de continuar lutando pela sua liberdade. Mas ele não desejava se sacrificar, a guerra lhe parecia um desperdício de recursos e vidas, e a forma menos razoável de resolver conflitos. De qualquer forma, sua experiência de mordomo carecia de valor naquela ilha desgarrada pela violência desde os tempos de Colombo e devia aproveitar a oportunidade para buscar novos horizontes. Tinha trinta e oito anos e estava pronto para mudar de vida.

Étienne Relais soube da dupla proclamação horas antes de morrer. A ferida no ombro piorou rapidamente nos dias em que Le Cap foi saqueado e queimado até os alicerces, e, quando por fim pôde se ocupar dela, a gangrena se instalou. O doutor Parmentier, que passara aqueles dias sem descansar atendendo centenas de feridos com a ajuda das monjas que haviam sobrevivido às violações, examinou-o quando já era tarde demais. Relais tinha a clavícula despedaçada e, pela posição da ferida, não cabia a solução extrema de amputar. Os remédios que Parmentier havia aprendido com Tante Rose e com outros curandeiros se mostravam inúteis. Étienne Relais vira feridas de todo tipo e, pelo cheiro, soube que estava morrendo; o que mais lamentou foi que não poderia proteger Violette dos dissabores do futuro. Estendido de costas numa tarimba sem colchão no hospital, respirava com dificuldade, empapado do suor pastoso da agonia. A dor teria sido intolerável para qualquer outra pessoa, mas ele se ferira várias vezes antes, tinha experiência de privações e sentia um desprezo estoico pelas misérias de seu corpo. Não se queixava. Com os olhos fechados evocava Violette, suas mãos frescas, seu riso rouco, sua cintura escorregadia, suas orelhas translúcidas, seus mamilos escuros, e sorria sentindo-se o homem mais feliz do mundo, porque a tivera por catorze anos, Violette apaixonada, bela, eterna, dele. Parmentier não tentou enganá-lo, limitou-se a lhe oferecer ópio, o único calmante disponível, ou uma beberagem fulminante para acabar com aquele suplício em questão de minutos; era uma opção que, como médico, não devia propor, mas havia presenciado tanto sofrimento naquela ilha que o juramento de preservar a vida a qualquer custo perdera o sentido; mais ético em certos casos era ajudar a morrer. "Veneno, desde que não faça falta a outro soldado", escolheu o ferido. O doutor se inclinou muito perto para ouvi-lo, porque a voz era somente um murmúrio. "Procure Violette, diga a ela que a amo", acrescentou Étienne Relais antes que o outro lhe esvaziasse o frasquinho na boca.

Em Cuba, naquele exato momento, Violette Boisier batia a mão direita na fonte de pedra onde havia ido buscar água, e a opala do anel, que usara por catorze anos, se partira em pedaços. Violette caiu sentada junto à fonte, com um grito sufocado e a mão apertada contra o coração. Adèle, que estava com ela, achou que um escorpião a tivesse mordido. "Étienne, Étienne...", balbuciou Violette desfeita em lágrimas.

A cinco quadras da fonte onde Violette soube que havia ficado viúva, Tété estava de pé sob um toldo no jardim do melhor hotel de Havana, perto da mesa em que Maurice e Rosette bebiam suco de abacaxi. Não era permitido que ela nem Rosette se sentassem entre os hóspedes, mas a menina passava por espanhola, ninguém suspeitava de sua verdadeira condição. Maurice contribuía para o engano, tratando-a como sua irmã menor. Em outra mesa, Toulouse Valmorain falava com seu cunhado Sancho e seu banqueiro. A frota de refugiados que o general Galbaud tirara de Le Cap, naquela noite fatídica, navegara rumo a Baltimore a toda vela, sob uma chuva de cinzas, mas vários daqueles cem barcos haviam ido para Cuba com os *grands blancs* que tinham família ou negócios lá. Da noite para o dia, milhares de famílias francesas desembarcaram na ilha para escapar do temporal político de Saint-Domingue. Foram recebidas com generosa hospitalidade pelos cubanos e espanhóis, que nunca pensaram que os apavorados visitantes fossem se transformar em refugiados permanentes. Entre eles estavam Valmorain, Tété e as crianças. Sancho García del Solar os levou para sua casa, que naqueles anos havia se deteriorado ainda mais, sem que ninguém se ocupasse de lhe pôr escoras. Em vista das baratas, Valmorain preferiu se instalar com os seus no melhor hotel de Havana, onde ele e Maurice ocupavam uma suíte de duas sacadas com vista para o mar, enquanto Tété e Rosette dormiam nos alojamentos dos escravos que acompanhavam seus patrões nas viagens, quartinhos de terra batida sem janelas.

Sancho levava a vida folgada de um solteiro contumaz; gastava mais do que podia em festas, mulheres, cavalos e mesas de jogo, mas continuava sonhando, como em sua juventude, em fazer fortuna e devolver ao seu sobrenome o prestígio dos tempos de seus avós. Andava sempre à caça de oportunidades para fazer dinheiro; assim, havia ocorrido a ele, fazia uns dois anos, comprar terras na Louisiana com os meios que lhe facilitara Valmorain. Sua contribuição para a sociedade havia sido a visão comercial, os contatos sociais e o trabalho, desde que não fosse muito, como dissera rindo, enquanto o cunhado contribuíra com o capital. Desde que a ideia se consolidara, tinha viajado com frequência a Nova Orleans e adquirira uma propriedade às margens do Mississippi. No começo, Valmorain se referia ao projeto como uma aventura louca, mas agora era a única coisa segura que tinha em mãos e resolvera transformar aquela terra abandonada numa grande plantação de açúcar. Perdera bastante em Saint-Domingue, mas não lhe faltavam recursos, graças a seus investimentos, a seus negócios com Sancho e ao bom tino de seu agente judeu e seu banqueiro cubano. Aquela era a explicação que havia dado a Sancho, que tivera a indiscrição de perguntar. A sós diante do espelho, não podia fugir da verdade que o acusava do fundo de seus olhos: a maior parte daquele capital não era dele; havia pertencido a Lacroix. Repetia para si mesmo que tinha a consciência limpa, porque nunca tentara se beneficiar com a tragédia de seu amigo e nem se apoderar daquele dinheiro:

ele simplesmente caíra do céu. Quando a família de Lacroix fora assassinada pelos rebeldes em Saint-Domingue e os recibos que ele havia assinado pelo dinheiro recebido se queimaram no incêndio, encontrara-se de posse de uma conta em pesos de ouro que ele mesmo abrira em Havana para esconder as economias de Lacroix e de cuja existência ninguém suspeitava. Em cada uma de suas viagens depositara o dinheiro que seu vizinho lhe entregava e seu banqueiro colocava numa conta identificada somente com uma numeração. O banqueiro nada sabia de Lacroix e mais tarde não fizera nenhuma objeção quando Valmorain transferira os fundos para a sua própria conta, porque estava convencido de que lhe pertenciam. Lacroix contava com herdeiros na França que tinham plenos direitos a tais bens, mas Valmorain analisou os fatos e decidiu que não cabia a ele sair em busca deles e que seria estúpido deixar o ouro enterrado no porão de um banco. Era um desses raros casos em que a sorte bate à porta e só um bobo a deixaria escapar.

Catorze dias mais tarde, quando as notícias de Saint-Domingue não deixaram dúvidas sobre a sangrenta anarquia imperante na colônia, Valmorain decidiu ir embora para a Louisiana com Sancho. A vida em Havana era muito divertida para alguém disposto a gastar, mas ele não podia perder mais tempo. Compreendeu que, se continuasse com Sancho de cassino em cassino e de bordel em bordel, acabaria por queimar suas economias e sua saúde. Era melhor levar aquele cunhado encantador para longe de seus amiguinhos e lhe dar um projeto na medida de sua ambição. A plantação da Louisiana poderia acender em Sancho as brasas da força moral que quase todo mundo possui, pensou. Naqueles anos havia se afeiçoado, como um irmão mais velho, àquele homem de cujos defeitos e virtudes ele carecia. Por isso se davam bem. Sancho era loquaz, aventureiro, imaginativo e corajoso, o tipo de homem capaz de tratar de igual para igual príncipes e piratas, irresistível para as mulheres, um malandro de coração leve. Valmorain não dava Saint-Lazare por perdida, mas enquanto não pudesse recuperá-la concentraria sua energia no projeto de Sancho na Louisiana. A política já não lhe interessava, o fiasco de Galbaud o deixara escaldado. Havia chegado a hora de voltar a produzir açúcar, a única coisa que sabia fazer.

O castigo

Valmorain avisou Tété que partiriam numa galeota americana em dois dias e lhe deu dinheiro para abastecer a família de roupa.

— Qual é o problema? — perguntou ao ver que a mulher não se mexia para pegar o saco de moedas.

— Me perdoe, monsieur, mas... não quero ir para esse lugar — balbuciou ela.

— O que está dizendo, idiota?! Cale a boca e obedeça!

— O papel da minha liberdade também vale lá? — atreveu-se a perguntar.

— É isso que está preocupando você? Claro que vale, lá e em qualquer lugar. Tem a minha assinatura e o meu selo, é legal até na China.

— Louisiana fica muito longe de Saint-Domingue, não é? — insistiu Tété.

— Não vamos voltar para Saint-Domingue, se é nisso que está pensando. Já não chega tudo que passamos lá?Você é mais burra do que eu pensava! — exclamou Valmorain, irritado.

Tété se afastou cabisbaixa para preparar a viagem. A boneca de madeira que o escravo Honoré entalhara para ela na infância tinha ficado em Saint-Lazare e agora o fetiche de boa sorte lhe fazia falta. "Vou ver Gambo de novo, Erzuli? Vamos para mais longe, vai haver mais água entre nós." Depois da sesta, esperou que a brisa do mar refrescasse a tarde e levou as crianças às compras. Por ordem do patrão, que não queria ver Maurice brincando com uma menininha esfarrapada, vestia os dois com roupas da mesma qualidade, e aos olhos de qualquer um pareciam crianças ricas acompanhadas de uma babá. Conforme Sancho planejara, eles se instalariam em Nova Orleans, já que a nova plantação ficava a apenas um dia de distância da cidade. Já possuíam a terra, mas faltava o resto: moinhos, máquinas, ferramentas, escravos, alojamentos e a casa principal. Era preciso preparar os terrenos e plantar; antes de uns dois anos não haveria produção, mas, graças às reservas de Valmorain, não passariam necessidades. Tal como dizia Sancho, o dinheiro não compra felicidade, mas compra quase todo o resto. Não queriam chegar em Nova Orleans com a aparência de ter fugido de outro lugar; eram investidores, e não refugiados. Haviam saído de Le Cap com o que vestiam, e em Cuba tinham comprado o mínimo, mas antes de viajar para Nova Orleans necessitavam de um vestuário completo, baús e malas. "Tudo da melhor qualidade, Tété. Compre também uns dois vestidos para você, não quero que pareça uma mendiga. E calce sapatos!", ordenou, mas as únicas botinas que ela possuía eram um tormento. Nos *comptoirs* do centro, Tété adquiriu o necessário, depois de muito regateio, como era costume em Saint-Domingue, e imaginou que também fosse em Cuba. Na rua se falava espanhol, e embora ela tivesse aprendido alguma coisa dessa língua com Eugenia não entendia o sotaque cubano, escorregadio e cantado, muito diferente do castelhano duro e sonoro de sua falecida patroa. Num mercado popular, ela teria sido incapaz de regatear, mas nos estabelecimentos comerciais também se falava francês.

Quando terminou as compras, pediu que as mandassem para o hotel, de acordo com as instruções do patrão. As crianças estavam famintas, e ela, cansada, mas ao sair ouviram tambores, e Tété não conseguiu resistir ao seu chamado. De uma ruazinha a outra, chegaram a uma pequena praça onde se juntara uma multidão de gente de cor que dançava desenfreada ao som de uma banda. Fazia muito tempo que Tété não sentia o impulso vulcânico da dança numa *calenda*; ela passara mais de um ano assustada na plantação, acossada pelos uivos dos condenados em Le Cap, fugindo, despedindo-se, esperando. O ritmo lhe subiu das solas dos pés ao nó de seu *tignon*, o corpo inteiro possuído pelos tambores com o mesmo júbilo que sentia ao fazer amor com Gambo. Soltou as crianças e se uniu à algazarra. Escravo que dança é livre enquanto dança, como lhe ensinara Honoré. Mas ela não era mais escrava, era livre, só faltava a assinatura do juiz. Livre, livre! E vamos nos movendo com os pés colados ao chão, as pernas e os quadris exaltados, as nádegas girando provocadoras, os braços como asas de gaivota, os seios balançando e a cabeça perdida. O sangue africano de Rosette também respondeu ao poderoso chamado da música, e a menina de três anos saltou para o meio dos dançarinos, vibrando com o mesmo prazer e entrega da mãe. Maurice, em troca, recuou até ficar grudado numa parede. Presenciara algumas danças de escravos na *habitation* Saint-Lazare como espectador, a salvo, agarrado à mão do pai, mas naquela praça desconhecida estava sozinho, engolido por uma massa humana frenética, aturdido pelos tambores, esquecido por Tété, sua Tété, que se transformara num furacão de saia e braços, esquecido também por Rosette, que desaparecera entre as pernas dos bailarinos, esquecido por todos. Começou a berrar. Um negro brincalhão, coberto apenas por uma tanga e três voltas de vistosos colares, ficou na frente dele saltando e agitando uma maraca com a intenção de distraí-lo, mas só conseguiu aterrorizá-lo mais ainda. Maurice saiu correndo o quanto lhe permitiram suas pernas. Os tambores continuaram retumbando por horas e talvez Tété tivesse dançado até o último se calar ao amanhecer, se quatro mãos poderosas não a tivessem pegado pelos braços e arrastado para fora da farra.

Haviam se passado quase três horas desde que Maurice saíra correndo, instintivamente, para o mar que podia ver das sacadas de sua suíte. Estava aterrorizado, não se lembrava do hotel, mas um menino loiro e bem vestido, chorando encolhido na rua, não passaria despercebido. Alguém parou para ajudá-lo, descobriu o nome de seu pai e perguntou em vários estabelecimentos, até encontrar Toulouse Valmorain, que não havia tido tempo de pensar nele; com Tété, seu filho estava seguro. Quando conseguiu arrancar do menino, entre soluços, o que havia acontecido, saiu feito um tufão em busca da mulher, mas, antes de percorrer uma quadra, se deu conta de que não conhecia a cidade e não poderia localizá-la; então, pediu ajuda à polícia. Dois homens saíram à caça de Tété, baseando-se nas vagas indicações de Maurice, e logo toparam com a dança na praça devido ao barulho dos tambores. Levaram-na esperneando para um calabouço, e como Rosette os seguiu gritando para que soltassem sua mãe prenderam-na também.

Na escuridão sufocante da cela, fétida de urina e excremento, Tété se abrigou num canto com Rosette nos braços. Deu-se conta de que havia lá outras pessoas, mas demorou um bom tempo para distinguir na penumbra uma mulher e três homens, silenciosos e imóveis, que esperavam a vez para receber as chicotadas ordenadas por seus patrões. Um dos homens se recuperava há vários dias das primeiras vinte e cinco, para receber as que faltavam quando conseguisse suportá-las. A mulher lhe perguntou alguma coisa em espanhol, que Tété não entendeu. Começou, então, a medir as consequências do que tinha feito: no turbilhão da dança abandonara Maurice.

Se alguma coisa ruim tivesse acontecido ao menino, ela pagaria com a morte, e por isso estava presa naquele buraco nojento. Mais do que com a própria vida se preocupava com a sorte de seu menino. "Erzuli, *loa* mãe, faça com que Maurice esteja a salvo." E o que seria de Rosette? Tocou no saquinho sob o corpete. Não eram livres ainda, nenhum juiz havia assinado o papel, e sua filha poderia ser vendida. Passaram o resto daquela noite no calabouço, a mais longa que Tété conseguia lembrar.

Rosette se cansou de chorar e pedir água, e por fim dormiu, febril. A luz implacável do Caribe entrou ao amanhecer entre as grades grossas, e um corvo veio bicar insetos no marco de pedra da única janelinha. A mulher começou a gemer, e Tété não soube se era pelo mau augúrio daquela ave negra ou porque naquele dia seria a sua vez. Passaram-se horas, o calor aumentou, o ar se tornou tão escasso e quente que Tété sentia a cabeça atordoada. Não sabia como aplacar a sede da filha, deu-lhe o peito, mas já não tinha leite. Por volta do meio-dia, a grade se abriu e uma figura gorda bloqueou a porta e a chamou pelo nome. Na segunda tentativa, Tété conseguiu ficar de pé; suas pernas fraquejavam e a sede lhe fazia ter visões. Sem soltar Rosette, avançou aos tropeções para a saída. Às suas costas, ouviu a mulher se despedir com palavras conhecidas, porque as tinha ouvido de Eugenia: "Virgem Maria, mãe de Deus, rogai por nós, pecadores." Tété respondeu em seu íntimo, porque a voz não chegou aos seus lábios secos: "Erzuli, *loa* da compaixão, proteja Rosette." Levaram-na a um pátio pequeno, com uma só porta de acesso e rodeado de muros altos, onde se erguiam um patíbulo com uma forca, um tronco e um cepo negro de sangue para as amputações. O carrasco era um congo grande como um armário, com as faces atravessadas de cicatrizes tribais, os dentes afiados em ponta, o torso nu, com um avental de couro coberto de manchas escuras. Antes que o homem a tocasse, Tété empurrou Rosette e lhe ordenou que ficasse longe. A menina obedeceu choramingando, fraca demais para fazer perguntas. "Sou livre! Sou livre!", gritou Tété no pouco espanhol que sabia, mostrando ao carrasco o saquinho que levava ao pescoço, mas a garra do homem o segurou junto com a blusa e o corpete, que se rasgaram ao primeiro puxão. No segundo, arrancou-lhe a saia, e Tété ficou nua. Não tentou se cobrir. Disse a Rosette que botasse a cara contra o muro e não se virasse por motivo algum; depois se deixou levar para o tronco e ela mesma estendeu as mãos para que lhe amarrassem os pulsos com cordas de sisal. Ouviu o assobio terrível do chicote no ar e pensou em Gambo.

Toulouse Valmorain estava esperando do outro lado da porta. Seguindo suas instruções, o carrasco, tendo recebido o pagamento habitual e uma gorjeta, daria um susto inesquecível em sua escrava, mas sem machucá-la. Não havia acontecido nada sério com Maurice, melhor assim, e em dois dias partiriam: necessitava de Tété mais do que nunca e não podia levá-la recém-chicoteada. O chicote estalou, tirando faíscas da calçada de pedra do pátio, mas Tété o sentiu nas costas, no coração, nas entranhas, na alma. Seus joelhos se dobraram e ela ficou pendurada pelos pulsos. De muito longe chegou o risinho do carrasco e um grito de Rosette: "Monsieur! Monsieur!". Com um esforço brutal, Tété conseguiu abrir os olhos e virar a cabeça. Valmorain estava a poucos passos e Rosette o abraçara pelos joelhos, com o rosto afundado em suas pernas, sufocada de soluços. Ele lhe acariciou a cabeça e a tomou nos braços, onde a menina se abandonou, inerte. Sem uma palavra para a escrava, fez um sinal para o carrasco e deu meia-volta rumo à porta. O congo desamarrou Tété, depois recolheu e lhe entregou suas roupas rasgadas. Ela, que instantes antes nem sequer podia se mexer, seguiu Valmorain apressada, cambaleando, com a energia nascida do terror, nua, segurando seus trapos contra o peito. O carrasco a acompanhou até a saída e lhe entregou o saquinho de couro com a sua liberdade.

segunda parte

louisiana, 1793-1810

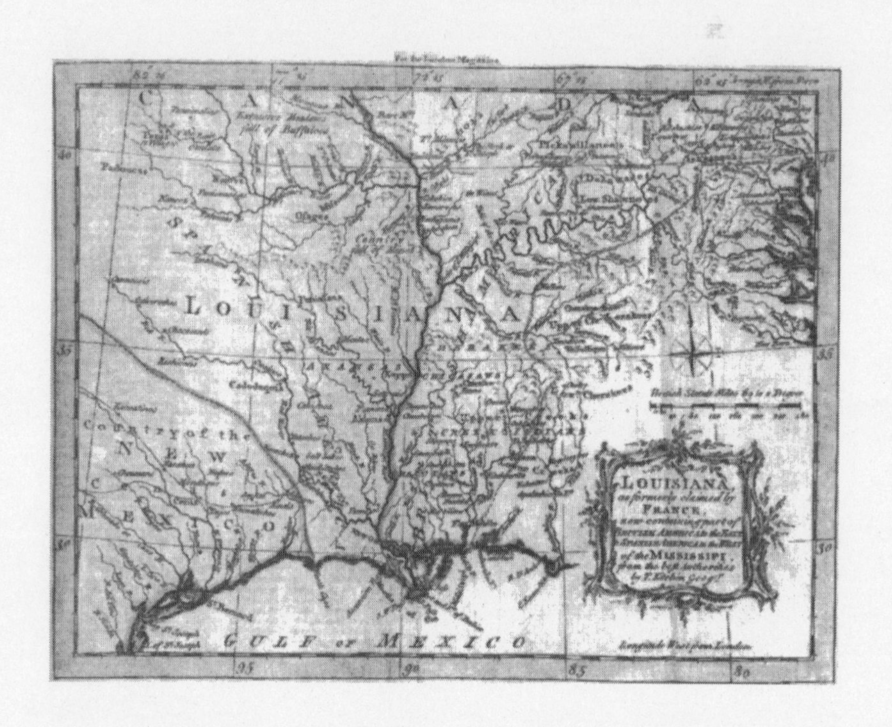

Creóles de boa cepa

A casa no coração de Nova Orleans, na região onde viviam os *créoles* de ascendência francesa e sangue antigo, foi um verdadeiro achado de Sancho García del Solar. Cada família era uma sociedade patriarcal, numerosa e fechada, que se misturava apenas com outras do seu mesmo nível. O dinheiro não abria aquelas portas, ao contrário do que afirmava Sancho, embora devesse estar mais bem informado, porque também não abria as portas dos espanhóis da mesma classe social. Mas quando começaram a chegar os refugiados de Saint-Domingue abriu-se, necessariamente, uma brecha por onde muitos puderam entrar. No começo, antes que a situação se transformasse numa autêntica avalanche humana, algumas famílias *créoles* acolhiam os *grands blancs* que haviam perdido suas plantações, compadecidas e chocadas com as trágicas notícias que chegavam da ilha. Não podiam imaginar nada pior do que uma rebelião de negros. Valmorain tirou o pó do seu título de *chevalier* para se apresentar em sociedade, e seu cunhado se encarregou de mencionar o *château* de Paris, por infelicidade abandonado desde que a mãe de Valmorain se radicara na Itália para fugir do terror imposto pelo jacobino Robespierre. A propensão a decapitar gente por causa de suas ideias ou seus títulos, como acontecia na França, revolvia as tripas de Sancho. Não simpatizava com a nobreza, mas tampouco simpatizava com a ralé; e a república francesa lhe parecia tão vulgar quanto a democracia americana. Quando soube que haviam decapitado Robespierre alguns meses mais tarde na mesma guilhotina em que centenas de suas vítimas haviam perecido, festejou com uma bebedeira que durou dois dias. Foi a última vez, porque entre os *créoles*, embora ninguém fosse abstêmio, não se tolerava a embriaguez; um homem que perdia a compostura com a bebida não merecia ser aceito em parte alguma. Valmorain, que durante muitos anos ignorara as advertências do doutor Parmentier a respeito do álcool, também teve de se moderar e então descobriu que não bebia por vício, como no fundo suspeitava, mas como paliativo para a solidão.

Tal como haviam se proposto, os cunhados não chegaram a Nova Orleans como simples refugiados, mas como donos de uma plantação de açúcar, a posição de maior prestígio no escalão das castas. A visão de Sancho para a compra das terras havia sido providencial. "Não esqueça que o futuro está no algodão, cunhado. O açúcar tem má fama", avisou a Valmorain. Circulavam relatos pavorosos sobre a escravidão nas Antilhas, e os abolicionistas estavam empenhados numa campanha internacional para sabotar o açúcar contaminado de sangue. "Olhe, Sancho, mesmo que o açúcar seja vermelho, o consumo continuará aumentando. O ouro doce vicia mais do que o ópio", acalmou-o Valmorain. Ninguém falava a esse respeito no círculo fechado da alta sociedade. Os *créoles* asseguravam que as atrocidades das ilhas não aconteciam na Louisiana. Entre aquelas pessoas, unidas por uma complicada rede de relações familiares, onde não se podiam manter segredos — mais cedo ou mais tarde tudo se dava a conhecer —, a crueldade era malvista e inconveniente, já que somente um idiota seria capaz de prejudicar sua propriedade. Além disso, o clero, encabeçado pelo padre espanhol Antonio de Sedella, conhecido como Père Antoine, temível por sua fama de santo, se encarregava de insistir sobre a responsabilidade, diante de Deus, pelos corpos e almas dos escravos.

Ao iniciar as providências para adquirir mão de obra para a plantação, Valmorain se deparou com uma realidade muito diferente da de Saint-Domingue, porque o custo dos escravos era alto. Isso significava um investimento maior do que o calculado e ele devia ser prudente com os gastos, mas secretamente se sentiu aliviado. Agora existia uma razão prática para cuidar dos escravos, e não apenas os escrúpulos humanitários que podiam ser interpretados como fraqueza. O pior dos vinte e três anos em Saint-Lazare, pior do que a loucura de sua mulher, pior do que o clima que corroía a saúde e despedaçava os princípios do homem mais decente, pior do que a solidão e a fome de livros e conversas, havia sido o exercício do poder absoluto sobre outras vidas, com toda a sua carga de tentações e degradação. Como afirmava o doutor Parmentier, a revolução de Saint-Domingue era a vingança inevitável dos escravos contra a brutalidade dos colonos. A Louisiana oferecia a Valmorain a oportunidade de reviver seus ideais de juventude, adormecidos nas cinzas da memória. Começou a sonhar com uma plantação modelo capaz de produzir tanto açúcar como Saint-Lazare, mas onde os escravos levassem uma existência humana. Dessa vez teria muito mais cuidado na escolha dos capatazes e do chefe deles. Não desejava outro Prosper Cambray.

Sancho se dedicou a cultivar amizades entre os *créoles*, sem as quais não podiam prosperar, e em pouco tempo se transformou na alma das festas, com sua voz de seda para as canções acompanhadas ao violão, sua boa disposição ao perder nas mesas de jogo, seus olhos lânguidos e seu humor fino com as matriarcas, a quem se empenhava em bajular, porque sem sua aprovação ninguém cruzava o umbral de suas casas. Jogava bilhar, backgamon, dominó e cartas, dançava com graça, nenhum assunto o chateava e tinha a arte de sempre se apresentar no lugar e no momento apropriados. Seu passeio favorito era o caminho arborizado do dique que protegia a cidade das inundações, onde se misturava todo mundo, desde as famílias distintas até a plebe ruidosa de marinheiros, escravos, gente de cor que não era escrava e os infalíveis *kaintocks*, com sua reputação de bêbados, valentões e mulherengos. Esses homens desciam pelo Mississippi desde o Kentucky e outras regiões do norte para vender seus produtos — tabaco, algodão, peles, madeira —, enfrentando pelo caminho índios hostis e mil outros perigos; por isso, andavam bem armados. Em Nova Orleans, vendiam os botes como lenha, divertiam-se umas duas semanas e depois empreendiam a árdua viagem de volta.

E para marcar presença, Sancho frequentava o teatro e a ópera, com a mesma convicção e assiduidade que ia à missa aos domingos. Seu traje preto e simples, seu cabelo preso num rabo de cavalo e o bigode engomado contrastavam com as vestes de brocado e rendas dos franceses, atribuindo a ele um ar ligeiramente perigoso que atraía as mulheres. Seus modos eram impecáveis, requisito essencial na alta sociedade, em que o uso correto do garfo importava mais do que as condições morais de um sujeito. Tão esplêndidas virtudes não teriam servido de nada àquele espanhol um tanto excêntrico sem o parentesco com Valmorain, francês de pura cepa e rico, e, principalmente por isso, depois que Sancho entrava nos salões, ninguém pensava em rejeitá-lo. Valmorain era viúvo, com apenas quarenta e cinco anos, de boa aparência, embora lhe sobrassem vários quilos, e naturalmente os patriarcas do Vieux Carré tratavam de agarrá-lo para uma filha ou sobrinha. Também o cunhado de sobrenome impronunciável era um candidato possível, já que um genro espanhol era preferível ao desgosto de uma filha solteira.

Houve comentários, mas ninguém se opôs quando aquela dupla de estrangeiros alugou uma das mansões do bairro e nem quando, mais tarde, o proprietário a vendeu. Tinha dois andares e água-furtada, mas carecia de porão, porque Nova Orleans estava construída sobre as águas — bastava cavar um palmo para se molhar. Os mausoléus do cemitério eram elevados para que os mortos não saíssem navegando a cada temporal. Como muitas outras, a casa de Valmorain era de tijolo e madeira, de estilo espanhol, com uma entrada ampla para a carruagem, pátio calçado de paralelepípedos, uma fonte de azulejos e sacadas arejadas, com grades de ferro, cobertas de trepadeiras perfumadas. Valmorain a decorou evitando ostentação, para não parecer arrivista. E mesmo não sendo capaz de assoviar investiu em instrumentos musicais, porque nas festas as moças se exibiam ao piano, com harpa ou clavicórdio, e os cavalheiros com o violão.

Maurice e Rosette tiveram de aprender música e dança com tutores particulares, como as demais crianças ricas. Um refugiado de Saint-Domingue lhes dava aulas de música a varetadas e um gordinho melindroso lhes ensinava as danças da moda também a varetadas. No futuro, aquilo seria tão útil a Maurice quanto a esgrima para se bater em duelo e os jogos de salão, e a Rosette serviria apenas para divertir as visitas, já que ela jamais poderia competir com as meninas brancas. Tinha graça e boa voz; Maurice, ao contrário, havia herdado o péssimo ouvido de seu pai e assistia às aulas com a atitude resignada de um condenado às galés. Preferia os livros, que não iam lhe servir para muita coisa em Nova Orleans, onde o intelecto causava suspeitas, e onde era muito mais apreciado e valorizado o talento da conversação leve, a galanteria e o bem viver.

Para Valmorain, acostumado a uma existência de ermitão em Saint-Lazare, as horas de conversa banal nos cafés e bares, para onde o arrastava Sancho, pareciam perdidas. Tinha que se esforçar para participar de jogos e apostas, detestava as rinhas de galos, que deixavam a plateia salpicada de sangue, e as corridas de cavalos e galgos, em que sempre perdia. Todos os dias da semana havia uma reunião num salão diferente, presidida por uma matrona que anotava os frequentadores e as fofocas. Os homens solteiros iam de casa em casa, sempre com algum presente, em geral uma sobremesa horrorosa de açúcar e nozes, pesada como uma cabeça de vaca. Segundo Sancho, aquelas reuniões eram obrigatórias naquela sociedade fechada. Danças, *soirées*, piqueniques, sempre as mesmas caras e nada para dizer. Valmorain preferia a plantação, mas entendeu que na Louisiana sua tendência à reclusão seria interpretada como avareza.

Os salões e a sala de jantar da casa da cidade ficavam no primeiro andar, os dormitórios no segundo, e a cozinha e os alojamentos dos escravos no pátio traseiro, separados. As janelas davam acesso a um jardim pequeno, mas bem cuidado. O cômodo mais espaçoso era a sala de jantar, como em todas as casas *créoles*, onde a vida girava em torno da mesa e do orgulho da hospitalidade. Uma família respeitável possuía louça para, pelo menos, vinte e quatro comensais. Um dos quartos do primeiro andar contava com uma entrada separada e se destinava aos filhos solteiros, que assim podiam farrear sem ofender as damas da família. Nas plantações, essas *garçonnières* eram pavilhões octogonais perto da estrada. Faltavam uns doze anos para que Maurice pudesse exigir esse privilégio; por ora, dormia sozinho pela primeira vez num quarto entre o do pai e o do tio Sancho.

Tété e Rosette não se alojavam com os outros sete escravos — cozinheira, lavadeira, cocheiro, costureira, duas mucamas e um rapaz para os recados — e dormiam juntas num desvão entre os baús de roupa da família. Como sempre, Tété comandava a casa. Uma sineta com um cordão unia os quartos e servia para que Valmorain pudesse chamar Tété à noite.

Assim que vira Rosette, Sancho adivinhara a relação do cunhado com a escrava e antecipara o problema. "O que você vai fazer com Tété quando voltar a se casar?", perguntara à queima-roupa a Valmorain, que jamais mencionara o assunto com ninguém e que, pego de surpresa, gaguejara que não pensava em casar outra vez. "Se continuarmos vivendo sob o mesmo teto, um de nós dois vai ter de casar ou vão pensar que somos maricas", concluiu Sancho.

Na confusão da fuga de Le Cap naquela noite fatídica, Valmorain perdera seu cozinheiro, que permanecera escondido quando ele fugira com Tété e as crianças, mas não o lamentara, uma vez que em Nova Orleans necessitava de alguém formado na *cuisine créole*. Suas novas amizades o avisaram de que não valia a pena comprar a primeira cozinheira que lhe oferecessem no Maspero Échange, por mais que fosse o melhor mercado de escravos da América ou mesmo nos estabelecimentos da rua Chartres, onde os disfarçavam com roupas elegantes para impressionar os clientes, mas que não ofereciam nenhuma garantia de qualidade. Os melhores escravos eram negociados em particular entre familiares ou amigos. Fora assim que conseguira Célestine, de uns quarenta anos, com mãos mágicas para ensopados e confeitaria, treinada por um dos mais exímios cozinheiros franceses do marquês de Marigny e vendida porque ninguém aguentava as suas implicâncias. Atirara um prato de *gumbo** de mariscos aos pés do imprudente marquês porque ele se atrevera a pedir mais sal. Esse fato não assustara Valmorain, porque quem iria tratar diretamente com a escrava seria Tété. Célestine era magra, seca e ciumenta, não permitia que ninguém fosse na sua cozinha e usasse a sua despensa, ela mesma escolhia os vinhos e as demais bebidas, e não admitia sugestões sobre o cardápio. Tété explicou a ela que devia se controlar nos temperos porque o patrão sofria de dores de estômago. "Ele que se arranje. Se quiser sopinha de doente, então você prepara", respondeu, mas, desde que ela começou a reinar entre as panelas, Valmorain se curou. Célestine cheirava a canela e, em segredo, para que ninguém suspeitasse de que pudesse ser amável apesar de implicante, preparava para as crianças *beignets* leves, como suspiros, *tarte tatin* com maçãs carameladas, *crêpes* de tangerina com creme, *mousse au chocolat* com bolachinhas de mel e outras delícias, o que confirmava a teoria de que a humanidade nunca se cansaria de consumir açúcar. Maurice e Rosette eram os únicos moradores da casa que não tinham medo da cozinheira.

---

* *Gumbo* — Prato composto principalmente de dois ingredientes: arroz e caldo. Pode conter mariscos, aves e outras carnes. Esse prato faz parte da gastronomia da Louisiana. (N.T.)

A existência de um cavalheiro *créole* transcorria ociosa, o trabalho era um vício dos protestantes, em geral, e dos americanos, em particular. Valmorain e Sancho viam-se em maus lençóis para ocultar os esforços que exigia reerguer e tocar a plantação, abandonada havia mais de dez anos, desde a morte do dono e da falência gradual dos herdeiros.

A primeira providência foi conseguir escravos, uns cento e cinquenta para começar, muito menos do que havia em Saint-Lazare. Valmorain se instalou num canto da casa em ruínas, enquanto construíam outra de acordo com as plantas de um arquiteto francês. Os barracões de escravos, carcomidos pelos cupins e estragados pela umidade, foram demolidos e substituídos por cabanas de madeira, com telhados salientes para dar sombra e proteger da chuva, de três cômodos para abrigar duas famílias cada um, alinhados em vielas paralelas e perpendiculares com uma pequena praça central. Os cunhados visitaram outras plantações, como tantas pessoas que chegavam sem convite nos fins de semana, aproveitando a tradição de hospitalidade. Valmorain concluiu que, comparados com os de Saint-Domingue, os escravos da Louisiana não podiam se queixar. Mas Sancho descobriu que alguns donos mantinham seus escravos quase nus, alimentados com uma gororoba que despejavam num cocho, como a ração dos animais, e de onde cada um retirava a sua porção, com uma concha de ostras, pedaços de telhas ou com a mão, porque não dispunham nem de uma colher.

Levaram dois anos para construir o básico: plantar, instalar um moinho e organizar o trabalho. Valmorain tinha planos grandiosos, mas precisou se concentrar no imediato; mais adiante haveria tempo para tornar realidade a sua fantasia de construir um jardim, terraços e rotundas, uma ponte decorativa sobre o rio e outras amenidades. Vivia obcecado com os detalhes, que discutia com Sancho e comentava com Maurice.

— Veja, meu filho, tudo isto será seu um dia — dizia, apontando os canaviais enquanto andavam a cavalo. — O açúcar não cai do céu. É preciso trabalhar muito para consegui-lo.

— Os negros fazem o trabalho — observava Maurice.

— Não se engane. Eles fazem o trabalho braçal, porque não sabem fazer outra coisa, mas o dono é o único responsável. O sucesso da plantação depende de mim e, um pouco, de seu tio Sancho. Não se corta uma só cana sem o meu conhecimento. Veja bem, porque um dia você vai ter de tomar decisões e mandar na sua gente.

— Por que eles não mandam neles próprios, *papa?*

— Porque não podem, Maurice. É preciso dar ordens a eles. Eles são escravos, meu filho.

— Não gostaria de ser como eles.

— Você nunca vai ser como eles, Maurice — sorriu o pai. — Você é um Valmorain.

Não havia podido mostrar Saint-Lazare a seu filho com o mesmo orgulho. Estava decidido a corrigir os erros, fraquezas e omissões do passado e, secretamente, expiar os pecados atrozes de Lacroix, cujo capital havia usado para comprar aquela terra. Para cada homem torturado e cada menina abusada por Lacroix haveria um escravo saudável e bem tratado na plantação de Valmorain. Isso justificava ter se apropriado do dinheiro de seu vizinho, que não poderia ter sido mais bem investido.

Sancho não se interessava muito pelos planos do cunhado, porque não carregava o mesmo peso na consciência e só pensava em se divertir. O conteúdo da sopa dos escravos ou a cor de suas cabanas dava na mesma para ele. Valmorain embarcara numa autêntica mudança de vida, mas para o espanhol aquela aventura era apenas mais uma entre muitas empreendidas com entusiasmo e abandonadas sem arrependimento. Como não corria o risco de perder nada, já que seu sócio os assumia todos, permitia-se ideias audazes que costumavam dar surpreendentes resultados, como a construção de uma refinaria, que lhes permitia vender açúcar branco, muito mais rentável do que o melaço dos outros plantadores.

Foi Sancho que conseguiu o chefe dos capatazes, um irlandês que o assessorou na compra da mão de obra. Chamava-se

Owen Murphy e estabeleceu, desde o começo, que os escravos deviam ir à missa. Era preciso construir uma capela e conseguir padres itinerantes, disse, para fortalecer o catolicismo antes que os americanos se metessem a pregar suas heresias e aquela gente inocente fosse condenada ao inferno. "A moral é o mais importante", anunciou. Murphy estava plenamente de acordo com a ideia de Valmorain de não abusar do chicote. Aquele homenzarrão com jeito de soldado turco, coberto de pelos pretos, com cabelos e barba da mesma cor, tinha uma alma doce. Instalou-se com sua numerosa família numa tenda de campanha, enquanto construíam sua casa. Sua mulher, Leanne, que batia na cintura dele, parecia uma adolescente desnutrida com cara de mosca, mas sua fragilidade era enganosa: dera à luz seis meninos e estava esperando o sétimo. Sabia que era do sexo masculino, porque Deus resolvera pôr a sua paciência à prova. Nunca levantava a voz: os filhos e o marido a obedeciam apenas pelo seu olhar. Valmorain achou que Maurice teria, enfim, com quem brincar e não viveria no rasto de Rosette; aquele rebanho de irlandeses era de classe social muito inferior à sua, mas era de brancos livres. Não imaginou que os seis Murphy também andariam embolados atrás de Rosette, que aos cinco anos possuía a personalidade avassaladora que o pai teria desejado para Maurice.

Owen Murphy havia trabalhado desde os dezessete anos dirigindo escravos e sabia de cor os erros e acertos daquela tarefa ingrata. "É preciso tratá-los como filhos. Com autoridade e justiça, regras claras, castigo, recompensa e algum tempo livre; senão, adoecem." E acrescentou que os escravos tinham o direito de recorrer ao dono, em caso de uma sentença de mais de quinze chicotadas. "Confio em você, senhor Murphy, isso não será necessário", respondeu Valmorain, pouco disposto a adotar o papel de juiz. "Para minha própria tranquilidade, prefiro que seja assim, senhor. Poder demais destrói a alma de qualquer cristão, e a minha é fraca", explicou o irlandês.

Na Louisiana, a mão de obra de uma plantação custava um terço do valor da terra; era preciso preservá-la. A produção estava à mercê de desgraças imprevisíveis, furacões, secas, inundações, pestes, ratos, altos e baixos no preço do açúcar, problemas com a maquinaria e os animais, empréstimos dos bancos e outras incertezas; não se devia acrescentar a elas a má saúde ou o desânimo dos escravos, dissera Murphy. Ele era tão diferente de Cambray que Valmorain se perguntou se não teria se enganado com ele, mas comprovou que trabalhava sem descanso e se impunha pela presença, sem brutalidade. Seus capatazes, vigiados de perto, seguiam seu exemplo, e o resultado era que os escravos rendiam mais do que sob o regime de terror de Prosper Cambray. Murphy os organizou com um sistema de turnos para lhes dar descanso na demolidora jornada dos campos. O patrão anterior o havia despedido porque lhe ordenara disciplinar uma escrava e, enquanto ela gritava a plenos pulmões para impressionar, o chicote de Murphy ressoava contra o chão sem tocá-la. A escrava estava grávida e, como se fazia naqueles casos, a tinham estendido no chão com a barriga dentro de um buraco. "Prometi a minha esposa que nunca vou chicotear crianças nem mulheres grávidas", foi a explicação do irlandês para Valmorain.

Deram dois dias de descanso semanal aos escravos para cultivar suas hortas, cuidar dos seus animais e cumprir suas tarefas domésticas, mas no domingo havia a obrigação de ir à missa imposta por Murphy. Podiam tocar música e dançar em suas horas livres, e inclusive podiam ir, de vez em quando, sob a supervisão do chefe dos capatazes, às *bambousses*, modestas festas de escravos em função de um casamento, de um funeral ou de outra celebração. Como regra, os escravos não podiam visitar as outras propriedades, mas na Louisiana eram poucos os patrões que a seguiam à risca. O café da manhã na plantação de Valmorain consistia numa sopa com carne ou toucinho — nada do peixe fedorento de Saint-Lazare —; no almoço, servia-se torta de milho, carne seca ou carne fresca e pudim; e na janta, uma sopa reforçada. Prepararam uma cabana para ser o hospital e conseguiram um médico que vinha uma vez por mês ou quando o chamavam por conta de uma emergência. As mulheres grávidas ganhavam mais comida e descanso. Valmorain nunca ficou sabendo que, em Saint-Lazare, as escravas pariam, miseravelmente, de cócoras no meio dos canaviais, que havia mais abortos do que nascimentos e que a maior parte das crianças morria antes de completar três meses. Na nova plantação, Leanne Murphy era a parteira e velava pelas crianças.

zarité

do barco Nova Orleans surgiu como uma lua minguante flutuando no mar, branca e luminosa. Ao vê-la, soube que não voltaria mais a Saint-Domingue. Às vezes, tenho essas premonições e não me esqueço delas, e então fico preparada para quando elas acontecem. A dor de ter perdido Gambo era como ter uma lança no peito. No porto nos aguardava dom Sancho, o irmão de dona Eugenia, que havia chegado alguns dias antes e já tinha conseguido a casa onde íamos viver. A rua cheirava a jasmins, e não a fumaça e sangue, como Le Cap quando foi incendiado pelos rebeldes, que depois se retiraram para continuar sua revolução em outros lugares. Na primeira semana em Nova Orleans, fiz todo o trabalho sozinha, ajudada às vezes por um escravo emprestado de uma família conhecida de dom Sancho, mas depois o patrão e seu cunhado compraram os criados. Maurice ganhou um tutor, Gaspard Sévérin, refugiado de Saint-Domingue como nós, mas pobre. Os refugiados iam chegando aos poucos; primeiro, os homens para se instalarem de alguma maneira, e depois as mulheres e os filhos. Alguns traziam suas famílias de cor e escravos. Com o passar do tempo havia milhares de refugiados, e as pessoas da Louisiana começaram a rejeitá-los. O tutor não aprovava a escravidão, acho que era um daqueles abolicionistas que monsieur Valmorain detestava. Tinha vinte e sete anos, vivia numa pensão de negros, sempre usava o mesmo traje e lhe tremiam as mãos pelo medo que havia sentido em Saint-Domingue. Às vezes, quando o patrão não estava, eu lavava a camisa dele e limpava as manchas da casaca, mas nunca pude tirar de sua roupa o cheiro do pavor. Dava-lhe também comida para ele levar, mas disfarçadamente, para que não se ofendesse. Ele a recebia como se estivesse me fazendo um favor, mas, no fundo, ficava agradecido e por isso permitia a Rosette assistir às suas aulas. Implorei ao patrão que a deixasse estudar e por fim ele cedeu, embora fosse proibido educar os escravos, porque, na verdade, ele tinha planos para ela: queria que ela cuidasse dele em sua velhice e lesse para ele quando lhe faltasse a vista. Esquecera-se de que nos devia a liberdade? Rosette não sabia que o patrão era seu pai, mas o adorava assim mesmo e imagino que, à sua maneira, ele a amasse também, porque ninguém resistia ao feitiço de minha filha. Desde pequena, Rosette foi sedutora. Gostava de se admirar ao espelho, um hábito perigoso.

Naquela época havia muita gente de cor que era livre em Nova Orleans, porque não era difícil obter ou comprar a liberdade por intermédio do governo espanhol; os americanos ainda não nos haviam imposto suas leis. Eu passava a maior parte do tempo na cidade, encarregada da casa e de Maurice, que devia estudar, enquanto o patrão ficava na plantação. Eu não perdia as bambousses dos domingos na praça do Congo, com tambores e dança, a poucas quadras de onde vivíamos. As bambousses eram como as calendas de Saint-Domingue, mas sem os serviços aos loas porque, na Louisiana, todos já eram católicos. Atualmente muitos são batistas, porque podem cantar e dançar em suas igrejas, e desse jeito dá gosto adorar Jesus. O vodu real estava ganhando terreno, trazido pelos escravos de Saint-Domingue, e acabou se misturando tanto com as crenças dos cristãos que me custa reconhecê-lo. Na praça do Congo, dançávamos desde o meio-dia até a noite, e os brancos vinham se escandalizar, porque, para lhes gerar maus pensamentos, mexíamos as nádegas como um redemoinho, e para lhes causar inveja nos esfregávamos como tórridos amantes.

Todas as manhãs, depois de receber a água e a lenha que distribuíam de casa em casa num carroção, eu ia às compras. O Mercado Francês tinha dois anos de vida, mas já ocupava várias quadras e era o lugar preferido para a vida social, depois do dique. Continua sendo assim. Ainda se vende de tudo nele, desde comida até joias, e lá adivinhos, magos e *doutores de folhas continuam trabalhando. Não faltam charlatães, que curam com água colorida e um tônico de salsaparrilha a esterilidade, as dores de parto, febres reumáticas, vômitos de sangue, fadiga do coração, osteoporose e quase todas as demais desgraças do corpo humano. Não confio nesse tônico. Se fosse tão milagroso, Tante Rose o teria usado, mas ela nunca se interessou pela salsaparrilha, embora o arbusto crescesse nos arredores de Saint-Lazare.*

No mercado, fiz amizade com outros escravos e então aprendi os costumes da Louisiana. Como em Saint-Domingue, muitas pessoas de cor, livres, têm educação, vivem de seus ofícios e profissões, e algumas são donas de plantações. Costumam ser mais cruéis do que os brancos com seus escravos. Foi o que me contaram. Mas eu nunca vi. No mercado, senhoras brancas e senhoras de cor andam juntas de seus domésticos carregados de cestas. Não levam nada nas mãos fora as luvas e um saquinho bordado de contas com o dinheiro. Por lei, as mulatas se vestem com modéstia para não provocar as brancas, mas reservam suas sedas e suas joias para a noite. Os cavalheiros usam gravatas de três voltas, calças de lã, botas altas, luvas de camurça e chapéus de pele de coelho. Segundo Sancho, as mulatas de Nova Orleans são as mulheres mais belas do mundo. "Você poderia ser como elas, Tété. Veja como elas caminham, leves, ondulando os quadris, a cabeça erguida, o traseiro empinado, o peito desafiante. Parecem potrancas refinadas. Nenhuma mulher branca consegue andar assim", ele me dizia.

Nunca serei como essas mulheres, mas Rosette talvez sim. O que será da minha filha? E foi exatamente isso que o patrão me perguntou quando falei outra vez a respeito da minha liberdade. "O que você quer? Que a sua filha viva na miséria? Não se pode emancipar um escravo antes de ele completar trinta anos. Faltam seis para você. Então, não venha me incomodar de novo com esse assunto." Seis anos! Eu desconhecia essa lei. Era uma eternidade para mim, mas daria tempo a Rosette de crescer protegida pelo pai.

Os festejos

Em 1795 foi inaugurada a plantação de Valmorain com uma festa de três dias, um esbanjamento, como Sancho queria e como costumava ser na Louisiana. A casa, de inspiração grega, era retangular, de dois andares, rodeada de colunas, com uma varanda no térreo e uma sacada coberta no andar superior, que circundava os quatro lados, com cômodos luminosos e assoalhos de mogno, pintados em cores pastéis, como preferiam os *créoles* franceses e católicos, ao contrário das casas americanas protestantes, que eram sempre brancas. Segundo Sancho, a casa parecia uma réplica açucarada da Acrópole, mas a opinião geral a catalogou como uma das mansões mais belas do Mississippi. Ainda lhe faltavam adornos, mas não estava nua, porque a encheram de flores e acenderam tantas lâmpadas que as três noites de festejo foram claras como os dias. A família completa compareceu, inclusive o tutor, Gaspard Sévérin, com uma casaca nova, presente de Sancho, e um ar menos patético, porque no campo ele passara a comer e a tomar sol. Nos meses de verão, quando o levavam para a plantação para que Maurice continuasse tendo suas aulas, ele mandava o salário inteiro para os irmãos em Saint-Domingue. Valmorain alugou duas barcas de doze remos decoradas com toldos coloridos para transportar seus convidados, que chegavam com seus baús e escravos pessoais, inclusive seus cabeleireiros. Contratou orquestras de mulatos livres que se revezavam para que não faltasse música e conseguiu pratos de porcelana e talheres de prata suficientes para um regimento. Houve passeios, cavalgadas, caçadas, jogos de salão, danças, e a alma da festa foi, como sempre, o incansável Sancho, muito mais hospitaleiro que Valmorain, capaz de se sentir igualmente à vontade nas farras com os bandidos no Pântano e nas festas da alta sociedade. As mulheres passavam a manhã descansando, saíam ao ar livre depois da sesta, com véus espessos e luvas; à noite usavam seus melhores vestidos de gala. Na luz suave das lamparinas, todas pareciam belezas naturais de olhos escuros, cabeleiras sedosas e pele nacarada, nada dos rostos maquiados e pintas falsas como na França, mas, na intimidade do *boudoir*, escureciam as sobrancelhas com lápis de carvão, esfregavam pétalas de rosas vermelhas nas faces, retocavam os lábios com carmim, cobriam os cabelos brancos, quando os tinham, com borra de café, e metade dos cachos que carregavam havia pertencido a outra cabeça. Usavam cores claras e tecidos leves; nem as viúvas recentes se vestiam de preto, uma cor lúgubre que nem favorece nem consola.

Nos bailes das noites da festa de inauguração da plantação, as damas competiram em elegância, algumas seguidas por um negrinho que lhes segurava a cauda do vestido. Maurice e Rosette, de oito e cinco anos, fizeram uma demonstração de valsa, polca e cotilhão, que justificou as varetadas do professor e provocou exclamações de deleite no público. Tété ouviu o comentário de que a menina devia ser espanhola, filha do cunhado, como se chamava?, Sancho ou algo assim. Rosette, vestida de seda branca, sapatilhas pretas e um laço cor-de-rosa no cabelo comprido, dançava com elegância, enquanto Maurice transpirava de vergonha no seu traje de gala, contando os passos: dois saltinhos à esquerda, um à direita, inclinação e meia-volta, atrás, adiante e reverência. Repetir. Ela o conduzia, pronta para dissimular com uma pirueta de inspiração própria os tropeços de seu companheiro. "Quando crescer, irei aos bailes todas as noites,

Maurice. Se quiser casar comigo, é melhor aprender a dançar", avisava ela nos ensaios.

Valmorain havia adquirido um mordomo para a plantação, e Tété desempenhava impecavelmente a mesma função em Nova Orleans, graças às lições do belo Zacharie em Le Cap. Ambos respeitavam os limites da mútua autoridade, e nas festas tiveram de colaborar para que tudo transcorresse bem. Destinaram três escravas só para carregar água e recolher os penicos, e um rapaz para limpar a caganeira de dois cães peludos, pertencentes à senhorita Hortense Guizot, que passaram mal. Valmorain contratou dois cozinheiros, mulatos livres, e designou vários ajudantes para Célestine, a cozinheira da casa, que quase não conseguiram dar conta da preparação de peixes e mariscos, aves domésticas e de caça, ensopados *créoles* e sobremesas. Sacrificaram um novilho, e Owen Murphy comandou os assados na grelha. Valmorain mostrou a seus convidados a fábrica de açúcar, a destilaria de rum e os estábulos, mas o que exibiu com mais orgulho foram as instalações dos escravos. Murphy lhes havia dado três dias de folga, roupas e doces, e depois os fizera cantar em homenagem à Virgem Maria. Várias senhoras se comoveram até as lágrimas com o fervor religioso dos negros. Os convidados felicitaram Valmorain, embora mais de um comentasse às suas costas que, com tanto idealismo, ia terminar arruinado.

No começo, Tété não distinguiu Hortense Guizot entre as outras damas, exceto pelos cãezinhos chatos e cagões; seu instinto falhou ao não adivinhar o papel que aquela mulher teria em sua vida. Hortense completara vinte e oito anos, e ainda estava solteira, não por ser feia ou pobre, mas porque o namorado que tivera aos vinte e quatro caíra do cavalo fazendo cabriolas para impressioná-la e quebrara o pescoço. Havia sido um namoro incomum, um namoro por amor e não por conveniência como era usual entre os *créoles* de posses. Denise, sua escrava pessoal, contou a Tété que Hortense fora a primeira a sair correndo e vê-lo morto. "Não conseguiu se despedir dele", acrescentou.

Ao fim do luto oficial, o pai de Hortense começou a procurar outro pretendente. O nome da jovem andara de boca em boca devido à morte prematura do namorado, mas seu passado era irrepreensível. Alta, loira, rosada e robusta, como tantas mulheres da Louisiana, que comiam com gosto e se exercitavam pouco, o espartilho elevava seus seios como melões no decote, para o deleite dos olhares masculinos. Hortense Guizot passou aqueles dias trocando de roupa a cada duas ou três horas, alegre, porque a triste lembrança do namorado morto não a seguira na festa. Apoderou-se do piano, cantou com voz de soprano e dançou com energia até o amanhecer, esgotando todos os seus parceiros, menos Sancho. Não havia nascido ainda a mulher capaz de acabar com ele, como costumava dizer, mas admitiu que Hortense era uma esplêndida adversária.

No terceiro dia, quando as embarcações haviam partido com sua carga de visitantes cansados, músicos, criados e cãezinhos fraldiqueiros, e os escravos estavam recolhendo o lixo espalhado, Owen Murphy chegou sobressaltado com a notícia de que um bando de escravos rebeldes estava vindo pelo rio, matando brancos e incitando os negros a se revoltar. Sabia-se de escravos fugitivos amparados por tribos de índios americanos, e de outros que sobreviviam nos pântanos, transformados em seres de barro, água e algas, imunes aos mosquitos e ao veneno das cobras, invisíveis ao olho de seus perseguidores, armados de facas e facões enferrujados, de pedras cortantes, loucos de fome e desejo de liberdade. Soube-se primeiro que os assaltantes eram em torno de trinta, mas algumas horas depois já se falava em cento e cinquenta.

— Vão chegar aqui, Murphy? Acha que nossos negros vão se rebelar? — perguntou Valmorain.

— Não sei, senhor. Estão perto e podem nos invadir. Quanto aos nossos, não há como prever como vão reagir.

— Não podemos prever? Aqui eles recebem todo tipo de regalias, em nenhum outro lugar estariam melhor. Vá falar com eles! — exclamou Valmorain, andando muito alterado pela sala.

— Isto não se resolve falando, senhor — explicou Murphy.

— Este pesadelo me persegue! É inútil tratá-los bem! Esses negros são todos incorrigíveis!

— Calma, cunhado — interrompeu Sancho. — Ainda não aconteceu nada. Estamos na Louisiana, não em Saint-Domingue onde havia meio milhão de negros furiosos e uma meia dúzia de brancos cruéis.

— Tenho que proteger Maurice. Prepare um bote, Murphy, vou para a cidade agora mesmo — ordenou Valmorain.

— Essa não! — gritou Sancho. — Daqui ninguém sai. Não vamos fugir como ratos. Além disso, o rio não é seguro, os rebeldes também têm botes. Senhor Murphy, vamos proteger a propriedade. Traga todas as armas de fogo disponíveis.

Alinharam as armas sobre a mesa da sala de jantar; os dois filhos mais velhos de Murphy, de treze e onze anos, as carregaram e depois as distribuíram entre os quatro brancos, inclusive Gaspard Sévérin, que nunca havia apertado um gatilho nem conseguia fazer pontaria com as mãos trêmulas. Murphy instalou os escravos: os homens, trancados nos estábulos, e as crianças, na casa do patrão; assim, as mulheres não sairiam das cabanas sem os filhos. O mordomo e Tété se encarregaram dos domésticos, alvoroçados com a notícia. Todos os escravos da Louisiana tinham ouvido os brancos mencionarem o perigo de uma revolta, mas achavam que isso só acontecia em lugares exóticos e nem sequer conseguiam imaginá-la. Tété mandou duas mulheres cuidarem das crianças, depois ajudou o mordomo a trancar as portas e as janelas. Célestine reagiu melhor do que o esperado, levando-se em conta o seu temperamento. Trabalhara por três durante a festa, incansável e ágil, carrancuda e despótica, competindo com os cozinheiros de fora, uns frouxos sem-vergonha que recebiam pagamento pelo mesmo que ela devia fazer de graça, resmungava ela. Estava com os pés de molho quando Tété chegou para informá-la do que estava acontecendo.

"Ninguém vai passar fome", anunciou secamente e entrou em ação com seus ajudantes para alimentar a todos.

Esperaram o dia inteiro, Valmorain, Sancho e o atônito Gaspard Sévérin com as pistolas nas mãos, enquanto Murphy montava guarda diante dos estábulos e seus filhos vigiavam o rio para dar o grito de alarme, se necessário. Leanne Murphy acalmou as mulheres com a promessa de que seus filhos estavam seguros na casa, bebendo canecas de chocolate quente. Às dez da noite, quando ninguém mais se aguentava em pé de cansaço, o mais velho dos filhos de Murphy, Brandan, chegou a cavalo, com uma tocha numa das mãos e uma pistola no cinto, anunciando que se aproximava um grupo de patrulheiros. Dez minutos depois, os homens desmontaram na frente da casa. Valmorain, que àquela altura havia revivido os horrores de Saint-Lazare e de Le Cap, recebeu-os com tanto alívio que Sancho sentiu vergonha por ele. Após o relato dos patrulheiros, ordenou abrir garrafas do seu melhor licor para festejar. A crise havia passado: dezenove negros rebeldes estavam presos, onze haviam sido mortos, e os demais seriam enforcados ao amanhecer. O restante batera em retirada e provavelmente se dirigia para seus esconderijos nos pântanos. Um dos milicianos, um ruivo de uns dezoito anos, excitado pela noite de aventura e pelo álcool, assegurou a Gaspard Sévérin que, de tanto viver no lodo, os enforcados tinham pés de sapo, barbatanas de peixe e dentes de jacaré. Vários plantadores da região juntaram-se com entusiasmo às patrulhas para caçá-los, um esporte que raramente tinham oportunidade de praticar em grande escala. Haviam jurado esmagar aqueles negros rebeldes até o último homem. As baixas dos brancos eram mínimas: um capataz assassinado, um plantador e três patrulheiros feridos, e um cavalo com a pata quebrada. A revolta foi sufocada rapidamente porque um escravo doméstico dera o alarme. "Amanhã, quando os rebeldes estiverem pendurados em suas forcas, ele será um homem livre", pensou Tété.

O fidalgo espanhol

Sancho García del Solar ia e vinha entre a plantação e a cidade, passava mais tempo num bote ou a cavalo do que em qualquer dos dois destinos. Tété nunca sabia quando ele ia aparecer na casa da cidade, de dia ou de noite, sempre sorridente, agitado, faminto, e com o cavalo extenuado. Numa segunda-feira de madrugada, bateu-se em duelo com outro espanhol, um funcionário do governo, nos jardins de Saint-Antoine, o lugar habitual dos cavalheiros para se matar ou, pelo menos, ferir, que era a única forma de limpar a honra. Era um dos seus passatempos favoritos, e os jardins, com seus arbustos frondosos, ofereciam a privacidade necessária. Não se soube nada na casa até a hora do café da manhã, quando Sancho chegou com a camisa ensanguentada, pedindo café e conhaque. Anunciou às gargalhadas para Tété que havia recebido apenas um arranhão nas costelas; em troca, seu rival ficara com a cara marcada. "Por que se bateram?", perguntou ela enquanto limpava o corte, tão perto do coração que, se a estocada tivesse entrado um pouco mais, teria que vesti-lo para o cemitério. "Porque me olhou torto", foi a sua explicação. Estava feliz por não ter de carregar um morto nas costas. Depois, Tété soube que o duelo tinha sido por causa de Adi Soupir, uma moça mestiça de curvas perturbadoras a quem ambos pretendiam.

Sancho acordava as crianças na metade da noite para lhes ensinar truques de cartas, mas se Tété se opunha, levantava-a pela cintura, dava duas voltas no ar com ela e lhe explicava que não se pode sobreviver nesse mundo sem fazer trapaças e que era melhor aprendê-las o quanto antes. De repente lhe ocorria comer leitão assado às seis da manhã, e era preciso voar até o mercado em busca do animal, ou anunciava que ia ao alfaiate, sumia durante dois dias e voltava cheio de álcool, acompanhado de vários comparsas a quem oferecera hospitalidade. Vestia-se com esmero, embora sobriamente, examinando cada detalhe de sua aparência no espelho. Treinara o escravo de recados, um menino de catorze anos, para lhe engomar o bigode e lhe fazer a barba com a navalha espanhola com cabo de ouro que estava na família García del Solar fazia três gerações. "Vai casar comigo quando eu for grande, tio Sancho?", perguntava Rosette. "Amanhã mesmo, se você quiser, querida", e lhe dava dois beijos sonoros. Tratava Tété como uma parenta pobre, com um misto de familiaridade e respeito, e muitas brincadeiras. Às vezes, quando desconfiava de que ela estivesse no limite de sua paciência, trazia-lhe um presente e o oferecia com um galanteio e um beijo na mão, que ela recebia envergonhada. "Cresça depressa, Rosette, antes que eu me case com sua mãe", ameaçava, zombeteiro.

Pelas manhãs, Sancho ia ao Café des Émigrés, onde se juntava com outros para jogar dominó. Suas divertidas aventuras de fidalgo e seu inalterável otimismo diferenciavam-no dos emigrados franceses, empobrecidos e humilhados pelo exílio, que passavam a vida lamentando a perda dos bens, reais ou exagerados pela imaginação, e discutindo política. As más notícias eram que Saint-Domingue continuava mergulhado na violência e que os ingleses haviam invadido várias cidades da costa, mas não tinham conseguido ocupar o centro do país e, portanto, a possibilidade de independência da colônia havia esfriado. Toussaint — como se chama agora esse desgraçado? Louverture? Que nome tinha inventado! — bem, esse Toussaint, que estava com os espanhóis, trocara de bandeira e agora lutava junto com os franceses republicanos, que, sem a sua ajuda, estariam fodidos. Antes de trocar de lado, Toussaint aniquilara as tropas espanholas sob seu comando. Julguem vocês se, por acaso, se pode confiar nessa gentalha! O general Laveaux o promoveu a general e comandante com a Divisa Ocidental, e agora o macaco andava de chapéu emplumado; era de morrer de rir. A que ponto chegamos, compatriotas! A França aliada com os negros! Que humilhação histórica!, exclamavam os refugiados entre duas partidas de dominó.

Mas também havia algumas notícias otimistas para os emigrados: na França, a influência dos colonos monarquistas estava crescendo e o povo não queria ouvir nem mais uma palavra sobre os direitos dos negros. Se os colonos obtinham os votos necessários, a Assembleia era obrigada a enviar tropas suficientes a Saint-Domingue e acabar com a revolta. A ilha era uma mosca no mapa, diziam, jamais conseguiria enfrentar o poderio do exército francês. Com a vitória, os emigrados retornariam e tudo voltaria a ser como antes. E então não haveria misericórdia para os negros; matariam todos e trariam carne fresca da África.

Por sua vez, Tété sabia das notícias nas rodas do Mercado Francês. Toussaint era bruxo e adivinho, podia lançar uma maldição de longe e matar com o pensamento. Toussaint ganhava uma batalha atrás da outra, e as balas não o atingiam. Toussaint gozava da proteção de Jesus, que era muito poderoso. Tété perguntou a Sancho, porque não se atrevia a tocar no assunto com Valmorain, se voltariam a Saint-Lazare algum dia, e ele lhe respondeu que era preciso estar louco para ir se meter naquela carnificina. Com isso, ela confirmou seu pressentimento de que não voltaria a ver Gambo, embora tivesse ouvido seu patrão fazer planos para recuperar a propriedade na colônia.

Valmorain estava concentrado na plantação, que surgira das ruínas da anterior, onde passava boa parte do ano. Na temporada de inverno, vinha de má vontade para a casa da cidade, porque Sancho insistia na importância das relações sociais. Tété e as crianças viviam em Nova Orleans e só iam para a plantação nos meses de calor e epidemias, quando todas as famílias ricas fugiam da cidade. Sancho fazia visitas apressadas ao campo porque continuava com a ideia de plantar algodão. Nunca tinha visto algodão em seu estado primitivo, apenas em suas camisas engomadas, e a visão poética do projeto não incluía o seu esforço pessoal. Contratou um agrônomo americano e, antes de derrubar a primeira árvore, já planejava comprar uma descaroçadora de algodão recém-inventada que, achava, ia revolucionar o mercado. O americano e Murphy propunham alternar os cultivos; assim, quando o solo se cansasse com a cana, plantariam algodão, e vice-versa.

O único afeto constante no volúvel coração de Sancho García del Solar era seu sobrinho. Maurice nascera pequeno e frágil, mas acabara mais saudável do que previra o doutor Parmentier, e as únicas febres deviam-se aos seus estados nervosos. O que lhe sobrava em saúde faltava-lhe em persistência. Era estudioso, sensível e chorão, preferia ficar contemplando um formigueiro no jardim ou lendo histórias para Rosette do que participar das brincadeiras brutas dos Murphy. Sancho, cuja personalidade não podia ser mais diferente, defendia-o das críticas de Valmorain. Para não desapontar o pai, Maurice nadava em água gelada, galopava em cavalos ariscos, espiava as escravas quando tomavam banho e rolava na poeira em embates com os Murphy, mas era incapaz de matar lebres a tiros ou destripar um sapo vivo para ver como era por dentro. Nada tinha de presunçoso, frívolo ou valentão, como outros meninos criados com a mesma indulgência. Valmorain estava preocupado porque seu filho era muito calado e de coração mole, sempre disposto a proteger os mais vulneráveis; a ele pareciam sinais de fraqueza de caráter.

A escravidão chocava Maurice, e nenhum argumento conseguira fazê-lo mudar de opinião. "De onde será que tira essas ideias, se sempre viveu rodeado de escravos?", perguntava-se seu pai. O menino tinha uma profunda e irremediável vocação de justiça, mas aprendera cedo a não fazer perguntas demais a respeito, porque o assunto não era bem-vindo e as respostas o deixavam insatisfeito. "Não é justo!", repetia, sofrendo diante de qualquer forma de abuso. "Quem disse a você que a vida é justa, Maurice?", retrucava seu tio Sancho. A mesma coisa lhe dizia Tété. Seu pai lhe impingia complicados discursos sobre as categorias impostas pela natureza, que separam os seres humanos e que são necessárias para o equilíbrio da sociedade; logo se daria conta de que mandar era muito difícil, e obedecer, mais simples.

O menino não possuía maturidade nem vocabulário para rebatê-lo. Tinha uma vaga noção de que Rosette não era livre como ele, embora em termos práticos a diferença fosse imperceptível. Não associava a menina ou Tété aos escravos domésticos e muito menos aos da plantação. E só deixou de chamar Rosette de irmã depois de terem esfregado muito sua boca com sabão; deixou de fazê-lo muito menos pelo castigo, mas porque estava apaixonado. Amava com aquele amor terrível, possessivo, absoluto, com que amam os meninos solitários, e Rosette retribuía com um carinho sem ciúmes nem angústia. Maurice não imaginava a sua existência sem ela, sem sua incessante tagarelice, sua curiosidade, suas carícias infantis e a cega admiração que ela lhe demonstrava. Com Rosette, ele se sentia forte, protetor e sábio, porque era assim que ela o via. Tudo lhe causava ciúmes. Sofria se ela prestava atenção, mesmo que por um instante, em qualquer um dos meninos Murphy, se tomava uma iniciativa sem consultá-lo, se guardava algum segredo. Necessitava compartilhar com ela até os mais íntimos pensamentos, temores e desejos, dominá-la e servi-la ao mesmo tempo com total abnegação. Não se notavam os três anos de idade que os separavam, porque ela parecia mais velha, e ele, mais novo; ela era alta, forte, astuta, viva, atrevida e ele era pequeno, ingênuo, contido, tímido; ela pretendia devorar o mundo, e ele vivia esmagado pela realidade. Maurice lamentava de antemão as desgraças que podiam separá-los, mas Rosette era ainda pequena demais para imaginar o futuro. Ambos compreendiam, instintivamente, que qualquer cumplicidade estava proibida, que era de vidro, transparente e quebradiça e que deviam defendê-la com dissimulação permanente. Diante dos adultos, mantinham uma reserva da qual Tété suspeitava, e por isso os espiava. Se os surpreendia pelos cantos acariciando-se, puxava-lhe as orelhas com uma fúria desproporcional e depois, arrependida, os matava a beijos. Não podia lhes explicar por que essas brincadeiras privadas, tão comuns entre outras crianças, entre eles constituíam pecado. Na época em que os três dividiam o quarto, as crianças se buscavam às apalpadelas na escuridão, e depois, quando Maurice dormia sozinho, Rosette o visitava em sua cama. Tété acordava no meio da noite sem Rosette ao seu lado e tinha que ir buscá-la na ponta dos pés no quarto do menino. Encontrava-os dormindo abraçados, ainda em plena infância, inocentes, mas nem tanto para que se pudesse ignorar o que faziam. "Se pego você outra vez na cama de Maurice, vou lhe dar uma surra de vara que vai se lembrar para o resto da vida. Entendeu bem?", ameaçava Tété a filha aterrorizada pelas consequências que aquele amor podia ter. "Não sei como cheguei aqui, mamãe", chorava Rosette com tal convicção que sua mãe chegou a acreditar que a menina era sonâmbula.

Valmorain vigiava de perto a conduta do filho, temia que fosse fraco ou padecesse de distúrbios mentais, como a mãe. Sancho achava absurdas essas dúvidas do cunhado. Ministrou aulas de esgrima ao sobrinho e se propôs a lhe ensinar sua versão de pugilismo, que consistia em socos e pontapés sem se colocar em perigo. "Quem bate primeiro bate duas vezes, Maurice. Não espere que o provoquem, dê o primeiro pontapé direto no saco", explicava, enquanto o menino choramingava tentando se esquivar dos golpes. Maurice não era bom em esportes, mas, em compensação, tinha a mania de ler, herdada do pai, o único plantador da Louisiana que havia incluído uma biblioteca na planta de sua casa. Valmorain, em princípio, não se opunha aos livros, ele mesmo os colecionava, mas temia que, de tanto ler, o filho ficasse maricas. "Acorde, Maurice! Você tem que se tornar um homem!", e tratava de lhe ensinar que as mulheres nascem mulheres, mas que os homens se tornam homens com coragem e firmeza. "Deixe-o em paz, Toulouse. Quando chegar a hora eu me encarregarei de iniciá-lo nas coisas de homem", zombava Sancho, embora Tété não achasse graça nenhuma.

A madrasta

Hortense Guizot se transformou na madrasta de Maurice um ano depois da festa na plantação. Havia meses que planejava sua estratégia, com a cumplicidade de uma dezena de irmãs, tias e primas determinadas a resolver seu drama e o de seu pai, encantado com a perspectiva de atrair Valmorain ao seu galinheiro. Os Guizot eram de uma respeitabilidade esmagadora, mas não tão ricos como se esforçavam para aparentar, e uma união com Valmorain traria muitas vantagens para eles. No começo, o francês não se deu conta da estratégia para caçá-lo e achou que as atenções da família Guizot eram destinadas a Sancho, mais jovem e bonito do que ele. Quando o próprio Sancho o fez ver o erro, quis fugir para outro continente; estava muito confortável com suas rotinas de solteirão, e algo tão irreversível como o casamento o assustava.

— Mal conheço a senhorita, eu a vi muito pouco — alegou.

— Você também não conhecia minha irmã e mesmo assim se casou com ela — lembrou Sancho.

— E veja como me dei mal!

— Os homens solteiros são suspeitos, Toulouse. Hortense é uma mulher incrível.

— Se gosta tanto dela, case você — respondeu Valmorain.

— Os Guizot já me farejaram, cunhado. Sabem que sou um pobre-diabo de hábitos devassos.

— Menos libertino do que outros que andam por aqui, Sancho. Em todo caso, não penso em me casar.

Mas a ideia já estava plantada e, nas semanas seguintes, começou a considerá-la, primeiro como uma bobagem e depois como uma possibilidade. Ainda estava em tempo de ter mais filhos, sempre quisera uma família numerosa, e a voluptuosidade de Hortense lhe parecia um bom sinal; a jovem estava pronta para a maternidade. Não sabia que ela diminuía os anos: na verdade, tinha trinta.

Hortense era uma *créole* de linhagem impecável e boa educação; as ursulinas haviam lhe ensinado os fundamentos da leitura e da escrita, geografia, história, artes domésticas, bordado e catecismo, dançava com graça e tinha uma voz agradável. Ninguém duvidava de sua virtude, e ela contava com a simpatia geral, já que, por causa da incompetência daquele namorado incapaz de se manter num cavalo, ficara viúva antes de se casar. Os Guizot eram pilares da tradição, o pai havia herdado uma plantação, e os dois irmãos mais velhos de Hortense tinham uma prestigiosa banca de advogados, única profissão aceitável em sua classe. A linhagem de Hortense compensava seu escasso dote, e Valmorain desejava ser aceito na alta sociedade, não tanto por ele, mas para preparar o caminho para Maurice.

Preso na firme teia tecida pelas mulheres, Valmorain aceitou que Sancho o guiasse nos embaraços da corte, mais sutis do que os de Saint-Domingue ou Cuba, onde se apaixonara por Eugenia. "Por ora, nada de presentes nem cartinhas para Hortense. Concentre-se na mãe. A aprovação dela é essencial", avisou Sancho. As moças casadouras apareciam muito pouco em público, só umas poucas vezes na ópera, acompanhadas pela família em peso, porque, se eram muito vistas, ficavam faladas e podiam acabar solteiras, cuidando dos filhos das irmãs, mas Hortense contava com um pouco mais de liberdade. Havia deixado para trás a idade matrimonial — entre dezesseis e vinte e quatro anos — e entrado na categoria "passada".

Sancho e as alcoviteiras deram um jeito de convidar Valmorain e Hortense a *soirées*, como se chamavam as reuniões dançantes de familiares e amigos na intimidade de seus lares, onde puderam trocar algumas palavras, embora nunca a sós. O protocolo obrigava Valmorain a anunciar suas intenções rapidamente. Sancho o acompanhou para falar com o senhor Guizot, e, em particular, estabeleceram os termos econômicos do enlace, cordialmente, mas com clareza. Pouco depois se celebrou o compromisso com um *déjeuner de fiançailles*, um almoço em que Valmorain entregou à sua noiva o anel da moda, um rubi rodeado de diamantes engastados em outro.

Père Antoine, o padre mais famoso da Louisiana, casou-os numa terça-feira à tarde na catedral, sem outras testemunhas além da família Guizot, um total de apenas noventa e duas pessoas. A noiva preferiu um casamento privado. Entraram na igreja escoltados pela guarda do governador, e Hortense exibiu o vestido de seda bordado com pérolas que antes haviam usado sua avó, sua mãe e várias de suas irmãs. Ficara bastante apertado nela, embora tivessem afrouxado as costuras. Depois da cerimônia, o *bouquet* de flores de laranjeira e jasmins foi enviado para as freiras para ser colocado aos pés da Virgem, na capela. A recepção aconteceu na casa dos Guizot, com fartura de pratos suntuosos preparados pelos mesmos banqueteiros que Valmorain havia contratado para a festa em sua plantação: faisão recheado com castanhas, pato ao molho, caranguejo flambado em conhaque, ostras frescas, peixes de vários tipos, sopa de tartaruga e mais de quarenta sobremesas, além da torta de casamento, um indestrutível edifício de marzipã e frutas secas.

Depois que os familiares se despediram, Hortense esperou o marido, vestida com uma camisola de musselina e com a sua cabeleira loira solta sobre os ombros, em seu quarto de solteira, onde seus pais haviam substituído a cama por outra com dossel. Naqueles anos, causavam furor as camas de casal com dossel de seda azul-celeste, imitando um céu límpido de horizonte sem nuvens e uma profusão de cupidos gordinhos com arcos e flechas, raminhos de flores artificiais e laçarotes de renda.

Os recém-casados passaram três dias trancados nesse quarto, como exigia o costume, atendidos por dois escravos que levavam a comida e recolhiam os penicos. Teria sido vergonhoso que a noiva se apresentasse em público, inclusive diante da família, enquanto se iniciava nos segredos do amor. Sufocado de calor, entediado pela clausura, com dor de cabeça de tanto fazer acrobacias juvenis na sua idade e consciente de que lá fora havia uma dezena de parentes com as orelhas coladas na parede, Valmorain compreendeu que não havia se casado apenas com Hortense, mas com a tribo Guizot. Por fim, no quarto dia, pôde sair da prisão e fugir com sua mulher para a plantação, onde aprenderiam a se conhecer com mais ar e espaço. Justamente naquela semana começava a temporada de verão, e todo mundo fugia da cidade.

Hortense nunca teve dúvidas de que agarraria Valmorain. Antes que as implacáveis alcoviteiras entrassem em ação, ela mandara as freiras bordarem lençóis com as iniciais de ambos entrelaçadas. Os lençóis que guardava havia anos num baú da esperança, perfumados com lavanda, com as iniciais do noivo anterior, não se perderam; simplesmente mandou colocar um aplique de flores em cima das letras e os destinou aos quartos de hóspedes. Como parte do enxoval, levou Denise, a escrava que a servia desde os quinze anos, a única que sabia penteá-la e passar seus vestidos como ela gostava, e outro escravo doméstico que o pai lhe dera como presente de casamento quando ela manifestara dúvidas sobre o mordomo da plantação de Valmorain. Desejava alguém de sua absoluta confiança.

Sancho perguntou mais uma vez a Valmorain o que pensava fazer com Tété e Rosette, já que a situação não podia ser dissimulada. Muitos brancos mantinham mulheres de cor, mas sempre separadas da família legal. O caso de uma escrava concubina era diferente. No caso de o patrão se casar, a relação terminava e era preciso se desligar da mulher, que era vendida ou enviada para as plantações, onde a esposa não a visse. Mas isso de ter a amante e a filha na mesma casa, como pretendia Valmorain, era inaceitável. A família Guizot e a própria Hortense entenderiam que ele tivesse se consolado com uma escrava em seus anos de viuvez, mas agora devia resolver o problema.

Hortense vira Rosette dançando com Maurice na festa e talvez suspeitasse de alguma coisa, embora Valmorain achasse que, na excitação e na confusão, ela não tivesse prestado muita atenção. "Não seja ingênuo, cunhado. As mulheres têm instinto para essas coisas", disse Sancho. No dia em que Hortense foi conhecer a casa da cidade, acompanhada pela corte de suas irmãs, Valmorain ordenou que Tété desaparecesse com Rosette até o fim da visita. Não desejava fazer nada com pressa, explicara a Sancho. Fiel ao seu temperamento, preferira adiar a decisão, esperando que as coisas se resolvessem sozinhas. Não falou a respeito com Hortense.

Por um tempo, ainda quando estavam sob o mesmo teto, o patrão continuou se deitando com Tété, e não lhe pareceu necessário lhe dizer que pensava se casar: ela soube pelas fofocas que circulavam como ventania. Na festa da plantação havia conversado com Denise, mulher de língua solta que encontrara de novo no Mercado Francês, e soube por ela que sua futura patroa era ciumenta e geniosa. Sabia que qualquer mudança seria desfavorável e não poderia proteger Rosette. Comprovou mais uma vez, sufocada de raiva e medo, como era profunda a sua impotência. Se seu patrão lhe tivesse dado oportunidade, teria se prostrado a seus pés, teria se submetido agradecida a todos os seus caprichos, e faria o que fosse preciso para manter a situação como estava, mas, desde que se anunciara para o noivado com Hortense Guizot, ele não voltara a chamá-la para sua cama. "Erzuli, *loa* mãe, pelo menos ampare Rosette." Pressionado por Sancho, ocorreu a Valmorain a solução temporária de que Tété ficasse com a menina cuidando da casa da cidade, de junho a novembro, enquanto ele ia com a família para a plantação; assim teria tempo para preparar o ânimo de Hortense. Isso significava mais seis meses de incertezas para Tété.

Hortense se instalou num quarto decorado em azul imperial, onde dormia sozinha, porque nem ela nem o marido tinham o costume de dormir acompanhados, e também porque necessitavam de seu próprio espaço, depois da sufocante lua de mel. Seus brinquedos de menina, apavorantes bonecas com olhos de vidro e cabelos humanos, adornavam seu quarto, e seus cães peludos dormiam sobre a cama, um móvel de dois metros de largura, com pilares talhados, dossel, almofadões, cortinas, franjas e pompons, mais uma cabeceira de tecido que ela mesma havia bordado com ponto de cruz no colégio das ursulinas. Do alto pendia o mesmo céu de seda com anjinhos gordos que seus pais lhe deram para o casamento.

A recém-casada só se levantava depois do almoço — passava dois terços de sua vida na cama, de onde controlava os destinos alheios. Na primeira noite de casados, quando ainda estava na casa paterna, recebeu o marido num *déshabillé* com peninhas de cisne no decote, que assentavam muito suaves, mas nefastas para ele, porque as penas lhe produziram um ataque incontrolável de espirros. Tão mau começo não impediu que consumassem o matrimônio, e Valmorain teve a agradável surpresa de constatar que a esposa respondia a seus desejos com mais generosidade do que Eugenia ou Tété jamais haviam demonstrado.

Hortense era virgem, mas só por um triz. De alguma maneira, tinha dado um jeito de burlar a vigilância familiar e de se informar sobre expedientes que as mulheres solteiras jamais suspeitariam. O noivo falecido se fora para a tumba sem saber que ela havia se entregado ardentemente a ele em sua imaginação e continuara se entregando nos anos seguintes na privacidade de sua cama, torturada pelo desejo insatisfeito e pelo amor frustrado. Suas irmãs casadas haviam lhe facilitado informação didática.

Não eram especialistas, mas pelo menos sabiam que qualquer homem aprecia certas demonstrações de entusiasmo, embora não em demasia, para evitar suspeitas. Hortense decidiu por conta própria que nem ela nem o marido estavam em idade de se permitirem pudores. Suas irmãs lhe disseram que a melhor maneira de dominar o marido era se fazer de boba e lhe dar prazer na cama. A primeira parte era muito mais difícil do que a segunda para ela, que de boba não tinha nada.

Valmorain aceitou como um presente a sensualidade de sua mulher, sem lhe fazer perguntas cujas respostas preferia não saber. O corpo pleno de Hortense, com suas curvas e reentrâncias, lembrava o de Eugenia antes da loucura, quando ela ainda transbordava do vestido, e nua parecia feita de massa de amêndoas: pálida, macia, fragrante, toda abundância e doçura. Depois, a infeliz se reduzira a um espantalho, e ele só podia se deitar com ela quando estava entorpecido pelo álcool e desesperado. No resplendor dourado das velas, Hortense era um prazer aos olhos, uma ninfa opulenta das pinturas mitológicas. Sentiu renascer sua virilidade, que já dava por irremediavelmente perdida. Sua esposa o excitava como um dia o fizeram Violette Boisier em seu apartamento na praça Clugny e Tété em sua voluptuosa adolescência. Sentia-se espantado com aquele ardor renovado toda noite e, às vezes, inclusive ao meio-dia, quando chegava de repente, com as botas enlameadas, e a surpreendia bordando entre os almofadões de sua cama; expulsava os cães a tapas e se deixava cair sobre ela com a alegria de voltar a se sentir com dezoito anos. Numa dessas cavalgadas, desprendeu-se um cupido do teto da cama e lhe caiu na nuca, aturdindo-o por uns breves minutos. Acordou coberto por um suor gelado, porque nas brumas da inconsciência aparecera seu antigo amigo Lacroix para lhe reclamar o tesouro que havia roubado.

Na cama, Hortense exibia a melhor parte do seu temperamento: fazia brincadeiras leves, como tecer um primoroso capuz de crochê com lacinhos para o penduricalho do marido, e outras mais pesadas, como enfiar no cu uma tripa de frango e anunciar que estavam lhe saindo os intestinos. De tanto se rolarem nos lençóis bordados pelas freiras com a inicial de seus nomes, acabaram por se amar, tal como ela havia previsto. Estavam prontos para a cumplicidade do casamento, porque eram essencialmente diferentes; ele, temeroso, indeciso e fácil de manipular, e ela, dona de uma determinação implacável que faltava nele. Juntos moveriam montanhas.

Sancho, que tanto lutara pelo casório do cunhado, foi o primeiro a se dar conta da personalidade de Hortense e a se arrepender. Fora do seu quarto azul, Hortense se transformava em outra pessoa, uma mulher mesquinha, avarenta e chata. Apenas a música conseguia elevá-la brevemente acima do seu devastador senso prático, iluminando-a com um fulgor angelical, enquanto a casa se enchia de trinados trêmulos que impressionavam os escravos e provocavam uivos nos cãezinhos fraldiqueiros. Havia passado vários anos no papel ingrato de solteirona e estava farta de ser tratada com desdém dissimulado; desejava ser invejada, e para isso seu marido devia estar no topo. Valmorain necessitaria de muito dinheiro para compensar sua carência de raízes entre as antigas famílias *créoles* e o fato lamentável de que provinha de Saint-Domingue.

Sancho decidiu evitar que aquela mulher destruísse a camaradagem fraternal entre ele e o cunhado, e se dedicou a bajulá-la com seus truques, mas Hortense era imune àquela dissipação de encanto que a seus olhos carecia de um fim prático imediato. Não gostava de Sancho e o mantinha a distância, embora o tratasse com cortesia para não ferir o marido, cuja fraqueza por aquele cunhado lhe parecia incompreensível. Por que precisava de Sancho? A plantação e a casa da cidade eram suas, podia se separar de seu sócio que não contribuía com nada. "O plano de vir para a Louisiana foi de Sancho. Pensou antes da revolução em Saint-Domingue e comprou a terra. Eu não estaria aqui se não fosse ele", explicou Valmorain quando Hortense lhe perguntou. Para ela, aquela lealdade masculina era de um sentimentalismo inútil e incômodo. A plantação começava a vingar, faltavam, pelo menos, três anos antes de poder declará-la um sucesso, e o outro gastava como um príncipe. "Sancho é como meu irmão", disse Valmorain, disposto a encerrar o assunto. "Mas não é", respondeu ela.

Hortense trancafiou tudo, partindo do princípio de que todos os criados roubavam, e impôs medidas drásticas de economia que paralisaram a casa. Os pedacinhos de açúcar, que se cortavam com o cinzel de um cone duro como pedra pendurado de um gancho no teto, eram contados antes de serem colocados no açucareiro, e alguém mantinha a contabilidade do consumo. A comida que sobrava na mesa já não era dividida entre os escravos, como sempre, mas se transformava em outros pratos. Célestine se enraiveceu. "Se querem comer pouco e restos, não precisam de mim, qualquer negro dos canaviais pode servir de cozinheiro", anunciou. Sua patroa não a engolia, mas havia corrido a notícia de que suas sobrecoxas de rãs ao alho, frangos com laranja, *gumbo* de porco e cestinhas de massa folhada com lagostins eram incomparáveis, e, quando surgiram uns dois interessados em comprar Célestine por um preço exorbitante, decidiu deixá-la em paz e voltou sua atenção para os escravos da plantação. Calculou que podiam reduzir paulatinamente a comida na mesma medida em que aumentava a disciplina, sem afetar demais a produtividade. Se dava resultado com as mulas, valia a pena tentar com os escravos. No começo, Valmorain se opôs a essas medidas porque não se encaixavam em seu projeto original, mas sua esposa argumentou que era assim que se fazia na Louisiana. O plano durou uma semana, até que Owen Murphy teve um acesso de raiva que fez tremerem as árvores, e a patroa foi obrigada a aceitar, contrariada, que a plantação e a cozinha de sua casa também não eram de sua incumbência. Murphy se impôs, mas o clima da plantação mudou. Os escravos da casa andavam na ponta dos pés, e os da plantação temiam que a patroa despedisse Murphy.

Hortense substituía e eliminava os criados como num interminável jogo de xadrez; nunca se sabia a quem pedir algo e ninguém sabia com certeza quais eram as suas obrigações. Isso a irritava e ela acabava batendo nos escravos com uma chibata, que levava na mão como outras senhoras levavam o leque. Convenceu Valmorain a vender o mordomo e o substituiu pelo escravo que trouxera da casa dos pais. Aquele homem corria com os molhos de chaves, espionava o restante do pessoal e a mantinha informada. O processo de mudança durou pouco, porque ela contava com o beneplácito incondicional do marido, a quem notificava suas decisões entre saltos de trapezista na cama: "Venha cá, meu amor, e me mostre como os seminaristas se esbaldam." Então, quando a casa funcionava como ela queria, Hortense se preparou para abordar três problemas pendentes: Maurice, Tété e Rosette.

zarité

O patrão se casou e se foi com a esposa e Maurice para a plantação. Eu fiquei na casa da cidade, sozinha com Rosette, durante vários meses. As crianças tiveram um ataque quando foram separadas, e depois ficaram contrariadas durante semanas, culpando madame Hortense. Minha filha não a conhecia, mas Maurice a descrevera, zombando de suas cantorias, seus cachorrinhos, seus vestidos e modos; era a bruxa, a intrusa, a madrasta, a gorda. Negou-se a chamá-la de maman *e, como o pai não lhe permitia chamá-la de outra forma, deixou de falar com ela. Ordenaram-lhe que a cumprimentasse com um beijo, e ele dava um jeito de sempre lhe deixar restos de saliva ou comida no rosto, até que a própria madame Hortense o liberou dessa obrigação. Maurice escrevia bilhetes para Rosette e lhe enviava presentinhos, que vinham através de dom Sancho, e ela lhe respondia com desenhos e as palavras que sabia escrever.*

Foi um tempo de incertezas, mas também de liberdade, porque ninguém me controlava. Dom Sancho passava boa parte de seu tempo em Nova Orleans, mas não dava atenção aos detalhes; bastava ser atendido no pouco que pedia. Havia se apegado à mulata por quem se batera em duelo, uma tal Adi Soupir, e ficava mais com ela do que com a gente. Andei me informando sobre a mulher e não gostei nada do que ouvi. Aos dezoito anos, já tinha fama de frívola, interesseira, e de ter tirado a fortuna de vários pretendentes. Foi o que me contaram. Não me atrevi a prevenir dom Sancho, porque ele teria se enfurecido. Pelas manhãs, eu ia com Rosette ao Mercado Francês, onde me reunia com outras escravas e nos sentávamos à sombra para conversar. Algumas faziam trapaça com o troco dos patrões e compravam um copo de refresco ou uma dúzia de ostras frescas temperadas com limão, mas, como eu não precisava prestar contas a ninguém, também não precisava roubar. Isso foi antes de madame Hortense vir para a casa da cidade. Muitas pessoas prestavam atenção em Rosette, que parecia uma menina de boa família, com seu vestido de tafetá e suas botinas de verniz. Sempre gostei do mercado, com suas bancas de frutas e verduras, de frituras de comida apimentada, da multidão ruidosa dos compradores, pregadores e embusteiros, índios imundos vendendo cestas, mendigos mutilados, piratas tatuados, padres e freiras, músicos de rua.

Numa quarta-feira, cheguei ao mercado com os olhos inchados, porque havia chorado muito na noite anterior, pensando no futuro de Rosette. Tanto minhas amigas perguntaram que acabei admitindo os temores que não me deixavam dormir. As escravas me aconselharam conseguir um gris-gris *para proteção, mas eu já tinha um desses amuletos, um saquinho de ervas, ossos, unhas minhas e de minha filha, preparado por uma oficiante de vodu. Não me servira de nada. Alguém me falara de Père Antoine, um religioso espanhol de coração imenso, que servia da mesma maneira a senhores e escravos. As pessoas o adoravam. "Vá se confessar com ele, é uma experiência mágica", disseram-me. Eu nunca havia me confessado, porque em Saint-Domingue os escravos que o faziam acabavam pagando seus pecados neste mundo e não no outro, mas eu não tinha a quem recorrer e por isso fui vê-lo com Rosette. Esperei um bom tempo, fui a última da fila de suplicantes, cada um com as suas culpas e pedidos. Quando chegou a minha vez, não soube o que fazer, nunca havia estado tão perto de um* hungan *católico. O padre Antonio ainda era jovem, mas com cara de velho, de nariz comprido, olhos escuros e bondosos, barba como crina de cavalo e pés que mais pareciam patas de tartaruga em sandálias surradas. Chamou a gente com um gesto, levantou Rosette e a sentou em seus joelhos. Minha filha não resistiu, embora ele cheirasse a alho e seu hábito marrom estivesse asqueroso.*

— Olhe, maman! Ele tem pelos no nariz e farelo na barba — comentou Rosette, diante do meu horror.

— Sou muito feio — respondeu ele, rindo.

— Eu sou bonita — disse ela.

— Isso é verdade, menina, e, no seu caso, Deus perdoa o pecado da vaidade.

Seu francês soava como espanhol com catarro. Depois de brincar com Rosette por uns minutos, perguntou-me em que poderia me ajudar. Mandei minha filha brincar do lado de fora, para que não me ouvisse. Erzuli, loa amiga, me perdoe, não pensava me aproximar do Jesus dos brancos, mas a voz carinhosa de Père Antoine me desarmou e comecei a chorar de novo, embora tivesse gastado muitas lágrimas de noite. As lágrimas nunca se acabam. Contei-lhe que nossa sorte estava por um fio, a nova patroa era dura de sentimento e, quando suspeitasse que Rosette era filha de seu marido, ia se vingar não dele, mas de nós.

— Como sabe disso, minha filha? — perguntou-me.

— Sabe-se tudo, mon père.

— Ninguém sabe o futuro, só Deus. Às vezes, o que mais tememos acaba sendo uma bênção. As portas dessa igreja estão sempre abertas, pode vir quando quiser. Talvez Deus me permita ajudar você, quando chegar o momento.

— O deus dos brancos me dá medo, Père Antoine. É mais cruel que Prosper Cambray.

— Quem?

— O chefe dos capatazes da plantação em Saint-Domingue. Não sou serva de Jesus, mon père. Sou serva dos loas que acompanharam minha mãe desde a Guiné. Pertenço a Erzuli.

— Sim, filha, conheço sua Erzuli — sorriu o sacerdote. — Meu Deus é o mesmo Papa Bondye seu, mas com outro nome. Seus loas são como meus santos. No coração humano há espaço para todas as divindades.

— O vodu era proibido em Saint-Domingue, mon père.

— Aqui você pode continuar com o seu vodu, minha filha, porque ninguém se importa, desde que não haja escândalo. O domingo é o dia *de Deus, venha à missa pela manhã e de tarde vá à Praça do Congo dançar com seus* loas. *Qual é o problema?*

Entregou-me um pano imundo, seu lenço, para eu secar as lágrimas, mas preferi usar a barra da minha saia. Quando já estávamos saindo, ele me falou das freiras ursulinas. Nessa mesma noite, falou com dom Sancho. Foi assim.

Temporada de furacões

Hortense Guizot foi um vento de renovação na vida de Valmorain; insuflou-o de otimismo, ao contrário do que sentiram o restante da família e o pessoal da plantação. Em alguns fins de semana, o casal recebia hóspedes na plantação, conforme a hospitalidade *créole*, mas as visitas começaram a diminuir e logo terminaram quando ficou evidente o desgosto de Hortense, se alguém aparecia sem ser convidado. Os Valmorain passavam seus dias sozinhos. Oficialmente, Sancho vivia com eles, como tantos outros solteiros agregados a uma família, mas se viam pouco. Sancho buscava pretextos para evitá-los, e Valmorain sentia saudade da camaradagem que sempre haviam compartilhado. Agora suas horas transcorriam jogando cartas com a mulher, escutando-a trinar ao piano ou lendo enquanto ela pintava um quadrinho atrás do outro de donzelas em balanços e gatinhos com bolas de lã. Hortense voava com a agulha de crochê, fazendo paninhos para cobrir todas as superfícies disponíveis. Tinha mãos alvas e delicadas, gorduchas, de unhas impecáveis, laboriosas para as tarefas de tecido e bordado, ágeis no teclado, audazes no amor. Falavam pouco, mas se entendiam com olhares afetuosos e beijinhos soprados de uma poltrona a outra na imensa sala de jantar onde comiam sozinhos, já que Sancho aparecia raramente e ela havia sugerido que Maurice, quando estivesse com eles, comesse com seu tutor na rotunda do jardim, se o tempo permitia, ou na sala de jantar do dia a dia, pois assim aproveitava esse momento para continuar com as lições. Maurice tinha nove anos, mas se comportava como uma criança, segundo Hortense, que contava com uma dezena de sobrinhos e se considerava especialista na criação de filhos. Ele precisava conviver com outros meninos de sua classe social, não só com aqueles Murphy, tão ordinários. Era muito mimado, parecia uma menina; urgia expô-lo aos rigores da vida, dizia.

Valmorain rejuvenesceu, tirou as costeletas e baixou um pouco de peso com as acrobacias noturnas e as porções raquíticas que agora serviam em sua mesa. Havia encontrado a felicidade conjugal que não tivera com Eugenia. Até o medo de uma rebelião de escravos, que o perseguia desde Saint-Domingue, passara a segundo plano. A plantação não lhe tirava o sono, pois Owen Murphy era de uma eficiência elogiável, e o que não conseguia fazer encarregava seu filho Brandan, um adolescente robusto como o pai e prático como a mãe, que trabalhava desde os seis anos no lombo de um cavalo.

Leanne Murphy havia dado à luz o sétimo filho, idêntico a seus irmãos, robusto e de cabelos negros, mas arrumava tempo para atender o hospital de escravos, aonde ia diariamente com seu bebê num carrinho. Não podia ver sua patroa nem pintada. A primeira vez que Hortense tentara imiscuir-se em seu território, plantara-se na frente dela com os braços cruzados e uma expressão gélida de calma. Assim havia dominado o bando dos Murphy por mais de quinze anos e também funcionara com Hortense. Se o chefe dos capatazes não fosse tão bom empregado, Hortense Guizot teria despedido todos eles só para esmagar aquele inseto de irlandesa, mas lhe interessava mais a produção. Seu pai, um plantador de ideias antiquadas, dizia que o açúcar havia mantido os Guizot por gerações e não havia necessidade de novas experiências, mas ela averiguara as vantagens do algodão com o agrônomo americano e, como Sancho, estava levando-as em consideração. Não podia prescindir de Owen Murphy.

Um forte furacão em agosto devastou e inundou boa parte de Nova Orleans; nada grave, pois isso acontecia seguidamente e ninguém se preocupava demais com as ruas transformadas em canais e com a água suja passeando pelos pátios. A vida seguia como sempre, só que molhada. Naquele ano, os atingidos foram poucos, apenas os mortos pobres emergiram de suas covas, flutuando numa sopa de barro, mas os mortos ricos continuaram descansando em paz em seus mausoléus, sem se verem expostos à indignidade de perder os ossos na boca de cães vadios. Em algumas ruas, a água chegou aos joelhos e vários homens arranjaram um trabalho transportando gente nas costas de um ponto a outro, enquanto as crianças se divertiam rolando nos charcos, no lixo e na bosta dos cavalos.

Os médicos, sempre alarmistas, avisaram que haveria uma epidemia pavorosa, mas Père Antoine organizou uma procissão com o Santíssimo à frente e ninguém se atreveu a zombar daquele método para dominar o clima, porque sempre dava resultado. Naquela época, o sacerdote já tinha fama de santo, embora fizesse apenas três anos que se instalara na cidade. Vivera lá muito brevemente em 1790, quando a Inquisição o enviara a Nova Orleans, com a missão de expulsar os judeus, castigar os hereges e propagar a fé a ferro e fogo, mas nada tinha de fanático e se alegrara quando os indignados cidadãos da Louisiana, pouco dispostos a tolerar um inquisidor, o deportaram para a Espanha, sem a menor consideração. Voltou em 1795, como pároco da catedral de Saint-Louis, recém-construída depois do incêndio da anterior. Chegou disposto a tolerar os judeus, fazer vista grossa aos hereges e propagar a fé com compaixão e caridade. Atendia a todos igualmente, sem distinguir entre livres e escravos, criminosos e cidadãos exemplares, damas virtuosas e de vida alegre, ladrões, piratas, advogados, carrascos, usurários e excomungados. Todos cabiam, lado a lado, na sua igreja.

Os bispos o detestavam por ser insubordinado, mas o rebanho de seus fiéis o defendia com lealdade. Père Antoine, com seu hábito de capuchinho e sua barba de apóstolo, era a tocha espiritual daquela cidade pecaminosa. No dia seguinte ao de sua procissão, a água retrocedeu das ruas, e naquele ano não houve epidemia.

A casa dos Valmorain foi a única da cidade afetada pela inundação; a água não veio da rua, surgiu do solo, borbulhando como um suor espesso. Os alicerces haviam resistido heroicamente à perniciosa umidade durante anos, mas aquele ataque insidioso os venceu. Sancho conseguiu um mestre de obras e uma equipe de pedreiros e carpinteiros que invadiram o primeiro andar com andaimes, alavancas e roldanas. Transportaram o mobiliário para o segundo andar onde se acumularam caixões e móveis cobertos com lençóis. Tiveram de tirar os paralelepípedos do pátio, fazer drenagens e demolir os alojamentos dos escravos domésticos, afundados no lodaçal.

Apesar dos inconvenientes e do gasto, Valmorain estava satisfeito, porque aquele desastre lhe dava mais tempo para resolver o problema de Tété. Nas visitas que fazia com sua mulher a Nova Orleans, ele para negócios e ela para a vida social, ficavam na casa dos Guizot, um pouco apertada, mas melhor do que um hotel. Hortense não demonstrou nenhuma curiosidade pelas obras, mas exigiu que a casa estivesse pronta em outubro; assim, a família poderia passar a temporada na cidade. Muito saudável aquilo de viver no campo, mas era preciso marcar sua presença entre as pessoas de bem, quer dizer, as de sua classe social. Tinham estado ausentes por muito tempo.

Sancho chegou à plantação quando as obras na casa já haviam terminado. Chegou agitado como sempre, mas com a impaciência contida de quem precisa resolver um assunto desagradável. Hortense percebeu e soube por instinto que se tratava da escrava cujo nome estava no ar, a concubina. Cada vez que Maurice perguntava por ela ou por Rosette, Valmorain ficava vermelho. Hortense prolongou a ceia e o jogo de dominó para não dar chance aos homens de falarem sozinhos. Temia a influência de Sancho, a quem considerava nefasto, e necessitava preparar o ânimo de seu marido na cama para qualquer eventualidade. Às onze da noite, Valmorain se espreguiçou, bocejando, e anunciou que havia chegado a hora de ir dormir.

— Preciso falar com você em particular, Toulouse — anunciou Sancho, pondo-se de pé.

— Em particular? Não tenho segredos com Hortense — respondeu o outro, de bom humor.

— Claro que não, mas isso é coisa de homens. Vamos à biblioteca. Me perdoe, Hortense — disse Sancho, desafiando a mulher com o olhar.

Na biblioteca, aguardava-os o mordomo de luvas brancas, com a desculpa de lhes servir conhaque, mas Sancho lhe deu ordens de se retirar e fechar a porta. Depois se virou para seu cunhado e o pressionou para que decidisse sobre a sorte de Tété. Faltavam só onze dias para outubro, e a casa estava pronta para receber a família.

— Não penso em fazer mudanças. Essa escrava continuará a me servir como sempre o fez e é melhor que o faça de boa vontade — explicou Valmorain, distante.

— Você prometeu a liberdade dela, Toulouse, inclusive assinou um documento.

— Sim, mas não quero que me pressione. Farei as coisas no tempo devido. Se for o caso, contarei tudo a Hortense. Estou certo de que entenderá. Por que está interessado nisso, Sancho?

— Porque seria lamentável que isso afetasse seu casamento.

— Isso não acontecerá. Parece que fui o primeiro a me deitar com uma escrava, Sancho, por Deus!

— E Rosette? Sua presença será humilhante para Hortense — insistiu Sancho. — É óbvio que ela é sua filha. Mas pensei numa maneira de afastá-la. As ursulinas recebem crianças de cor e as educam tão bem como educam as brancas, mas separadas, naturalmente. Rosette poderia passar os primeiros anos internada com as freiras.

— Isso não me parece necessário, Sancho.

— O documento que Tété me mostrou inclui Rosette. Quando for livre, ela terá que ganhar a vida, e para isso será necessário que possua uma certa educação, Toulouse. Ou você pretende continuar sustentando-a para sempre?

Naqueles dias, decretaram em Saint-Domingue que os colonos residentes fora da ilha, em qualquer parte menos na França, eram considerados traidores e suas propriedades seriam confiscadas. Alguns emigrados se mostraram dispostos a voltar para reclamar suas terras, mas Valmorain tinha dúvidas: não havia razão para supor que o ódio racial houvesse diminuído. Decidiu aceitar o conselho de seu antigo agente em Le Cap, que lhe propôs por carta que registrasse temporariamente a *habitation* Saint-Lazare em seu nome, para evitar que a confiscassem. Para Hortense, a solução pareceu descabida; era óbvio que o homem se apoderaria da plantação, mas Valmorain confiava no ancião, que havia servido sua família durante mais de trinta anos, e, como ela não pôde oferecer alternativa melhor, assim foi feito.

Toussaint Louverture se tornara o comandante-chefe das forças armadas; lidava diretamente com o governo da França e havia anunciado que daria baixa à metade de suas tropas para que voltassem às plantações como mão de obra livre. Essa história de livre era relativa: deviam cumprir, pelo menos, dois anos de trabalho forçado sob controle militar, e, aos olhos de muitos negros, aquilo era uma volta dissimulada à escravidão. Valmorain pensou em fazer uma rápida viagem a Saint-Domingue para avaliar a situação por si mesmo, mas Hortense protestou aos gritos. Estava grávida de cinco meses; seu marido não podia abandoná-la naquele estado e expor sua vida naquela ilha desgraçada, e ainda por cima navegando em alto-mar, em plena temporada de furacões. Valmorain adiou a viagem e prometeu que, se recuperasse sua propriedade em Saint-Domingue, a deixaria nas mãos de um administrador e eles ficariam na Louisiana. Isso tranquilizou a mulher por uns dois meses, mas logo ela meteu na cabeça que não deviam ter investimentos em Saint-Domingue. Dessa vez, Sancho concordara com ela. Tinha a pior opinião sobre a ilha, onde havia estado umas duas vezes para visitar sua irmã Eugenia. Propôs vender Saint-Lazare ao primeiro interessado e, com a ajuda de Hortense, torceu o braço de Valmorain, que acabou por ceder depois de semanas de indecisão. Aquela terra estava ligada ao seu pai, ao nome da família, à sua juventude, dissera ele, mas seus argumentos se arrebentaram contra a realidade irrefutável de que a colônia era uma arena de gente de todas as cores matando-se mutuamente.

O humilde Gaspard Sévérin voltou a Saint-Domingue sem se importar com as advertências de outros refugiados, que continuavam chegando a Louisiana triste e continuamente. As notícias que traziam eram deprimentes, mas Sévérin não havia conseguido se adaptar e preferira voltar para se reunir à família, embora continuasse com seus pesadelos de sangue e as mãos trêmulas. Teria voltado tão miserável como saíra, se Sancho García del Solar não lhe tivesse entregado uma soma discreta a modo de empréstimo, como dissera, embora os dois soubessem que nunca seria devolvida. Sévérin levou ao agente a autorização de Valmorain para vender a terra. Encontrou-o no endereço de sempre, embora o edifício fosse novo, porque o anterior havia sido reduzido a cinzas no incêndio de Le Cap. Entre os artigos armazenados para exportação que se haviam queimado nos depósitos estava o caixão de nogueira e prata de Eugenia García del Solar. O ancião continuava com seus negócios, vendendo o pouco que produzia a colônia e importando casas de madeira de cipreste dos Estados Unidos, que lhe chegavam em partes, prontas para ser encaixadas como brinquedos. A demanda era enorme, porque toda escaramuça entre inimigos terminava em incêndio. Já não havia compradores para os objetos que tanto lucro lhe haviam dado no passado: tecidos, chapéus, ferramentas, móveis, arreios, grilhões, caldeirões para ferver melaço...

Dois meses depois da partida do tutor, Valmorain recebeu a resposta do agente: havia conseguido um comprador para Saint-Lazare, um mulato, oficial do exército de Toussaint. Podia pagar muito pouco, mas fora o único interessado, e o agente recomendou a Valmorain que aceitasse a oferta, porque, desde a emancipação dos escravos e da guerra civil, ninguém dava nada pela terra. Hortense teve que admitir que havia se enganado redondamente com o agente, que era mais honrado do que se podia esperar naqueles tempos tormentosos em que a bússola moral andava desajustada. O agente vendeu a propriedade, cobrou sua comissão e mandou o resto do pagamento a Valmorain.

A golpes de chibata

Com a partida de Sévérin terminaram as aulas particulares de Maurice e começou o seu calvário numa escola para meninos de classe alta em Nova Orleans, onde não aprendia nada, mas devia se defender dos valentões que implicavam com ele, o que não o tornou mais atrevido, como esperavam seu pai e sua madrasta, porém mais prudente, como temia seu tio Sancho. Voltou a sofrer seus pesadelos com os condenados de Le Cap e, algumas vezes, fez xixi na cama, mas ninguém soube porque Tété se encarregou de lavar os lençóis às escondidas. Nem mesmo contava com o consolo de Rosette, porque seu pai não o deixara visitá-la nas ursulinas e o proibira de mencioná-la na frente de Hortense.

Toulouse Valmorain havia esperado com exagerada preocupação o encontro de Hortense com Tété, porque não sabia que na Louisiana uma coisa tão banal não merecia uma cena. Entre os Guizot, como em toda família *créole*, ninguém se atrevia a questionar o patriarca; as mulheres suportavam os caprichos do marido enquanto eles fossem discretos, e sempre o eram. Apenas a esposa e os filhos legítimos contavam neste mundo e no próximo; seria indigno gastar ciúmes com uma reles escrava, melhor reservá-los para as célebres mulatas livres de Nova Orleans, capazes de se apoderarem da vontade de um homem até seu último suspiro. Porém, mesmo no caso daquelas cortesãs, uma dama bem-nascida simplesmente ignorava o assunto, assim haviam criado Hortense e as mulheres de sua classe social. Seu mordomo, que ficara na plantação encarregado do numeroso pessoal doméstico, confirmara suas suspeitas sobre Tété.

— Monsieur Valmorain a comprou quando ela tinha uns nove anos e a trouxe de Saint-Domingue. É a única concubina dele que se tem notícia, patroa — disse-lhe.

— E a pirralha?

— Antes de se casar, monsieur a tratava como filha, e o jovem Maurice gosta dela como se fosse sua irmã.

— Meu enteado ainda tem muito que aprender — resmungou Hortense.

Achou um mau sinal que o marido tivesse recorrido a complicados estratagemas para manter aquela mulher afastada durante meses; talvez ela ainda o perturbasse, mas, no dia em que entraram na casa da cidade, Hortense se tranquilizou. Foram recebidos pelos criados em fila e bem-vestidos, com Tété à frente. Valmorain fez as apresentações com cordialidade nervosa, enquanto sua mulher media a escrava de cima a baixo e de dentro para fora, para concluir que a outra não representava uma tentação para ninguém e menos ainda para seu marido, a quem ela tinha comendo na palma da sua mão. Aquela mulata, três anos mais nova do que ela, gasta pelo trabalho e pela falta de cuidado, tinha os pés cheios de calos, os seios flácidos e uma expressão sombria. Admitiu que era esbelta e digna para uma escrava, e que tinha um rosto interessante. Lamentou que o marido fosse tão mole; a vaidade tinha subido à cabeça daquela mulher. Nos dias seguintes, Valmorain cercou Hortense de atenções, que ela interpretou como um desejo expresso de humilhar a antiga concubina. "Não é necessário se incomodar", pensou, "eu me encarrego de colocá-la em seu lugar", mas Tété não lhe deu motivo de queixa. A casa estava impecável, não restava nenhuma lembrança do estrépito dos martelos, do barral do pátio, das nuvens de poeira e do suor dos pedreiros. Cada coisa estava em seu devido lugar, as lareiras limpas, as sacadas com flores e os quartos arejados.

No começo, Tété trabalhava assustada e muda, mas depois de uma semana começou a relaxar, porque aprendeu as rotinas e manias de sua nova patroa, e se esmerou em não provocá-la. Hortense era exigente e inflexível: uma vez que dava uma ordem, por irracional que fosse, devia ser cumprida. Vendo as mãos de Tété, longas e elegantes, colocou-a para lavar roupa, enquanto a lavadeira, ociosa, passava os dias no pátio, desocupada. Nem Célestine a quis como ajudante; a mulher era de uma incapacidade monumental e cheirava a alvejante. Depois decidiu que Tété não podia se retirar para descansar antes dela: tinha que esperar vestida até eles voltarem da rua, embora se levantasse ao amanhecer e tivesse que trabalhar o dia inteiro tropeçando por causa do sono atrasado. Valmorain argumentou desanimado que aquilo não era necessário, já que o rapaz dos recados se encarregava de apagar as lamparinas e fechar a casa, e a tarefa de desvesti-la era de Denise, mas Hortense insistiu mesmo assim. Era déspota com os criados, que deviam suportar seus gritos e surras, mas lhe faltavam agilidade e tempo para se impor a golpes de chibata, como na plantação, porque estava inchada pela gravidez e muito ocupada com sua vida social, *soirées* e espetáculos, além dos cuidados com a beleza e a saúde.

Depois de almoçar, Hortense ocupava umas duas horas em seus exercícios de voz, em se vestir e se pentear. Não aparecia até as quatro ou cinco da tarde, quando estava pronta para sair e dedicar atenção total a Valmorain. A moda imposta pela França lhe caía bem: vestidos de tecidos leves em cores claras, debruados com gregas, a cintura alta, a saia rodada e ampla com pregas, e o imprescindível xale de renda sobre os ombros. Os chapéus eram sólidas construções de penas de avestruz, fitas e tules que ela mesma transformava. Tal como havia pretendido usar as sobras de comida, reciclava os chapéus, tirava pompons de um para pôr em outro, e flores do segundo para acrescentar no primeiro, inclusive tingindo as penas sem que perdessem a forma, de modo que todo dia exibia um diferente.

Um certo sábado, lá pela meia-noite, quando já estavam havia duas semanas na cidade e voltavam do teatro de coche, Hortense perguntou ao marido pela filha de Tété.

— Onde está essa mulatinha, querido? Não a vi desde que chegamos e Maurice não se cansa de perguntar por ela — disse em tom inocente.

— Você se refere a Rosette? — gaguejou Valmorain, desamarrando a gravata de laço.

— É assim que ela se chama? Deve ter a idade de Maurice, não é mesmo?

— Vai fazer sete. É bastante alta. Não pensei que você fosse se lembrar dela, viu-a apenas uma vez — respondeu Valmorain.

— Era uma gracinha dançando com Maurice. Já tem idade para trabalhar. Podemos obter um bom preço por ela — comentou Hortense, acariciando o marido na nuca.

— Não tenho planos de vendê-la, Hortense.

— Mas já tenho compradora! Minha irmã Olivie gostou dela na festa e quer dá-la à sua filha quando fizer quinze anos, daqui a dois meses. Como vamos negar?

— Rosette não está à venda — repetiu ele.

— Espero que você não tenha oportunidade de se arrepender, Toulouse. Essa pirralha não nos serve para nada e poderá nos trazer muitos problemas.

— Não quero falar mais nisto! — exclamou o marido.

— Por favor, não grite comigo... — murmurou Hortense, a ponto de chorar, segurando o ventre redondo com suas mãos enluvadas.

— Me perdoe, Hortense. Que calor está fazendo neste coche! Um dia desses vamos tomar uma decisão, querida. Não há pressa.

Ela compreendeu que havia cometido uma burrada. Devia agir como sua mãe e suas irmãs, que moviam os fios na sombra, com astúcia, sem confrontar os maridos, fazendo-os crer que eram eles que tomavam as decisões. O casamento era como pisar em ovos: era preciso andar com muito cuidado.

Quando sua barriga ficou evidente e teve que se recolher — nenhuma dama se apresentava em público exibindo a prova cabal de haver copulado —, Hortense permanecia recostada tecendo como uma tarântula. Sem se mover, sabia exatamente o que acontecia em seu feudo, as fofocas da alta-roda, as notícias locais, os segredos de suas amigas e cada passo do pobre Maurice. Apenas Sancho escapava de sua vigilância, porque era tão desorganizado e imprevisível que se tornara difícil seguir-lhe o rasto. Hortense deu à luz no Natal, atendida pelo médico de melhor reputação em Nova Orleans, na casa invadida pelas mulheres Guizot. Faltaram mãos a Tété e ao resto dos domésticos para servir as visitas. Apesar do inverno, o ambiente era sufocante, e tiveram que designar dois escravos para mover os ventiladores do salão e do quarto da senhora.

Hortense já não estava na primeira juventude e o médico avisou que poderiam surgir complicações, mas em menos de quatro horas nasceu uma menina tão corada como todos os Guizot. Toulouse Valmorain, de joelhos ao lado da cama da esposa, anunciou que a pequena se chamaria Marie-Hortense, como correspondia à primogênita, e todos aplaudiram emocionados, menos Hortense, que começou a chorar de raiva porque esperava um menino para competir com Maurice pela herança.

Puseram a ama de leite na água-furtada e deram a Tété um quarto do pátio, que dividia com outras duas escravas. Segundo Hortense, essa medida devia ter sido tomada muito antes para tirar Maurice do mau costume de se enfiar na cama da escrava.

A pequena Marie-Hortense recusava o peito com tal determinação que o médico aconselhou substituir a ama de leite antes que a criança morresse de inanição. Coincidiu com seu batismo, que foi celebrado com o melhor repertório de Célestine: leitão com cerejas, pato ao molho, mariscos apimentados, diversos tipos de *gumbo*, casco de tartaruga recheado com ostras, confeitaria de inspiração francesa e uma torta de vários andares coroada por um bercinho de porcelana. Seguindo a tradição, a madrinha deveria pertencer à família da mãe, neste caso uma de suas irmãs, e o padrinho à do pai, mas Hortense não quis que um homem tão libertino como Sancho, único parente de seu marido, fosse o guardião moral de sua filha, e a honra coube a um dos irmãos dela. Nesse dia distribuíram-se presentes para cada convidado — caixas de prata com o nome da menina e cheias de amêndoas carameladas — e moedas para os escravos. Enquanto os convidados comiam com apetite, a batizada berrava de fome, porque também havia rejeitado a segunda ama de leite. E a terceira não conseguiu durar nem dois dias.

Tété tratou de ignorar aquele choro desesperado, mas sua vontade fraquejou e se apresentou a Valmorain para explicar que Tante Rose havia tratado um caso semelhante em Saint-Lazare com leite de cabra. Enquanto conseguiam uma cabra, cozinhou arroz até se desfazer, acrescentou uma pitada de sal e uma colherinha de açúcar, coou e deu para a menina. Quatro horas mais tarde preparou outra papa semelhante, dessa vez com aveia, e assim, de papinha em papinha e com a cabra que ordenhava no pátio, Tété a salvou. "Às vezes, estas negras sabem mais do que a gente", comentou o médico, assombrado. Então, Hortense decidiu que Tété devia voltar para a água-furtada para cuidar de sua filha em tempo integral. Como a patroa ainda estava reclusa, Tété não tinha que esperar o galo cantar para se deitar, e como a menina não incomodava de noite pôde, por fim, descansar.

A patroa passou quase três meses de cama, com os cães por cima dela, a lareira acesa e as cortinas abertas para dar passagem ao sol invernal, consolando-se do tédio com visitas femininas e comendo doces. Nunca havia apreciado tanto Célestine. Quando deu por findo o seu repouso, por insistência de sua mãe e de suas irmãs, preocupadas com aquela preguiça de odalisca, nenhum vestido lhe servia e continuou usando os mesmos da gravidez, com os acertos necessários para que parecessem outros. Emergiu de sua prostração com novas vaidades, disposta a aproveitar os prazeres da cidade antes que terminasse a temporada e tivessem que ir para a plantação. Saía em companhia do marido ou de suas amigas para umas voltas no dique espaçoso, bem chamado de a alameda mais longa do mundo, com seus arvoredos e recantos encantadores, onde sempre havia coches de passeio, moças acompanhadas de suas damas de companhia e jovens a cavalo espiando-as pelos cantos dos olhos, além da ralé invisível para ela. Às vezes, mandava uns dois escravos na frente com o lanche e os cachorros, enquanto ela tomava ar, seguida por Tété com Marie-Hortense no colo.

Naqueles dias, o marquês de Marigny ofereceu sua esplêndida hospitalidade a um membro da realeza francesa exilado desde 1793, durante sua prolongada visita à Louisiana. Marigny herdara uma fortuna descomunal quando tinha apenas quinze anos, e dizia-se que era o homem mais rico da América. Se não era verdade, fazia o possível para parecer: acendia seus charutos com notas de dinheiro. Era tal o seu esbanjamento e a sua extravagância que até a decadente classe alta de Nova Orleans estava estupefata. Père Antoine denunciava de seu púlpito aqueles alardes de opulência, lembrando aos fiéis que era mais fácil um camelo passar pelo buraco de uma agulha do que um rico pela porta do céu, mas a mensagem de moderação entrava por uma orelha da congregação e saía pela outra. As famílias mais soberbas rastejavam para conseguir um convite de Marigny; e nenhum camelo, por mais bíblico que fosse, os faria renunciar a tais festas.

Hortense e Toulouse não foram convidados por causa de seus sobrenomes, como esperavam, mas graças a Sancho, que havia se tornado companheiro de farra de Marigny e, entre dois tragos, lhe soprara que seus cunhados desejavam conhecer o nobre. Sancho tinha muito em comum com o jovem marquês, a mesma coragem heroica para arriscar a pele em duelos por ofensas imaginárias, a energia inesgotável para se divertir, o gosto desmedido pelo jogo, pelos cavalos, pelas mulheres, pela boa cozinha e pelo conhaque, e o mesmo desprezo divino pelo dinheiro. Sancho García del Solar merecia ser um *créole* de pura cepa, proclamava Marigny, que se vangloriava de saber reconhecer de olhos fechados um verdadeiro cavalheiro.

No dia do baile, a casa de Valmorain ficou em estado de alerta. Os criados começaram a correr desde o amanhecer, cumprindo as ordens pretorianas de Hortense, num sobe e desce frenético de escadas, carregando baldes de água quente para o banho, cremes para massagens, infusões diuréticas para desfazer em três horas as gorduras de vários anos, creme para clarear a cútis, sapatos, vestidos, xales, fitas, joias, maquiagem. A costureira não dava conta, e o cabeleireiro teve um ataque e precisou ser reanimado com massagens de vinagre. Valmorain, encurralado pela frenética agitação coletiva, foi matar o tempo no Café des Émigrés, na companhia de Sancho, onde nunca faltavam amigos para jogar cartas. Finalmente, depois que o cabeleireiro e Denise terminaram de armar a torre de cachos de Hortense, enfeitada de penas de faisão e um broche de ouro e diamantes idênticos ao colar e aos brincos, chegou o instante solene de lhe colocar o vestido vindo de Paris. Denise e a costureira o vestiram por baixo, para não tocar no penteado. Era um portento de véus brancos e pregas profundas que davam a Hortense a aparência perturbadora de uma enorme estátua greco-romana. Quando tentaram fechá-lo nas costas mediante trinta e oito minúsculos botões de nácar, comprovaram que, por mais esforços e puxões que dessem, não poderiam abotoá-lo, porque, mesmo com os diuréticos, Hortense havia aumentado, naquela semana, dois quilos por causa dos nervos. Ela deu um grito que por pouco não arrebentou as lamparinas e atraiu todos os habitantes da casa.

Denise e a costureira recuaram para um canto e se encolheram no chão, esperando a morte se abater sobre elas, mas Tété, que conhecia menos a patroa, teve a má ideia de propor que prendessem o vestido com alfinetes dissimulados com o laço do cinto. Hortense respondeu com outro berro destemperado, pegou a chibata, que sempre tinha por perto, e se atirou para cima de Tété, cuspindo insultos de marinheiro e golpeando-a com o ressentimento acumulado contra ela, a concubina, e com a irritação que sentia contra si mesma por ter engordado.

Tété caiu de joelhos, encolhida, cobrindo a cabeça com os braços. Tchas!, tchas!, soava a chibata, e cada gemido da escrava inflamava mais a fogueira da patroa. Oito, nove, dez chibatadas caíram ressoando como relâmpagos ardentes, sem que Hortense, vermelha e suando, com a torre do penteado desmoronando em mechas patéticas, se desse por saciada.

Naquele instante, Maurice irrompeu no quarto como um touro afastando os que assistiam à cena paralisados e, com um forte empurrão, totalmente inesperado num menino que havia passado os onze anos de sua vida tratando de escapar da violência, atirou a madrasta no chão. Tomou-lhe a chibata e aplicou-lhe um golpe destinado a lhe marcar o rosto, mas acertou o pescoço, cortando o ar e o grito no peito de Hortense. Levantou o braço para continuar batendo, tão descontrolado como estivera Hortense momentos antes, mas Tété se arrastou como pôde, pegou-o pelas pernas e o puxou para trás. A segunda chibatada caiu sobre as pregas do vestido de musselina de Hortense.

Aldeia de escravos

Mandaram Maurice para um colégio interno em Boston, onde os rigorosos professores americanos fariam dele um homem, como tantas vezes seu pai havia ameaçado, mediante métodos didáticos e disciplinares de inspiração militar. Maurice partiu com seus poucos pertences num baú, com um acompanhante contratado para esse fim, que o deixou às portas do estabelecimento com uma palmadinha de consolo no ombro. O menino não conseguiu se despedir de Tété, porque na manhã seguinte à surra a enviaram para a plantação com instruções para Owen Murphy colocá-la imediatamente para cortar cana. O chefe dos capatazes a viu chegar coberta de vergões, cada um da espessura de uma corda para amarrar bois, mas felizmente nenhum no rosto, e a mandou para o hospital de sua mulher. Leanne, ocupada com um nascimento complicado, disse que lhe aplicassem uma pomada de babosa, enquanto ela se concentrava numa jovem que gritava aterrorizada pela tormenta que sacudia seu corpo fazia muitas horas.

Leanne, que havia parido sete filhos rapidamente e sem dramas, cuspidos por seu esqueleto de frango entre dois pai-nossos, se deu conta de que tinha uma encrenca em mãos. Levou Tété para um lado e lhe explicou em voz baixa, para que a outra não ouvisse, que a criança estava atravessada e que não havia jeito de sair. “Nenhuma mulher morreu no parto comigo; esta vai ser a primeira", disse num sussurro. "Me deixe ver, senhora", respondeu Tété. Ela convenceu a mãe a lhe permitir examiná-la, lubrificou as mãos e, com seus dedos finos e experientes, comprovou que estava pronta, e o diagnóstico de Leanne, correto. Através da pele esticada adivinhava a forma da criança como se a estivesse vendo. Fez a mãe ficar de joelhos com a cabeça apoiada no chão e o traseiro elevado, para aliviar a pressão na pélvis, enquanto lhe massageava o ventre, pressionando com as duas mãos para girá-lo de fora. Nunca havia realizado aquela manobra, mas vira Tante Rose fazê-la e não a esquecera. Naquele instante, Leanne deixou escapar um grito: uma mãozinha fechada havia assomado pelo canal de nascimento. Tété a empurrou para dentro delicadamente, para não desconjuntar o braço, até que tornou a desaparecer dentro da mãe, e continuou sua tarefa com paciência. Ao fim de um tempo que pareceu muito longo, sentiu um movimento da criança, que se virava devagarinho e que finalmente encaixou a cabeça. Não pôde evitar um soluço de agradecimento, e achou que viu Tante Rose sorrindo a seu lado.

Leanne e ela seguraram a mãe, que havia compreendido o que estava acontecendo e colaborava, em vez de se debater enlouquecida de medo, e a fizeram caminhar em círculos, falando com ela, acariciando-a. Lá fora o sol havia se posto, e se deram conta de que estavam no escuro. Leanne acendeu uma lamparina de sebo, e continuaram andando até que chegou o momento de receber a criança. "Erzuli, *loa* mãe, ajude-a a nascer", rogou Tété em voz alta. "San Ramón Nonato, preste atenção, não vá permitir que uma santa africana ganhe de você", respondeu Leanne no mesmo tom, e as duas começaram a rir. Puseram a mãe de cócoras sobre um pano limpo, amparando-a pelos braços, e, dez minutos depois, Tété tinha nas mãos um bebê arroxeado, a quem obrigou a respirar com uma palmada no traseiro, enquanto Leanne cortava o cordão umbilical.

Quando a mãe estava limpa e com o filho ao peito, recolheram os panos ensanguentados, os restos do parto e se sentaram num banquinho na porta, para descansar sob um céu negro estrelado. Assim as encontrou Owen Murphy, que chegou balançando um lampião numa das mãos e um jarro de café quente na outra.

— Como vai a coisa? — perguntou o homenzarrão, entregando para elas o café, sem se aproximar muito porque os mistérios femininos o intimidavam.

— Seu patrão já tem outro escravo e eu tenho uma ajudante — respondeu sua mulher, apontando para Tété.

— Não me complique a vida, Leanne. Tenho ordem de colocá-la num grupo nos canaviais — resmungou Murphy.

— E desde quando você obedece ordens de outro antes das minhas? — sorriu ela, ficando na ponta dos pés para lhe beijar o pescoço, onde terminava a barba negra.

Assim foi feito e ninguém perguntou nada, porque Valmorain não queria saber, e Hortense dera por concluído o inoportuno assunto da concubina e a esquecera.

Na plantação, Tété dividia uma cabana com três mulheres e duas crianças. Levantava com todos os outros, com as badaladas do sino ao amanhecer, e passava o dia ocupada no hospital, na cozinha, com os animais domésticos, e com mil tarefas que o chefe dos capatazes e Leanne lhe davam. O trabalho lhe parecia leve comparado aos caprichos de Hortense. Sempre trabalhara na casa, e quando a mandaram para o campo achou que estava condenada a uma morte lenta, como vira em Saint-Domingue. Não imaginou que encontraria algo muito próximo da felicidade.

Havia lá quase duzentos escravos, alguns provenientes da África ou das Antilhas, mas a maioria nascida na Louisiana, unidos pela necessidade de se apoiar e pela desgraça de pertencer a um patrão. Depois do sino da tarde, quando os grupos voltavam dos campos, começava a verdadeira vida em comunidade.

As famílias se reuniam e, enquanto houvesse luz, ficavam ao ar livre, porque nas cabanas não havia espaço nem ar. Da cozinha da plantação mandavam a sopa, que era repartida de cima de uma carretinha, e as pessoas acrescentavam vegetais, ovos e, se havia alguma coisa para festejar, galinhas ou lebres. Sempre havia trabalhos pendentes: cozinhar, costurar, regar a plantação, consertar o telhado. A menos que chovesse ou fizesse muito frio, as mulheres arrumavam tempo para conversar e os homens para jogar com pedrinhas num tabuleiro desenhado no chão ou tocar banjo. As moças penteavam umas às outras, as crianças vagabundeavam, e formavam-se grupinhos para ouvir uma história. Os contos favoritos eram os de Bras Coupé — que aterrorizavam a todos, crianças e adultos —, um negro manco e gigantesco que rondava os pântanos e havia se livrado da morte mais de cem vezes.

Era uma sociedade hierárquica. Os mais apreciados eram os bons caçadores, que Murphy mandava em busca de carne, veados, pássaros e porcos selvagens para a sopa. No topo do escalão estavam os que possuíam um ofício, como ferreiros ou carpinteiros, e os menos cotados eram os recém-chegados. As avós mandavam, mas quem tinha mais autoridade era o pregador, de uns cinquenta anos e pele tão escura que parecia azul, encarregado das mulas, bois e cavalos de tiro. Dirigia os cantos religiosos com uma irresistível voz de barítono, citava parábolas de santos de sua invenção e servia de árbitro nas disputas, porque ninguém queria ventilar seus problemas fora da comunidade. Os capatazes, embora fossem escravos e vivessem com os demais, tinham poucos amigos. Os domésticos costumavam visitar os alojamentos, mas ninguém os queria, porque se davam ares de muita importância, vestiam-se e comiam melhor, e podiam ser espiões dos patrões. Receberam Tété com respeito cauteloso, porque se soube que havia girado uma criança dentro da mãe. Ela disse que havia sido um milagre combinado de Erzuli e San Ramón Nonato, e sua explicação satisfez a todos, inclusive Owen

Murphy, que não tinha ouvido falar de Erzuli e a confundiu com uma santa católica.

Nas horas de descanso, os capatazes deixavam em paz os escravos — nada de homens armados patrulhando, latidos exacerbados de cães ferozes, nem Prosper Cambray nas sombras, com o chicote enrolado, reclamando uma virgem de onze anos para sua rede. Depois do jantar, Owen Murphy passava com seu filho Brandan para dar uma última olhada e verificar se estava tudo em ordem antes de se retirar para sua casa, onde o esperava sua família para comer e rezar. Não ligava quando à meia-noite o cheiro de carne assada indicava que alguém havia saído para caçar gambás na escuridão. Desde que o homem se apresentasse pontualmente para o trabalho ao amanhecer, não tomava nenhuma medida punitiva.

Como em todos os lugares, os escravos descontentes quebravam ferramentas, provocavam incêndios e maltratavam os animais, mas eram casos isolados. Outros se embebedavam e nunca faltava alguém que ia para o hospital com uma doença fingida para descansar um pouco. Os doentes de verdade confiavam em remédios tradicionais: rodelas de batata aplicadas onde doesse, gordura de jacaré para ossos artríticos, espinhos fervidos para soltar vermes intestinais e raízes índias para cólicas. Tété não conseguiu introduzir algumas fórmulas de Tante Rose; ninguém queria fazer experimentos com a própria saúde.

Tété comprovou que pouquíssimos companheiros seus padeciam da obsessão de fugir, como em Saint-Domingue, e, quando o faziam, voltavam, geralmente ao cabo de dois ou três dias, sozinhos e cansados de vagar pelos pântanos, ou capturados pelos vigilantes das estradas. Recebiam uma sova e se incorporavam à comunidade humilhados, onde não eram muito bem recepcionados, já que ninguém queria mais problemas. Os padres itinerantes e Owen Murphy martelavam com a virtude da resignação, cuja recompensa estava no céu, onde todas as almas gozavam da mesma felicidade. Tété achava isso mais conveniente para os brancos do que para os negros; a felicidade deveria estar mais bem distribuída era neste mundo, mas não se atreveu a falar com Leanne pela mesma razão que ia às missas de cara boa, para não ofendê-la. Não confiava na religião dos patrões. O vodu que ela praticava à sua maneira também era fatalista, mas pelo menos podia experimentar o poder divino ao ser montada pelos *loas*.

Antes de conviver com as pessoas da plantação, a escrava não sabia como tinha sido solitária a sua existência, sem mais carinho do que o de Maurice e Rosette, sem ninguém com quem compartilhar lembranças e aspirações. Rapidamente se acostumou àquela comunidade, sentindo falta apenas das crianças. Imaginava-as sozinhas de noite, assustadas, e sua alma se quebrava de dor.

— A próxima vez que Owen for a Nova Orleans, ele vai trazer notícias de sua filha — prometeu Leanne.

— E quando vai ser, senhora?

— Quando o patrão mandar, Tété. É muito caro ir à cidade, e estamos economizando cada centavo.

Os Murphy sonhavam em comprar terra e trabalhá-la lado a lado com seus filhos, como tantos outros imigrantes e como alguns mulatos e negros livres. Existiam poucas plantações tão grandes como a de Valmorain; a maioria era de campos medianos ou pequenos, cultivados por famílias modestas, cujos escravos, se possuíam alguns, levavam a mesma existência de seus patrões. Leanne contou a Tété que chegara à América no colo dos pais, que haviam se empregado numa plantação como servos por dez anos para pagar o custo da passagem de barco desde a Irlanda, o que na prática não era diferente da escravidão.

— Sabe que também há escravos brancos, Tété? Valem menos do que os negros, porque não são tão fortes. Pagam mais pelas mulheres brancas, e você pode imaginar para que as usam.

— Nunca vi escravos brancos, senhora.

— Em Barbados há muitos, e também aqui.

Os pais de Leanne não calcularam que seus patrões lhes cobrariam cada pedaço de pão que botavam na boca e lhes descontariam cada dia que não trabalhassem, embora fosse por culpa do clima, de modo que a dívida, em vez de diminuir, fora aumentando.

— Meu pai morreu depois de doze anos de trabalho forçado, e minha mãe e eu continuamos trabalhando vários anos, até que Deus nos enviou Owen, que se apaixonou por mim e gastou todas as suas economias para quitar a dívida. Assim recuperamos a liberdade, minha mãe e eu.

— Nunca imaginei que a senhora tivesse sido escrava — disse Tété, comovida.

— Minha mãe estava doente e morreu pouco depois, mas pôde me ver livre. Sei o que significa a escravidão. A gente perde tudo, a esperança, a dignidade e a fé — acrescentou Leanne.

— O senhor Murphy... — balbuciou Tété, sem saber como fazer a pergunta.

— Meu marido é um bom homem, Tété, tenta aliviar a vida das pessoas. Não gosta da escravidão. Quando tivermos nossa terra, vamos cultivá-la apenas com nossos filhos. Iremos para o norte, lá será mais fácil.

— Desejo boa sorte aos senhores, senhora Murphy, mas aqui todos ficaremos desolados se forem embora.

O capitão La Liberté

O doutor Parmentier chegou a Nova Orleans no começo de 1800, três meses depois de Napoleão Bonaparte ter se proclamado Primeiro Cônsul da França. O médico havia saído de Saint-Domingue em 1794, após a matança de mais de mil civis brancos pelas mãos dos rebeldes. Entre eles havia vários conhecidos seus, e isso mais a certeza de que não podia viver sem Adèle e os filhos fizeram com que decidisse partir. Depois de mandar a família para Cuba, continuou trabalhando no hospital de Le Cap com a esperança irracional de que a tempestade da revolução amainasse e os seus pudessem voltar. Salvou-se de conspirações, ataques e matanças por ser um dos poucos médicos que ainda restavam, e Toussaint Louverture, que respeitava essa profissão como nenhuma outra, lhe deu sua proteção pessoal. Mais do que proteção, era uma ordem de prisão dissimulada, que Parmentier conseguira violar com a cumplicidade secreta de um dos oficiais mais próximos de Toussaint, seu homem de confiança, o capitão La Liberté. Apesar de sua juventude — acabara de completar vinte anos —, o capitão dera provas de lealdade absoluta, estivera junto com o general de noite e de dia durante vários anos, e esse o apontava como exemplo de guerreiro de verdade, valente e cauteloso. Não seriam os heróis imprudentes que desafiavam a morte, que ganhariam aquela longa guerra, dizia Toussaint, mas homens como La Liberté, que desejavam viver.

Encarregava-o das missões mais delicadas, por sua discrição, e das mais arriscadas, por seu sangue-frio. O capitão era ainda adolescente quando se pusera sob suas ordens, chegara quase nu e sem mais capital que pernas velozes, uma faca de cortar cana afiada como uma navalha e o nome que seu pai havia lhe dado na África. Toussaint o elevara ao posto de capitão depois que o jovem lhe salvara a vida pela terceira vez, quando outro chefe rebelde lhe armara uma emboscada perto de Limbé, onde mataram seu irmão Jean-Pierre. A vingança de Toussaint foi instantânea e definitiva: arrasou o acampamento do traidor. Numa conversa descontraída ao amanhecer, enquanto os sobreviventes cavavam valas e as mulheres amontoavam os cadáveres antes que os abutres os comessem, Toussaint perguntou ao jovem por que lutava.

— Pelo que todos nós lutamos, meu general, pela liberdade — respondeu.

— Já a temos, a escravidão foi abolida. Mas podemos perdê-la a qualquer momento.

— Só se trairmos uns aos outros, general. Unidos somos fortes.

— O caminho da liberdade é tortuoso, filho. Às vezes, vai parecer que retrocedemos, compactuamos, perdemos de vista os princípios da revolução... — murmurou o general, observando-o com seu olhar de punhal.

— Eu estava lá quando os chefes ofereceram aos brancos devolver os negros à escravidão em troca da liberdade para eles, suas famílias e alguns de seus oficiais — respondeu o jovem, consciente de que suas palavras podiam ser interpretadas como uma censura ou uma provocação.

— Na estratégia da guerra, muitas vezes, as coisas não são claras, nos movemos entre sombras — explicou Toussaint, sem se alterar. — Às vezes, é necessário negociar.

— Sim, meu general, mas não a esse preço. Nenhum de seus soldados voltará a ser escravo. Todos preferimos a morte.

— Eu também, filho — disse Toussaint.

— Lamento a morte de seu irmão Jean-Pierre, general.

— Jean-Pierre e eu nos amávamos muito, mas as vidas pessoais devem ser sacrificadas pela causa comum. Você é um soldado muito bom, rapaz. Vou lhe dar o posto de capitão. Gostaria de ter um sobrenome? Qual, por exemplo?

— La Liberté, meu general — respondeu o outro sem hesitar, batendo continência com a disciplina militar que as tropas de Toussaint copiavam dos franceses.

— Muito bem. De agora em diante você será Gambo La Liberté — disse Toussaint.

O capitão La Liberté decidiu ajudar o doutor Parmentier a sair sigilosamente da ilha, porque colocara na balança o estrito cumprimento do dever que Toussaint lhe ensinara e a dívida de gratidão que tinha com o médico. Pesara mais a gratidão. Os brancos iam embora mal conseguiam um passaporte e davam um jeito em suas finanças. A maioria das mulheres e crianças fora para outras ilhas ou para os Estados Unidos, mas para os homens era mais difícil obter passaporte, porque Toussaint precisava deles para engrossar suas tropas e comandar as plantações. A colônia estava quase paralisada, faltavam artesãos, agricultores, comerciantes, funcionários e profissionais de todos os ramos, só sobravam bandidos e cortesãs, que sobreviviam sempre em qualquer circunstância. Gambo La Liberté devia ao discreto doutor uma das mãos do general Toussaint e a sua própria vida. Depois que as freiras emigraram da ilha, Parmentier administrava o hospital militar com uma equipe de enfermeiras treinadas por ele. Era o único médico e o único branco do hospital.

No ataque ao forte Belair, uma bala de canhão destroçara os dedos de Toussaint. Era uma ferida complicada e suja, cuja solução evidente seria a amputação, mas o general só a aceitaria como último recurso. Em sua experiência como "doutor de folhas", Toussaint preferia manter seus pacientes inteiros enquanto fosse possível. Envolveu a mão numa cataplasma de ervas, montou em seu nobre cavalo, o famoso Bel Argent, e Gambo La Liberté o levou a galope para o hospital de Le Cap. Parmentier examinou a ferida, espantado pelo fato de que sem tratamento e exposta à poeira da estrada ainda não tivesse infeccionado. Pediu meio litro de rum para aturdir o paciente e duas ordenanças para segurá-lo, mas Toussaint recusou a ajuda. Era abstêmio e não permitia que ninguém que não fosse de sua família o tocasse. Parmentier realizou a dolorosa tarefa de limpar as feridas e colocar os ossos um a um em seu lugar, sob o olho atento do general, que apertava entre os dentes um pedaço grosso de couro como único consolo. Quando terminou de vendar a mão e colocar o braço numa tipoia, Toussaint cuspiu o couro mastigado, agradeceu cortesmente e lhe disse para atender seu capitão. Então, Parmentier se virou pela primeira vez para o homem que havia levado o general até o hospital e o viu apoiado contra a parede, com os olhos vidrados, sobre uma poça de sangue.

Gambo estivera com o pé na cova umas duas vezes durante as cinco semanas que Parmentier o retivera no hospital, e sempre voltava à vida sorridente e com a lembrança intacta do que tinha visto no paraíso da Guiné, onde o esperava seu pai e onde sempre havia música, onde as árvores se vergavam de tanta fruta, os vegetais cresciam sozinhos e os peixes saltavam da água e podiam ser apanhados sem esforço, e onde todos eram livres: a ilha sob o mar. Havia perdido muito sangue pelos três furos das balas que lhe perfuraram o corpo, dois numa coxa e o terceiro no peito. Parmentier passara dias e noites inteiros ao seu lado, numa briga feia com a morte, sem se dar por vencido, porque simpatizara com o capitão. Era de uma coragem excepcional, como ele mesmo gostaria de ser.

— Parece que vi você antes em algum lugar, capitão — disse Parmentier durante um dos terríveis curativos.

— Ah! Estou vendo que o senhor não é desses brancos incapazes de distinguir um negro de outro — zombou Gambo.

— Neste trabalho, a cor da pele é o de menos, todos sangram do mesmo jeito, mas confesso que, às vezes, me custa distinguir um branco de outro — respondeu Parmentier.

— Tem boa memória, doutor. Deve ter me visto na plantação de Saint-Lazare. Eu era ajudante da cozinheira.

— Não me lembro, mas seu rosto me é familiar — disse o médico. — Nessa época, eu visitava meu amigo Valmorain e Tante Rose, a curandeira. Acho que ela escapou antes de os rebeldes atacarem a plantação. Não tornei a vê-la, mas sempre penso nela. Antes de conhecê-la, eu teria lhe cortado a perna, capitão, e depois tentaria curá-lo com umas sangrias. Eu o teria matado na hora e com a melhor das intenções. Se continua vivo, é por causa dos métodos que ela me ensinou. Tem notícias dela?

— É "doutora de folhas" e *mambo*. Eu a vi várias vezes, pois até meu general Toussaint a consulta. Vai de um acampamento a outro, curando e aconselhando. E o senhor, doutor, sabe alguma coisa de Zarité?

— De quem?

— Uma escrava do branco Valmorain. Chamavam-na Tété.

— Sim, eu a conheci. Ela se foi com o patrão depois do incêndio de Le Cap, acho que para Cuba — disse Parmentier.

— Já não é escrava, doutor. Tem sua liberdade num papel assinado e selado.

— Tété me mostrou esse papel, mas quando saíram daqui ainda não haviam legalizado a sua emancipação — esclareceu o doutor.

Durante essas cinco semanas, Toussaint Louverture costumava perguntar pelo capitão, e a resposta de Parmentier era sempre a mesma: "Se quer que o devolva, não me apresse, general." As enfermeiras estavam apaixonadas por La Liberté e, assim que ele pôde se sentar, mais de uma delas deslizava de noite para sua cama, montava nele sem esmagá-lo e lhe administrava em doses certas o melhor remédio contra a anemia, enquanto ele murmurava o nome de Zarité. Parmentier não ignorava isso, mas concluiu que assim o ferido ia sarando, e então que continuassem a amá-lo. Finalmente, Gambo se recuperou o suficiente para poder partir, montar seu cavalo, botar um mosquete no ombro e se reunir com o seu general.

— Obrigado, doutor. Nunca pensei que fosse conhecer um branco decente — disse-lhe ao se despedir.

— E eu não pensei que fosse conhecer um negro agradecido — respondeu o doutor, sorrindo.

— Nunca esqueço um favor e nem uma ofensa. Espero poder lhe pagar um dia o que fez por mim. Conte comigo.

— Pode retribuir agora mesmo, capitão, se desejar. Preciso me reunir com a minha família em Cuba e você já sabe que sair daqui é quase impossível.

Onze dias mais tarde, o bote de um pescador levou o doutor Parmentier à força de remo, numa noite sem lua, até uma fragata ancorada perto do porto. O capitão Gambo La Liberté havia lhe conseguido um salvo-conduto e uma passagem, uma das poucas coisas que fizera às costas de Toussaint Louverture em sua fulgurante carreira militar. Como condição, pediu ao médico que desse um recado a Tété, se a visse de novo: “Diga que meu destino é a guerra e não o amor; que ela não me espere, porque eu já a esqueci.” Parmentier sorriu diante da contradição da mensagem.

Ventos adversos empurraram para a Jamaica a fragata em que Parmentier viajava com outros refugiados franceses, mas lá não lhes permitiram desembarcar; depois de muitas voltas pelas correntes traiçoeiras do Caribe, burlando furacões e piratas, chegaram a Santiago de Cuba. O doutor foi por terra para Havana em busca de Adèle. No tempo em que estiveram separados, não pudera enviar dinheiro e não sabia em que estado de miséria encontraria sua família. Tinha em seu poder um endereço, que ela lhe enviara por carta vários meses antes, e foi assim que chegou a um bairro de casas modestas, mas bem conservadas, numa rua calçada de paralelepípedos, onde havia ateliês de diversos profissionais: seleiros, peruqueiros, sapateiros, marceneiros, pintores e cozinheiras que preparavam comidas em seus pátios para vender na rua. Negras grandes e majestosas, com seus vestidos de algodão engomado e seus *tignons* de cores brilhantes, impregnadas da fragrância de especiarias e açúcar, saíam de suas casas balançando cestas e bandejas com seus deliciosos ensopados e bolos, rodeadas de crianças nuas e cachorros. As casas não tinham número, mas Parmentier levava a descrição e não teve dificuldade de encontrar a de Adèle, pintada de azul-cobalto, coberta de telhas vermelhas, uma porta e duas janelas enfeitadas com vasos de begônias. Um cartaz pendurado na fachada anunciava com letras grossas em espanhol: "Madame Adèle, moda de Paris". Bateu com o coração galopando e ouviu um latido e passos apressados. A porta se abriu e ele se deparou com sua filha menor, um palmo mais alta do que podia lembrar. A menina deu um grito e se atirou no pescoço dele, louca de alegria, e em poucos segundos a família o rodeava, enquanto ele sentia os joelhos se dobrarem de cansaço e amor. Muitas vezes havia imaginado que nunca mais tornaria a encontrá-los.

Refugiados

Adèle havia mudado tão pouco que usava o mesmo vestido com que se fora de Saint-Domingue, um ano e meio antes. Ganhava a vida costurando, como sempre fizera, e seus ganhos modestos davam, a duras penas, para pagar o aluguel e alimentar os filhos, mas não era de seu temperamento se queixar pelo que lhe faltava, e sim agradecer o que tinha. Havia se adaptado com os filhos entre os numerosos negros livres da cidade e adquirido em seguida uma clientela fiel. Conhecia muito bem o ofício do fio e da agulha, mas não entendia de moda. Dos modelos se encarregava Violette Boisier. As duas compartilhavam a intimidade que costuma unir no exílio pessoas que jamais teriam trocado um único olhar se vivessem em seu lugar de origem.

Violette instalara-se com Loula numa casa modesta num bairro de brancos e mulatos, vários níveis mais elevado na hierarquia de classes que o de Adèle, graças à sua distinção e ao dinheiro economizado em Saint-Domingue. Emancipara Loula contra sua vontade e colocara Jean-Martin interno num colégio de padres para lhe dar a melhor educação possível. Tinha planos ambiciosos para ele. Aos oito anos, o menino, um mulato cor de bronze, tinha traços e gestos tão harmoniosos que, se não usasse o cabelo muito curto, passaria por uma menina. Ninguém — e muito menos ele — sabia que era adotado; esse era um segredo selado entre Violette e Loula.

Uma vez que seu filho estava em segurança nas mãos dos padres, Violette lançou suas redes para entrar em contato com as pessoas de boa posição que podiam lhe facilitar a vida em Havana. Movia-se entre franceses, porque os espanhóis e os cubanos desprezavam os refugiados que haviam invadido a ilha nos últimos anos. Os *grands blancs* que chegavam com dinheiro terminavam indo embora para as províncias, onde sobrava terra e podiam plantar café ou cana-de-açúcar, mas o restante sobrevivia nas cidades, alguns de suas rendas ou do aluguel de escravos, outros trabalhando ou fazendo negócios nem sempre legítimos, enquanto o jornal denunciava a concorrência desleal dos estrangeiros, que ameaçava a estabilidade de Cuba.

Violette não precisava fazer serviços mal pagos, como tantos compatriotas, mas a vida era cara e devia ser cuidadosa com suas economias. Não tinha idade nem desejo de voltar à sua antiga profissão. Loula pretendia que ela conseguisse um marido endinheirado, mas ela continuava amando Étienne Relais e não queria dar um padrasto a Jean-Martin. Passara a existência cultivando a arte de se relacionar bem e logo contava com um grupo de amizades femininas, entre as quais vendia as loções de beleza preparadas por Loula e os vestidos de Adèle; assim ganhava a vida. Essas duas mulheres chegaram a ser suas amigas íntimas, as irmãs que não tivera. Com elas tomava seu cafezinho dos domingos, de chinelas, sob o toldo no pátio, fazendo planos e acertando as contas.

— Terei que contar a madame Relais que seu marido morreu — disse Parmentier a Adèle, quando ouviu a história.

— Não é preciso, ela já sabe.

— Como pode saber?

— Porque se quebrou a opala do seu anel — explicou Adèle, servindo-lhe uma segunda porção de arroz com banana frita e bolo de carne recheado com toucinho.

O doutor Parmentier, que se propusera em suas noites solitárias a compensar Adèle pelo amor incondicional e sempre à sombra que lhe dera por anos, repetiu em Havana a dupla vida que levava em Le Cap e se instalou numa casa separada, ocultando sua família diante dos olhos dos demais. Transformou-se num dos médicos mais solicitados entre os refugiados, embora nunca tenha tido acesso à alta sociedade nativa. Era o único capaz de curar o cólera com água, sopa e chá, o único suficientemente honesto para admitir que não havia remédio contra a sífilis nem o vômito negro, o único que podia deter a infecção numa ferida ou impedir que uma picada de escorpião acabasse num funeral. Tinha o inconveniente de atender igualmente pessoas de todas as cores. Sua clientela branca o suportava porque, no exílio, as diferenças naturais tendem a se apagar e também porque não estavam em condições de exigir exclusividade, mas não lhe teriam perdoado uma esposa e filhos de sangue mestiço. Foi o que disse a Adèle, embora ela nunca tivesse pedido explicações.

Parmentier alugou uma casa de dois andares num bairro de brancos e destinou o térreo para o consultório e o segundo andar para sua moradia. Ninguém soube que passava as noites a várias quadras de distância, numa casinha pintada de azul-cobalto. Via Violette Boisier aos domingos na casa de Adèle. A mulher tinha trinta e seis anos muito bem vividos e gozava da boa reputação de uma viúva virtuosa na comunidade de emigrados. Se alguém pensava reconhecer nela uma célebre *cocotte* de Le Cap, descartava de imediato a dúvida como uma impossibilidade. Violette continuava usando o anel com a opala quebrada e não passava um só dia sem pensar em Étienne Relais.

Nenhum deles conseguiu se adaptar a Cuba, e vários anos mais tarde continuavam sendo tão estrangeiros como no primeiro dia, com o agravante de que o ressentimento dos cubanos contra os refugiados havia se exacerbado, porque seu número continuava aumentando e já não eram *grands blancs* endinheirados, mas gente arruinada que se aglomerava nos subúrbios, onde fermentavam crimes e doenças. Ninguém os queria. As autoridades espanholas os fustigavam e lhes semeavam o caminho de obstáculos legais, com a esperança de que tratassem de partir de uma vez por todas.

Um decreto do governo anulou as licenças profissionais que não haviam sido obtidas na Espanha, e Parmentier se encontrou exercendo a medicina de forma ilegal. De nada lhe servia o selo real da França em seu pergaminho, e nessas condições só podia atender escravos e pobres que raramente lhe pagavam. Outro inconveniente era que não havia aprendido uma só palavra de espanhol, ao contrário de Adèle e dos filhos, que falavam a língua com fluência e sotaque cubano.

Por sua vez, Violette Boisier acabou cedendo à pressão de Loula e por pouco não se casou com o dono de um hotel, um galego sessentão, rico e de saúde frágil, perfeito, segundo Loula, porque ia morrer logo, de morte natural, ou, com um pouco de ajuda de sua parte, deixá-las bem de vida. O hoteleiro, enlouquecido por aquele amor tardio, não quis dar trégua aos boatos de que Violette não era branca, porque para ele isso não importava. Nunca havia desejado ninguém como aquela voluptuosa mulher, e, quando por fim a tivera em seus braços, descobrira que lhe provocava uma insensata ternura de avô, o que para ela era confortável, já que assim não competia com a lembrança de Étienne Relais. O galego lhe abriu os bolsos para que gastasse como uma rainha, mas se esqueceu de mencionar que era casado. Sua esposa ficara na Espanha, com o único filho de ambos, um padre dominicano, e nenhum dos dois tinha mais interesse por aquele homem a quem não viam fazia vinte e sete anos. Mãe e filho supunham que vivia em pecado mortal, esfregando-se com mulheres bundudas nas depravadas colônias do Caribe, mas, enquanto lhes mandasse dinheiro regularmente, não se importavam com o estado de sua alma. O hoteleiro achou que, se casasse com a viúva Relais, sua família jamais ficaria sabendo, e assim teria sido, não fosse a intervenção de um advogado ganancioso, que investigou o seu passado e tratou de depená-lo.

O hoteleiro compreendeu que não podia comprar o silêncio do rábula, porque a chantagem se repetiria mil vezes. Armou-se então de uma confusão epistolar e, alguns meses mais tarde, sem ninguém esperar, apareceu o filho padre disposto a salvar o pai das garras de Satanás, e a herança, das garras daquela meretriz. Violette, aconselhada por Parmentier, renunciou ao casamento, embora continuasse visitando seu apaixonado de vez em quando para que ele não morresse de tristeza.

Naquele ano, Jean-Martin fazia treze anos, e desde os cinco vinha dizendo que ia seguir a carreira militar na França, como seu pai. Orgulhoso e cabeça-dura, como sempre havia sido, negou-se a ouvir as razões de Violette, que não queria se separar dele e tinha horror ao exército, onde um rapaz tão bonito podia acabar sodomizado por um sargento. A insistência de Jean-Martin foi tão inflexível que sua mãe teve de ceder. Violette aproveitou sua amizade com um capitão de barco, a quem havia conhecido em Le Cap, para enviá-lo à França. Lá o recebeu um irmão de Étienne Relais, também militar, que o levou para a escola de cadetes de Paris, onde haviam se formado todos os homens de sua família. Sabia que seu irmão se casara com uma antilhana, e não lhe chamou a atenção a cor do garoto; não seria o único de sangue mestiço na Academia.

Como a situação em Cuba ficava cada vez mais difícil para os refugiados, o doutor Parmentier decidiu arriscar a sorte em Nova Orleans e, se as coisas corressem bem, voltaria para buscar a família. Adèle, então, se impôs pela primeira vez nos dezoito anos que estavam juntos, e lhe disse que não voltariam a se separar: iriam todos juntos ou não iria ninguém. Estava disposta a continuar vivendo escondida, como um pecado do homem que amava, mas não permitiria que sua família se desintegrasse novamente. Propôs a ele que viajassem no mesmo barco, mas ela e as crianças na terceira classe, e desembarcariam separados, de modo que não fossem vistos juntos. Ela mesma conseguiu seu passaporte depois de subornar as autoridades correspondentes, como era habitual, e de provar que era livre e sustentava os filhos com seu trabalho. Não ia para Nova Orleans pedir esmola, disse ao cônsul com sua característica suavidade, mas costurar vestidos.

Quando Violette Boisier soube que seus amigos estavam pensando em partir pela segunda vez, teve um daqueles fulminantes ataques de raiva e choro tão comuns na sua juventude, os quais não voltara a ter durante os últimos nove anos. Sentiu-se traída por Adèle.

— Como pode seguir esse homem que não reconhece você como a mãe de seus filhos? — soluçou.

— Ele gosta de mim como pode — respondeu Adèle, sem se alterar.

— Ensinou seus próprios filhos a fingirem em público que não o conhecem! — exclamou Violette.

— Mas os sustenta, os educa e gosta muito deles. É um bom pai. Minha vida está unida à dele, Violette, e não vamos nos separar mais.

— E eu? Que será de mim sozinha aqui? — perguntou Violette, desconsolada.

— Você poderia vir com a gente... — sugeriu sua amiga.

A ideia pareceu esplêndida a Violette. Tinha ouvido falar que, em Nova Orleans, existia uma florescente sociedade de gente de cor que era livre e onde todos poderiam prosperar. Sem perder tempo, consultou Loula e ambas decidiram que nada mais as retinha em Cuba. Nova Orleans seria a última boa oportunidade de criar raízes e planejar a velhice.

Toulouse Valmorain, que permanecera em contato com Parmentier durante aqueles sete anos mediante cartas esporádicas, ofereceu-lhe sua ajuda e hospitalidade, mas advertiu-o de que em Nova Orleans havia mais médicos do que padeiros, e a concorrência seria aferrada. Por sorte, a licença real da França valia na Louisiana. "E aqui você não precisa falar espanhol, meu querido doutor, porque a língua é o francês", acrescentou em sua carta.

Parmentier desceu do barco e caiu nos braços do amigo, que o esperava no porto. Não se viam desde 1793. Valmorain não se lembrava dele tão pequeno e frágil, e, por sua vez, Parmentier não se lembrava dele tão gordo. Valmorain tinha um novo ar de satisfação, e nem de longe lembrava o homem atormentado com quem mantinha intermináveis discussões filosóficas e políticas em Saint-Domingue.

Enquanto os demais passageiros desembarcavam, eles esperaram a bagagem. Valmorain não prestou nenhuma atenção a Adèle, uma mulata escura com dois rapazes e uma menina, que procurava conseguir uma carroça de aluguel para transportar sua bagagem, mas distinguiu na multidão uma mulher com fino traje vermelho de viagem, chapéu, bolsa e luvas da mesma cor, tão bonita que teria sido impossível não reparar. Reconheceu-a na hora, embora aquele fosse o último lugar onde esperava revê-la. Seu nome lhe escapou num grito, e ele correu para cumprimentá-la com o entusiasmo de um menino. "Monsieur Valmorain, que surpresa!", exclamou Violette Boisier, estendendo uma das mãos enluvadas, mas ele a segurou pelos ombros e lhe plantou três beijos no rosto, ao estilo francês. Comprovou encantado que Violette havia mudado muito pouco e que a idade a tornara ainda mais desejável. Ela lhe contou em poucas palavras que havia enviuvado e que Jean-Martin estava estudando na França. Valmorain não se lembrava de quem era aquele Jean-Martin, mas, ao saber que havia chegado sozinha, sentiu que voltavam a despertar os seus desejos da juventude. "Espero que você me conceda a honra de visitá-la", despediu-se no tom de intimidade que não usava com ela fazia uma década. Naquele instante, Loula os interrompeu, apesar de estar discutindo aos palavrões com dois carregadores para que transportassem seus baús. "As regras não mudaram, você terá que entrar na fila, se pretende ser recebido pela madame", disse-lhe, afastando-o com uma cotovelada.

Adèle alugou um chalé na rua Rampart, onde viviam mulheres de cor que eram livres, a maioria mantida por um protetor branco, segundo a tradição do sistema de *plaçage* ou "colocação", que havia começado nos primeiros tempos da colônia, quando não era fácil convencer uma jovem europeia a seguir os homens para aquelas terras selvagens. Havia perto de dois mil acertos desse tipo na cidade. A casa de Adèle era semelhante às outras da rua, pequena, cômoda, bem ventilada e provida de um pátio traseiro com os muros cobertos de buganvílias. O doutor Parmentier tinha um apartamento a poucas quadras de distância, onde também havia instalado sua clínica, mas passava as horas livres com sua família de forma muito mais aberta do que em Le Cap ou em Havana. A única coisa estranha naquela situação era a idade dos participantes, porque o *plaçage* era um acerto entre brancos e mulatas de quinze anos; o doutor Parmentier ia fazer sessenta, e Adèle parecia a avó de qualquer uma de suas vizinhas.

Violette e Loula conseguiram uma casa maior na rua Chartres. Bastaram umas voltas pela Praça de Armas, pelo dique na hora dos passeios e na igreja de Père Antoine no domingo ao meio-dia para se dar conta da vaidade das mulheres e de como elas se vestiam. As mulheres brancas haviam conseguido passar uma lei que proibia as mulheres de cor usarem chapéu, joias ou vestidos luxuosos em público, sob pena de serem chicoteadas. O resultado foi que as mulatas atavam o *tignon* com tal graça que ele superava o mais fino chapéu de Paris, exibiam um decote tão tentador que qualquer joia teria sido uma distração e caminhavam com tal garbo que, em comparação, as brancas pareciam lavadeiras. Violette e Loula calcularam de imediato os lucros que poderiam obter com suas loções de beleza, em especial o creme de baba de caracol e pérolas dissolvidas em suco de limão para clarear a pele.

O colégio de Boston

O golpe de chibata que recebeu de Maurice não impediu que Hortense Guizot fosse ao célebre baile de Marigny, porque dissimulou o vergão com um fino véu que lhe caía por trás até o chão e cobria os alfinetes que fechavam o vestido nas costas, mas lhe deixou uma feia marca roxa durante várias semanas. Com aquela equimose, convenceu Valmorain a mandar o filho para Boston. Também tinha outro argumento: havia menstruado uma só vez desde o nascimento de Marie-Hortense, estava grávida de novo e devia cuidar dos nervos, de modo que seria melhor afastar o garoto por um tempo. Sua fertilidade não era um prodígio, como pretendera difundir entre as amigas, e por isso, duas semanas depois de dar à luz, já estava se divertindo com o marido, com a mesma determinação da lua de mel. Desta vez tratava-se de um menino, tinha certeza, destinado a prolongar o sobrenome e a dinastia da família. Ninguém se atreveu a lembrá-la de que já existia Maurice Valmorain.

Maurice detestou o colégio desde o momento em que cruzou a porta de entrada e viu que se fechava, às suas costas, a dupla porta de madeira pesada. O desgosto se prolongou intacto até o terceiro ano, quando teve um professor excepcional. Chegou em Boston no inverno, sob uma chuvinha gelada, e se deparou com um mundo eternamente cinza, com céu encoberto, praças cobertas de geada e árvores esqueléticas com alguns pássaros enregelados nos galhos nus. Não conhecia o frio verdadeiro. O inverno se eternizou, e Maurice andava com os ossos doloridos, as orelhas azuis e as mãos vermelhas de frieiras, não tirava o sobretudo nem para dormir e vivia espiando o céu à espera de um misericordioso raio de sol. O dormitório contava com uma estufa a carvão num extremo, que só acendiam duas horas pela tarde, para que os rapazes secassem as calças. Os lençóis estavam sempre gélidos, as paredes manchadas de uma flora esverdeada, e era preciso quebrar uma crosta de gelo nas bacias para se lavar pelas manhãs.

Os rapazes, agitados e briguentos com uniformes tão cinzentos quanto a paisagem, falavam um idioma que Maurice apenas conseguia decifrar graças a seu tutor Gaspard Sévérin, que conhecia umas poucas palavras de inglês; tudo mais improvisara em suas aulas mediante um dicionário. Passaram-se meses até conseguir responder às perguntas dos professores, e um ano antes de compartilhar as brincadeiras de seus colegas americanos, que o chamavam "o franchute" e o torturavam com engenhosos suplícios. As peculiares noções de pugilismo do seu tio Sancho acabaram sendo úteis, porque lhe permitiam se defender, dando pontapés nos testículos de seus inimigos, e as aulas de esgrima lhe serviram para sair vitorioso nos torneios impostos pelo diretor do colégio, que fazia apostas com os demais professores e depois castigava o perdedor.

A comida cumpria o fim puramente didático de aperfeiçoar o caráter. Quem fosse capaz de engolir fígado fervido ou pescoço de frango com restos de pena, acompanhados de couve-flor e arroz queimado, podia enfrentar os acasos da existência, inclusive uma guerra para a qual os americanos estavam sempre se preparando. Maurice, acostumado à refinada cozinha de Célestine, passou treze dias jejuando como um faquir, sem que ninguém desse a mínima, e por fim, quando desmaiou de fome, não lhe restou outra alternativa senão comer o que lhe botavam no prato.

A disciplina era tão férrea quanto absurda. Os infelizes rapazes deviam sair da cama ao amanhecer, estimular-se com água gelada, correr três voltas pelo pátio resvalando nos charcos para se aquecer — podia-se chamar de calor o formigamento das mãos —, estudar latim durante duas horas antes do desjejum de cacau, pão seco e aveia embolotada, aguentar várias horas de aulas e praticar esporte, para o que Maurice era uma negação. No fim do dia, quando as vítimas desmaiavam de cansaço, faziam-lhes um sermão moralizante de uma ou duas horas, conforme a inspiração do diretor. O calvário terminava com a recitação em coro da Declaração da Independência.

Maurice, que havia sido criado com condescendência por Tété, submeteu-se ao regime carcerário sem se queixar. O esforço de acompanhar os passos dos outros rapazes e de se defender dos valentões mantinha-o tão ocupado que seus pesadelos cessaram e nunca mais voltou a pensar nos patíbulos de Le Cap. Gostava de aprender. No começo, dissimulou sua avidez pelos livros para não parecer arrogante, mas logo começou a ajudar os outros nas tarefas, e assim se fez respeitar. Não confessou a ninguém que sabia tocar piano, dançar quadrilhas e rimar versos porque teriam acabado com ele. Seus colegas o viam escrever cartas com a dedicação de um monge medieval, mas não zombavam abertamente dele porque lhes disse que eram dirigidas a sua mãe inválida. A mãe, como a pátria, não se prestava a brincadeiras: era sempre sagrada.

Maurice, que havia passado o inverno tossindo, despertou com a primavera. Durante meses havia permanecido encolhido dentro do seu sobretudo, com a cabeça enterrada entre os ombros, agachado, invisível. Quando o sol lhe aqueceu os ossos e pôde tirar os dois casacos, as calças de lã, a manta, as luvas e caminhar ereto, deu-se conta de que a roupa lhe ficava apertada e curta. Ele dera um dos clássicos estirões da puberdade e, depois de ser um dos mais mirrados da sua turma, passou a ser um dos mais altos e fortes. Observar o mundo de cima, com vários centímetros de vantagem, lhe deu mais segurança.

O verão com sua umidade quente não afetou Maurice, acostumado ao clima ardente do Caribe. O colégio esvaziou, os alunos e a maioria dos professores partiram de férias, e Maurice ficou praticamente só, aguardando instruções para voltar para sua família. As instruções nunca chegaram; em troca, seu pai mandou Jules Beluche, o mesmo acompanhante que o havia conduzido na longa e deprimente viagem de barco desde sua casa em Nova Orleans, pelas águas do golfo do México, costeando a península da Flórida, contornando o mar dos Sargaços e enfrentando as ondas do oceano Atlântico, até o colégio em Boston. O acompanhante, parente distante e pobre da família Guizot, era um homem de meia-idade que ficou com pena do rapazinho e procurou tornar a travessia o mais agradável possível, mas, na lembrança de Maurice, aquela viagem sempre estaria associada ao seu exílio da casa paterna.

Beluche se apresentou no colégio com uma carta de Valmorain explicando ao filho as razões pelas quais não iria para casa aquele ano e com dinheiro suficiente para lhe comprar roupa, livros ou garantir qualquer capricho que tivesse para se consolar. Suas ordens consistiam em guiar Maurice numa viagem cultural à histórica cidade da Filadélfia, que todo jovem de sua posição devia conhecer, porque lá havia germinado a semente da nação americana, como anunciava pomposamente a carta de Valmorain. Maurice partiu com Beluche e, durante aquelas semanas de turismo forçado, permaneceu silencioso e indiferente, procurando dissimular o interesse que a viagem lhe suscitava e combater a simpatia que começava a sentir pelo pobre-diabo.

No verão seguinte, novamente o rapaz ficou esperando duas semanas no colégio com seu baú preparado, até que se apresentou o mesmo Beluche para conduzi-lo a Washington e a outras cidades que não desejava visitar.

Harrison Cobb, um dos poucos professores que permaneciam no colégio durante a semana de Natal, prestou atenção em Maurice Valmorain, porque era o único aluno que não recebia visitas nem presentes e passava as festas lendo sozinho no edifício quase vazio. Cobb pertencia a uma das mais antigas famílias de Boston, estabelecida na cidade desde meados do século XVII e de origem nobre, como todos sabiam, embora ele o negasse. Era defensor fanático da república americana e abominava a nobreza. Foi o primeiro abolicionista que Maurice conheceu e que iria marcá-lo profundamente. Na Louisiana, o abolicionismo era mais malvisto do que a sífilis, mas no estado de Massachusetts a questão da escravidão era discutida constantemente, porque sua Constituição, redigida vinte anos antes, continha uma cláusula que a proibia.

Cobb encontrou em Maurice um intelecto ávido e também um coração ardente, no qual seus argumentos humanitários ecoaram imediatamente. Entre outros livros, emprestou-lhe *A interessante narrativa da vida de Olaudah Equiano*, publicado com enorme sucesso em Londres, em 1789. Essa dramática história de um escravo africano, escrita na primeira pessoa, havia causado comoção no público europeu e americano, mas poucos tomaram conhecimento dela na Louisiana, e o menino nunca ouvira nada a respeito. O professor e seu aluno passavam as tardes estudando, analisando e discutindo; Maurice pôde, enfim, articular a inquietação que a escravidão sempre lhe havia produzido.

— Meu pai possui mais de duzentos escravos. Um dia, eles serão meus — confessou Maurice a Cobb.

— É isso que você quer, filho?

— Sim. Aí vou poder emancipá-los.

— Então vai haver duzentos e poucos negros abandonados à sua sorte e um rapaz imprudente na pobreza. O que se ganha com isso? — perguntou o professor. — A luta contra a escravidão não pode ser feita individualmente, plantação por plantação, Maurice, é preciso mudar a forma de pensar das pessoas, as leis deste país, e mudar o mundo. Você deve estudar, preparar-se e participar da política.

— Eu não sirvo para isso, senhor!

— Como você sabe? Todos nós temos uma reserva de forças inimaginável que emerge quando a vida nos põe à prova.

zarité

Fiquei na plantação quase dois anos, segundo meus cálculos, até meus donos me colocarem de novo para trabalhar entre os domésticos. Em todo esse tempo, não vi Maurice nem uma só vez, porque durante as férias seu pai não lhe permitia voltar para casa; sempre dava um jeito de mandá-lo viajar para outros lugares; finalmente, quando os estudos terminaram, levou-o para a França, para conhecer a avó. Mas isso foi mais tarde. O patrão queria mantê-lo longe de madame Hortense. Também não pude ver Rosette, mas o senhor Murphy me trazia notícias dela cada vez que ia a Nova Orleans. "O que você vai fazer com essa menina tão bonita, Tété? Vai ter que deixá-la trancada em casa para que não cause tumulto na rua", dizia-me de brincadeira.

Madame Hortense deu à luz sua segunda filha, Marie-Luise, que nasceu com falta de ar. O clima não era favorável para ela, mas como ninguém pode mudar o clima, exceto Père Antoine em casos extremos, não havia muito o que fazer para poder aliviá-la. Por causa dela me levaram de volta para a casa da cidade. Naquele ano, chegou o doutor Parmentier, que havia estado muito tempo em Cuba, e substituiu o médico da família Guizot. A primeira coisa que fez foi acabar com as sanguessugas e as fricções de mostarda, que estavam matando a menina, e em seguida perguntou por mim. Não sei como ainda se lembrava de mim depois de tantos anos. Convenceu o patrão de que eu era mais indicada para cuidar de Marie-Luise, porque havia aprendido muito com Tante Rose. Então, ordenaram ao chefe dos capatazes enviar-me para a cidade. Despedi-me dos meus amigos e dos Murphy com muita tristeza, e, pela primeira vez, viajei sozinha com uma permissão, para que não me prendessem.

Muitas coisas haviam mudado em Nova Orleans durante a minha ausência: havia mais lixo, coches e gente, e uma febre de construir casas e alargar as ruas. Até o mercado havia crescido. Dom Sancho já não vivia na casa de Valmorain; mudara-se para um apartamento no mesmo bairro. Segundo Célestine, tinha esquecido Adi Soupir e andava apaixonado por uma cubana que ninguém na casa havia tido a chance de ver. Instalei-me na água-furtada com Marie-Luise, uma menininha tão pálida e fraca que não tinha forças nem para chorar. Pensei em amarrá-la ao corpo, porque dera bom resultado com Maurice, que também nascera enfermiço, mas madame Hortense disse que isso era bom para os negros, não para a filha dela. Não quis colocá-la num berço, porque teria morrido, e optei por levá-la sempre no colo.

Logo que pude, falei com o patrão para lembrá-lo de que naquele ano eu completava trinta anos e chegava a hora da minha liberdade.

— E quem vai cuidar de minhas filhas? — perguntou-me.

— Eu, se quiser, monsieur.

— Quer dizer que tudo continuaria na mesma.

— Na mesma, não, monsieur. Porque, se sou livre, posso ir embora se quiser, os senhores não podem me bater e teriam que me pagar um pouco para eu poder viver.

— Pagar! — exclamou surpreso.

— Assim trabalham cocheiros, cozinheiras, enfermeiras, costureiras e outras pessoas livres, monsieur.

— Vejo que está muito bem informada. Então, sabe que ninguém emprega uma babá, é sempre alguém que faz parte da família, como uma segunda mãe e depois como uma avó, Tété.

— Não sou de sua família, monsieur. Sou sua propriedade.

— Sempre tratei você como se fosse da família! Enfim, se é isso o que pretende, vou precisar de tempo para convencer madame Hortense, embora seja um péssimo precedente. E vai dar muito que falar. Vou ver o que posso fazer.

Ele me deu permissão para ir ver Rosette. Minha filha sempre foi alta, e aos onze anos parecia ter quinze. O senhor Murphy não havia mentido, era muito bonita. As freiras conseguiram lhe domar a impetuosidade, mas não lhe apagaram o sorriso com covinhas e seu olhar sedutor. Ela me cumprimentou com uma reverência formal e, quando a abracei, ficou rígida, acho que estava envergonhada de sua mãe, uma escrava café com leite. Minha filha era o que mais me importava no mundo. Tínhamos vivido grudadas como um só corpo, uma só alma, até que o medo de que a vendessem ou de que seu próprio pai a violasse na puberdade, como fizera comigo, me obrigou a me separar dela. Mais de uma vez tinha visto o patrão apalpando-a como os homens tocam as meninas para saber se já estão maduras. Isso foi antes de se casar com madame Hortense, quando minha Rosette era uma criança sem malícia e se sentava em seus joelhos por carinho. A frieza de minha filha me doeu: para protegê-la, talvez a tivesse perdido.

Das raízes africanas não sobrava nada em Rosette. Sabia de meus loas *e da Guiné, mas no colégio se esquecera de tudo isso e se tornara católica; as freiras tinham quase tanto horror do vodu como dos protestantes, dos judeus e dos* kaintocks. *Como podia lhe censurar que ambicionasse uma vida melhor do que a minha? Ela queria ser como os Valmorain, e não como eu. Falava comigo com falsa cortesia, num tom que não reconheci, como se eu fosse uma estranha. É como me lembro. Contou-me que gostava do colégio, que as freiras eram bondosas e estavam lhe ensinando música, religião e a escrever com boa letra, mas nada de dança, porque isso tentava o demônio. Perguntei por Maurice e ela me disse que estava bem, mas que se sentia sozinho e queria voltar. Ela sabia dele porque se correspondiam desde que se separaram. As cartas demoravam bastante a chegar, mas eles as mandavam com frequência, sem esperar resposta, como uma conversa de loucos. Rosette me contou que, às vezes, chegava meia dúzia no mesmo dia, mas depois passavam várias semanas sem notícias. Agora, cinco anos depois, sei que nessa correspondência se chamavam de irmãos para despistar as freiras, que abriam a correspondência das pupilas. Tinham um código religioso para se referir a seus sentimentos: o Espírito Santo significava amor, beijos eram rezas, Rosette posava de anjo da guarda, ele podia ser qualquer santo ou mártir do calendário católico e, logicamente, as ursulinas eram demônios. Uma típica carta de Maurice podia dizer que o Espírito Santo o visitava de noite, quando ele sonhava com o anjo da guarda, e que acordava com desejos de rezar e rezar. Ela lhe respondia que rezava por ele e devia ter cuidado com as hostes de demônios que sempre ameaçavam os mortais. Hoje eu guardo essas cartas numa caixa e, embora não possa lê-las, sei o que contêm, porque Maurice me leu algumas partes, as que não são atrevidas demais.*

Rosette me agradeceu os presentes — doces, fitas e livros — que recebia, mas eu não os tinha enviado. Como podia fazê-lo sem dinheiro? Imaginei que o patrão Valmorain os levava, mas ela me disse que ele nunca a visitara. Era dom Sancho que lhe dava presentes em meu nome. Que Bondye abençoe dom Sancho e sua bondade! Erzuli, loa *mãe, não tenho nada a oferecer a minha filha. Era assim.*

Uma promessa por cumprir

Na primeira ocasião disponível, Tété foi falar com Père Antoine. Teve de esperar umas duas horas, porque ele fora à cadeia visitar os presos. Levava comida para eles e limpava suas feridas sem que os guardas se atrevessem a impedi-lo, porque correra a notícia de sua santidade e havia testemunhos de que tinha sido visto em vários lugares ao mesmo tempo e que, às vezes, andava com um prato luminoso flutuando sobre a cabeça. Por fim, o capuchinho chegou à casinha de pedra que lhe servia de moradia e escritório, com sua cesta vazia e uma enorme vontade de descansar, mas o aguardavam outros necessitados e ainda faltava algum tempo para o pôr do sol, hora da oração em que seus ossos repousavam, enquanto sua alma subia ao céu. "Lamento muito, irmã Lucie, que me falte ânimo para rezar mais e melhor", costumava dizer à freira que o atendia. "E para que vai rezar mais, *mon père*, se já é santo?", respondia-lhe invariavelmente. Recebeu Tété com os braços abertos, como a todo mundo. Não havia mudado, tinha o mesmo olhar doce de cachorro grande e cheiro a alho, usava a mesma batina imunda, sua cruz de madeira e sua barba de profeta.

— O que tem feito, Tété?! — perguntou.

— O senhor tem milhares de fiéis, *mon père*, e se lembra de meu nome — observou, comovida.

Ela explicou que estivera na plantação, mostrou-lhe pela segunda vez o documento de sua liberdade, amarelo e quebradiço, que guardava fazia anos e não havia servido para nada, porque seu patrão sempre encontrava uma razão para adiar o prometido. Père Antoine colocou seus óculos grossos de astrônomo, aproximou o papel da única vela do quarto e leu-o lentamente.

— Quem mais sabe disto, Tété? Refiro-me a alguém que viva em Nova Orleans.

— O doutor Parmentier o viu quando estávamos em Saint-Domingue, mas agora vive aqui. Também mostrei a dom Sancho, o cunhado do meu patrão.

O padre se sentou a uma mesinha de pernas bambas e escreveu com dificuldade, porque via as coisas deste mundo envoltas num pouco de neblina, embora percebesse com clareza as do outro. Entregou a Tété duas mensagens salpicadas de manchas de tinta, com instruções para entregá-las em mãos aos dois cavalheiros.

— O que dizem estas cartas, *mon père?* — quis saber Tété.

— Que venham falar comigo. E você também deverá vir aqui no próximo domingo depois da missa. Enquanto isso, vou guardar esse documento — disse o padre.

— Me perdoe, *mon père*, mas nunca me separei desse papel... — respondeu Tété com apreensão.

— Então será a primeira vez — sorriu o capuchinho, pondo-o numa gaveta da mesinha. — Não se preocupe, minha filha, aqui estará seguro.

Aquela mesa destrambelhada não parecia o melhor lugar para sua posse mais valiosa, mas Tété nem se atreveu a duvidar.

Aos domingos, meia cidade se reunia na catedral, para onde também iam as famílias Guizot e Valmorain com vários de seus domésticos. Era o único lugar em Nova Orleans, exceto o mercado, em que pessoas brancas e pessoas de cor, livres e escravos, se misturavam, embora as mulheres se colocassem de um lado e os homens do outro. Um pastor protestante, de visita na cidade, havia escrito num jornal que a igreja de Père Antoine era o lugar mais tolerante da cristandade. Tété nem sempre podia ir à missa; dependia da asma de Marie-Luise, mas naquele dia a pequena amanhecera bem e puderam tirá-la de casa. Terminada a cerimônia, entregou as meninas a Denise e anunciou à patroa que ia demorar um pouco porque devia falar com o santo.

Hortense não se opôs, pensando que finalmente aquela mulher ia se confessar. Tété havia trazido de Saint-Domingue suas superstições satânicas, e ninguém possuía mais autoridade do que Père Antoine para salvar sua alma do vodu. Suas irmãs e ela comentavam com frequência que os escravos das Antilhas estavam introduzindo aquele temível culto africano na Louisiana, porque era o que podiam ver quando iam com seus maridos à Praça do Congo presenciar, por saudável curiosidade, as orgias dos negros. Antes era só barulho e muito rebolado, mas agora havia uma bruxa que dançava possessa com uma cobra longa e gorda enroscada no corpo, e metade dos participantes entrava em transe. Chamava-se Sanité Dédé. Havia chegado de Saint-Domingue com outros negros e com o diabo no corpo. Era preciso ver o espetáculo grotesco de homens e mulheres espumando pela boca e com os olhos revirados, os mesmos que depois se arrastavam para trás dos arbustos para se atracarem como animais. Aquelas pessoas adoravam uma mistura de deuses africanos, santos católicos, Moisés, os planetas e um lugar chamado Guiné. Somente Père Antoine entendia aquela confusão, e por infelicidade a permitia. Se não fosse santo, ela mesma iniciaria uma campanha pública para o afastarem da catedral, assegurava Hortense Guizot. Haviam contado a ela a respeito de cerimônias vodu em que bebiam sangue de animais sacrificados, e o demônio aparecia em pessoa para copular com as mulheres pela frente e com os homens por trás. Não estranharia nem um pouco que a escrava, a quem ela confiava nada menos do que suas inocentes filhas, participasse daquelas bacanais.

Já estavam na casinha de pedra o capuchinho, Parmentier, Sancho e Valmorain em suas cadeiras, intrigados porque não sabiam o motivo de terem sido convocados. O santo conhecia o valor estratégico do ataque surpresa. A velha irmã Lucie, que chegara arrastando os chinelos e equilibrando com dificuldade uma bandeja, serviu-lhes um vinho ordinário em canequinhas descascadas de barro e se retirou. Era aquele o sinal que Tété esperava para entrar, como havia lhe ordenado o padre.

— Eu os chamei a esta casa de Deus para retificar um mal-entendido, meus filhos — disse Père Antoine, tirando o papel da gaveta. — Esta boa mulher, Tété, devia ter sido emancipada há sete anos, conforme este documento. Não é assim, monsieur Valmorain?

— Sete anos? Mas se Tété acaba de fazer trinta anos! Não podia ser libertada antes! — exclamou o aludido.

— Segundo o Código Negro, um escravo que salva a vida de um membro da família do patrão tem o direito à sua liberdade imediatamente, qualquer que seja a sua idade. Tété salvou a sua vida e a de seu filho Maurice.

— Isso não pode ser provado, *mon père* — respondeu Valmorain com uma careta de desprezo.

— Sua plantação de Saint-Domingue foi queimada, seus capatazes foram assassinados, todos os seus escravos escaparam para se unir aos rebeldes. Me diga, meu filho, você acha que teria sobrevivido sem a ajuda desta mulher?

Valmorain pegou o papel e deu uma olhada por cima, resfolegando.

— Isto não tem data, *mon père.*

— Certo, parece que você, na pressa e na angústia da fuga, se esqueceu de pôr a data. É muito compreensível. Por sorte, o doutor Parmentier viu este papel em 1793, em Le Cap. De modo que podemos supor que data desse tempo. Mas isso é o de menos. Estamos entre cavalheiros cristãos, homens de fé e de boas intenções. Peço-lhe, monsieur Valmorain, em nome de Deus, que cumpra a sua palavra. — E os olhos do santo lhe desnudaram a alma.

Valmorain se virou para Parmentier, que tinha os olhos fixos na canequinha de vinho, paralisado entre a lealdade ao amigo, a quem tanto devia, e sua própria nobreza, à qual Père Antoine acabava de recorrer magistralmente. Sancho, em troca, mal podia ocultar um sorriso sob os bigodes atrevidos. Para ele, o assunto tinha uma graça imensa, porque fazia anos que lembrava o cunhado da necessidade de resolver o problema da concubina, mas havia sido necessário nada menos do que a intervenção divina para que ele lhe desse atenção. Não entendia por que retinha Tété se já não a desejava e se era uma amolação evidente para Hortense. Os Valmorain podiam escolher outra babá para suas filhas entre suas numerosas escravas.

— Não se preocupe, *mon père*, meu cunhado vai fazer o que é justo — interveio, depois de um breve silêncio. — O doutor Parmentier e eu seremos suas testemunhas. Amanhã iremos ao juiz para legalizar a emancipação de Tété.

— De acordo, meus filhos. Parabéns, Tété, a partir de amanhã você será livre — anunciou Père Antoine, levantando sua canequinha para brindar.

Os homens mostraram intenção de esvaziar as deles, mas nenhum podia tragar aquela beberagem, e se levantaram para sair. Tété os deteve.

— Um momento, por favor. E Rosette? Ela também tem direito à liberdade. É o que diz o documento.

O sangue subiu à cabeça de Valmorain e o ar ficou escasso entre suas costelas. Apertou a empunhadura de sua bengala com os nós dos dedos brancos, controlando-se a duras penas para não levantá-la contra aquela escrava insolente, mas, antes que conseguisse agir, o santo interveio.

— Claro, Tété. Monsieur Valmorain sabe que Rosette está incluída. Amanhã ela também será livre. O doutor Parmentier e dom Sancho vão tratar para que tudo saia de acordo com a lei. Que Deus os abençoe, meus filhos...

Os três homens saíram, e o padre convidou Tété para tomar uma caneca de chocolate para festejar. Uma hora mais tarde, quando ela voltou para casa, seus patrões a esperavam no salão como dois severos magistrados sentados lado a lado em cadeiras de espaldar alto; Hortense raivosa e Valmorain ofendido, porque não lhe entrava na cabeça que aquela mulher, com quem havia contado durante vinte anos, o tivesse humilhado diante do sacerdote e de seus amigos mais próximos. Hortense anunciou que levaria o assunto aos tribunais, aquele documento havia sido escrito sob pressão e não era válido, mas Valmorain não lhe permitiu continuar por esse caminho: não desejava um escândalo.

Os patrões tomavam a palavra um do outro para cobrir a escrava de recriminações que ela não escutava, porque ouvia uma espécie de chocalho mágico e alegre na sua cabeça. "Mal-agradecida! Se a única coisa que quer é ir embora, vá agora mesmo. Até sua roupa nos pertence, mas pode levá-la para não sair nua. Tem meia hora para deixar esta casa, e proíbo que pise aqui de novo. Vamos ver o que vai ser de você quando estiver na rua! Vai se oferecer aos marinheiros como uma devassa, é a única coisa que vai poder fazer!", rugiu Hortense, batendo nas pernas da cadeira com a chibata.

Tété se retirou, fechou a porta com cuidado e foi à cozinha, onde os outros criados já sabiam o que acontecera. Com o risco de atrair a raiva de sua dona, Denise convidou-a a dormir com ela e partir ao amanhecer, pois assim não estaria na rua sem salvo-conduto durante a noite. Ainda não era livre, e iria para a cadeia se a guarda a pegasse, mas ela não via a hora de ir embora. Abraçou cada um com a promessa de vê-los na missa, na Praça do Congo ou no mercado; não pensava ir longe, Nova Orleans era a cidade perfeita para ela, disse. "Não terá um dono que a proteja, Tété, pode acontecer qualquer coisa, há muito perigo lá fora. Vai viver de quê?", perguntou Célestine.

— Do que sempre vivi, do meu trabalho.

Não se deteve em seu quarto para recolher suas posses mínimas; levou apenas seu papel da liberdade e a cesta de comida que Célestine lhe preparou, atravessou a praça com pés ligeiros, deu a volta à catedral e bateu na porta da casinha do santo. A irmã Lucie abriu-a com uma vela na mão e, sem fazer perguntas, levou-a pelo corredor que unia a casa à igreja até uma sala mal iluminada, onde havia uma dezena de indigentes sentados à mesa, com pratos de sopa e pão. Père Antoine estava comendo com eles. "Sente-se, filha. Estávamos esperando você. A irmã Lucie vai arrumar um canto para você dormir", disse-lhe.

No dia seguinte, o santo a acompanhou ao tribunal. Na hora exata se apresentaram Valmorain, Parmentier e Sancho para legalizar a emancipação da "moça Zarité, a quem chamam Tété, mulata, trinta anos, de boa conduta, por leais serviços. Mediante esse documento, sua filha Rosette, mestiça, de onze anos, pertence como filha à dita Zarité". O juiz mandou fazer uma notificação pública para que "as pessoas que tenham objeção legal se apresentem nesta Corte no prazo máximo de quarenta dias a partir desta data". Terminado o trâmite, que demorou apenas nove minutos, todos se retiraram animados, inclusive Valmorain, porque durante a noite, depois que Hortense dormiu cansada de se enfurecer e se lamentar, teve tempo de pensar a fundo e compreendeu que Sancho tinha razão e que devia se separar de Tété. Na porta do edifício, segurou-a pelo braço.

— Mesmo que você tenha me prejudicado seriamente, não lhe guardo rancor, mulher — disse em tom paternal, satisfeito com sua própria generosidade. — Imagino que vai acabar mendigando, mas, pelo menos, salvarei Rosette. Ela vai continuar nas ursulinas até completar sua educação.

— Sua filha agradecerá, monsieur — respondeu ela e se foi dançando pela rua.

O santo de Nova Orleans

Nas duas primeiras semanas, Tété ganhou a comida e um colchão de palha para dormir, e passou a ajudar Père Antoine em suas múltiplas tarefas de caridade. Levantava antes do amanhecer, quando ele já estava rezando fazia um bom tempo, e o acompanhava à cadeia, ao hospital, ao asilo de loucos, ao orfanato e a algumas casas particulares para dar a comunhão a anciãos e doentes acamados. O dia inteiro, sob sol ou chuva, a figura mirrada do padre com sua batina marrom e sua barba emaranhada circulava pela cidade; era visto nas mansões dos ricos e em barracos miseráveis, nos conventos e nos bordéis, pedindo esmola no mercado e nos cafés, oferecendo pão aos mendigos mutilados e água aos escravos dos arremates no Maspero Échange, sempre seguido por uma leva de cães famélicos. Nunca se esquecia de consolar os castigados nos cepos instalados na rua atrás da Prefeitura, as ovelhas mais infelizes de seu rebanho, de quem limpava as feridas com tal inépcia, por conta da vista curta, que Tété tinha de intervir.

— Que mãos de anjo você tem, Tété! O Senhor indicou você para ser enfermeira. Vai ter que ficar trabalhando comigo — propôs o santo.

— Não sou freira, *mon père*, não posso trabalhar de graça para sempre, preciso sustentar minha filha.

— Não sucumba à cobiça, filha. O serviço ao próximo tem seu pagamento no céu, como prometeu Jesus.

— Diga a ele que é melhor me pagar aqui mesmo, nem que seja pouca coisa.

— Eu direi, filha, mas Jesus tem muitos gastos — respondeu o padre com um riso astuto.

Ao entardecer, voltavam para a casinha de pedra, onde os aguardava a irmã Lucie com água e sabão para se lavarem antes de se alimentarem. Tété colocava os pés de molho num balde e cortava tiras para fazer bandagens, enquanto ele ouvia confissões, atuava como árbitro, resolvia agravos e dissipava animosidades. Não dava conselhos porque, segundo sua experiência, era uma perda de tempo; cada um comete seus próprios erros e aprende com eles.

À noite, o santo se cobria com um cobertor roído pelas traças e saía com Tété para se meter com a ralé mais perigosa, munido de uma lamparina, já que nenhuma das oitenta lâmpadas da cidade estava situada onde podiam lhe servir. Os delinquentes o toleravam, porque respondia aos palavrões com bênçãos sarcásticas, e ninguém conseguia intimidá-lo. Não chegava com a intenção de condenar nem com o propósito de salvar almas, mas para fazer curativos em esfaqueados, separar gente violenta, impedir suicídios, socorrer mulheres, recolher cadáveres e arrastar crianças para o orfanato das freiras. Se por ignorância algum dos *kaintocks* se atrevia a tocá-lo, cem punhos se levantavam para ensinar ao forasteiro quem era Père Antoine. Entrava no bairro O Pântano, o pior antro de depravação do Mississippi, protegido por sua inalterável inocência e sua auréola incerta. Ali se aglomeravam, em espeluncas de jogo e bordéis, os remadores de botes, piratas, cafetões, putas, desertores do exército, marinheiros de folga, ladrões e assassinos. Tété, aterrorizada, avançava entre barro, vômito, merda e ratos, agarrada ao hábito do capuchinho, invocando Erzuli em voz alta, enquanto ele saboreava o prazer do perigo. "Jesus vela por nós, Tété", garantia-lhe feliz. "E se ele se distrair, *mon père?*"

Ao fim da segunda semana, Tété tinha os pés em chagas, as costas quebradas, o coração oprimido pelas misérias humanas e a suspeita de que era muito mais fácil cortar cana do que fazer a caridade entre os mal-agradecidos. Numa terça-feira, na Praça de Armas, encontrou-se com Sancho García del Solar, vestido de preto e tão perfumado que nem as moscas se aproximavam, todo contente, porque acabara de ganhar um jogo de *écarté* de um americano muito desconfiado. Cumprimentou-a com uma reverência floreada e um beijo na mão, diante de vários curiosos espantados, e depois a convidou para tomar um café.

— Tem de ser rápido, dom Sancho, porque estou esperando *mon père*, que está tratando das pústulas de um pecador, e acho que não vai demorar muito.

— Você não o ajuda, Tété?

— Sim, mas este pecador tem o mal espanhol, e *mon père* não me deixa ver as partes privadas dele. Como se fosse uma novidade para mim!

— O santo tem toda razão, Tété. Se essa doença me atacasse, que Deus me livre!, não gostaria que uma bela mulher ofendesse meu pudor.

— Não brinque, dom Sancho. Olhe que essa desgraça pode acontecer com qualquer um. Menos a Père Antoine, claro.

Sentaram-se numa mesinha diante da praça. O proprietário da cafeteria, um mulato livre, conhecido de Sancho, não ocultou sua surpresa com o contraste que apresentavam o espanhol e sua acompanhante, ele com ar de realeza e ela como uma mendiga. Também Sancho notou a aparência patética de Tété e, quando ela lhe contou o que havia sido sua vida naquelas duas semanas, deu uma sonora gargalhada.

— Certamente a santidade é um sufoco, Tété. Você tem que escapar de Père Antoine ou vai terminar tão decrépita como a irmã Lucie — disse.

— Não posso abusar da gentileza de Père Antoine por mais tempo, dom Sancho. Vou embora quando completarem os quarenta dias da notificação do juiz e assim que ganhar a minha liberdade. Então, vou ver o que fazer. Tenho que conseguir trabalho.

— E Rosette?

— Continua nas ursulinas. Sei que o senhor a visita e leva presentes em meu nome. Como posso pagar sua bondade conosco, dom Sancho?

— Você não me deve nada, Tété.

— Preciso economizar alguma coisa para receber Rosette quando ela sair do colégio.

— O que Père Antoine diz a respeito? — perguntou Sancho, adicionando cinco colheradas de açúcar e um gole de conhaque em sua taça de café.

— Que Deus proverá.

— Espero que assim seja, mas, por via das dúvidas, você devia ter um plano alternativo. Preciso de uma criada, minha casa é um desastre, mas, se emprego você, os Valmorain não vão me perdoar.

— Entendo, senhor. Alguém vai me empregar, tenho certeza.

— Os escravos fazem o trabalho pesado, desde o cultivo dos campos até criar os filhos. Sabia que há três mil escravos em Nova Orleans?

— E quantas pessoas livres, senhor?

— Uns cinco mil brancos e umas duas mil pessoas de cor, pelo que dizem.

— Quer dizer que há mais do que o dobro de pessoas livres do que escravos — calculou ela. — Como não vou encontrar alguém que precise de mim?! Um abolicionista, por exemplo.

— Abolicionistas na Louisiana? Se existem, estão bem escondidos — riu Sancho.

— Não sei ler, escrever nem cozinhar, senhor, mas sei fazer os trabalhos da casa, trazer bebês ao mundo, costurar feridas e curar doentes — insistiu ela.

— Não será fácil, mulher, mas vou ajudar — disse Sancho.
— Uma amiga minha garante que os escravos custam mais caro do que os empregados. São necessários vários escravos para fazer de má vontade o trabalho que uma pessoa livre faz de bom grado. Entende?

— Mais ou menos — admitiu ela, memorizando cada palavra para repetir a Père Antoine.

— Falta incentivo ao escravo. Para ele é melhor trabalhar devagar e mal, já que seu esforço só beneficia o dono, mas a pessoa livre trabalha para economizar e progredir. Esse é o incentivo dela.

— O incentivo em Saint-Lazare era o chicote do senhor Cambray — comentou ela.

— E olha só como terminou a colônia, Tété. Não se pode impor indefinidamente o terror.

— O senhor deve ser um abolicionista dissimulado, dom Sancho, porque fala como o tutor Garpard Sévérin e monsieur Zacharie em Le Cap.

— Não repita isso em público porque vai me criar problemas. Amanhã quero ver você aqui mesmo, limpa e bem-vestida. Vamos visitar minha amiga.

No outro dia, Père Antoine partiu sozinho para suas tarefas, enquanto Tété, com seu único vestido recém-lavado e seu *tignon* engomado, ia com Sancho procurar emprego pela primeira vez. Não foram longe, apenas umas poucas quadras pela heterogênea rua Chartres, com suas lojas de chapéus, rendas, botas, tecidos e tudo mais que se pudesse imaginar para alimentar a faceirice feminina, e se detiveram diante de uma casa de dois andares pintada de amarelo, com grades de ferro verde nas sacadas.

Sancho bateu na porta com uma pequena aldrava em forma de sapo. Abriu-a uma negra gorda, que, ao reconhecer Sancho, trocou o mau humor por um sorriso enorme. Tété pensou que havia percorrido vinte anos em círculos para terminar no mesmo lugar onde estava quando deixara a casa de madame Delphine. Era Loula. A mulher não a reconheceu, o que teria mesmo sido impossível, mas, como vinha com Sancho, deu-lhe as boas-vindas e os levou para a sala. "Madame já vem, dom Sancho. Está à sua espera", disse e desapareceu, fazendo retumbar as tábuas do assoalho com seus passos de elefanta.

Minutos mais tarde, Tété, com o coração aos saltos, viu entrar a mesma Violette Boisier de Le Cap, tão bonita como naquele tempo e com a segurança que os anos e as lembranças proporcionam. Sancho se transformou num instante. Desapareceu sua fanfarrice de macho espanhol e ele se reduziu a um rapaz tímido que se inclinava para beijar a mão da bela, enquanto a ponta de sua espada derrubava uma mesinha. Tété conseguiu pegar no ar um trovador medieval de porcelana e o segurou contra o peito, observando Violette, pasmada. "Imagino que esta é a mulher de que me falou, Sancho", disse ela. Tété notou a familiaridade no tratamento e a perturbação de Sancho, lembrou-se das fofocas e compreendeu que Violette era a cubana que, segundo Célestine, havia substituído Adi Soupir no coração namorador do espanhol.

— Madame... Nós nos conhecemos há muito tempo. A senhora me comprou de madame Delphine, quando eu era menina — conseguiu articular Tété.

— Sim? Não me lembro — titubeou Violette.

— Em Le Cap. A senhora me comprou para monsieur Valmorain. Sou Zarité.

— Mas é claro! Vá até a janela para que eu possa vê-la bem. Como ia reconhecer você? Naquela época, você era uma menina muito magra que só pensava em fugir.

— Agora sou livre. Bem, quase livre.

— Deus meu, esta é uma coincidência muito impressionante. Loula! Venha ver quem está aqui! — gritou Violette.

Loula entrou arrastando seu corpanzil e, quando entendeu de quem se tratava, esmagou Tété num abraço de gorila. Algumas lágrimas sentimentais assomaram nos olhos da mulher ao lembrar Honoré, associado em sua memória com a menina que Tété havia sido. Contou que, antes de voltar para a França, madame Delphine tentara vendê-lo, mas já não valia nada, era um velho doente, e tivera que soltá-lo para que se arranjasse sozinho pedindo esmola.

— Ele se foi com os rebeldes antes da revolução. Veio se despedir de mim. Éramos amigos. Um verdadeiro cavalheiro aquele Honoré. Não sei se conseguiu chegar às montanhas, porque o caminho era muito árduo e ele tinha os ossos tortos. Se chegou, quem sabe o aceitaram, porque não estava em condições de lutar em guerra nenhuma — suspirou Loula.

— Claro que o aceitaram, porque sabia tocar tambores e cozinhar. Isso, às vezes, é mais importante do que empunhar uma arma — consolou-a Tété.

Tété se despediu do sacerdote e da velha irmã Lucie com a promessa de ajudá-los com os doentes quando pudesse e foi viver com Violette e Loula, como tanto havia desejado quando era uma menina de dez anos de idade. Para satisfazer a curiosidade pendente por duas décadas, perguntou quanto Violette havia pagado por ela à madame Delphine e soube que fora o valor de duas cabras, embora depois seu preço tenha aumentado uns quinze por cento ao ser transferida para Valmorain. "É mais do que você valia, Tété. Era uma menininha feia e malcriada", garantiu-lhe Loula com seriedade.

Mandaram-na para o único quarto de escravos da casa, uma peça sem ventilação, mas limpa, e Violette remexeu em suas coisas e encontrou algo adequado para vesti-la. Suas tarefas eram tantas que não podiam ser enumeradas, mas basicamente consistiam em cumprir as ordens de Loula, que já não tinha idade nem fôlego para trabalhos domésticos, e passava o dia na cozinha preparando cremes para a beleza e poções para a sensualidade. Nenhum cartaz na rua anunciava o que se oferecia entre aquelas paredes; bastava o boca a boca, que atraía uma fila interminável de mulheres de todas as idades, a maioria delas de cor, embora também chegassem algumas brancas dissimuladas sob véus espessos.

Violette só atendia à tarde; não havia perdido o costume de dedicar as horas da manhã a seus cuidados pessoais e ao ócio. Sua cútis, raras vezes tocada pela luz direta do sol, continuava tão delicada como o *crême caramel*, e as finas rugas dos olhos lhe davam caráter; suas mãos, que jamais haviam lavado roupa ou cozinhado, brilhavam juvenis, e suas formas haviam se acentuado com vários quilos que a suavizavam sem lhe dar a aparência de uma matrona. As loções misteriosas haviam preservado a cor de azeviche de seus cabelos, que penteava como antes num coque complicado, com alguns cachos soltos para deleite da imaginação. Ainda provocava desejo nos homens e ciúmes nas mulheres, e essa certeza dava ginga a seu andar e alguma rouquidão ao seu riso. Suas clientes lhe confiavam suas tristezas, pediam conselhos em sussurros e adquiriam suas poções sem pechinchar, na mais absoluta discrição. Tété ia com ela comprar os ingredientes; desde pérolas para clarear a pele, que conseguia com os piratas, até frascos de vidro colorido, que um capitão lhe trazia da Itália. "O vidro vale mais do que o conteúdo. O que importa é a aparência", comentou Violette para Tété. "Père Antoine afirma o contrário", riu a outra.

Uma vez por semana iam a um escriba, e Violette ditava em grandes arroubos uma carta para seu filho na França. O escriba se encarregava de botar seus pensamentos em frases floridas e bela caligrafia. As cartas demoravam apenas dois meses para chegar às mãos do jovem cadete, que respondia pontualmente com quatro frases em gíria militar para dizer que seu estado era positivo e estava estudando a língua do inimigo, sem especificar que inimigo exatamente, já que a França contava com vários. "Jean-Martin é igual ao pai", suspirava Violette quando lia aquelas cartas cifradas. Tété se atreveu a lhe perguntar como havia conseguido que a maternidade não lhe tivesse afrouxado as carnes, e Violette atribuiu à herança de sua avó senegalesa. Não lhe confessou que

Jean-Martin era adotado, como nunca lhe mencionou seus amores com Valmorain. No entanto, falou de sua longa relação com Étienne Relais, amante e marido, a cuja memória fora fiel até aparecer Sancho García del Solar, porque nenhum dos pretendentes anteriores em Cuba, inclusive o galego que estivera a ponto de se casar com ela, conseguira apaixoná-la.

— Sempre tive companhia em minha cama de viúva para me manter em forma. Por isso tenho boa cútis e bom humor.

Tété calculou que logo ela mesma estaria enrugada e melancólica, porque fazia anos que se consolava sozinha, sem outro incentivo senão a lembrança de Gambo.

— Dom Sancho é um senhor muito bom, madame. Se o ama, por que não se casam?

— Em que mundo você vive, Tété? Os brancos não se casam com mulheres de cor, é ilegal. Além disso, na minha idade não é preciso se casar, e muito menos com um farrista incurável como Sancho.

— Poderiam viver juntos.

— Não quero sustentá-lo. Sancho vai morrer pobre, enquanto eu pretendo morrer rica e ser enterrada num mausoléu coroado com um arcanjo de mármore.

Dois dias depois que acabou o prazo para a emancipação de Tété, Sancho e Violette a acompanharam ao colégio das ursulinas para contar a notícia a Rosette. Reuniram-se na sala de visitas, ampla e quase nua, com quatro cadeiras de madeira toscas e um grande crucifixo preso na parede. Sobre uma mesinha havia taças de chocolate quente, com uma crosta de nata coagulada flutuando em cima, e uma urna para as esmolas que ajudavam a manter os mendigos agregados ao convento. Uma freira assistia à entrevista e vigiava de soslaio, porque as alunas não podiam ficar sem uma acompanhante em presença masculina, mesmo que fosse o bispo, e com maior razão ainda, um tipo tão sedutor como aquele espanhol.

Poucas vezes, Tété havia tocado no assunto da escravidão com a filha. Rosette sabia vagamente que ela e sua mãe pertenciam a

Valmorain e comparava a sua situação com a de Maurice, que dependia completamente do pai e que não podia decidir nada por si mesmo. Não achava estranho. Todas as mulheres e meninas que conhecia, livres ou não, pertenciam a um homem: pai, marido ou Jesus. No entanto, esse era um assunto constante nas cartas de Maurice, que, sendo livre, vivia muito mais angustiado do que ela pela total imoralidade da escravidão, como dizia. Na infância, quando as diferenças entre ambos eram muito menos aparentes, Maurice costumava mergulhar em estados de ânimo trágicos, causados por duas coisas que o obcecavam: a justiça e a escravidão. "Quando formos grandes, você será meu dono, eu serei sua escrava, e viveremos felizes", disse-lhe Rosette certa vez. Maurice a sacudiu, em prantos: "Eu nunca vou ter escravos! Nunca! Nunca!"

Rosette era uma das meninas de pele mais clara entre as estudantes de cor, e ninguém duvidava de que fosse filha de pais livres; apenas a madre superiora conhecia sua verdadeira condição e tinha aceitado a menina por causa da doação que Valmorain fizera ao colégio e pela promessa de que seria emancipada num futuro próximo. A visita foi bem mais descontraída do que as anteriores, nas quais Tété estivera sozinha com sua filha sem nada para se dizerem, ambas desconfortáveis. Rosette e Violette simpatizaram de imediato. Ao vê-las juntas, Tété pensou que, de certa forma, se pareciam, não tanto pelos traços, mas pela cor e pela atitude. Passaram a hora de visita conversando animadamente, enquanto Tété e Sancho as observavam mudos.

— Que garota esperta e bonita é a Rosette, Tété! É a filha que eu desejaria ter! — exclamou Violette quando saíram.

— O que será dela quando sair do colégio, madame? Está acostumada a viver como rica, nunca trabalhou e acha que é branca — suspirou Tété.

— É cedo, mulher. Depois a gente vê — respondeu Violette.

zarité

No dia marcado me postei na porta do tribunal para esperar o juiz. A notificação ainda estava grudada na parede, como a vira diariamente durante aqueles quarenta dias, quando ia, com a alma por um fio e um gris-gris *de boa sorte na mão, saber se alguém se opunha à minha emancipação. Madame Hortense podia impedi-la, era muito fácil para ela; bastaria me acusar de costumes libertinos ou má índole, mas parece que não se atreveu a desafiar o marido. Monsieur Valmorain tinha horror a fofocas. Naqueles dias, tive tempo para pensar e acumulei muitas dúvidas. Ressoavam-me na cabeça as advertências de Célestine e as ameaças de Valmorain: a liberdade significava que não poderia contar com a ajuda de ninguém, que não teria proteção nem segurança. Se não encontrasse trabalho ou adoecesse, terminaria na fila dos mendigos que as ursulinas alimentavam. E Rosette? "Calma, Tété. Confie em Deus, que Ele nunca nos abandona", consolava-me Père Antoine. Ninguém se apresentou no tribunal para se opor e, em 30 de novembro de 1800, o juiz assinou a minha liberdade e me entregou Rosette. Somente Père Antoine estava lá, porque dom Sancho e o doutor Parmentier, que haviam prometido me acompanhar, se esqueceram. O juiz me perguntou que sobrenome eu queria registrar, e o santo me autorizou a usar o dele. Zarité Sedella, trinta anos, mulata, livre. Rosette, onze anos, mestiça, escrava, propriedade de Zarité Sedella. Isso dizia o papel que Père Antoine me leu palavra por palavra antes de me dar sua bênção e um abraço apertado. Foi assim.*

O santo partiu em seguida para atender seus necessitados, e eu me sentei num banquinho da Praça de Armas para chorar de alívio. Não sei quanto tempo fiquei lá, mas não foi pouco, porque o sol se deslocou no céu e o rosto secou na sombra. Então, senti que me tocavam num ombro, e uma voz que reconheci na mesma hora me cumprimentou: "Até que enfim se acalmou, mademoiselle Zarité! Achei que ia se dissolver em lágrimas." Era Zacharie, que estivera sentado no outro banco, observando-me sem pressa. Era o homem mais bonito do mundo, mas eu não havia notado antes porque estava cega de amor por Gambo. Na intendência de Le Cap, com sua libré de gala, era uma figura imponente, e ali na praça, com um casaco bordado de seda cor de musgo, camisa de linho, botas com fivelas douradas e vários anéis de ouro, estava muito melhor. "Zacharie! É o senhor mesmo?" Parecia uma visão, muito distinto, com alguns cabelos brancos e uma bengala fina com castão de marfim.

Sentou-se ao meu lado e me pediu que esquecêssemos o tratamento formal, em nome de nossa antiga amizade. Contou-me que havia saído a toda pressa de Saint-Domingue, mal se anunciara o fim da escravidão, e havia embarcado numa galeota americana que o deixara em Nova York, onde não conhecia ninguém, tremia de frio e não entendia uma palavra da geringonça que aquela gente falava, como disse. Sabia que a maioria dos refugiados de Saint-Domingue estava em Nova Orleans e dera um jeito de vir para cá. Estava se dando muito bem. Alguns dias antes, vira, por acaso, a notificação de minha liberdade no tribunal, fizera umas averiguações e, quando tivera certeza de que se tratava da mesma Zarité que conhecia, escrava de monsieur Toulouse Valmorain, decidira aparecer na data indicada, já que de todo modo seu bote estaria ancorado em Nova Orleans. Ele me viu entrar com Père Antoine no tribunal, esperou-me na Praça de Armas e depois teve a delicadeza de me deixar chorar à vontade antes de me cumprimentar.

— Esperei trinta anos por este momento, e, quando chega, em vez de dançar de alegria, não paro de chorar — disse-lhe, envergonhada.

— Vai ter tempo de dançar, Zarité. Vamos sair para festejar hoje à tarde — propôs-me.

— Não tenho o que vestir!

— Vou ter que comprar um vestido, então. É o mínimo que você merece neste dia, o mais importante de sua vida.

— Você é rico, Zacharie?

— Sou pobre, mas vivo como rico. Isso é mais sábio do que ser rico e viver como pobre — e começou a rir. — Quando eu morrer, meus amigos terão que fazer uma coleta para me enterrar, mas meu epitáfio dirá com letras de ouro: aqui jaz Zacharie, o negro mais rico do Mississippi. Mandei gravar a lápide e guardo-a embaixo da minha cama.

— É isso que madame Violette Boisier também deseja: um túmulo impressionante.

— É a única coisa que fica, Zarité. Daqui a cem anos, os visitantes do cemitério vão poder admirar os túmulos de Violette e Zacharie, e imaginar que tivemos uma vida boa.

Acompanhou-me até em casa. A meio caminho, cruzamos com dois homens brancos, quase tão bem-vestidos quanto Zacharie, que o admiraram de cima a baixo com expressão zombeteira. Um deles deu uma cuspida muito perto dos pés de Zacharie, mas ele não se deu conta ou preferiu ignorar.

Não foi necessário comprar-me um vestido, porque madame Violette quis me arrumar para o primeiro encontro da minha vida. Ela e Loula me deram banho, me massagearam com creme de amêndoa, poliram minhas unhas e ajeitaram meus pés da melhor maneira possível, mas não puderam dissimular os calos de tantos anos andando descalça. Madame me maquiou, mas no espelho não apareceu meu rosto pintado, mas uma Zarité Sedella quase bonita. Vestiu-me com um vestido seu, modelo império, de musselina com uma capa da mesma cor pêssego, e me amarrou à sua maneira um tignon *de seda. Emprestou-me sapatilhas de tafetá e seus grandes brincos de ouro, sua única joia, fora o anel de opala quebrado, que nunca tirava do dedo. Não tive que ir de chinelas e levar as sapatilhas numa bolsa para não sujá-las na rua, como sempre se faz, porque Zacharie chegou com um coche de aluguel. Imagino que Violette, Loula e várias vizinhas que apareceram para espiar se perguntavam por que um cavalheiro como ele perdia seu tempo com alguém tão insignificante como eu.*

Zacharie me trouxe duas gardênias, que Loula me prendeu no decote, e fomos para o Teatro da Ópera. Nessa noite apresentavam uma obra do compositor Saint-Georges, filho de um plantador de Guadalupe e sua escrava africana. O rei Luís XVI nomeou-o diretor da Ópera de Paris, mas não durou muito, porque divas e tenores se negaram a cantar sob a sua batuta. Foi o que Zacharie me contou. Talvez nenhum dos brancos do público, que tanto aplaudiram, soubesse que a música era de um mulato. Tínhamos os melhores lugares na parte reservada às pessoas de cor, segundo andar, no centro. O ar denso do teatro cheirava a álcool, suor e tabaco, mas eu só sentia minhas gardênias. Nos camarotes havia vários kaintocks *que interrompiam berrando piadas, até que finalmente os expulsaram à força e a música pôde continuar. Depois fomos ao Salão Orleans, onde tocavam valsas, quadrilhas e polcas, as mesmas danças que Maurice e Rosette aprenderam a varetadas. Zacharie me guiou sem me pisar nos pés nem atropelar outros casais. Tínhamos que nos sair bem na pista de dança, sem levantar e nem sacudir a bunda. Havia alguns homens brancos, mas nenhuma mulher branca, e Zacharie era o mais negro, fora os músicos e o garçom, e também o mais bonito. Ultrapassava a todos em altura, dançava como se estivesse flutuando e sorria com seus dentes perfeitos.*

Ficamos no salão uma meia hora, mas Zacharie se deu conta de que eu não me encaixava ali de jeito nenhum e fomos embora. A primeira coisa que fiz ao entrar no coche foi tirar os sapatos.

Terminamos perto do rio, numa ruazinha discreta longe do centro. Chamou-me a atenção que, diante dela, houvesse vários coches com lacaios adormecidos nas boleias, como se estivessem esperando havia um bom tempo. Paramos em frente a um muro coberto de hera e com uma porta estreita, mal iluminada por uma lâmpada e vigiada por um branco armado com duas pistolas, que cumprimentou Zacharie com respeito. Entramos num pátio onde havia uma dezena de cavalos encilhados e ouvimos os acordes de uma orquestra. A casa, que não era visível da rua, era de bom tamanho, mas sem pretensões, com o interior oculto por cortinas grossas nas janelas.

— Bem-vinda a Chez Fleur, a casa de jogo mais famosa de Nova Orleans — anunciou-me Zacharie com um gesto que abarcou a fachada.

Logo nos encontramos num salão amplo. Em meio à fumaça dos charutos, vi homens brancos e homens de cor, alguns junto às mesas de jogo, outros bebendo e outros mais dançando com mulheres que exibiam decotes generosos. Alguém nos pôs taças de champanhe nas mãos. Não podíamos avançar, porque detinham Zacharie a cada passo para cumprimentá-lo.

Bruscamente estourou uma briga entre vários jogadores, e Zacharie fez menção de intervir, mas se adiantou a ele uma pessoa enorme, com uma cabeleira dura como palha seca, um charuto entre os dentes e botas de lenhador, que distribuiu bofetões sonoros e a briga logo se dissolveu. Dois minutos mais tarde, os homens estavam sentados com cartas nas mãos, trocando piadas, como se não tivessem acabado de ser surrados. Zacharie me apresentou a quem havia imposto a ordem. Pensei que fosse um homem com seios, mas não, era uma mulher com barba. Tinha um delicado nome de flor e pássaro que não combinava com sua aparência: Fleur Hirondelle.

Zacharie me explicou que, com o dinheiro que economizara durante anos para comprar sua liberdade, que levara quando se fora de Saint-Domingue, mais um empréstimo do banco, conseguido por sua sócia Fleur Hirondelle, tinham conseguido comprar a casa, que estava em péssimas condições, mas que reformaram com todas as comodidades e até certo luxo. Não tinham problemas com as autoridades, porque parte da renda se destinava aos subornos. Vendiam bebida e comida, havia música alegre de duas orquestras e ofereciam as damas da noite mais vistosas da Louisiana. Não eram empregadas da casa, mas artistas independentes, porque Chez Fleur não era um bordel: desses havia muitos na cidade e não se precisava de mais um. Nas mesas se perdiam e, às vezes, se ganhavam fortunas, mas o grosso do dinheiro ficava na casa de jogo. Chez Fleur era um bom negócio, embora ainda estivessem pagando o empréstimo e tivessem muitos gastos.

— Meu sonho é ter várias casas de jogo, Zarité. Claro que precisaria de sócios brancos, como Fleur Hirondelle, para conseguir o dinheiro.

— Ela é branca? Parece um índio.

— Francesa de pura cepa, mas queimada pelo sol.

— Teve sorte com ela, Zacharie. Os sócios não são convenientes, é melhor pagar a alguém para que empreste o nome. É assim que faz madame Violette para burlar a lei. Dom Sancho bota a cara, mas ela não o deixa botar o nariz em seus negócios.

Lá dancei do meu jeito, e a noite passou voando. Quando Zacharie me levou de volta para casa, estava amanhecendo. Teve que me segurar por um braço, porque a cabeça me rodava de alegria e champanhe, que nunca havia tomado antes. "Erzuli, loa *do amor, não permita que eu me apaixone por este homem, porque vou sofrer", roguei naquela noite, pensando em como o olhavam as mulheres no Salão Orleans e se ofereciam no Chez Fleur.*

Da janelinha da carruagem, vimos Père Antoine, que voltava para a igreja, arrastando suas sandálias depois de uma noite de boas obras. Ia esgotado, e paramos para levá-lo, embora eu tenha ficado com vergonha de meu hálito de álcool e de meu vestido decotado. "Vejo que festejou pra valer seu primeiro dia de liberdade, minha filha. Nada mais merecido, em seu caso, do que um pouco de divertimento", foi tudo que disse antes de me dar sua bênção.

Tal como Zacharie me prometera, aquele foi um dia feliz. Assim me lembro.

A política do dia

Em Saint-Domingue, Pierre-François Toussaint, chamado de Louverture por causa de sua habilidade para negociar, mantinha um controle precário sob sua ditadura militar, mas os sete anos de violência haviam devastado a colônia e empobrecido a França. Napoleão não ia permitir que aquele aleijado, como o chamava, lhe impusesse condições. Toussaint havia se proclamado governador vitalício, inspirado no título napoleônico de primeiro cônsul vitalício, e tratava este de igual para igual. Bonaparte pensava esmagá-lo como a uma barata, pôr os negros para trabalhar nas plantações e recuperar a colônia sob o domínio dos brancos. No Café des Émigrés em Nova Orleans, os frequentadores acompanhavam com veemente atenção os confusos acontecimentos dos meses seguintes, porque não perdiam a esperança de voltar para a ilha. Napoleão enviou uma numerosa expedição sob o comando de seu cunhado, o general Leclerc, que levava consigo sua bela esposa Pauline Bonaparte. A irmã de Napoleão viajava com cortesãos, músicos, acrobatas, artistas, móveis, adornos e tudo que se podia desejar para instalar na colônia uma corte tão esplêndida como a que havia deixado em Paris.

Saíram de Brest em fins de 1801, e, dois meses mais tarde, Le Cap foi bombardeado pelos barcos de Leclerc e reduzido a cinzas pela segunda vez em dez anos. Toussaint Louverture não moveu uma sobrancelha. Impassível, aguardava a cada vez o momento exato de atacar ou de se retirar, e, quando isso acontecia, suas tropas deixavam a terra arrasada, sem uma única árvore de pé. Os brancos que conseguiram se pôr sob a proteção de Leclerc foram aniquilados. Em abril, a febre amarela caiu como outra maldição sobre as tropas francesas, pouco acostumadas ao clima e sem defesa contra a epidemia. Dos dezessete mil homens que tinha Leclerc no começo da expedição, sobraram sete mil em condições lamentáveis; do resto havia cinco mil agonizantes e outros cinco mil embaixo da terra. Novamente, Toussaint agradeceu a oportuna ajuda dos exércitos alados de Macandal.

Napoleão mandou reforços, e, em junho, outros três mil soldados e oficiais morreram da mesma febre; faltava cal viva para cobrir os corpos nas valas comuns, onde urubus e cachorros lhes arrancavam pedaços. No entanto, nesse mesmo mês, a *z'etoile* de Toussaint se apagou no firmamento. O general caiu numa armadilha preparada pelos franceses com o pretexto de negociar, foi preso e deportado para a França com sua família. Napoleão vencera "o maior general negro da história", como o qualificaram. Leclerc anunciou que a única forma de restaurar a paz seria matar todos os negros das montanhas e metade daqueles que viviam nas planícies, homens e mulheres, e deixar vivos apenas as crianças menores de doze anos, mas não conseguiu executar seu plano, porque adoeceu.

Os emigrados brancos de Nova Orleans, inclusive os monarquistas, brindaram a Napoleão, o invencível, enquanto Toussaint Louverture morria lentamente numa cela gelada num forte dos Alpes, a dois mil e novecentos metros de altura, perto da fronteira com a Suíça. A guerra continuou implacável durante todo o ano de 1802, e pouca gente fez a conta: nessa breve campanha, Leclerc havia perdido quase trinta mil homens antes de morrer, ele mesmo, do mal de Sião em novembro. O primeiro cônsul prometeu enviar a Saint-Domingue outros trinta mil soldados.

Numa tarde de inverno de 1802, o doutor Parmentier e Tété conversavam no pátio de Adèle, onde se encontravam com frequência. Três anos antes, quando o doutor vira Tété na casa dos Valmorain, pouco depois de ter chegado de Cuba, tratara de lhe dar o recado de Gambo. Falara sobre as circunstâncias em que o havia conhecido, suas feridas horrendas e a longa convalescença, que lhes permitira alguma intimidade. Também lhe contara a ajuda que o bravo capitão havia lhe prestado para sair de Saint-Domingue quando era quase impossível. "Disse que não o esperasse, Tété, porque já tinha esquecido você, mas, se mandou esse recado, é porque não tinha esquecido", comentara o médico naquela ocasião. Imaginava que Tété tivesse se libertado do fantasma daquele amor. Conhecia Zacharie, e qualquer um podia adivinhar seus sentimentos por Tété, embora o doutor nunca tivesse surpreendido entre eles os gestos possessivos que delatam a intimidade. Talvez o hábito da cautela e da dissimulação, que lhes servira na escravidão, tivesse raízes profundas demais. A casa de jogo mantinha Zacharie ocupado e, além disso, ele viajava de vez em quando a Cuba e outras ilhas para se abastecer de bebida, charutos e outras mercadorias para o seu negócio. Tété nunca estava preparada quando Zacharie aparecia na casa da rua Chartres. Parmentier havia se encontrado com ele várias vezes quando Violette o convidou para jantar. Era amável e formal, e sempre chegava com o clássico bolo de amêndoas para coroar a mesa. Com ele, Zacharie falava de política, seu assunto preferido; com Sancho, de apostas, cavalos e negócios de fantasia; e com as mulheres, de tudo que as lisonjeava. De vez em quando o acompanhava sua sócia, Fleur Hirondelle, que parecia ter uma curiosa afinidade com Violette. Depositava suas armas na entrada, sentava-se para tomar chá na saleta e depois desaparecia no interior da casa, seguindo os passos de Violette. O doutor podia jurar que voltava sem pelos no rosto, e uma vez a vira guardar um frasquinho em sua algibeira de pólvora, certamente um perfume, porque ouvira Violette dizer que todas as mulheres têm um resquício de vaidade na alma e bastam algumas gotas perfumadas para reacendê-lo. Zacharie fingia não se dar conta daquelas fraquezas de sua sócia, enquanto esperava que Tété se vestisse para sair com ele.

Uma vez levaram o doutor ao Chez Fleur, e lá ele pôde ver Zacharie e Fleur Hirondelle em seu ambiente e observar a felicidade de Tété dançando descalça. Como Parmentier havia imaginado ao conhecê-la na *habitation* Saint-Lazare, quando ela era muito jovem, Tété possuía uma grande reserva de sensualidade, que naquela época ocultava sob uma expressão severa. Vendo-a dançar, o médico concluiu que ao ser emancipada não só havia mudado sua condição legal, como se libertara daquele aspecto do seu temperamento.

Em Nova Orleans, a relação de Parmentier com Adèle era normal, pois vários de seus amigos e pacientes mantinham famílias de cor. Pela primeira vez, o doutor não precisava recorrer a estratagemas indignos para visitar sua mulher, nada de andar de madrugada com precauções de bandido para não ser visto. Jantava quase todas as noites com ela, dormia em sua cama, e no outro dia ia caminhando com toda a calma, às dez da manhã, para seu consultório, surdo aos comentários que pudesse suscitar. Havia reconhecido seus filhos, que agora usavam seu sobrenome — os dois rapazes já estudavam na França, e a menina nas ursulinas. Adèle trabalhava em sua costura e economizava, como sempre fizera. Duas mulheres a ajudavam com os espartilhos de Violette Boisier, umas armaduras reforçadas com barbatanas de baleia, que davam curvas à mulher mais plana e não eram notados, de modo que os vestidos pareciam flutuar sobre o corpo nu. As brancas se perguntavam como uma moda inspirada na Grécia antiga podia assentar melhor nas africanas do que nelas. Tété ia e vinha entre ambas as casas com desenhos, medidas, tecidos, espartilhos e vestidos acabado, que depois Violette se encarregava de vender entre suas clientes. Numa dessas ocasiões, Parmentier se encontrou com Tété e Adèle no pátio das buganvílias, que naquela época do ano eram uns galhos secos sem flores nem folhas.

— Faz sete meses que morreu Toussaint Louverture. Outro crime de Napoleão. Mataram-no de fome, frio e solidão na prisão, mas ele não será esquecido: o general entrou para a história — disse o doutor.

Bebiam xerez depois de um jantar de bagre com legumes, já que, entre suas inúmeras virtudes, Adèle era boa cozinheira. O pátio era o lugar mais agradável da casa, inclusive em noites frias como aquela. A tênue luz provinha de um braseiro que Adèle havia acendido para obter as brasas para o ferro de passar e, ao mesmo tempo, aquecer o pequeno círculo de amigos.

— A morte de Toussaint não significa o fim da revolução. Agora o general Dessalines está no comando. Dizem que é um homem implacável — continuou o médico.

— O que será que foi feito de Gambo? Não confiava em ninguém, nem em Toussaint — comentou Tété.

— Depois mudou de opinião sobre Toussaint Louverture. Mais de uma vez, arriscou sua vida para salvá-lo, era o homem de confiança do general.

— Então estava com ele quando o prenderam — disse Tété.

— Toussaint foi a um encontro com os franceses para negociar uma saída política para a guerra, mas o traíram. Enquanto ele esperava dentro de uma casa, do lado de fora assassinaram sem contratempos seus guardas e os soldados que o acompanhavam. Temo que o capitão La Liberté tenha caído nesse dia, defendendo seu general — explicou Parmentier, tristemente.

— Antes Gambo me rondava, doutor.

— Como?

— Em sonhos — disse Tété, vagamente.

Não disse que antes o chamava toda noite com o pensamento, como uma oração, e que, às vezes, conseguia invocá-lo tão certeiramente, que acordava com o corpo pesado, quente, lânguido, com a felicidade de ter dormido abraçada com o amante. Sentia o calor e o cheiro de Gambo em sua própria pele. Nessas ocasiões, não se lavava, para prolongar a ilusão de ter estado com ele. Esses encontros no território dos sonhos eram o único consolo na solidão de sua cama, mas isso fazia muito tempo, já havia aceitado a morte de Gambo, porque, se estivesse vivo, teria se comunicado com ela de alguma maneira. Agora tinha Zacharie. Nas noites que dividiam quando ele estava disponível, ela descansava satisfeita e agradecida depois de ter feito amor, com a mão grande de Zacharie repousada em cima dela. Desde que ele chegara à sua vida, não tinha voltado ao hábito secreto de se acariciar chamando por Gambo, porque desejar os beijos de outro, mesmo sendo um fantasma, teria sido uma traição que ele não merecia. O carinho seguro e tranquilo que compartilhavam preenchia sua vida; não precisava de mais nada.

— Ninguém saiu com vida da armadilha que prepararam para Toussaint. Não houve prisioneiros, fora o general e depois sua família, que também foi presa — acrescentou Parmentier.

— Sei que não pegaram Gambo vivo, doutor. Porque ele jamais teria se rendido. Tanto sacrifício e tanta guerra para no fim vencerem os brancos!

— Ainda não venceram. A revolução continua. O general Dessalines acaba de derrotar as tropas de Napoleão e os franceses começaram a evacuar a ilha. Logo teremos por aqui outra onda de refugiados, e desta vez serão bonapartistas. Dessalines chamou os colonos brancos para recuperarem as plantações, porque precisa deles para produzir a riqueza que a colônia tinha outrora.

— Já ouvimos essa história várias vezes, doutor. Toussaint fez a mesma coisa. O senhor voltaria a Saint-Domingue? — perguntou Tété.

— Minha família está melhor aqui. Vamos ficar. E você?

— Eu também. Aqui sou livre, e logo Rosette também será.

— Não é muito jovem para ser emancipada?

— Père Antoine está me ajudando. Conhece meio mundo ao longo do Mississippi e nenhum juiz se atreveria a lhe negar um favor.

Naquela noite, Parmentier perguntou a Tété sobre sua relação com Tante Rose. Sabia que, além de auxiliá-la em partos e curativos, costumava ajudá-la também na preparação de medicamentos, e estava interessado nas receitas. Ela se lembrava da maioria e lhe garantiu que não eram complicadas, que podiam conseguir os ingredientes por intermédio dos "doutores de folhas" no Mercado Francês. Falaram da forma de estancar hemorragia, baixar a febre e evitar infecções, das infusões para limpar o fígado e aliviar os cálculos biliares e renais, dos sais contra enxaqueca, das ervas para abortar e tratar a disenteria, dos diuréticos, laxantes e fórmulas para fortalecer o sangue, que Tété sabia de memória. Riram um bocado do tônico de salsaparrilha, que os *créoles* usavam para todos os seus males, e concordaram que os conhecimentos de Tante Rose faziam muita falta. No dia seguinte, Parmentier foi até Violette Boisier propor uma ampliação de seu negócio de loções de beleza com uma lista de produtos da farmacopeia de Tante Rose, que Tété podia preparar na cozinha e ele se comprometia a comprar em sua totalidade. Violette não teve que pensar, achou que o negócio era ótimo para todos os interessados: o doutor obteria os remédios, Tété cobraria sua parte e ela ficaria com o restante sem fazer o menor esforço.

Os americanos

Então, Nova Orleans foi sacudida pelo boato mais inverossímil. Em cafés e tabernas, nas ruas e nas praças, as pessoas se reuniam com os ânimos exaltados para comentar a notícia, ainda incerta, de que Napoleão Bonaparte vendera a Louisiana para os americanos. Com o correr dos dias, prevaleceu a ideia de que se tratava apenas de calúnia, mas continuaram falando do corso desgraçado, porque — lembrem, senhores! — Napoleão é da Córsega, não se pode dizer que seja francês, nos vendeu aos *kaintocks*. Era a venda mais formidável e barata da história: mais de dois milhões de quilômetros quadrados pela soma de quinze milhões de dólares, quer dizer, alguns centavos por hectare. A maior parte do território, ocupado por tribos indígenas dispersas, não havia sido explorada devidamente pelos brancos. Ninguém conseguia imaginar a região, até que Sancho García del Solar fez circular um mapa do continente. Então, até o mais lerdo pôde calcular que os americanos haviam dobrado o tamanho de seu país. "E agora, o que será de nós? Como Napoleão meteu a mão num negócio desses? Não somos colônia espanhola?" Três anos antes, a Espanha havia entregado a Louisiana à França mediante o tratado secreto de São Ildefonso, mas a maioria não tinha sequer ficado sabendo porque a vida continuara como sempre. Não se notou a mudança de governo, as autoridades espanholas permaneceram em seus postos, enquanto

Napoleão guerreava contra os turcos, austríacos, italianos e qualquer um que cruzasse a sua frente, além dos rebeldes em Saint-Domingue. Tinha de lutar em frentes demais, inclusive contra a Inglaterra, seu inimigo ancestral, e necessitava de tempo, tropas e dinheiro; não podia ocupar nem defender a Louisiana, e temendo que ela caísse em mãos dos britânicos preferiu vendê-la ao único interessado, o presidente Jefferson.

Em Nova Orleans, todos, menos os ociosos do Café des Émigrés que já estavam com um pé no barco para voltar a Saint-Domingue, receberam a notícia com espanto. Achavam que os americanos eram uns bárbaros cobertos de pele de búfalo, que comiam com as botas sobre a mesa e careciam totalmente de decência, cortesia e honra. E nem falemos de classe! Só se interessavam em jogar, beber, trocar tiros ou se esmurrar; eram desordeiros diabólicos e, como se tudo isso não bastasse, protestantes. Além do mais, não falavam francês. Bem, teriam que aprender, senão como pensavam viver em Nova Orleans? A cidade inteira concordava que pertencer aos Estados Unidos equivalia ao fim da família, da cultura e da única religião verdadeira. Valmorain e Sancho, que conviviam com os americanos por causa de seus negócios, contribuíram com um toque conciliador naquela encrenca, explicando que os *kaintocks* eram homens da fronteira, mais ou menos como piratas, e todos os americanos não podiam ser julgados por eles. Realmente, disse Valmorain, em suas viagens havia conhecido muitos americanos, gente muito bem-educada e tranquila; e, ao contrário dos *kaintocks*, podia-se censurá-los por serem moralistas e espartanos demais em seus costumes. O defeito mais notável daquela gente era considerar o trabalho como uma virtude, inclusive o trabalho manual. Eram materialistas, vencedores, e os animava um entusiasmo messiânico por reformar os que não pensavam como eles, mas não representavam um perigo imediato para a civilização. Ninguém quis ouvi-los, fora uns dois loucos como Bernard de Marigny, que farejou as enormes possibilidades comerciais de se associar com os americanos, e Père Antoine, que vivia nas nuvens.

Primeiro se fez a transferência oficial, com três anos de atraso, da colônia espanhola para as autoridades francesas. Segundo o exagerado discurso do prefeito para a multidão que apareceu para a cerimônia, os habitantes da Louisiana tinham "as almas inundadas por um delírio de extrema felicidade". Festejaram com bailes, concerto, banquetes e espetáculos teatrais, na melhor tradição *créole*, uma verdadeira concorrência de cortesia, nobreza e esbanjamento entre o deposto governo espanhol e o resplandecente governo francês, mas durou pouco, porque justamente quando estavam hasteando a bandeira da França atracou um barco proveniente de Bordéus com a confirmação da venda do território para os americanos. Vendidos como vacas! Humilhação e fúria substituíram o ânimo festivo do dia anterior. A segunda transferência, dessa vez dos franceses para os americanos, que estavam acampados a poucos quilômetros da cidade, prontos para ocupá-la, aconteceu dezesseis dias mais tarde, em 20 de dezembro de 1803, e não foi um "delírio de extrema felicidade", mas um verdadeiro duelo coletivo.

Nesse mesmo mês, Dessalines proclamou a independência de Saint-Domingue com o nome de República Negra do Haiti, sob uma nova bandeira azul e vermelha. Haiti, "terra de montanhas", era o nome que os desaparecidos indígenas arahuacos davam a sua ilha. Com a intenção de apagarem o racismo, que havia sido a maldição da colônia, todos os cidadãos, sem importar a cor de sua pele, se denominavam *nègs*, e todos os que não eram cidadãos se chamavam *blancs*.

— Acho que a Europa e até os Estados Unidos vão tratar de acabar com essa pobre ilha, porque seu exemplo pode incitar outras colônias a se tornarem independentes. Também não vão permitir que se propague a abolição da escravatura — comentou Parmentier a Valmorain.

— Para nós, na Louisiana, é conveniente o desastre do Haiti, porque vendemos mais açúcar, e a melhor preço — concluiu Valmorain, a quem a sorte da ilha já não interessava, porque todos os seus investimentos estavam fora.

Os emigrados de Saint-Domingue, que viviam em Nova Orleans, não conseguiram se espantar com aquela primeira república negra, porque os acontecimentos na cidade requeriam toda a sua atenção. Num brilhante dia de sol, uma multidão variada de *créoles*, franceses, espanhóis, índios e negros se juntou na Praça de Armas para ver as autoridades americanas que entravam a cavalo, seguidas por um destacamento de dragões, duas companhias de infantaria e uma de carabineiros. Ninguém sentia simpatia por aqueles homens que se pavoneavam como se cada um deles tivesse tirado de seu bolso os quinze milhões de dólares para comprar a Louisiana.

Numa rápida cerimônia oficial na Prefeitura, entregaram as chaves da cidade ao novo governador, e logo se efetuou a troca de bandeiras na praça. Baixaram lentamente o pavilhão tricolor da França e elevaram a bandeira estrelada dos Estados Unidos. Quando ambas se cruzaram no meio, detiveram-se por um momento, marcado por um tiro de canhão que foi respondido de imediato por uma salva de tiros dos barcos no mar. Uma banda de músicos tocou uma canção popular americana e as pessoas escutaram em silêncio; muitas choraram, e mais de uma dama desmaiou de tristeza. Os recém-chegados se dispuseram a ocupar a cidade da forma menos agressiva possível, enquanto os nativos se dispuseram a lhes tornar a vida muito difícil. Os Guizot já haviam feito circular cartas instruindo as pessoas de suas relações para mantê-los marginalizados. Ninguém devia colaborar com eles nem recebê-los em suas casas. Até o mais lamentável mendigo de Nova Orleans se sentia superior aos americanos.

Uma das primeiras medidas tomadas pelo governador Claiborne foi declarar o inglês o idioma oficial, o que foi recebido com zombeteira incredulidade pelos *créoles*. Inglês? Tinham vivido décadas como colônia espanhola falando francês; os americanos deviam estar definitivamente loucos se esperavam que sua gíria gutural substituiria a língua mais melodiosa do mundo.

As freiras ursulinas, aterrorizadas com a certeza de que os bonapartistas primeiro e os *kaintocks* depois iam arrasar a cidade, profanar sua igreja e violá-las, se aprontaram para embarcar em massa para Cuba, apesar das súplicas de suas pupilas, seus órfãos e as centenas de indigentes que ajudavam. Apenas nove das vinte e cinco freiras permaneceram, as outras dezesseis desfilaram de cabeça baixa para o porto, envolvidas em seus véus e chorando, rodeadas por um séquito de amigos, conhecidos e escravos que as acompanharam até o barco.

Valmorain recebeu uma carta escrita às pressas, pedindo que retirasse sua protegida do colégio no prazo de vinte e quatro horas. Hortense, que esperava outro filho com a esperança de que fosse o tão desejado menino, deu a entender ao marido, e sem chances para nenhum tipo de dúvida, que aquela moça negra não pisaria em sua casa e que também não queria que ninguém a visse com ele. As pessoas, que só pensam mal dos outros, certamente espalhariam o boato — falso, é claro — de que Rosette era sua filha.

Com a derrota das tropas napoleônicas no Haiti, chegou uma segunda avalancha de refugiados a Nova Orleans, como previu o doutor Parmentier; primeiro centenas e depois milhares deles. Eram bonapartistas, radicais e ateus, muito diferentes dos monarquistas católicos que haviam chegado antes. O choque entre emigrados foi inevitável e coincidiu com a entrada dos americanos na cidade. O governador Claiborne, um militar jovem, de olhos azuis e cabelos loiros curtos, não falava uma palavra de francês e não entendia a mentalidade dos *créoles*, que considerava preguiçosos e decadentes.

De Saint-Domingue chegava um barco atrás do outro carregado de civis e soldados doentes de febre, que representavam um perigo político por suas ideias revolucionárias, e um risco de saúde pública pela possibilidade de uma epidemia. Claiborne procurou isolá-los em acampamentos afastados, mas a medida foi muito criticada e não impediu um jorro de refugiados, que de algum modo deram um jeito de chegar à cidade. Botou na cadeia os escravos que os brancos traziam, temendo que incitassem os escravos locais com a semente da rebelião; logo não houve espaço nas celas, e Claiborne foi atropelado pelo clamor dos donos, indignados porque sua propriedade havia sido confiscada. Alegavam que seus negros eram leais e de caráter comprovado, já que, se não fosse assim, não os teriam trazido. Além disso, faziam muita falta. Embora na Louisiana ninguém respeitasse a proibição de importar escravos e os piratas abastecessem o mercado, a procura era muito grande. Claiborne, que não era partidário da escravidão, cedeu à pressão pública e se dispôs a considerar cada caso individualmente, o que podia levar meses, enquanto Nova Orleans estava incandescente.

Violette Boisier se preparou para se acomodar ao impacto dos americanos. Adivinhou que os amáveis *créoles*, com sua cultura do ócio, não resistiriam à pujança daqueles homens empreendedores e práticos. "Olha bem o que digo, Sancho, em pouco tempo estes *parvenus* vão nos apagar da face da Terra", disse para o amante. Tinha ouvido falar do espírito igualitário dos americanos, inseparável da democracia, e pensou que, se antes havia espaço para gente de cor em Nova Orleans, com maior razão haveria no futuro. "Não se engane, são mais racistas do que os ingleses, franceses e espanhóis juntos", explicou Sancho, mas ela não acreditou.

Enquanto outros se negavam a se misturar com os americanos, Violette se dedicou a estudá-los de perto, para ver o que aprendia sobre eles e como poderia se manter à tona nas mudanças inevitáveis que traziam a Nova Orleans. Estava satisfeita com sua vida, tinha independência e conforto. Falava sério quando dizia que ia morrer rica. Com os lucros de seus cremes e conselhos de moda e beleza havia comprado, em menos de três anos, a casa da rua Chartres e planejava adquirir outra. "É preciso investir em propriedades, é a única coisa que fica, tudo mais é levado pelo vento", repetia Sancho, que não possuía nada próprio, já que a plantação era de Valmorain. O projeto de comprar terra tinha parecido a Sancho, no primeiro ano, uma ideia fascinante, no segundo ano uma ideia suportável, e no terceiro, um verdadeiro tormento. O entusiasmo pelo algodão se evaporou mal Hortense demonstrou interesse, uma vez que preferia não ter nenhum tipo de tratamento com aquela mulher. Sabia que Hortense estava conspirando para tirá-lo do páreo e reconhecia que não lhe faltavam razões: ele era uma carga que Valmorain levava nas costas por amizade. Violette o aconselhava a resolver seus problemas casando-se com uma mulher rica. "Então não me quer?", perguntava Sancho, ofendido. "Quero sim, mas não a ponto de sustentá-lo. Case com outra e continuamos sendo amantes."

Loula não compartilhava o entusiasmo de Violette pelas propriedades. Afirmava que naquela cidade de catástrofes estavam sujeitas aos caprichos do clima e dos incêndios, tinha sim que investir em ouro e se dedicar a emprestar dinheiro, como fizera antes com tão bons resultados, mas não convinha a Violette arrumar inimigos com manobras de agiota. Havia alcançado a idade da prudência e estava construindo sua posição social. Somente Jean-Martin a preocupava. Segundo suas cartas cifradas, continuava inamovível em seu propósito de seguir os passos do pai, cuja memória venerava. Ela pretendia algo melhor para o filho, conhecia de sobra a dureza da vida militar, bastava ver as condições desastrosas em que chegavam os soldados derrotados do Haiti. Não poderia dissuadi-lo mediante cartas ditadas a um escriba; teria que ir à França convencê-lo a estudar para uma profissão rentável, como a advocacia. Por mais incompetente que fosse, nenhum advogado acabava pobre. O fato de Jean-Martin não ter demonstrado interesse pela justiça não era importante, muito poucos advogados o tinham. Depois o casaria em Nova Orleans com uma moça o mais branca possível, alguém como Rosette, mas com fortuna e boa família. Segundo sua experiência, a pele clara e o dinheiro facilitavam quase tudo. Queria que seus netos viessem ao mundo com vantagens.

Rosette

Valmorain tinha visto Tété na rua, era impossível não se encontrar naquela cidade, e fizera como se não a conhecesse, mesmo sabendo que trabalhava para Violette Boisier. Tinha muito pouco contato com a bela de seus antigos amores, porque antes que pudesse reatar a amizade, como planejava quando a vira chegar a Nova Orleans, Sancho surgira com sua galanteria, sua boa pinta e a vantagem de ser solteiro. Valmorain ainda não entendia como o cunhado pudera lhe ganhar a partida. Sua relação com Hortense havia perdido o brilho desde que ela, absorta na maternidade, se descuidara das acrobacias no grande leito matrimonial com anjinhos. Estava sempre grávida, não conseguia se recuperar da gravidez de uma menina e já estava esperando a próxima, cada vez mais cansada, gorda e tirânica.

Para Valmorain eram tediosos os meses em Nova Orleans; ele sufocava no ambiente feminino de sua casa e na companhia constante dos Guizot, e por isso fugia para a plantação, deixando Hortense com as meninas na casa da cidade. No fundo, ela também preferia assim: seu marido ocupava espaço demais. Na plantação não parecia tanto, mas na cidade os quartos se tornavam estreitos e as horas mais longas. Ele tinha sua vida própria porta afora, mas, ao contrário de outros homens de sua condição, não mantinha nenhuma amante que o adoçasse algumas tardes da semana. Quando viu Violette Boisier no porto, pensou que seria a amante ideal, bonita, discreta e estéril. A mulher já não era tão jovem, mas ele não desejava uma garota de quem logo se cansaria. Violette sempre fora um desafio, e com a maturidade, sem dúvida, o era mais ainda; com ela nunca iria se entediar. No entanto, por uma norma entre cavalheiros, não tentou vê-la depois que Sancho se apaixonara por ela. Naquele dia, foi à casa amarela com a esperança de vê-la e com a carta das ursulinas no bolso. Tété, com quem não havia trocado uma palavra em três anos, abriu-lhe a porta.

— Madame Violette não está neste momento — anunciou no umbral.

— Não importa. Vim falar com você.

Ela o guiou à sala e lhe ofereceu um café, que ele aceitou para se recuperar, embora café lhe causasse uma ardência no estômago. Sentou-se numa poltrona redonda onde mal conseguiu acomodar o traseiro, com a bengala entre as pernas, resfolegando. Não fazia calor, mas nos últimos tempos o ar lhe faltava com frequência. "Preciso emagrecer um pouco", dizia-se toda semana quando lutava com o cinto e a gravata de laço de três voltas; até o calçado lhe apertava. Tété voltou com uma bandeja, serviu-lhe café como ele gostava, retinto e amargo, e depois serviu outra xícara para si mesma com muito açúcar. Valmorain notou, entre divertido e irritado, ares de altivez em sua antiga escrava. Embora não o olhasse nos olhos e não cometesse a insolência de se sentar, atrevia-se a tomar café em sua presença sem lhe pedir permissão, e em sua voz não encontrou a submissão de antes. Admitiu que estava melhor do que nunca; certamente havia aprendido alguns truques com Violette, cuja lembrança lhe agitou o coração: sua pele de gardênia, sua cabeleira negra, seus olhos sombreados por pestanas longas. Não dava para comparar com Tété, mas agora que não era sua parecia-lhe desejável.

— A que devo sua visita, monsieur? — perguntou ela.

— Trata-se de Rosette. Não se alarme. Sua filha está bem, mas amanhã sairá do colégio porque as freiras vão embora para Cuba por causa dos americanos. É uma reação exagerada e, sem dúvida, vão voltar, mas agora você vai ter que se encarregar dela.

— Como vou fazer isso, monsieur? — disse Tété, aturdida. — Não sei se madame Violette aceitará que eu a traga para cá.

— Isso não é comigo. Amanhã, na primeira hora, deverá ir buscá-la. Aí verá o que fazer com ela.

— Rosette também é responsabilidade sua, monsieur.

— Essa garota viveu como senhorita e recebeu a melhor educação graças a mim. Chegou a hora de enfrentar a realidade. Terá que trabalhar, a menos que consiga um marido.

— Tem catorze anos!

— Idade de sobra para se casar. As negras amadurecem cedo. — E levantou-se com dificuldade para ir embora.

A indignação queimou Tété como uma labareda, mas trinta anos de obediência àquele homem e o temor que sempre lhe inspirara a impediram de lhe dizer o que tinha na ponta da língua. Não havia esquecido a primeira violação do patrão, quando ainda era uma menina, o ódio, a dor, a vergonha, nem os abusos posteriores que suportara anos a fio. Calada, trêmula, entregou-lhe o chapéu e o levou à porta. Na saída da casa, ele se deteve.

— A liberdade lhe serviu para alguma coisa? Vive mais pobre do que antes, nem mesmo tem um teto para sua filha. Em minha casa, Rosette sempre teve seu lugar.

— O lugar de uma escrava, monsieur. Prefiro que viva na miséria e seja livre — respondeu Tété, contendo as lágrimas.

— O orgulho será a sua condenação, mulher. Você não é de lugar algum, não tem um ofício e já não é jovem. O que vai fazer? Você me dá pena; por isso, vou ajudar sua filha. Isto é para Rosette.

Entregou-lhe um saco com dinheiro, desceu os cinco degraus que levavam à rua e foi embora caminhando, satisfeito, em direção à sua casa. Dez passos depois já havia esquecido o assunto, tinha outras coisas mais importantes em que pensar.

Naquela temporada, Violette Boisier andava com uma ideia fixa que havia começado a lhe dar voltas na cabeça um ano antes e se concretizara quando as ursulinas deixaram Rosette na rua. Ninguém conhecia melhor do que ela as fraquezas dos homens e as necessidades das mulheres; pensava, então, em aproveitar a sua experiência para fazer dinheiro e, de passagem, oferecer um serviço que fazia muita falta em Nova Orleans. Com esse fim, ofereceu hospitalidade a Rosette. A garota chegou com sua roupa escolar, séria e altiva, seguida a dois passos de distância pela mãe, que carregava a bagagem e não se cansava de bendizer Violette por tê-las acolhido sob seu teto.

Rosette tinha os ossos nobres e os olhos com raios dourados como os de sua mãe, a pele de amêndoa das mulheres nas pinturas espanholas, os lábios cor de ameixa, os cabelos ondulados e longos até o meio das costas e as curvas suaves da adolescência. Aos catorze anos, conhecia plenamente o poder temível de sua beleza e, ao contrário de Tété, que havia trabalhado desde a infância, parecia feita para ser servida. "Esta está encrencada, nasceu escrava e se dá ares de rainha. Deixe eu colocá-la no seu lugar", opinou Loula com uma bufada desdenhosa. Mas Violette a fez ver o potencial de sua ideia: investimento e lucro, conceitos dos americanos que Loula havia adotado como próprios, e a convenceu a ceder seu quarto a Rosette e dormir com Tété no quarto de empregada. A menina precisaria de muito descanso, disse.

— Uma vez, você me perguntou o que ia fazer com sua filha quando saísse do colégio. Ocorreu-me uma solução — anunciou Violette a Tété.

Lembrou Tété que para Rosette as alternativas eram muito escassas. Casá-la sem um bom dote equivalia a uma condenação a trabalhos forçados ao lado de um marido pobretão. Deviam descartar de saída um negro, só podia ser um mulato, e esses procuravam se casar para melhorar sua situação social ou financeira, o que Rosette não oferecia. Também não levava jeito para costureira, cabeleireira, enfermeira ou outro dos ofícios próprios de sua condição. Por ora, seu único capital era a beleza, mas havia muitas garotas bonitas em Nova Orleans.

— Vamos mexer os pauzinhos para que Rosette viva bem sem ter que trabalhar — anunciou Violette.

— Como faremos isso, madame? — sorriu Tété, incrédula.

— *Plaçage.* Rosette precisa de um homem branco que a sustente.

Violette havia estudado a mentalidade das clientes que compravam suas loções de beleza, seus espartilhos com barbatanas de baleia e os vestidos vaporosos que Adèle costurava. Eram tão ambiciosas como ela, e todas desejavam que sua descendência prosperasse. Davam um ofício ou uma profissão aos filhos, mas tremiam perante o futuro das filhas. Colocá-las com um homem branco costumava ser mais conveniente que casá-las com um homem de cor, mas havia dez moças disponíveis para cada branco solteiro, e sem a garantia de uma boa rede de relações era muito difícil fazê-lo. O homem escolhia a garota e depois a tratava como lhe dava na telha, um acerto muito cômodo para ele e muito arriscado para ela. Habitualmente a união durava até que chegava para ele a hora de se casar com alguém de sua classe, lá pelos trinta anos, mas também existiam casos em que a relação continuava para o resto da vida e outros em que, por amor a uma mulher de cor, o branco permanecia solteiro. De qualquer forma, a sorte dela dependia do seu protetor. O plano de Violette consistia em impor certa justiça: a moça *placée* devia exigir segurança para ela e seus filhos, já que oferecia total dedicação e fidelidade. Se o jovem não podia dar garantias, seu pai devia fazê-lo, tal como a mãe da moça garantia a virtude e a conduta de sua filha.

— O que Rosette vai achar disso, madame...? — balbuciou Tété, assustada.

— A opinião dela não conta em nada. Pense, mulher. Isto está muito longe de ser prostituição, como dizem alguns. Posso garantir, por experiência própria, que a proteção de um branco é indispensável. Minha vida teria sido muito diferente sem Étienne Relais.

— Mas a senhora se casou com ele... — alegou Tété.

— Aqui isso é impossível. Diga-me, Tété, que diferença há entre um branca casada e uma garota de cor *placée?* As duas são sustentadas submissas, destinadas a servir a um homem e a dar filhos a ele.

— O casamento significa segurança e respeito — alegou Tété.

— Devia ser a mesma coisa com o *plaçage* — disse Violette, enfática. — Tem que ser vantajoso para ambas as partes, não uma reserva de caça para os brancos. Vou começar com sua filha, que não tem dinheiro nem boa família, mas que é bonita e já é livre, graças a Père Antoine. Vai ser a garota mais bem *placée* de Nova Orleans. Dentro de um ano, vamos apresentá-la à sociedade. Tenho o tempo justo para prepará-la.

— Não sei... — E Tété se calou, porque não tinha nada mais conveniente para sua filha e confiava em Violette Boisier.

Não consultaram Rosette, mas a menina acabou sendo mais esperta do que o esperado, adivinhou tudo e não se opôs, porque ela também tinha um plano.

Nas semanas seguintes, Violette visitou uma a uma as mães de adolescentes de cor da classe alta, as matriarcas da Société du Cordon Bleu, e lhes expôs sua ideia. Aquelas mulheres mandavam em seu meio, muitas possuíam negócios, terras e escravos, que, em alguns casos, eram seus próprios parentes. Suas avós haviam sido escravas emancipadas que tiveram filhos com seus donos, de quem receberam ajuda para prosperar. As relações de família, embora fossem de diferentes raças, eram os alicerces que sustentavam o complexo edifício da sociedade *créole*. A ideia de compartilhar um homem com uma ou várias mulheres não era estranha para aquelas mestiças cujas bisavós provinham de famílias polígamas da África. Sua obrigação era dar bem-estar a suas filhas e netos, embora esse bem-estar viesse do marido de outra mulher.

Aquelas formidáveis e dedicadas mães, cinco vezes mais numerosas do que os homens de sua mesma classe, raramente conseguiam um genro apropriado; sabiam que a melhor forma de velar por suas filhas era colocá-las com alguém que pudesse protegê-las; de outro modo, estariam à mercê de qualquer predador. O rapto, a violência física e o estupro não eram crimes se a vítima fosse uma mulher de cor, mesmo que livre.

Violette explicou às mães que sua ideia era oferecer um baile luxuoso no melhor salão disponível, financiado por cotas entre elas. Os convidados seriam jovens brancos com fortuna interessados seriamente no *plaçage*, acompanhados por seus pais em caso de necessidade, nada de galãs soltos em busca de uma incauta para se divertir sem compromisso. Mais de uma mãe sugeriu que os homens pagassem sua entrada, mas, segundo Violette, isso abria a porta aos indesejáveis, como acontecia nos bailes de carnaval ou nos do Salão Orleans e no Teatro Francês, onde, por um preço módico, entrava qualquer um, desde que não fosse negro. Este seria um baile tão seletivo como os das debutantes brancas. Haveria tempo para que fossem averiguados os antecedentes dos convidados, já que ninguém desejava entregar sua filha a alguém de maus costumes ou com dívidas. "Por uma vez, os brancos terão que aceitar as nossas condições", disse Violette.

Para não preocupá-las, omitiu-lhes dizer que no futuro pensava acrescentar americanos à lista de convidados, apesar de Sancho a ter avisado que nenhum protestante entenderia as vantagens do *plaçage*. Enfim, haveria tempo para isso; por ora, devia se concentrar no primeiro baile.

O branco poderia dançar com a escolhida algumas vezes e, se gostasse dela, ele ou seu pai deveria começar as negociações imediatamente com a mãe da menina, nada de perder tempo em galanteios inúteis. O protetor devia fornecer uma casa, uma pensão anual e educar os filhos do casal. Uma vez combinados esses pontos, a moça *placée* se mudava para sua nova casa e começava a convivência. Ela oferecia discrição durante o tempo em que estivessem juntos e a certeza de que não haveria drama quando terminasse a relação, o que dependia totalmente dele. "O *plaçage* deve ser um contrato de honra. É conveniente que todos respeitem as regras", disse Violette. Os brancos não podiam deixar suas jovens amantes na miséria, porque poria em risco o delicado equilíbrio do concubinato aceito. Não havia nenhum contrato escrito, mas, se um homem faltava com a palavra empenhada, as mulheres se encarregariam de arruinar sua reputação. O baile se chamaria *Cordon Bleu*, e Violette se comprometeu em transformá-lo no evento mais esperado do ano para os jovens de todas as cores.

zarité

Acabei aceitando o plaçage *que as mães de outras meninas assumiam com naturalidade, mas que a mim chocava. Não gostava dessa condição para minha filha, mas que outra coisa eu podia oferecer? Rosette compreendeu imediatamente quando me atrevi a lhe contar. Tinha mais praticidade do que eu.*

Madame Violette organizou o baile com a ajuda de franceses que montavam espetáculos. Também criou uma Academia de Etiqueta e Beleza, como passou a se chamar a casa amarela onde preparava as garotas que tiveram aulas com ela. Disse que elas seriam as mais solicitadas e poderiam se esbaldar na escolha do protetor. Assim convenceu as mães, e ninguém se queixou do custo. Pela primeira vez em seus quarenta e cinco anos, madame Violette saía cedo da cama. Eu a acordava com um café retinto e saía correndo antes que ela o atirasse na minha cabeça. O mau humor durava até a metade da manhã. Madame aceitou apenas uma dúzia de alunas, não tinha capacidade para mais, mas planejava conseguir um local mais apropriado no ano seguinte. Contratou professores de canto e dança, fez as garotas andarem com um copo de água na cabeça para melhorar a postura, ensinou-as a se pentearem e a se maquiarem, e nas horas livres eu lhes explicava como lidar com a casa, porque disso sei bastante. Também projetou um vestuário para cada uma conforme sua figura e cor, que depois madame Adèle e suas ajudantes costuraram. O doutor Parmentier propôs que as meninas também tivessem temas de conversação, mas, segundo madame

Violette, nenhum homem se interessa pelo que diz uma mulher, e dom Sancho concordou. O doutor, ao contrário, sempre ouve as opiniões de Adèle e segue seus conselhos, porque sua cabeça só serve para curar os outros. Ela toma as decisões da família. Compraram a casa da rua Rampart e estão educando os filhos com o trabalho e os investimentos dela, porque o dinheiro do doutor evapora.

Na metade do ano, as alunas haviam progredido tanto, que dom Sancho apostou com seus companheiros do Café des Émigrés que todas seriam bem colocadas. Eu observava as aulas com dissimulação, para ver se alguma coisa podia me servir para deleitar Zacharie. Ao lado dele pareço uma criada, não tenho o encanto de madame Violette e nem a inteligência de Adèle; não sou coquete, como me aconselhava dom Sancho, nem divertida, como desejaria o doutor Parmentier.

De dia, minha filha andava presa num espartilho e, de noite, dormia empapada de creme branqueador, com uma fita lhe apertando as orelhas e uma cincha de cavalo lhe estrangulando a cintura. "A beleza é ilusão", dizia madame, "aos quinze anos todas são lindas, mas para continuar assim é preciso disciplina." Rosette devia ler em voz alta as listas da carga dos barcos no porto. Desse modo treinava para suportar com boa cara um homem tedioso, e mal comia, alisava os cabelos com ferros quentes, depilava-se com caramelo, massageava-se com aveia e limão, passava horas ensaiando reverências, danças e jogos de salão. De que lhe servia ser livre, se tinha de se portar assim? Nenhum homem merece tanto, eu dizia, mas madame Violette me convenceu de que era a única forma de assegurar o seu futuro. Minha filha, que nunca havia sido dócil, submetia-se sem se queixar. Alguma coisa havia mudado nela, já não se esforçava para divertir ninguém, havia se tornado calada. Antes vivia se olhando, agora só usava o espelho durante as aulas, quando madame exigia.

Madame ensinava a forma de lisonjear sem servilismo, de calar as censuras, ocultar os ciúmes e vencer a tentação de provar outros beijos. O mais importante, segundo ela, era aproveitar o fogo que nós mulheres temos no ventre. Isso é o que os homens mais temem e desejam. Aconselhava as meninas a conhecerem seu corpo e a se darem prazer com os dedos, porque sem prazer não há saúde nem beleza. E foi isso mesmo que Tante Rose tratou de me ensinar na época em que começaram as violações do patrão Valmorain, mas não lhe fiz caso, eu era uma pirralha e vivia muito assustada. Tante Rose me dava banhos de ervas e me botava uma massa de argila na barriga e nas coxas, que no começo eu sentia fria e pesada, mas depois esquentava e parecia ferver, como se estivesse viva. Assim cuidava de mim. A terra e a água curam o corpo e a alma. Imagino que, com Gambo, senti pela primeira vez isso que a madame mencionava, mas eu e ele nos separamos muito cedo. Depois não senti nada por anos, até que veio Zacharie para despertar o meu corpo novamente. Ele gosta de mim e tem paciência. Fora Tante Rose, ele é o único que contou minhas cicatrizes secretas onde algumas vezes o patrão apagou seu charuto. Madame Violette é a única mulher de quem ouvi a palavra prazer. *"Como vai dar prazer a um homem se vocês não o conhecem?", dizia. Prazer do amor, de amamentar uma criança, de dançar. Prazer também é esperar Zacharie sabendo que ele virá.*

Nesse ano estive muito ocupada com o meu trabalho na casa, além de atender as alunas, correr com recados à casa de madame Adèle e preparar os remédios para o doutor Parmentier. Em dezembro, pouco antes do baile do Cordon Bleu, *dei-me conta de que não sangrava fazia três meses. A única coisa surpreendente era que não tivesse engravidado antes, porque fazia tempo que estava com Zacharie sem tomar as precauções que Tante Rose havia me ensinado. Ele quis que nos casássemos assim que lhe contei, mas antes eu tinha de resolver a situação de minha Rosette.*

Maurice

Durante as férias do quarto ano de colégio, Maurice esperou, como sempre, Jules Beluche. Porém, já não desejava mais encontrar sua família, e a única razão para voltar a Nova Orleans era Rosette, mesmo sabendo que a possibilidade de vê-la era remota. As ursulinas não permitiam visitas espontâneas de ninguém, e menos ainda de um rapaz incapaz de provar um parentesco próximo. Sabia que seu pai jamais lhe daria autorização para vê-la, mas não perdia as esperanças de acompanhar seu tio Sancho, que as freiras conheciam, porque nunca deixara de visitar Rosette.

Pelas cartas soubera que Tété havia sido relegada à plantação depois do incidente com Hortense, e se sentia culpado; imaginava-a cortando cana, de sol a sol, e sentia um punho fechado na boca do estômago. Não apenas ele e Tété haviam pagado caro por aquela chibatada; pelo visto, Rosette também havia caído em desgraça. A menina escrevera várias vezes a Valmorain pedindo que fosse vê-la, mas nunca recebera resposta. "O que fiz para perder a estima de seu pai? Antes, eu era como filha dele; por que ele me esqueceu?", clamava reiteradamente em suas cartas para Maurice, mas ele não podia lhe dar uma resposta honesta. "Não esqueceu, Rosette, *papa* gosta de você como sempre e se preocupa com seu bem-estar, mas a plantação e seus negócios o mantêm ocupado. Eu também não o vejo há três anos." Para que lhe contar que Valmorain nunca a considerara filha? Antes de ser exilado em Boston, pedira ao pai que o levasse para visitar a irmã no colégio, e este respondera encolerizado que sua única irmã era Marie-Hortense.

Naquele verão, Jules Beluche não se apresentou em Boston; em troca, chegou Sancho García del Solar, com um chapéu de aba larga, a todo galope, e com outro cavalo a reboque. Desmontou de um salto e sacudiu a poeira da roupa, batendo com o chapéu antes de abraçar o sobrinho. Jules Beluche havia recebido uma facada por causa de dívidas de jogo, e os Guizot intervieram para evitar as fofocas porque, por mais distante que fosse o parentesco que os unia, as más línguas se encarregariam de associar Beluche ao ramo honrado da família. Fizeram o que qualquer *créole* de sua classe faria em circunstâncias semelhantes: pagaram suas dívidas, abrigaram-no até que ficasse curado da ferida e pudesse se virar sozinho, deram-lhe um pouco de dinheiro e o puseram num barco, com instruções de não desembarcar até chegar ao Texas e nunca mais voltar a Nova Orleans. Tudo isso Sancho contou a Maurice, contorcendo-se de tanto rir.

— Poderia ter sido eu, Maurice. Até agora tive sorte, porque, qualquer dia, vão lhe trazer a notícia de que seu tio favorito foi costurado a punhaladas num antro infecto — acrescentou.

— Deus nos livre, tio. Vai me levar para casa? — perguntou Maurice com uma voz que passava de barítono a soprano na mesma frase.

— Que ideia, rapaz! Quer se enterrar na plantação o verão inteiro? Você e eu vamos viajar — anunciou Sancho.

— Quer dizer, a mesma coisa que fiz com Beluche.

— Não me compare com ele, Maurice. Não penso contribuir para sua formação cívica, mostrando-lhe monumentos. Penso em perverter você. Que acha?

— O quê, tio?

— Em Cuba, sobrinho. Não há melhor lugar no mundo para dois malandros como nós. Quantos anos você tem?

— Quinze.

— E ainda não acabou de mudar a voz?

— Já mudei, tio, mas estou com catarro — gaguejou o rapaz.

— Na sua idade, eu fazia o diabo. Está atrasado, Maurice. Prepare suas coisas, porque partiremos amanhã mesmo — ordenou Sancho.

Havia deixado numerosos amigos e não poucas amantes em Cuba, que se propuseram a recebê-lo durante as férias e tolerar o seu acompanhante, aquele rapaz estranho que passava o tempo escrevendo cartas e queria conversar sobre coisas absurdas, como escravidão e democracia, assuntos sobre os quais nenhum deles tinha opinião formada. Divertiam-se ao ver Sancho no papel de babá, que cumpria com exemplar dedicação. Até se abstinha das melhores farras para não deixar o sobrinho sozinho, e não foi às brigas de animais — touros com ursos, cobras com doninhas, galos com galos, cachorros com cachorros — porque Maurice ficava indisposto. Sancho se propôs a ensinar o garoto a beber e, na metade da noite, acabava limpando os vômitos do rapaz. Mostrou todos os seus truques de baralho, mas Maurice carecia de malícia, e, depois que outros mais espertos o depenavam, Sancho tinha de saldar as dívidas. Logo abandonou também a ideia de iniciá-lo nas artes do amor, porque quase o matou de susto quando tentou. Acertara os detalhes com uma amiga sua, nada jovem, mas ainda atraente e de bom coração, que se dispusera a servir de mestra ao sobrinho, pelo puro prazer de fazer um favor ao tio. "Este pirralho está muito verde ainda...", resmungou Sancho, desiludido, quando Maurice saiu correndo ao ver a mulher num provocante vestido de cintura alta, reclinada num divã. "Ninguém nunca me fez uma desfeita dessas, Sancho. Feche a porta e venha me consolar", riu ela. Apesar desses tropeços, Maurice teve um verão inesquecível e voltou ao colégio mais alto, forte, bronzeado e com voz definitiva de tenor. "Não estude muito, porque acaba com a vista e com o temperamento, e se prepare para o próximo verão. Vou levar você à Nova

Espanha", despediu-se Sancho. Cumpriu sua palavra, e desde então Maurice passou a esperar ansioso o verão.

Em 1805, último ano de colégio, não foi Sancho que chegou para buscá-lo, como nas outras vezes, mas seu pai. Maurice deduziu então que vinha lhe anunciar alguma desgraça e temeu por Tété ou Rosette, mas não se tratava de nada parecido. Valmorain havia organizado uma viagem à França para visitar uma das avós do jovem e duas tias hipotéticas de que nunca tinha ouvido falar. "E depois iremos para casa, monsieur?", perguntou Maurice, pensando em Rosette, cujas cartas forravam o fundo de seu baú. Ele, por sua vez, havia escrito cento e noventa e três cartas, sem pensar nas mudanças inevitáveis que ela havia experimentado naqueles nove anos de separação. Lembrava-se dela como uma menina vestida de fitas e rendas, que vira pela última vez pouco antes do casamento do pai com Hortense Guizot. Não podia imaginá-la com quinze, tal como ela não o imaginava com dezoito. "Claro que iremos para casa, filho; sua mãe e suas irmãs o aguardam", mentiu Valmorain.

A viagem, primeiro num barco que teve de vencer tempestades de verão e escapar a duras penas de um ataque dos ingleses, e depois de carruagem até Paris, não conseguiu aproximar pai e filho. Valmorain planejara a viagem para adiar, por mais alguns meses, o encontro desastroso entre Hortense e Maurice, mas não podia adiá-lo indefinidamente; logo deveria enfrentar uma situação que o tempo não havia suavizado. Hortense não perdia a oportunidade de destilar veneno contra seu enteado, a quem todo ano procurava, em vão, substituir por um filho homem próprio, enquanto continuava procriando meninas, sem parar. Por ela, Valmorain havia excluído Maurice da família, e agora se arrependia. Fazia uma década que estava sem se ocupar a sério do filho, sempre absorto em seus assuntos, primeiro em Saint-Domingue, depois na Louisiana e finalmente com Hortense e o nascimento das meninas. O rapaz era um desconhecido que respondia a suas escassas cartas com um par de frases formais sobre o progresso de seus estudos, e nunca havia perguntado por nenhum membro da família, como se quisesse deixar claro que já não pertencia a ela. Nem mesmo reparou quando ele lhe contou numa só linha que Tété e Rosette haviam sido emancipadas e já não tinha mais contato com elas.

Valmorain temeu ter perdido o filho para sempre, em algum momento desses anos agitados. Esse jovem introvertido, alto e bonito, com os mesmos traços da mãe, não se parecia em nada com o menininho de faces coradas que ele havia ninado nos braços, rogando aos céus que o protegesse de todo mal. Gostava dele como sempre, ou talvez mais, porque o sentimento estava, agora, tingido de culpa. Tratava de se convencer de que seu carinho de pai era retribuído por Maurice, embora estivessem temporariamente distanciados, mas tinha dúvidas. Traçara planos ambiciosos para ele, embora ainda não lhe tivesse perguntado o que desejava fazer com sua vida. Na realidade, nada sabia de seus interesses ou experiências, fazia séculos que não conversavam. Desejava recuperá-lo e imaginou que aqueles meses juntos e sozinhos na França serviriam para estabelecer uma relação de adultos. Tinha de provar a ele seu afeto e esclarecer que Hortense e suas filhas não modificavam sua condição de herdeiro único, mas cada vez que tentara tocar no assunto não obtivera resposta. "A tradição da primogenitura é muito sábia, Maurice: a gente não deve dividir os bens entre os filhos, porque a cada divisão se enfraquece a fortuna da família. Por ser o primogênito, você vai receber minha herança integral e terá que velar por suas irmãs. Quando eu faltar, você será o cabeça dos Valmorain. É tempo de começar a se preparar. Vai aprender a investir dinheiro, administrar a plantação e se relacionar em sociedade", disse-lhe. Silêncio. As conversas morriam antes de começar. Valmorain navegava de um monólogo a outro.

Maurice observou, sem comentários, a França napoleônica (sempre em guerra) e os museus, palácios, parques e avenidas que o pai quis lhe mostrar. Visitaram o *château* em ruínas onde a avó vivia seus últimos anos, cuidada por duas filhas solteironas mais deterioradas pelo tempo e pela solidão do que ela. Era uma anciã orgulhosa, vestida à moda de Luís XVI, decidida a ignorar as mudanças do mundo. Estava firmemente plantada na época anterior à Revolução Francesa e havia apagado de sua memória o Terror, a guilhotina, o exílio na Itália e a volta a uma pátria irreconhecível. Ao ver Toulouse Valmorain, aquele filho ausente havia mais de trinta anos, ofereceu a mão ossuda com anéis antiquados em cada dedo para que ele a beijasse e em seguida deu ordem a suas filhas para servir o chocolate. Valmorain lhe apresentou o neto e tentou resumir sua própria história desde que havia embarcado para as Antilhas aos vinte anos até aquele momento. Ela o escutou sem fazer comentários, enquanto as irmãs ofereciam tacinhas fumegantes e pratos com bolos solados, olhando Valmorain com cautela. Lembravam o jovem frívolo que se despedira delas com um beijo distraído para ir com seu *valet* e vários baús passar algumas semanas com o pai em Saint-Domingue e que nunca mais voltara. Não reconheciam aquele irmão com poucos cabelos, com papada e barriga, que falava com um sotaque estranho. Sabiam alguma coisa a respeito da insurreição dos escravos na colônia, haviam escutado algumas frases soltas aqui e ali sobre as atrocidades cometidas naquela ilha decadente, mas não conseguiam relacioná-las com um membro de sua família. Nunca haviam demonstrado curiosidade em saber de onde vinham os meios de que viviam. Açúcar ensanguentado, escravos rebeldes, plantações incendiadas, exílio, e tudo mais que o irmão mencionava lhes parecia tão incompreensível como uma conversa em chinês.

A mãe, em troca, sabia com exatidão a que Valmorain se referia, mas nada mais lhe interessava muito neste mundo; tinha o coração seco para os afetos e para as novidades. Escutou-o num silêncio indiferente e, no final, a única pergunta que fez foi se podia contar com mais dinheiro, porque a soma que lhe enviava regularmente mal cobria os gastos. Era indispensável reformar aquele casarão envelhecido pelos anos e pelas vicissitudes, disse; não podia morrer deixando suas filhas na intempérie. Valmorain e Maurice ficaram dois dias entre aquelas paredes lúgubres que lhes pareceram tão longos como duas semanas. "Já não vamos nos ver mais. Melhor assim", foram as palavras da velha dama ao se despedir do filho e do neto.

Maurice acompanhou docilmente o pai a todos os lugares, menos a um bordel de luxo, onde Valmorain planejava festejá-lo com as profissionais mais caras de Paris.

— Qual é o problema, meu filho? Isto é normal e necessário. É preciso descarregar os humores do corpo e desanuviar a mente. Assim a gente pode se concentrar em outras coisas.

— Não tenho dificuldade para me concentrar, monsieur.

— Já disse que me chame de *papa*, Maurice. Imagino que nas viagens com seu tio Sancho... Bem, não devem ter faltado oportunidades...

— Isso é um assunto particular — interrompeu-o Maurice.

— Espero que o colégio americano não tenha tornado você religioso nem efeminado — comentou seu pai em tom de brincadeira, mas que lhe saiu como um grunhido.

O rapaz não deu explicações. Graças ao tio, ele não era mais virgem, porque, nas últimas férias, Sancho havia conseguido iniciá-lo mediante o engenhoso recurso ditado pela necessidade. Suspeitava de que seu sobrinho padecia os desejos e fantasias próprios da idade, mas era um romântico e lhe repugnava o amor resumido a uma transação comercial. A ele correspondia ajudar, decidiu. Estavam no próspero porto de Savannah, na Geórgia, que desejava conhecer pelas incontáveis diversões que oferecia, e Maurice também, porque o professor Harrison Cobb o citava como exemplo de moral negociável.

A Geórgia, fundada em 1733, fora a décima terceira e última colônia britânica na América do Norte, e Savannah era a sua primeira cidade. Os recém-chegados mantiveram relações amistosas com as tribos indígenas, evitando assim a violência que açoitava as demais colônias. Em suas origens, não só a escravidão era proibida na Geórgia, como também a bebida e os advogados, mas logo se deram conta de que o clima e a qualidade do solo eram ideais para a plantação de arroz e algodão, e legalizaram a escravidão. Depois de sua independência, a Geórgia se transformou em estado da União, e Savannah floresceu como porto de entrada do tráfico de africanos para abastecer as plantações da região. "Isso demonstra, Maurice, que a decência sucumbe rapidamente diante da cobiça. Se o negócio é enriquecer, a maioria dos homens sacrifica a alma. Você não pode imaginar como vivem os plantadores da Geórgia, graças ao trabalho de seus escravos", discursava Harrison Cobb. O jovem não precisava imaginar, tinha vivido em Saint-Domingue e em Nova Orleans, mas aceitara a proposta de seu tio Sancho de passar as férias em Savannah para não decepcionar o professor. "Não basta o amor à justiça para derrotar a escravidão, Maurice. É preciso ver a realidade e conhecer a fundo as leis e as engrenagens da política", afirmava Cobb, que o estava preparando para triunfar onde ele havia falhado. O homem conhecia suas próprias limitações e não tinha temperamento nem saúde para lutar no Congresso, como desejara na juventude, mas era bom professor: sabia reconhecer o talento de um aluno e modelar seu caráter.

Enquanto Sancho García del Solar desfrutava à vontade o refinamento e a hospitalidade de Savannah, Maurice sofria a culpa de passar bem. O que ia dizer a seu professor quando voltasse ao colégio? Que havia ficado num hotel encantador, atendido por um exército de criados solícitos e que as horas tinham ficado curtas para se divertir como um irresponsável?

Fazia apenas um dia que estavam em Savannah, e Sancho já tinha feito amizade com uma viúva escocesa que residia a duas quadras do hotel. A dama se ofereceu para lhes mostrar a cidade, com suas mansões, monumentos, igrejas e parques, que havia sido reconstruída arquitetonicamente depois de um incêndio devastador. Fiel à sua palavra, a viúva apareceu com a filha, a delicada Giselle, e os quatro saíram a passeio, iniciando assim uma amizade muito conveniente para o tio e o sobrinho. Passaram várias horas juntos.

Enquanto a mãe e Sancho jogavam intermináveis partidas de cartas e, de vez em quando, desapareciam do hotel sem dar explicações, Giselle se encarregou de mostrar a Maurice os arredores. Faziam excursões sozinhos a cavalo, longe da vigilância da viúva escocesa, o que surpreendia Maurice, que nunca tinha visto tanta liberdade numa moça. Em várias ocasiões, Giselle levou-o a uma praia solitária, onde compartilhavam um lanche leve e uma garrafa de vinho. Ela falava pouco, e o que dizia era de uma banalidade tão categórica que Maurice não se sentia intimidado, e, então, lhe brotaram torrentes de palavras que normalmente ficavam trancadas no peito. Por fim, tinha uma interlocutora que não bocejava diante de seus assuntos filosóficos, mas que o escutava com evidente admiração. De vez em quando, os dedos femininos roçavam Maurice como que por acaso, e desses toques a carícias mais atrevidas foi questão de três entardeceres. Esses assaltos ao ar livre, com picadas de insetos, roupas amassadas e medo de ser descobertos, deixavam Maurice na glória, e ela, entediada.

O restante das férias passou rápido demais, e Maurice, naturalmente, acabou apaixonado como o bom adolescente que era. O amor exacerbou o remorso de ter manchado a honra de Giselle. Existia apenas um jeito cavalheiresco de emendar seu pecado, como explicou a Sancho, mal juntou coragem suficiente.

— Vou pedir a mão de Giselle — anunciou.

— Perdeu o juízo, Maurice? Como vai se casar, se nem sabe limpar a bunda?!

— Não me falte com o respeito, tio. Eu sou um homem feito.

— Por que se deitou com a moça? — E Sancho deu uma risada estrondosa.

O tio mal conseguiu esquivar o tapa que Maurice lhe mandou na cara. A confusão se resolveu pouco depois, quando a dama escocesa esclareceu que a moça não era sua filha, e Giselle confessou que aquele era seu nome artístico, que não tinha dezesseis anos, mas vinte e quatro, e que Sancho García del Solar lhe pagara para entreter o sobrinho. O tio admitiu que havia feito uma grande besteira e tratou de levar a coisa na brincadeira, mas tinha ido longe demais, e Maurice, arrasado, jurou que em sua vida nunca mais falaria com ele. No entanto, quando chegaram a Boston, havia duas cartas de Rosette esperando-o, e a paixão pela bela de Savannah se evaporou; então, pôde perdoar o tio. Na despedida se abraçaram com a camaradagem de sempre e a promessa de voltar a se encontrar em breve.

Na viagem à França, Maurice não contou ao pai nada do que acontecera em Savannah. Valmorain insistiu umas duas vezes mais em se divertir com as damas do amanhecer, depois de abrandar seu filho com uma bebida, mas não conseguiu fazê-lo mudar de opinião e, por fim, decidiu não voltar a mencionar o assunto até que chegassem a Nova Orleans, onde poria à sua disposição um apartamento de solteiro, como tinham os jovens *créoles* de sua condição social. Por ora, não permitiria que a suspeita castidade de seu filho rompesse o precário equilíbrio de seu relacionamento.

Os espiões

Jean-Martin Relais apareceu em Nova Orleans quando faltavam três semanas para o primeiro baile do *Cordon Bleu*, organizado por sua mãe. Vinha sem o uniforme da academia militar, que usara desde os treze anos, na qualidade de secretário de Isidore Morisset, um cientista que viajava para avaliar as condições do solo nas Antilhas e na Flórida, com a ideia de dar início a novas plantações de açúcar, por causa das perdas da colônia de Saint-Domingue, que pareciam definitivas. Na nova República Negra do Haiti, o general Dessalines estava aniquilando de forma sistemática todos os brancos, os mesmos a quem convidara a voltar. Se Napoleão pretendia chegar a um acordo comercial com o Haiti, já que não havia conseguido ocupá-lo com suas tropas, desistira depois daquelas pavorosas matanças em que até as crianças acabaram nas valas comuns.

Isidore Morisset era um homem de olhar impenetrável, nariz quebrado e espáduas de lutador que estouraram as costuras de seu casaco. Tinha a pele vermelha como um tijolo queimado pelo sol inclemente da travessia marítima, e um vocabulário monossilábico que o tornava antipático mal abria a boca. Suas frases — sempre breves demais — soavam como espirros. Respondia às perguntas com bufadelas elementares e a expressão desconfiada de quem sempre espera o pior do próximo. Foi recebido de imediato pelo governador Claiborne, com as atenções devidas a um estrangeiro tão respeitável, como atestavam as cartas de recomendação de várias sociedades científicas que o secretário entregou numa pasta de couro verde lavrado.

Claiborne, vestido de luto pela morte da esposa e da filha, vítimas da recente epidemia de febre amarela, teve a atenção despertada pela cor escura do secretário. Pela forma como Morisset o apresentara, imaginou que aquele mulato era livre e o cumprimentou como tal. Nunca se sabe qual é a etiqueta devida com esses povos mediterrâneos, pensou o governador. Não era homem capaz de apreciar facilmente a beleza viril, mas não pôde deixar de notar as feições delicadas do jovem — as pestanas grossas, a boca feminina, o queixo redondo com uma covinha — que contrastavam com seu corpo delgado e elástico, de proporções, sem dúvida, masculinas. O jovem, culto e de modos impecáveis, serviu de intérprete, porque Morisset só falava francês. O domínio do idioma inglês do secretário deixava bastante a desejar, mas foi suficiente, já que Morisset era de muito poucas palavras.

O governador farejou, no entanto, que os visitantes ocultavam alguma coisa. A missão açucareira lhe pareceu tão suspeita como o físico de valentão daquele homem, que não encaixava com a sua ideia de um cientista, mas essas dúvidas não o impediram de lhes oferecer a hospitalidade de rigor em Nova Orleans. Depois do almoço frugal, servido por negros livres, já que ele mesmo não possuía escravos, ofereceu-lhes alojamento. O secretário traduziu que não seria necessário, vinham por poucos dias e ficariam num hotel à espera do barco para voltar à França.

Mal se despediram, Claiborne mandou segui-los discretamente, e assim ficou sabendo que, à tarde, os dois homens saíram do hotel, o jovem de cor, a pé rumo à rua Chartres, e o musculoso Morisset, num cavalo alugado para uma modesta ferraria no final da rua Saint Philippe.

O governador estava certo quanto às suas suspeitas: de cientista Morisset não tinha nada; era um espião bonapartista.

Em dezembro de 1804, Napoleão tornara-se imperador da França, ele mesmo colocando a coroa na própria cabeça, porque nem o Papa, convidado especialmente para a ocasião, lhe parecera digno de fazê-lo. Napoleão já havia conquistado meia Europa, mas tinha sob sua mira e obsessão a Grã-Bretanha, aquela pequena nação de clima horrendo e gente feia que o desafiava do outro lado do estreito chamado Canal da Mancha. Em 21 de outubro de 1805, ambas as nações se enfrentaram no sudoeste da Espanha, em Trafalgar; de um lado, a frota franco-espanhola com trinta e três barcos, e do outro, os ingleses com vinte e sete, sob o comando do célebre almirante Horatio Nelson, gênio da guerra no mar. Nelson morreu na contenda, depois de uma vitória espetacular em que destroçou a frota inimiga e acabou com o sonho napoleônico de invadir a Inglaterra. Justamente nesses dias, Pauline Bonaparte visitou o irmão para lhe dar os pêsames pelo fiasco de Trafalgar. Pauline havia cortado os cabelos para colocá-los no ataúde do marido, o chifrudo general Leclerc, morto de febre em Saint-Domingue e enterrado em Paris. Esse gesto dramático de viúva inconsolável sacudiu a Europa inteira de risos. Sem sua longa cabeleira cor de mogno, que antes usava ao estilo das deusas gregas, Pauline estava irresistível, e logo o penteado dela entrou na moda. Nesse dia, chegou adornada com uma tiara dos célebres diamantes Borghese e acompanhada de Morisset.

Napoleão suspeitou que o visitante fosse outro dos amantes de sua irmã e o recebeu de mau humor, mas se interessou assim que Pauline lhe contou que o barco em que Morisset viajava pelo Caribe havia sido atacado por piratas e ele permanecera prisioneiro de um tal Jean Laffitte durante vários meses, até que pudera pagar seu resgate e voltar à França. Em seu cativeiro, travara uma certa amizade com Laffitte, baseada em partidas de xadrez. Napoleão interrogou o homem sobre a notável organização de Laffitte, que controlava o Caribe com sua frota; nenhum barco estava a salvo, exceto os dos Estados Unidos, que, por uma caprichosa lealdade do pirata pelos americanos, nunca eram atacados.

O imperador levou Morisset a uma salinha, onde passaram duas horas conversando em particular. Talvez Laffitte fosse a solução para um dilema que o atormentava desde o desastre de Trafalgar: como impedir que os ingleses se apoderassem do comércio marítimo. Como não tinha capacidade naval para detê-los, pensara em se aliar aos americanos, que estavam em disputa com a Grã-Bretanha desde a Guerra da Independência em 1775, mas o presidente Jefferson desejava consolidar seu território e não pensava intervir nos conflitos europeus. E, num lampejo de inspiração, como tantos outros que o levaram das modestas fileiras do exército ao topo do poder, Napoleão encarregou Isidore Morisset de recrutar piratas para fustigar os barcos ingleses no Atlântico. Morisset entendeu que se tratava de uma missão delicada, porque o imperador não podia parecer aliado de bandidos, e imaginou que, com seu disfarce de cientista, poderia viajar sem chamar muita atenção. Os irmãos Jean e Pierre Laffitte haviam enriquecido impunemente durante anos com os despojos de seus assaltos e todo tipo de contrabando, mas as autoridades americanas não toleravam evasão de impostos e, apesar da manifesta simpatia dos Laffitte pela democracia dos Estados Unidos, haviam-nos declarados indivíduos fora da lei.

Jean-Martin Relais não conhecia o homem a quem ia acompanhar pelo Atlântico. Numa segunda-feira pela manhã, foi chamado pelo diretor da academia militar em seu escritório, onde este lhe entregou dinheiro e lhe ordenou que comprasse roupa civil e um baú, porque embarcaria dali a dois dias. “Não comente nenhuma palavra disto, Relais, é uma missão confidencial”, esclareceu o diretor. Fiel à sua educação militar, o jovem obedeceu sem fazer perguntas. Mais tarde, soube que o haviam selecionado por ser o melhor aluno do curso de inglês e porque o diretor imaginara que, como provinha das colônias, não cairia fulminado na primeira picada de mosquito tropical.

O jovem viajou às pressas para Marselha, onde o esperava Isidore Morisset com as passagens compradas. Agradeceu silenciosamente que o homem mal o olhasse, porque estava nervoso, pensando que ambos dividiriam o estreito camarote durante toda a viagem. Nada feria mais o seu imenso orgulho do que as insinuações que costumava ouvir de outros homens.

— Não deseja saber para onde vamos? — perguntou Morisset, depois de vários dias em alto-mar sem trocar mais do que algumas palavras de cortesia.

— Eu vou aonde a França me mandar — respondeu Relais, perfilando-se, na defensiva.

— Nada de saudações militares, jovem. Somos civis, entende?

— Positivo.

— Fale como gente, homem, por Deus!

— Às suas ordens, senhor.

Não demorou para Jean-Martin descobrir que Morisset, tão parco e desagradável em sociedade, podia ser fascinante em particular. O álcool lhe soltava a língua e o relaxava, a ponto de parecer outro homem, amável, irônico, sorridente. Era um bom jogador de cartas e tinha mil histórias, que relatava sem enfeites, em poucas frases. Entre tragos de conhaque, foram se conhecendo, e assim nasceu uma intimidade natural de bons companheiros.

— Uma vez, Pauline Bonaparte me convidou para visitá-la no seu *boudoir* — contou Morisset. — Um negro antilhano, mal coberto por uma tanga, a trouxe nos braços e a banhou na minha frente. A Bonaparte se gaba de poder seduzir qualquer um. Mas comigo não funcionou.

— Por quê?

— A idiotice feminina me entedia.

— Prefere a idiotice masculina? — brincou o jovem, com um toque de desafio; também tinha tomado uns tragos e se sentia confiante.

— Prefiro os cavalos.

Mas Jean-Martin se interessava mais pelos piratas do que pelas virtudes equinas ou o asseio da bela Pauline, e deu um jeito, mais uma vez, de voltar ao assunto da aventura que seu novo amigo vivera entre eles, quando havia permanecido preso na ilha Barataria. Como Morisset sabia que nem os barcos europeus de guerra se atreviam a se aproximar da ilha dos irmãos Laffitte, descartara de saída a ideia de se apresentar lá sem convite: seriam degolados antes de pisar a praia e não teriam chances de expor o propósito de semelhante ousadia. Além disso, não estava certo de que o nome de Napoleão lhe abriria as portas dos Laffitte; como não era impossível que acontecesse exatamente o contrário, havia decidido abordá-los em Nova Orleans, um terreno mais neutro.

— Os Laffitte são fora da lei. Não sei como vamos encontrá-los — comentou Morisset a Jean-Martin.

— Será muito fácil, porque não se escondem — tranquilizou-o o jovem.

— Como sabe disso?

— Pelas cartas de minha mãe.

Até aquele instante, Relais não havia pensado em mencionar que sua mãe vivia naquela cidade, porque lhe parecia um detalhe insignificante na magnitude da missão encarregada pelo imperador.

— Sua mãe conhece os Laffitte?

— Todo mundo conhece. São os reis do Mississippi — respondeu Jean-Martin.

Às seis da tarde, Violette Boisier ainda descansava, nua e molhada de prazer, na cama de Sancho García del Solar. Desde que Rosette e Tété viviam com ela e sua casa fora invadida por alunas do *plaçage*, preferia o apartamento de seu amante para fazer amor ou apenas para dormir a sesta, quando não tinham vontade para mais nada. No começo, Violette pretendeu limpar e embelezar o ambiente, mas não tinha vocação para criada e era absurdo perder horas preciosas de intimidade, tratando de dar um fim à bagunça monumental de Sancho. O único doméstico de Sancho só servia para preparar café. Tinha sido emprestado por Valmorain, porque era impossível vendê-lo: ninguém o teria comprado. Havia caído de um telhado, ficara mal da cabeça e vivia rindo sozinho. Com toda razão, Hortense Guizot o suportava. Sancho o tolerava e até simpatizava com ele, por causa da qualidade do seu café e porque não lhe roubava o troco quando ia às compras no Mercado Francês. Mas Violette se inquietava com o homem: achava que os espiava quando faziam amor. "Ideias suas, mulher. É tão retardado que o cérebro dele não dá para isso", tranquilizava-a o amante.

Nessa mesma hora, Loula e Tété estavam instaladas em cadeiras de vime na rua, diante da porta da casa amarela, como faziam as vizinhas ao entardecer. As notas de um exercício de piano martelavam a paz da tarde outonal. Loula fumava seu charuto de tabaco negro com os olhos entrecerrados, saboreando o descanso que seus ossos reclamavam, e Tété costurava uma camisinha de bebê. Ainda não se notava sua barriga, mas já havia contado sobre a gravidez ao seu reduzido círculo de amizades, e a única pessoa pega de surpresa havia sido Rosette, que andava tão ensimesmada, que nem havia percebido os amores da mãe com Zacharie. Ali as encontrou Jean-Martin Relais. Não havia escrito para anunciar sua viagem porque suas ordens eram de mantê-las em segredo e, além disso, a carta teria chegado depois dele.

Loula não o esperava e, como havia vários anos que não o via, não o reconheceu. Quando ele ficou na sua frente, limitou-se a dar outra baforada no charuto. "Sou eu, Jean-Martin!", exclamou o jovem, emocionado. A mulherona levou vários segundos para distingui-lo através da fumaça e compreender que, de fato, era o seu menino, o seu príncipe, a luz dos seus velhos olhos. Seus guinchos de prazer sacudiram a rua inteira. Abraçou-o pela cintura, levantou-o do chão e o cobriu de beijos e lágrimas, enquanto ele procurava defender sua dignidade na ponta dos pés. "Onde está *maman?*", perguntou, mal pôde se livrar e recuperar seu chapéu pisoteado. "Na igreja, filho, rezando pela alma do seu finado pai. Vamos entrar, vou fazer um café para você, enquanto minha amiga Tété vai buscá-la", respondeu Loula, sem um instante de hesitação. Tété partiu correndo em direção ao apartamento de Sancho.

Na sala da casa, Jean-Martin viu uma menina vestida de azul-celeste, tocando piano com uma xícara na cabeça. "Rosette! Olha só quem está aqui! Meu menino, meu Jean-Martin!", guinchou Loula como apresentação. Ela interrompeu os exercícios musicais e se virou lentamente. Cumprimentaram-se, ele com uma rígida inclinação de cabeça e uma batida de calcanhares, como se ainda vestisse o uniforme, e ela com um movimento de suas pestanas de girafa. "Bem-vindo, monsieur", disse Rosette, com a forçada cortesia aprendida nas ursulinas. Nada podia ser mais correto. A lembrança do rapaz flutuava na casa como um fantasma, e, de tanto ouvir falarem dele, Rosette já o conhecia.

Loula se encarregou da xícara de Rosette e foi passar café; do pátio se ouviam suas exclamações de júbilo. Rosette e Jean-Martin, sentados em silêncio na borda de suas cadeiras, lançavam-se olhares furtivos com a sensação de que já se conheciam. Vinte minutos mais tarde, quando Jean-Martin ia pelo terceiro pedaço de bolo, chegou Violette resfolegando, com Tété atrás. Jean-Martin achou sua mãe mais bonita do que lembrava e não se perguntou por que vinha da missa desgrenhada e com o vestido mal abotoado.

Da entrada da casa, Tété observava divertida aquele jovem constrangido, porque sua mãe lhe dava beijinhos sem lhe soltar a mão e Loula lhe beliscava as faces. Os ventos salgados da travessia marítima tinham escurecido Jean-Martin em vários tons, e os anos de formação militar haviam reforçado sua rigidez, inspirada no homem que pensava ser seu pai. Lembrava-se de Étienne Relais forte, estoico e severo; por isso, guardava a ternura que havia lhe prodigalizado na estrita intimidade do lar. Sua mãe e Loula, pelo contrário, sempre o tinham tratado como uma criança e, pelo visto, continuariam assim. Para compensar sua cara bonita, mantinha uma exagerada distância, uma postura gélida e aquele expressão pétrea que costumam ter os militares. Na infância havia suportado que o confundissem com uma menina, e na adolescência, que seus colegas o gozassem ou se apaixonassem por ele. Aquelas carícias domésticas diante de Rosette e da mulata, cujo nome não havia entendido, envergonhavam-no, mas não se atrevia a rejeitá-las. Tété não prestou atenção na semelhança dos traços de Jean-Martin e Rosette, porque sempre havia pensado que sua filha se parecia com Violette Boisier, tal semelhança se acentuara nos meses de treinamento para o *plaçage*, em que a garota imitava os gestos de sua mestra.

Enquanto isso, Morisset tinha ido à ferraria da rua Saint Philippe, porque descobrira que o local era apenas uma fachada para encobrir atividades piratas, mas não encontrou quem procurava. Esteve tentado a deixar um bilhete para Jean Laffitte, marcando um encontro e lembrando-lhe a relação que haviam estabelecido diante do tabuleiro de xadrez, mas compreendeu que seria um erro tremendo. Fazia quase três meses que estava na espionagem, disfarçado de cientista, e ainda não se acostumara à cautela que sua missão exigia; frequentemente se surpreendia a ponto de cometer uma imprudência. Mais tarde, nesse mesmo dia, quando Jean-Martin lhe apresentou sua mãe, suas precauções lhe pareceram ridículas, porque ela se ofereceu com toda a naturalidade para levá-lo até os piratas. Estavam na sala da casa amarela, que se tornara apertada para a família e os que apareceram para conhecer Jean-Martin: o doutor Parmentier, Adèle, Sancho e umas duas vizinhas.

— Entendo que puseram a cabeça dos Laffitte a prêmio — disse o espião.

— Coisas dos americanos, monsieur Moriste! — riu Violette.

— Morisset. Isidore Morisset, madame.

— Os Laffitte são muito queridos porque vendem barato. Ninguém ia pensar em delatá-los pelos quinhentos dólares que oferecem por suas cabeças — interveio Sancho García del Solar.

Acrescentou que Pierre tinha reputação de grosseiro, mas Jean era um cavalheiro dos pés à cabeça, galante com as mulheres e cortês com os homens, falava cinco idiomas, escrevia com estilo impecável e se gabava da mais generosa hospitalidade. Era de uma coragem a toda prova, e seus homens, em torno de três mil, se deixavam matar por ele.

— Amanhã é sábado e haverá leilão. Gostaria de ir ao Templo? — perguntou Violette.

— Disse Templo?

— Lá acontecem os leilões — esclareceu Parmentier.

— Se todo mundo sabe onde eles se encontram, por que não os prendem? — interveio Jean-Martin.

— Ninguém se atreve. Claiborne pediu reforços, porque esses homens metem medo; sua lei é a violência, e estão mais bem armados do que o exército.

No dia seguinte, Violette, Morisset e Jean-Martin saíram em excursão, munidos de um lanche e de duas garrafas de vinho numa cesta. Violette deu um jeito de deixar Rosette para trás, com o pretexto dos exercícios de piano, porque havia se dado conta de que Jean-Martin olhava demais para ela, e seu dever de mãe consistia em impedir qualquer fantasia inconveniente. Rosette era sua melhor aluna, perfeita para o *plaçage*, mas completamente inadequada para seu filho, que necessitava entrar na *Société du Cordon Bleu* mediante um bom casamento. Pensava escolher sua nora com implacável senso de realidade, sem dar chance a Jean-Martin de cometer erros sentimentais. Tété se juntou à aventura, subiu no bote, no último instante, depois de tomar algumas medidas, porque sofria as náuseas habituais nos primeiros meses de sua gravidez e tinha medo dos jacarés, das cobras que infestavam a água e de outras que costumavam cair dos manguezais. A frágil embarcação era conduzida por um remador capaz de se orientar com os olhos fechados naquele labirinto de canais, ilhas e pântanos, eternamente mergulhado num vapor pestilento e numa nuvem de mosquitos, ideal para negócios ilegais e maldades imaginativas.

O bastardo

O Templo acabou sendo uma ilhota no meio dos pântanos do delta, um morro compacto de conchas moídas pelo tempo, com uma densa mata de carvalhos; no passado, fora um lugar sagrado dos índios e agora ainda se viam restos de um de seus altares. Daí provinha seu nome. Como todos os sábados, a menos que fosse o Natal ou o dia de Assunção de Virgem, os irmãos Laffitte se instalaram cedo. Na margem se alinhavam embarcações de pouca profundidade, botes de pescadores, chalupas, canoas, barquinhos particulares com toldos para as damas e barcaças toscas para o transporte de produtos.

Os piratas haviam montado várias tendas de lona onde exibiam seus tesouros e distribuíam limonada para as damas, rum da Jamaica para os homens e doces para as crianças. O ar cheirava a água estagnada e a fritura de lagostins apimentados que eram distribuídos sobre palhas de milho. O ambiente era de carnaval, com música, trovadores e um adestrador de cães. Numa plataforma estavam à venda quatro escravos adultos e um menino nu, de uns dois ou três anos. Os interessados examinavam os dentes deles para calcular a idade, o branco dos olhos para verificar a saúde, e o ânus para se assegurar de que não estava tapado com estopa, o truque mais comum para dissimular a disenteria. Uma senhora madura, com uma sombrinha de renda, pesava com sua mão enluvada os genitais de um dos homens.

Pierre Laffitte já havia iniciado o leilão das mercadorias, que, à primeira vista, carecia de lógica, como se tivessem sido selecionadas com o único propósito de confundir a clientela: um saco de lamparinas de vidro, outros de café, roupas de mulher, armas, botas, estátuas de bronze, sabão, cachimbos e navalhas de barbear, chaleiras de prata, sacos de pimenta e candelabros de igreja, caixas de vinho, um macaco amestrado e dois papagaios. Ninguém ia embora sem comprar, porque os Laffitte também eram banqueiros e agiotas. Cada objeto era exclusivo, como apregoava Pierre a plenos pulmões, e devia ser mesmo, já que provinha de abordagens de barcos mercantis em alto-mar. "Vejam, damas e cavalheiros, esta jarra de porcelana, digna de um palácio real!" "E quanto dão por esta capa de brocado debruada de arminho?" "Não haverá outra oportunidade como esta!" O público respondia com piadas e assobios, mas as ofertas iam subindo numa divertida rivalidade que Pierre sabia explorar.

Enquanto isso, Jean, vestido de negro, com punhos alvos, colarinho de renda e pistolas no cinto, passeava entre a multidão, seduzindo incautos com seu sorriso fácil e seu olhar profundo de encantador de serpentes. Cumprimentou Violette Boisier com uma reverência teatral, e ela lhe respondeu com beijos nas faces, como velhos amigos depois de tantos anos de negócios e mútuos favores.

— O que posso oferecer à única dama capaz de me roubar o coração? — perguntou Jean.

— Não gaste suas galanterias comigo, *mon cher ami*, porque desta vez não estou indo comprar — riu Violette, apontando Morisset, que se mantinha quatro passos atrás dela.

Jean Laffitte levou um instante para identificá-lo, enganado pelo disfarce de explorador, o rosto barbeado e óculos de lentes grossas, já que o havia conhecido com bigode e costeleta.

— Morisset? *C'est vraiment vous!* — exclamou, por fim, dando umas palmadas em suas costas.

O espião, pouco à vontade, olhou ao redor, puxando o chapéu até as sobrancelhas. Não lhe convinha que aquelas efusivas demonstrações de amizade chegassem aos ouvidos do governador Claiborne, mas ninguém prestava atenção, porque, naquele instante, Pierre leiloava um cavalo árabe que todos os homens cobiçavam. Jean Laffitte o guiou a uma das tendas onde puderam falar em particular e se refrescar com vinho branco. O espião lhe comunicou a oferta de Napoleão: uma patente de corso, *lettre de marque*, que equivalia a uma autorização oficial para atacar outros barcos, em troca de perseguir os ingleses. Laffitte respondeu amavelmente que, na realidade, não necessitava de permissão para continuar fazendo o que sempre havia feito e que a *lettre de marque* era uma limitação, já que significava abster-se de atacar barcos franceses com as consequentes perdas.

— Suas atividades seriam legais. Vocês não seriam piratas, mas corsários, mais aceitáveis para os americanos — argumentou Morisset.

— A única coisa que mudaria nossa situação com os americanos seria pagar impostos e, francamente, ainda não consideramos essa possibilidade.

— Uma patente de corso é valiosa...

— Só se pudesse navegar com a bandeira francesa.

O lacônico Morisset explicou que isso não estava incluído na oferta do imperador; teriam que continuar usando a bandeira de Cartagena, mas contariam com impunidade e refúgio nos territórios franceses. Fazia muito tempo que não pronunciava tantas palavras de uma só vez. Laffitte aceitou consultar seus homens, porque tais assuntos se decidiam por votação.

— Mas, no fim, só contam o seu voto e o do seu irmão — disse Morisset.

— Você se engana. Somos mais democráticos do que os americanos e certamente muito mais do que os franceses. Terá sua resposta em dois dias.

Lá fora, Pierre Laffitte havia dado início ao leilão de escravos, o mais esperado da feira, e o clamor das ofertas ia subindo de tom. A única mulher do lote apertava a criança contra seu corpo e implorava a um casal de compradores que não os separassem, que seu filho era esperto e obediente, dizia, enquanto Pierre Laffitte a descrevia como uma boa reprodutora: havia tido vários filhos e continuava sendo muito fértil. Tété observava com um nó nas tripas e um grito trancado na boca, pensando nos filhos que aquela infeliz mulher havia perdido e na indignidade de ser leiloada. Pelo menos, ela não havia passado por aquilo e sua Rosette estava a salvo. Alguém comentou que os escravos provinham do Haiti, entregues diretamente aos Laffitte por agentes de Dessalines, que assim financiava suas armas e, de passagem, enriquecia vendendo as mesmas pessoas que haviam lutado com ele pela liberdade. Se Gambo visse aquilo, explodiria de raiva, pensou Tété.

Quando a venda estava a ponto de se consumar, ouviu-se o vozeirão inconfundível de Owen Murphy oferecendo cinquenta dólares a mais pela mãe e outros cem pelo menino. Pierre esperou o minuto regulamentar e, como ninguém subiu o preço, gritou que os dois pertenciam ao cliente de barba negra. Na plataforma, a mulher caiu desmaiada de alívio, sem soltar o filho, que chorava aterrorizado. Um dos ajudantes de Pierre Laffitte a pegou por um braço e a entregou a Owen Murphy.

O irlandês se afastava para os botes, seguido pela escrava e pelo menino, quando Tété saiu de seu espanto e correu atrás deles, chamando-o. Ele a cumprimentou sem excessivas demonstrações de afeto, mas sua expressão denunciou o prazer que sentia ao vê-la. Contou que Brandan, seu filho mais velho, havia se casado do dia para a noite, e logo os faria avós. Também lhe contou sobre a terra que estava comprando no Canadá, para onde pensava levar, assim que pudesse, toda a família, inclusive Brandan e sua mulher, para começar uma nova vida.

— Imagino que monsieur Valmorain não aprova que o senhor se vá — comentou Tété.

— Faz tempo que madame Hortense deseja me substituir. Não temos as mesmas ideias — respondeu Murphy. — Vai se chatear porque comprei esse menino, mas me ative ao Código. Não tem idade para ser separado da mãe.

— Aqui não há lei que valha, senhor Murphy. Os piratas fazem o que lhes dá na veneta.

— Por isso, prefiro não tratar com eles, mas não sou eu quem decide, Tété — informou o irlandês, apontando Toulouse Valmorain a distância.

Estava afastado da multidão, conversando com Violette Boisier sob um carvalho; ela, protegida do sol por um guarda-sol japonês, e ele, apoiado numa bengala e secando o suor com um lenço. Tété recuou, mas era tarde: ele a tinha visto, e ela se sentiu obrigada a se aproximar. Foi seguida por Jean-Martin, que esperava Morisset perto da tenda de Laffitte, e um momento depois se reuniram todos na escassa sombra do carvalho. Tété cumprimentou seu antigo dono sem olhá-lo de frente, mas conseguiu notar que estava ainda mais gordo e vermelho. Lamentou que o doutor Parmentier dispusesse dos remédios que ela mesma preparava para esfriar o sangue. Aquele homem podia destruir com uma só bengalada a precária existência dela e de Rosette. Melhor seria que estivesse no cemitério.

Valmorain estava atento à apresentação que Violette Boisier fazia de seu filho. Observou Jean-Martin de cima a baixo, apreciando seu porte esbelto, a elegância com que usava seu traje modesto, a simetria perfeita de seu rosto. O jovem o cumprimentou com uma inclinação, respeitoso da diferença de classe e de idade, mas o outro lhe estendeu uma mão gorda, salpicada de manchas amarelas, que teve de apertar. Valmorain lhe reteve as mãos entre as suas, muito mais tempo que o aceitável, sorrindo com uma expressão indecifrável. Jean-Martin sentiu o rubor ardente nas faces e se afastou bruscamente. Não era a primeira vez que um homem se insinuava, e ele sabia administrar aquele tipo de constrangimento sem alarde, mas o descaramento daquele *inverti* era particularmente ofensivo, e ele se envergonhava de que sua mãe fosse testemunha daquela cena. Foi tão evidente sua rejeição, que Valmorain se deu conta de que havia sido mal interpretado e, longe de se incomodar, deu uma risadinha.

— Vejo que esse filho de escrava saiu suscetível! — exclamou divertido.

Um silêncio pesado caiu entre eles, enquanto aquelas palavras cravavam suas garras de abutre nos presentes. O ar se tornou mais quente, a luz mais ofuscante, o cheiro da feira mais nauseabundo, o ruído da multidão mais intenso, mas Valmorain não se deu conta do efeito que havia provocado.

— O que disse? — conseguiu articular Jean-Martin, lívido, quando recuperou a voz.

Violette o pegou por um braço e tentou arrastá-lo dali, mas ele se desprendeu para enfrentar Valmorain. Por hábito, levou a mão ao quadril, onde devia estar o punho de sua espada, se estivesse de uniforme.

— Não insulte minha mãe! — exclamou roucamente.

— Não me diga, Violette, que esse rapaz ignora sua origem — comentou Valmorain, ainda zombeteiro.

Ela não respondeu. Havia largado o guarda-sol, que caíra no chão de conchas, e tapava a boca com as duas mãos, com os olhos fora de órbita.

— O senhor me deve uma reparação, monsieur. Eu o verei nos jardins de Saint-Antoine com seus padrinhos, num prazo máximo de dois dias, porque, no terceiro, partirei de volta para a França — anunciou Jean-Martin, mastigando cada sílaba.

— Não seja ridículo, filho. Não vou me bater em duelo com alguém de sua classe. Eu disse a verdade. Pergunte à sua mãe — acrescentou Valmorain, apontando as mulheres com a bengala, antes de lhe dar as costas e se distanciar sem pressa para os botes, cambaleando sobre seus joelhos inchados, para reunir-se com Owen Murphy.

Jean-Martin tentou segui-lo com a intenção de lhe arrebentar a cara a bofetões, mas Violette e Tété o seguraram pela roupa. Nesse instante, chegou Isidore Morisset, que, ao ver seu secretário lutando com as mulheres, vermelho de raiva, imobilizou-o, abraçando-o por trás. Tété conseguiu inventar que tinham tido uma discussão com um pirata e deviam ir logo embora. O espião concordou — não desejava pôr em perigo suas negociações com Laffitte — e, segurando o jovem com suas mãos de lenhador, o levou para o bote, seguido pelas mulheres, onde os aguardava o remador com a cesta de piquenique intacta.

Preocupado, Morisset botou um braço nos ombros de Jean-Martin num gesto paternal e tentou descobrir o que havia acontecido, mas este se desprendeu e lhe deu as costas, com o olhar fixo na água. Ninguém mais falou durante a hora e meia em que estiveram navegando por aquele dédalo de pântanos até chegar a Nova Orleans. Morisset se dirigiu para o hotel sozinho. Seu secretário não obedeceu à ordem de acompanhá-lo, e seguiu Violette e Tété à rua Chartres. Violette foi para seu quarto, fechou a porta e se atirou na cama para chorar até a última lágrima, enquanto Jean-Martin passeava como um leão no pátio, esperando que se acalmasse para poder interrogá-la. "O que sabe do passado de minha mãe, Loula? Você tem a obrigação de me contar!", exigiu de sua antiga babá. Loula, que não suspeitava do que havia acontecido no Templo, achou que ele se referia à época gloriosa em que Violette havia sido a *poule* mais divina de Le Cap e quando seu nome andava na boca de capitães por mares remotos, coisa que não pensava contar a seu menino, seu príncipe, por mais que gritasse com ela. Violette havia se esmerado em apagar todo resquício de seu passado em Saint-Domingue, e não seria ela, a fiel Loula, que iria trair seu segredo.

Ao anoitecer, quando já não se ouvia mais o choro, Tété levou para Violette um chá para a dor de cabeça, ajudou-a a tirar a roupa, escovou-lhe o ninho de galinha em que havia se transformado seu penteado, borrifou-a com água de rosas, vestiu nela uma camisola fina e se sentou a seu lado na cama. Na penumbra das persianas fechadas, atreveu-se a lhe falar com a confiança cultivada diariamente durante os anos que viveram e trabalharam juntas.

— Não é tão grave, madame. Faça de conta que essas palavras nunca foram ditas. Ninguém as repetirá, e a senhora e seu filho poderão continuar vivendo como sempre — consolou-a.

Imaginava que Violette Boisier não havia nascido livre, como lhe contara certa vez, mas que tinha sido escrava em sua juventude. Não podia culpá-la por ter-se calado. Talvez Jean-Martin tivesse nascido antes de Relais emancipá-la e torná-la sua esposa.

— Mas Jean-Martin já sabe! Jamais me perdoará por tê-lo enganado — respondeu Violette.

— Não é fácil admitir que fomos escravas, madame. O importante é que agora os dois são livres.

— Nunca fui escrava, Tété. O que acontece é que eu não sou a mãe dele. Jean-Martin nasceu escravo e meu marido o comprou. A única pessoa que sabe é Loula.

— E como monsieur Valmorain soube?

Então, Violette Boisier lhe contou as circunstâncias em que havia recebido a criança, como Valmorain chegara com o recém-nascido enrolado num cobertor, para lhe pedir que cuidasse dele por um tempo, e como ela e seu marido terminaram por adotá-lo. Nunca investigaram sua procedência, mas imaginaram que era filho de Valmorain com alguma de suas escravas. Tété já não escutava porque o resto ela sabia. Preparara-se em milhares de noites insones para o momento dessa revelação, quando por fim saberia do filho que lhe haviam tirado; mas agora que a tinha ao alcance da mão não sentia nenhum relâmpago de felicidade, nenhum soluço engasgado no peito, nenhuma onda irresistível de carinho, nenhum impulso de correr para abraçá-lo. Sentia apenas um ruído surdo nos ouvidos, como o das rodas de uma carreta no pó da estrada. Fechou os olhos e evocou a imagem do jovem com curiosidade, surpresa por não ter tido sequer o menor indício da verdade; seu instinto não lhe advertira nada, nem mesmo quando notara sua semelhança com Rosette. Cavou seus sentimentos em busca do insondável amor materno que conhecia muito bem, porque o tinha esbanjado com Maurice e Rosette, mas só encontrou alívio. Seu filho havia nascido com boa estrela, com uma *z'etoile* resplandecente, por isso caíra nas mãos dos Relais e de Loula, que o mimaram e educaram, e por isso o militar havia legado a ele a lenda de sua vida e Violette trabalhava sem descanso para lhe assegurar um bom futuro. Ficou alegre, sem nenhum indício de ciúmes, porque nada daquilo ela jamais poderia ter dado ao menino.

O rancor contra Valmorain, aquele penhasco negro e duro que Tété levava sempre incrustado no peito, pareceu diminuir, e o empenho de se vingar dele se dissolveu no agradecimento pelos que haviam cuidado tão bem de seu filho. Não precisou pensar muito no que faria com a informação que acabava de receber, porque a gratidão o ditou. O que ganharia anunciando aos quatro ventos que era a mãe de Jean-Martin e reclamando um afeto que, com justiça, pertencia à outra mulher? Optou por confessar a verdade a Violette Boisier, sem se alongar no sofrimento que tanto a havia angustiado no passado, porque, nos últimos anos, aquele sentimento havia diminuído. O jovem que naquele momento passeava pelo pátio era um desconhecido para ela.

As duas mulheres choraram um bom tempo de mãos dadas, unidas por uma delicada corrente de mútua compaixão. Por fim, o pranto delas cessou e concluíram que não era possível apagar o que Valmorain havia dito, mas tentaram suavizar seu impacto em Jean-Martin. Para que dizer ao jovem que Violette não era sua mãe, que nascera escravo, bastardo de um branco, e que fora vendido? Era melhor continuar acreditando no que ouvira de Valmorain, porque, em essência, era verdade: que sua mãe havia sido escrava. Também não precisava saber que Violette fora uma *cocotte* ou que Relais tivera reputação de cruel. Jean-Martin achava que Violette lhe ocultara o estigma da escravidão para protegê-lo, mas continuaria orgulhoso de ser filho de Relais. Dentro de uns dois dias, ele voltaria para a França e para a sua carreira no exército, onde o preconceito contra a sua origem era menos daninho do que na América ou nas colônias, e onde as palavras de Valmorain poderiam ser relegadas a um canto perdido da memória.

— Vamos enterrar isto para sempre — disse Tété.

— E o que faremos com Toulouse Valmorain? — perguntou Violette.

— Vá vê-lo, madame. Explique a ele que não lhe convém divulgar certos segredos, porque a senhora mesma se encarregará de que sua esposa e toda a cidade saibam que ele é o pai de Jean-Martin e Rosette.

— E também que seus filhos podem reclamar o sobrenome Valmorain e uma parte de sua herança — acrescentou Violette com uma piscadela malandra.

— Isso é verdade?

— Não, Tété, mas o escândalo seria mortal para os Valmorain.

Medo da morte

Violette Boisier sabia que o primeiro baile do *Cordon Bleu* daria a pauta para os bailes futuros, e tinha de estabelecer, desde o começo, a diferença com as outras festas que animavam a cidade desde outubro até fins de abril. O amplo local foi decorado sem preocupação com os gastos. Arrumaram palcos para os músicos, colocaram mesinhas com toalhas de linho bordado e poltronas de pelúcia em volta da pista de dança para as mães e acompanhantes. Construíram uma passarela para a entrada triunfal das moças no salão. No dia do baile, limparam as sarjetas da rua e as cobriram com tábuas, acenderam lâmpadas coloridas e animaram o bairro com músicos e bailarinos negros, como no carnaval. O ambiente dentro do salão, no entanto, era muito sóbrio.

Na casa dos Valmorain, no centro, ouvia-se o rumor distante da música da rua, mas Hortense Guizot, como todas as mulheres brancas da cidade, fingia não ouvir. Sabia do que se tratava porque não se falava de outra coisa na cidade havia várias semanas. Acabava de jantar e estava bordando na sala, rodeada de suas filhas, todas tão loiras e rosadas como era ela antes, brincando com boneca, enquanto a menor dormia no berço. Agora, desgastada pela maternidade, usava carmim nas faces e exibia um topete artístico, postiço, um aplique de cabelos amarelos, que sua escrava Denise misturava com os seus próprios cabelos cor de palha. O jantar consistia em sopa, dois pratos principais, salada, queijo e três sobremesas, nada muito complicado, porque estava sozinha. As meninas não se sentavam ainda à mesa de jantar, e seu marido tampouco, porque seguia uma dieta rigorosa e preferia não cair em tentação. Para ele, que se encontrava na biblioteca, onde cumpria ordens estritas do doutor Parmentier, tinham levado arroz e frango cozido sem sal. Além de passar fome, devia caminhar e se abster de álcool, charutos e café. Teria morrido de tédio, não fosse seu cunhado Sancho, que o visitava diariamente para deixá-lo a par das notícias e fofocas, alegrá-lo com seu bom humor e ganhar dele nas cartas e no dominó.

Parmentier, que tanto se queixava dos achaques de seu próprio coração, não seguia o regime monacal que impunha a seu paciente, porque Sanité Dédé, a sacerdotisa vodu da Praça do Congo, havia lido o futuro dele nos búzios e, segundo sua profecia, ele viveria até os oitenta e nove anos. "Você, branco, vai fechar os olhos do santo Père Antoine quando ele morrer, em 1829." Isso o tranquilizou em relação à sua saúde, mas criou a angústia de perder nessa longa vida os seus entes mais queridos, como Adèle e, talvez, algum de seus filhos.

O primeiro alarme de que alguma coisa falhava para Valmorain aconteceu na viagem à França. Terminada a lúgubre visita à sua mãe nonagenária e às irmãs solteironas, deixara Maurice em Paris e embarcara para Nova Orleans. No barco, sofrera vários ataques de falta de ar, que atribuíra ao balanço das ondas, ao excesso de vinho e à má qualidade da comida. Mas, ao chegar, seu amigo Parmentier lhe diagnosticara pressão alta, péssima digestão, abundância de bílis, flatulência, humores pútridos e palpitações do coração. Anunciou, sem rodeios, que deveria baixar de peso e mudar de vida, ou acabaria em seu mausoléu no cemitério de Saint-Louis, em menos de um ano. Aterrorizado, Valmorain se submeteu às exigências do médico e ao despotismo de sua mulher, transformada numa autêntica carcereira com o pretexto de cuidar dele. Por via das dúvidas, recorrera aos "doutores de folhas" e magos, de quem sempre havia zombado até que o susto o fizera mudar de opinião. Não custava nada experimentar, pensara. Havia conseguido um *gris-gris*, tinha um altar pagão em seu quarto, bebia poções impossíveis de identificar, que Célestine lhe trazia do mercado, e havia feito duas excursões noturnas a uma ilhota nos pântanos para que Sanité Dédé o limpasse com a fumaça de seu charuto e seus encantamentos. Parmentier não ficava contrariado com a competência da sacerdotisa, fiel à sua ideia de que a mente tem o poder de curar, e, se o paciente confiava na magia, não havia razão para negá-la.

Maurice, que estava na França trabalhando numa agência de importação de açúcar, onde o colocara Valmorain para que aprendesse aquele lado do negócio familiar, pegou o primeiro barco disponível, ao saber da doença do pai, e chegou a Nova Orleans em fins de outubro. Encontrou Valmorain transformado num volumoso lobo marinho, numa poltrona junto à lareira, com um gorro na cabeça, uma manta nas pernas, uma cruz de madeira e um *gris-gris* de tecido pendurado no pescoço, bastante alquebrado em comparação ao homem altivo e perdulário que quisera lhe mostrar a vida dissoluta de Paris. Curvou-se para cumprimentar o pai, e este o apertou num abraço trêmulo. "Meu filho, finalmente você chegou, agora posso morrer tranquilo", murmurou. "Não diga besteiras, Toulouse!", interrompeu Hortense Guizot, que os observava dissimulada. E esteve a ponto de acrescentar que, infelizmente, ainda não ia morrer, mas se conteve a tempo. Fazia três meses que cuidava do marido, e sua paciência havia acabado. Valmorain a chateava o dia inteiro e a acordava de madrugada com pesadelos recorrentes sobre um tal Lacroix, que aparecia para ele em carne viva, arrastando sua pele pelo chão como uma camisa sangrenta.

A madrasta recebeu Maurice secamente, e suas irmãs o cumprimentaram com educadas reverências, mantendo-se a distância, porque não tinham ideia de quem era aquele irmão, poucas vezes mencionado na família. A mais velha das cinco meninas, a única que Maurice havia conhecido quando ela ainda nem caminhava, tinha oito anos, e a menor estava no colo de uma ama de leite. Como a casa se tornara muito pequena para a família e os criados, Maurice se alojou no apartamento de seu tio Sancho, solução ideal para todos, menos Toulouse Valmorain, que pretendia mantê-lo a seu lado para lhe dar conselhos e lhe transferir a administração de seus bens. Era a última coisa que Maurice desejava, mas também não era o momento de contrariar o pai.

Na noite do baile, Sancho e Maurice não jantaram na casa dos Valmorain, como faziam diariamente, mais por obrigação do que por gosto. Nenhum dos dois se sentia à vontade com Hortense Guizot, que nunca gostara do enteado e tolerava Sancho de má vontade, com seu bigode atrevido, seu sotaque espanhol e seu despudor, porque era preciso ser descarado para passear pela cidade com aquela cubana, uma puta *sang-mêlée*, culpada direta pelo famoso baile do *Cordon Bleu*. Apenas sua impecável educação impedia Hortense de explodir em impropérios ao pensar nisso; nenhuma dama chegava a compreender o fascínio que aquelas hetairas de cor exerciam sobre os homens brancos ou sobre a prática imoral de lhes oferecer suas filhas. Sabia que o tio e o sobrinho estavam se enfeitando para ir ao baile, mas nem morta teria feito qualquer comentário para elogiá-los. Também não podia falar com o marido, porque daquela maneira teria de admitir que ouvia suas conversas particulares, assim como examinava a correspondência e metia a mão nos compartimentos secretos de sua escrivaninha, onde guardava o dinheiro. Foi assim que soubera que Sancho havia recebido dois convites de Violette Boisier, porque Maurice desejava ir ao baile. Sancho tivera de consultar Valmorain, porque o intempestivo interesse de seu sobrinho pelo *plaçage* requeria apoio financeiro.

Hortense, que escutava com a orelha grudada num buraco que ela mesma havia mandado fazer na parede, ouvira o marido aprovar a ideia no mesmo instante e imaginara que aquilo desanuviava suas dúvidas sobre a virilidade de Maurice. Ela mesma contribuíra para aquelas dúvidas, soltando a palavra efeminado em mais de uma conversa sobre seu enteado. Para Valmorain, o *plaçage* pareceu apropriado, em vista de que Maurice nunca havia manifestado inclinação por bordéis ou pelas escravas da família. Faltavam, pelo menos, dez anos para o jovem pensar em casamento, e, enquanto isso, precisava desafogar seus ímpetos masculinos, como os chamava Sancho. Uma moça de cor, limpa, virtuosa e fiel oferecia muitas vantagens. Sancho explicou a Valmorain as condições econômicas, que antes dependiam da boa vontade do protetor e que agora, desde que Violette Boisier tomara as rédeas do assunto, eram estipuladas num contrato verbal. Tal contrato carecia de valor legal, mas, de qualquer forma, era inviolável. Valmorain não contestou o custo: Maurice o merecia. Do outro lado da parede, Hortense Guizot estivera a ponto de gritar.

O baile das sereias

Jean-Martin confessou a Isidore Morisset, com lágrimas de vergonha, o que Valmorain havia dito e que sua mãe não desmentira; simplesmente havia se negado a falar no assunto. Morisset recebeu suas palavras com uma gargalhada zombeteira — "que diabos isso importa, filho?!" —, mas em seguida se comoveu e atraiu o rapaz para que desabafasse sobre seu peito largo. Não era um sentimental, e ele mesmo se surpreendia diante da emoção que o jovem lhe provocava: desejos de protegê-lo e de beijá-lo. Afastou-o com gentileza, pegou seu chapéu e foi caminhar no dique com grandes passadas até que desanuviou a mente. Dois dias depois, partiram para a França. Jean-Martin se despediu de sua pequena família com a rigidez habitual que mantinha em público, mas no último momento abraçou Violette e lhe sussurrou que escreveria.

O baile do *Cordon Bleu* foi tão magnífico como Violette Boisier havia imaginado, e os demais, esperado. Os homens chegaram vestidos de gala, pontuais e corretos, e se distribuíram em grupos sob as lâmpadas de vidro iluminadas por centenas de velas, enquanto a orquestra tocava e os criados ofereciam bebidas leves e champanhe, nada de licores fortes. As mesas do banquete estavam preparadas numa sala ao lado, mas teria sido uma grosseria atirar-se sobre as bandejas antes do tempo. Violette Boisier, vestida com sobriedade, lhes deu as boas-vindas; logo em seguida, entraram as mães e as acompanhantes, que se instalaram nas poltronas. A orquestra atacou uma fanfarra, uma cortina teatral foi aberta de um extremo ao outro da sala, e as moças fizeram sua entrada na passarela, avançando lentamente em fila indiana. Havia umas poucas mulatas escuras, várias *sang-mêlée* que passavam por europeias, inclusive duas ou três de olhos azuis, e uma vasta gama de mestiças de diversos tons, todas atraentes, recatadas, suaves, elegantes e educadas na fé católica. Algumas eram tão tímidas que não levantavam a vista do tapete, mas outras, mais atrevidas, lançavam olhares de soslaio aos galãs alinhados contra as paredes. Apenas uma vinha tesa, séria, com uma expressão desafiante, quase hostil. Era Rosette. Os vestidos vaporosos de cores claras haviam sido encomendados na França ou copiados com perfeição por Adèle, os penteados simples exibiam as cabeleiras brilhantes, os braços e pescoços iam nus, e os rostos pareciam limpos de maquiagem. Somente as mulheres sabiam quanto esforço e arte essa aparência inocente lhes custara.

Um silêncio respeitoso recebeu as primeiras moças, mas, em poucos minutos, explodiu um aplauso espontâneo. Nunca se vira uma coleção tão notável de sereias, comentariam no dia seguinte, em cafés e tabernas, os sortudos que haviam estado presentes. As candidatas ao *plaçage* deslizaram como cisnes pelo salão, a orquestra abandonou as trombetas para tocar música de dança, e os brancos começaram seus avanços com inusitada etiqueta, nada da atrevida familiaridade com que costumavam irromper nas festas de mestiças. Depois de trocar algumas frases de cortesia para sondar o terreno, solicitavam uma dança. Podiam dançar com todas as jovens, mas tinham sido instruídos de que, na segunda ou terceira dança com a mesma, deviam se decidir. As acompanhantes vigiavam com olhos de águia. Nenhum daqueles jovens arrogantes, acostumados a fazer o que lhes dava na telha, se atreveu a violar as regras. Estavam intimidados pela primeira vez em suas vidas.

Maurice não olhava para ninguém. Apenas a ideia de que aquelas jovens estavam em oferta para benefício dos brancos o deixava doente. Usava e sentia golpes de martelo nas têmporas. Só se interessava por Rosette. Desde que desembarcara em Nova Orleans, vários dias antes, esperava o baile apenas para se encontrar com ela, como haviam combinado em sua correspondência secreta, mas não tinham podido se ver antes, e temiam não se reconhecer. O instinto e a saudade alimentada entre as paredes de pedra do colégio de Boston permitiram a Maurice adivinhar ao primeiro olhar que a moça altiva, de vestido branco, a mais bonita de todas, era a sua Rosette. Quando conseguiu despregar os pés do assoalho, ela já estava rodeada por três ou quatro pretendentes que ela examinava, tentando descobrir o único que desejava ver. Também ela havia esperado ansiosamente por aquele momento. Desde a infância havia protegido seu amor por Maurice com duplicidade, disfarçando-o de carinho fraternal, mas já não pensava continuar fazendo isso. Aquela era a noite da verdade.

Maurice se aproximou, abrindo passagem, rígido, e se postou ofuscado diante de Rosette. Olharam-se buscando aqueles de quem se lembravam: ela, a um menino magro de olhos verdes e chorão, que a seguia como uma sombra na infância. E ele, a uma menina mandona, que se metia em sua cama. Encontraram-se no rescaldo da memória e, num instante, voltaram a ser os mesmos de antes: Maurice, sem palavras, trêmulo, esperando, e Rosette, violando as normas para pegá-lo pela mão e levá-lo para a pista.

Através das luvas brancas, a moça percebeu o calor inusitado da pele de Maurice, que a percorreu da nuca aos pés, como se tivesse se aproximado de um fogão. Sentiu que lhe fraquejavam as pernas, perdeu o passo e precisou se segurar nele para não cair de joelhos. A primeira valsa acabou sem que se dessem conta, não conseguiram dizer nada, apenas se tocar e se medir, alheios por completo aos demais casais. A música terminou, e eles continuaram ensimesmados, movendo-se com a dificuldade de cegos, até que a orquestra recomeçou e eles pegaram o ritmo de novo. Até então, várias pessoas olhavam divertidas para eles, e Violette Boisier se deu conta de que alguma coisa ameaçava a estrita etiqueta da festa.

Com o último acorde, um jovem mais atrevido que os demais se interpôs para tirar Rosette para dançar. Ela nem sequer notou a interrupção, estava agarrada ao braço de Maurice, com os olhos perdidos nos dele, mas o homem insistiu. Então, Maurice pareceu despertar de um transe sonâmbulo, virou-se subitamente e afastou o intruso com um empurrão tão inesperado que seu rival tropeçou e caiu no chão. Maurice balbuciou uma desculpa e estendeu a mão ao outro para ajudá-lo a se pôr de pé, mas o insulto havia sido evidente demais. Dois amigos do jovem se precipitaram para a pista e enfrentaram Maurice. Antes que alguém conseguisse fazer o desafio para o duelo, como frequentemente acontecia, Violette Boisier interveio, tratando de dissipar a tensão com brincadeiras e batidinhas de seu leque, e Sancho García del Solar pegou com firmeza seu sobrinho por um braço e o levou para o salão de jantar, onde os homens mais velhos já estavam saboreando os deliciosos pratos da melhor *cuisine créole*.

— O que é isso, Maurice?! Por acaso você não sabe quem é essa moça? — perguntou Sancho.

— Rosette, quem mais seria? Esperei nove anos para revê-la.

— Não pode dançar com ela! Dance com as outras meninas, há várias outras muito lindas aqui, e, depois que escolher uma, eu me encarregarei do resto.

— Só vim por Rosette, tio — esclareceu Maurice.

Sancho respirou fundo, enchendo o peito com uma golfada de ar carregado pelos charutos e pela fragrância adocicada das flores. Não estava preparado para aquela contingência, nunca havia imaginado que caberia a ele abrir os olhos de Maurice e menos ainda que a revelação melodramática acontecesse naquele lugar e às pressas. Havia adivinhado aquela paixão desde que vira o menino com Rosette em Cuba pela primeira vez, em 1793, quando chegaram fugidos de Le Cap, com a roupa rasgada e cinzas do incêndio nos cabelos. Eram, então, pirralhos que andavam de mãos dadas, assustados com o horror que haviam presenciado, e já era evidente que estavam unidos por um amor ciumento e tenaz. Sancho não entendia como ninguém se dera conta.

— Esqueça Rosette. Ela é filha do seu pai. Rosette é sua irmã, Maurice — suspirou Sancho, com o olhar fixo na ponta de suas botas.

— Eu sei, tio — respondeu o jovem calmamente. — Sempre soubemos, mas isso não impede que a gente se case.

— Você deve estar louco, filho. Isso é impossível.

— Veremos, tio.

Hortense Guizot nunca se atreveu a esperar que o céu a livrasse de Maurice sem intervenção direta de sua parte. Satisfazia seu rancor, imaginando formas de eliminar o enteado, a única fantasia que aquela mulher prática se permitia, nada que devesse confessar, porque esses crimes hipotéticos eram apenas sonhos, e sonhar não é pecado. Tanto havia tentado afastá-lo de seu pai e substituí-lo pelo seu próprio filho que não conseguiu conceber, que se sentiu vagamente decepcionada, quando Maurice se afundou sozinho, deixando-lhe o terreno livre para dispor à sua maneira dos bens do marido. Havia passado a noite do baile em sua cama de rainha, sob o dossel com anjinhos, que transportavam da casa para a plantação a cada nova temporada, pensando que, naquele mesmo momento, Maurice estava escolhendo uma concubina, o sinal definitivo de que deixava para trás a adolescência e entrava em cheio na idade adulta. Seu enteado já era um homem e, naturalmente, começaria a se encarregar dos negócios da família, e com isso seu próprio poder se veria diminuído, porque ela não tinha sobre ele a influência que exercia sobre o marido.

A última coisa que desejaria era vê-lo examinando a contabilidade ou estabelecendo limites a seus gastos.

Hortense não conseguiu descansar até o amanhecer, quando finalmente tomou algumas gotas de láudano e pôde se abandonar a um sono inquieto, povoado de visões angustiantes. Acordou perto do meio-dia, indisposta pela má noite e pelos maus presságios, puxou o cordão para chamar Denise e lhe pedir o penico limpo e sua xícara de chocolate. Ouviu algo como uma conversa em surdina e calculou que provinha da biblioteca, um andar abaixo. O conduto do cordão para chamar os escravos, que atravessava os andares e a mansarda, havia servido com frequência para ouvir o que acontecia no resto da casa. Aproximou a orelha e ouviu vozes iradas, mas como não pôde distinguir as palavras saiu silenciosamente de seu quarto. Nas escadas, topou com sua escrava, que, ao vê-a, de camisola e descalça, deslizando como uma ladra, se esmagou contra a parede, invisível e muda.

Sancho se adiantara para explicar a Toulouse Valmorain o que havia acontecido no baile do *Cordon Bleu* e lhe preparar o ânimo, mas não encontrou um jeito de anunciar com tato a disparatada pretensão de Maurice de se casar com Rosette e lhe descarregou a notícia numa só frase. "Casar?", repetiu Valmorain, incrédulo. Achou francamente cômico e começou a rir às gargalhadas, mas, à medida que Sancho foi lhe dando uma ideia da determinação de seu filho, o riso se transformou numa violenta indignação. Serviu-se de uma boa dose de conhaque, o terceiro da manhã, apesar da proibição de Parmentier, e o esvaziou de um só trago, o que o deixou tossindo.

Pouco depois, chegou Maurice. Valmorain o enfrentou de pé, gesticulando e esmurrando a mesa, com a mesma cantilena de sempre, mas dessa vez aos berros: que era o seu único herdeiro, destinado a levar com orgulho o título de *chevalier* e aumentar o poder e a fortuna da família, obtidos com muito esforço; era o único homem que podia perpetuar a dinastia. Para isso o tinha formado, imbuído de seus princípios e de seu senso de honra, havia lhe oferecido tudo que se podia dar a um filho e não lhe permitiria manchar, por um impulso juvenil, o ilustre sobrenome dos Valmorain. Não, não era um impulso, corrigiu-se, mas um vício, uma perversão, era nada menos do que incesto. Desmoronou em sua poltrona, sem fôlego. Do outro lado da parede, grudada ao buraco de espionagem, Hortense Guizot sufocou uma exclamação. Não esperava que o marido admitisse para o filho a paternidade de Rosette, que tão cuidadosamente havia ocultado dela.

— Incesto, monsieur? O senhor me obrigava a engolir sabão quando chamava Rosette de irmã — argumentou Maurice.

— Sabe muito bem ao que estou me referindo!

— Vou me casar com Rosette, mesmo que você seja o pai dela — disse Maurice, procurando manter o tom respeitoso.

— Mas como vai se casar com uma mulata?! — rugiu Valmorain.

— Pelo visto, monsieur, o senhor se incomoda mais com a cor de Rosette do que com o nosso parentesco. Mas se o senhor engendrou uma filha com uma mulher de cor não deveria se surpreender que eu ame outra.

— Insolente!

Sancho procurou apaziguá-los com gestos conciliatórios. Valmorain compreendeu que, por aquele caminho, não ia chegar a lugar nenhum e se esforçou por parecer calmo e razoável.

— Você é um bom rapaz, Maurice, mas sensível e sonhador demais — disse. — Enviar você a esse colégio americano foi um erro. Não sei que ideias puseram em sua cabeça, mas parece que você ignora quem é, qual é a sua posição e quais são as responsabilidades que tem com sua família e com a sociedade.

— O colégio me deu uma visão mais ampla do mundo, monsieur, mas isso não tem nada a ver com Rosette. Meus sentimentos por ela agora são os mesmos de quinze anos atrás.

— Estes impulsos são normais na sua idade, filho. Não há nada original em seu caso — garantiu Valmorain. — Ninguém se casa aos dezoito anos, Maurice. Vá escolher uma amante, como qualquer jovem de sua condição. Isso vai acalmar você. Se há uma coisa que sobra nessa cidade são mulatas bonitas...

— Não! Rosette é a única mulher para mim — interrompeu seu filho.

— O incesto é muito grave, Maurice.

— Muito mais grave é a escravidão.

— O que uma coisa tem a ver com a outra?

— Muito, monsieur. Sem a escravidão, que permitiu que o senhor abusasse de sua escrava, Rosette não seria minha irmã — explicou Maurice.

— Como se atreve a falar assim com seu pai?

— Perdoe-me, monsieur — respondeu Maurice com ironia. — Na realidade, os erros que o senhor cometeu não podem servir de desculpa para os meus.

— O que você tem é tesão, filho — disse Valmorain com um suspiro teatral. — Nada mais compreensível. Deve fazer o que todos fazemos nesses casos.

— O quê, monsieur?

— Imagino que não preciso explicar, Maurice. Deite com a moça de uma vez por todas e depois se esqueça dela. É assim que se faz. Que outra coisa há para se fazer com uma negra?

— É isso que deseja para sua filha? — perguntou Maurice, pálido, com os dentes apertados. Gotas de suor lhe corriam pelo rosto, e tinha a camisa molhada.

— Ela é filha de uma escrava! Os meus filhos são brancos! — exclamou Valmorain.

Um silêncio gélido caiu na biblioteca. Sancho recuou, massageando a nuca, com a sensação de que tudo estava perdido. A inépcia de seu cunhado lhe pareceu irreparável.

— Vou me casar com ela — repetiu Maurice, saindo com grandes passadas, sem fazer caso do rosário de ameaças do pai.

À direita da lua

Não havia passado pela mente de Tété ir ao baile, mesmo porque não tinha sido convidada; entendia que a festa não era para gente da sua condição: as outras mães teriam se ofendido e sua filha teria passado vergonha. Violette encarregou-se de agir como acompanhante de Rosette. Os preparativos para aquela noite, que haviam requerido meses de paciência e trabalho, surtiram os resultados esperados: Rosette parecia um anjo em seu vestido etéreo e com os jasmins presos no cabelo. Antes de subir ao coche alugado, na presença dos vizinhos que haviam saído à rua para aplaudi-la, Violette repetiu a Tété e Loula que ia conseguir o melhor pretendente para Rosette. Ninguém imaginou que voltaria arrastando a moça uma hora mais tarde, quando alguns vizinhos ainda estavam na rua comentando.

Rosette entrou na casa como uma tempestade, com a cara de mula empacada que naquele ano havia substituído sua alegria, arrancou o vestido aos puxões e se trancou em seu quarto sem uma palavra. Violette vinha histérica vociferando que aquela desgraçada ia lhe pagar, que estivera a ponto de estragar a festa, tinha enganado a todos, fizera-a perder tempo, esforço e dinheiro, porque nunca tivera a intenção de ser *placée*, e que o baile havia sido um pretexto para se encontrar com aquele miserável do Maurice. A mulher estava certa. Rosette e Maurice haviam combinado de forma inexplicável, porque a menina não ia sozinha a lugar nenhum. Como enviava e recebia cartas era um mistério que ela se negara a revelar, apesar do murro que recebera de Violette. Isso veio a confirmar a suspeita que Tété sempre havia tido: as *z'étoiles* daquelas duas crianças estavam juntas no céu; em algumas noites eram claramente visíveis à direita da lua.

Depois da cena na biblioteca da casa de seu pai, quando discutira com ele, Maurice se retirou decidido a cortar para sempre os vínculos com sua família. Sancho conseguiu acalmar Valmorain um pouco, e depois seguiu seu sobrinho ao apartamento que dividiam, onde o encontrou descomposto e vermelho de febre. Com a ajuda de seu criado, Sancho tirou a roupa do rapaz e o levou para a cama, depois o obrigou a engolir uma xícara de rum quente com açúcar e limão, remédio improvisado que lhe ocorreu como paliativo para as penas de amor e que derrubou Maurice num sono profundo. Ordenou ao doméstico que o refrescasse com panos molhados para baixar a temperatura, mas isso não impediu que Maurice delirasse o resto da tarde e boa parte da noite.

Na manhã seguinte, o jovem acordou com menos febre. O quarto estava escuro, porque haviam corrido as cortinas, mas não quis chamar o criado, embora necessitasse de água e uma xícara de café. Ao tentar se levantar para usar o penico, sentiu todos os músculos doloridos, como se tivesse galopado uma semana, e preferiu se recostar outra vez. Pouco depois, chegou Sancho com Parmentier. O doutor, que o conhecia desde menino, só pôde repetir a conhecida observação de que o tempo se vai mais rápido do que o dinheiro. Para onde foram os anos? Maurice havia saído por uma porta de calças curtas e voltara por outra transformado num homem. Examinou-o meticulosamente sem chegar a um diagnóstico, o quadro ainda não era claro, disse, precisaria esperar. Ordenou que se mantivesse em repouso para ver como reagiria. Naqueles dias havia atendido dois marinheiros com tifo no hospital das freiras. Não se tratava de uma epidemia, assegurou, eram casos isolados, mas deviam levar em conta a possibilidade. Os ratos dos barcos costumavam espalhar a doença, e talvez Maurice tivesse se infectado na viagem.

— Tenho certeza de que não é tifo, doutor — resmungou Maurice, envergonhado.

— O que é, então? — sorriu Parmentier.

— Nervos.

— Nervos? — repetiu Sancho, muito divertido. — Isso de que sofrem as solteironas?

— Eu não tinha isso desde criança, doutor, mas não me esqueci e imagino que o senhor também não. Não se lembra de Le Cap?

Então, Parmentier viu de novo o menininho de poucos anos que era Maurice naquela época, delirando de febre pela perseguição dos fantasmas dos torturados, que passeavam por sua casa.

— Espero que tenha razão — disse Parmentier. — Seu tio Sancho me contou o que aconteceu no baile e a briga que teve com seu pai.

— Ele insultou Rosette! Tratou-a como uma puta — disse Maurice.

— Meu cunhado estava muito alterado, como era de esperar — interrompeu Sancho. — Maurice disse para ele que quer se casar com Rosette. Não só pretende desafiar o pai, mas o mundo inteiro.

— Só pedimos que nos deixem em paz, tio — disse Maurice.

— Ninguém vai deixar vocês em paz, porque, se fizerem isso, será a própria sociedade que estará correndo riscos. Imagine o exemplo que vocês dariam! Seria como um buraco num dique. Primeiro um fiozinho de água, depois uma enxurrada que arrebentaria com tudo à sua passagem.

— Iremos para longe, para onde ninguém nos conheça — insistiu Maurice.

— Para onde? Viver com os índios, cobertos de peles imundas e comendo milho? Vamos ver quanto tempo dura o amor nessas condições!

— Você é muito jovem, Maurice, tem a vida pela frente — argumentou o médico.

— Minha vida! Pelo visto, é a única coisa que conta! E Rosette? Por acaso a vida dela não conta também? Doutor, eu a amo!

— Entendo você melhor do que ninguém, filho. Minha companheira de toda a vida, a mãe de meus três filhos, é mulata — confessou Parmentier.

— Sim, mas não é sua irmã! — exclamou Sancho.

— Isso não importa — respondeu Maurice.

— Explique para ele, doutor, que dessas uniões nascem crianças anormais — insistiu Sancho.

— Nem sempre — murmurou o médico, pensativo.

Maurice tinha a boca seca, e de novo sentia o corpo ardendo. Fechou os olhos, indignado consigo mesmo por não poder controlar aqueles tremores, causados, sem dúvida, por sua maldita imaginação. Não escutava o tio: tinha um barulho de ondas do mar nos ouvidos.

Parmentier interrompeu a lista de argumentos de Sancho. “Acho que há uma maneira que irá satisfazer a todos para que Maurice e Rosette possam ficar juntos.” Explicou que muito pouca gente sabia que eles eram meios-irmãos; além disso, não seria a primeira vez que algo assim acontecia. A promiscuidade dos patrões com suas escravas se prestava a todo tipo de relações confusas, acrescentou. Ninguém sabia ao certo o que acontecia na intimidade das casas e menos ainda nas plantações. Os *créoles* não davam demasiada importância aos namoros entre parentes de raça diferente — não só entre irmãos, mas também entre pais e filhas — enquanto não se tornavam públicos. Já o namoro de brancos com brancos era intolerável.

— Aonde quer chegar, doutor? — perguntou Maurice.

— *Plaçage.* Pense bem, filho. Você daria a Rosette o mesmo tratamento que a uma esposa e, embora não convivesse com ela abertamente, poderia visitá-la quando quisesse. Rosette seria respeitada em seu ambiente. Você manteria sua situação, e com isso poderia protegê-la muito melhor do que se fosse um pária na sociedade, além do mais pobre, como seria de esperar se casasse com ela.

— Brilhante, doutor! — exclamou Sancho, antes que Maurice conseguisse abrir a boca. — Só falta que Toulouse Valmorain aceite.

Nos dias seguintes, enquanto Maurice se debatia contra o que acabara sendo definitivamente tifo, Sancho tratou de convencer seu cunhado das vantagens do *plaçage* para Maurice e Rosette. Se antes Valmorain estava disposto a financiar os gastos de uma moça desconhecida, agora não havia nenhuma razão para negar a única coisa que Maurice desejava. Até esse ponto, Valmorain o escutava de cabeça baixa, mas atento.

— Além disso, ela foi criada no seio de sua família e você sabe que é decente, fina e bem-educada — acrescentou Sancho, mas, mal acabara de falar, compreendeu o erro de lhe lembrar que Rosette era sua filha, e foi como se Valmorain tivesse sido picado.

— Prefiro ver Maurice morto antes a se amancebar com aquela vadia! — exclamou.

O espanhol fez o sinal da cruz automaticamente: aquilo era tentar o diabo.

— Deixe para lá, Sancho, falei sem querer — resmungou o outro, também estremecido por uma apreensão supersticiosa.

— Acalme-se, cunhado. Os filhos sempre se revoltam, é normal, mas cedo ou tarde botam a cabeça no lugar — disse Sancho, servindo-se de um copo de conhaque. — Sua posição só fortalece a teimosia de Maurice. Só vai conseguir afastá-lo.

— Quem sairá perdendo será ele!

— Pense bem. Você também vai sair perdendo. Já não é jovem, e sua saúde não anda bem. Quem vai amparar você na velhice? Quem vai administrar a plantação e seus negócios quando você já não puder fazê-lo? Quem vai cuidar de Hortense e das meninas?

— Você.

— Eu? — Sancho soltou uma alegre gargalhada. — Eu sou um malandro, Toulouse! Você me vê transformado num pilar da família? Deus me livre!

— Se Maurice me trair, você vai ter que me ajudar, Sancho. Você é meu sócio e meu único amigo.

— Por favor, não me assuste.

— Acho que você tem razão: não devo travar uma briga com Maurice, mas agir com astúcia. O rapaz precisa esfriar, pensar no futuro, se divertir como manda sua idade e conhecer outras mulheres. Essa safada deve desaparecer.

— Como? — perguntou Sancho.

— Há várias formas.

— Quais?

— Por exemplo, oferecer uma boa soma para que ela vá embora para bem longe e deixe o meu filho em paz. O dinheiro compra tudo, Sancho, mas se isso não der certo... bem, tomaríamos outras medidas.

— Não conte comigo para nada disso! — exclamou Sancho, alarmado. — Maurice jamais perdoaria você.

— Não teria que saber.

— Eu diria para ele. Exatamente porque gosto de você como um irmão, Toulouse, não vou permitir que cometa uma maldade semelhante. Você se arrependeria pelo resto de sua vida — respondeu Sancho.

— Não fique assim, homem! Eu estava brincando. Sabe que não sou capaz de matar uma mosca.

O riso de Valmorain soou como um latido. Sancho se retirou, preocupado, e o francês ficou meditando sobre o *plaçage*. Parecia a alternativa mais lógica, mas apadrinhar a ligação entre irmãos era muito perigoso. Se fosse descoberto, sua honra ficaria manchada de maneira irreparável, e todo mundo viraria as costas aos Valmorain. Com que cara ia se apresentar em público? Devia pensar no futuro de suas cinco filhas, seus negócios e sua posição social, como Hortense o tinha feito ver com clareza. Não suspeitava que a própria Hortense já fizera a notícia circular. Tendo de escolher entre cuidar da reputação de sua família, primeira propriedade para toda dama *créole*, ou arruinar a de seu enteado, Hortense cedeu à tentação da segunda opção. Se estivesse em suas mãos, ela mesma teria casado Maurice com Rosette, nada mais que para destruí-lo. Para ela não convinha o *plaçage* que Sancho propunha, porque uma vez que se acalmassem os ânimos, como sempre acontecia depois de um tempo, Maurice poderia exercer seus direitos de primogênito sem que ninguém se lembrasse do seu deslize. As pessoas têm memória fraca. A única solução prática era que seu enteado fosse repudiado pelo pai. "Pretende se casar com uma mulata? Perfeito. Que faça isso e que viva entre os negros, como deve ser", comentara com suas irmãs e amigas, que por sua vez se encarregaram de espalhar a novidade.

Os apaixonados

Tété e Rosette deixaram a casa amarela da rua Chartres no dia seguinte à confusão no baile do *Cordon Bleu*. O ataque de raiva de Violette Boisier cessou logo e ela perdoou Rosette, porque os amores contrariados sempre a comoviam, embora tenham se sentido aliviada quando Tété lhe anunciou que não desejava continuar abusando da sua hospitalidade. Era preferível colocar certa distância entre elas, pensou. Tété levou a filha para a pensão onde anos antes vivia o tutor Gaspard Sévérin, enquanto terminavam as reformas da pequena casa que Zacharie havia comprado a duas quadras da residência de Adèle. Continuou trabalhando com Violette, como sempre, mas levou Rosette para costurar com Adèle; era tempo de a moça começar a ganhar a vida. Estava impotente diante do furacão que havia se desencadeado. Sentia inevitável compaixão pela filha, mas nem se aproximava para ajudar, porque ela se fechara como uma concha. Rosette não falava com ninguém, costurava num silêncio ríspido, esperando Maurice com uma dureza de granito, cega à curiosidade alheia e surda aos conselhos das mulheres que a rodeavam: sua mãe, Violette, Loula, Adèle e uma dezena de vizinhas enxeridas.

Tété soube do confronto de Maurice e Toulouse Valmorain por intermédio de Adèle, a quem Parmentier havia contado, e de Sancho, que lhe fez uma rápida visita na pensão para levar notícias de Maurice. Disse que o jovem estava fraco por causa do tifo, mas fora de perigo, e que desejava ver Rosette o mais cedo possível. "Ele me pediu para interceder; deseja ser recebido, Tété", acrescentou. "Maurice é meu filho, dom Sancho, não precisa me enviar recados. Estou esperando por ele", respondeu ela. Puderam falar com franqueza, aproveitando que Rosette havia saído para levar algumas costuras. Fazia várias semanas que não tinham chance de se ver, porque Sancho havia desaparecido do bairro. Não se atrevia a aparecer perto de Violette Boisier desde que ela o surpreendera com Adi Soupir, a mesma jovem estabanada por quem já havia estado apaixonado antes. De nada adiantara Sancho lhe jurar que só tinham se encontrado por acaso na Praça de Armas e que ele a convidara para tomar um inocente cálice de xerez, e nada mais. O que havia de errado nisso? Mas Violette não tinha interesse em competir com nenhuma rival pelo coração de alcachofra daquele espanhol e menos ainda com uma mulher que tinha a metade da sua idade.

Segundo Sancho, Toulouse Valmorain havia exigido que seu filho fosse falar com ele assim que pudesse ficar de pé. Maurice arrumou forças para se vestir e se dirigiu à casa do pai, porque não podia continuar adiando uma resolução. Enquanto não esclarecesse as coisas com ele, não estaria livre para se apresentar diante de Rosette. Ao ver o filho pálido e com as roupas largas, porque havia perdido vários quilos durante sua curta doença, Valmorain se assustou. O antigo medo de que a morte o arrebatasse, que tantas vezes o havia assaltado quando Maurice era criança, voltou a lhe apertar o peito. Atiçado por Hortense Guizot, preparara-se para lhe impor sua autoridade, mas compreendeu que gostava demais dele: qualquer coisa era preferível a brigarem. Num impulso, optou pelo *plaçage*, ao qual havia se oposto por orgulho e por conselho de sua mulher. Viu com lucidez que era a única saída possível. "Eu ajudarei você, filho. Vai ter o suficiente para comprar uma casa para essa moça e mantê-la como se deve. Vou rezar para que não haja escândalo, e que Deus os perdoe. Só peço que nunca fale dela em minha presença e tampouco na de sua mãe", anunciou Valmorain.

A reação de Maurice não foi a que esperavam seu pai nem Sancho, que também estava presente na biblioteca. Respondeu que agradecia a ajuda oferecida, mas não era aquele o destino que desejava. Não pensava continuar submisso à hipocrisia da sociedade nem submeter Rosette à injustiça do *plaçage*, em que ela ficaria presa, enquanto ele gozava de plena liberdade. Além do mais, aquilo seria um estigma para a carreira política que pretendia seguir. Disse que voltaria para Boston, para viver com gente mais civilizada, estudaria advocacia, e depois, no Congresso e pelos jornais, tentaria mudar a Constituição, as leis e, finalmente, os costumes, não só nos Estados Unidos, mas no mundo.

— Do que você está falando, Maurice? — interrompeu seu pai, convencido de que o delírio do tifo havia voltado.

— Abolicionismo, monsieur. Vou dedicar minha vida a lutar contra a escravidão — respondeu Maurice com firmeza.

Aquele foi um golpe mil vezes mais grave para Valmorain do que o assunto de Rosette: era um atentado direto contra os interesses de sua família. Seu filho estava mais insano do que havia imaginado, pretendia nada mais, nada menos que demolir o fundamento da civilização e da fortuna dos Valmorain. Um dos castigos que sofriam os abolicionistas era o de serem cobertos de penas em público, para serem ridicularizados e depois enforcados, como mereciam. Eram uns loucos fanáticos que se atreviam a desafiar a sociedade, a história e inclusive a palavra divina, porque a escravidão aparecia na Bíblia. Um abolicionista em sua própria família? Nem pensar! Fez seu discurso aos berros, sem respirar, e terminou ameaçando deserdar o filho.

— Me deserde, monsieur, porque, se eu herdasse seus bens, a primeira coisa que faria seria emancipar os escravos e vender a plantação — respondeu Maurice, sem se alterar.

O jovem se levantou apoiando-se no respaldo da cadeira, porque estava se sentindo um pouco nauseado, despediu-se com uma ligeira inclinação e saiu da biblioteca procurando dissimular o tremor das pernas. Os insultos de seu pai o perseguiram até a rua.

Valmorain perdeu o controle, e a raiva o transformou num turbilhão: amaldiçoou o filho, berrou que para ele Maurice estava morto e que jamais receberia um centavo de sua fortuna. "Proíbo você de pisar de novo nesta casa e de usar o sobrenome Valmorain! Você já não pertence a esta família!" Não conseguiu continuar, porque caiu desmontado, arrastando uma lâmpada de opalina, que virou cacos contra a parede. Com seus gritos, apareceram Hortense e vários domésticos, que o encontraram com os olhos revirados e arroxeado, enquanto Sancho, de joelhos ao seu lado, procurava lhe afrouxar a gravata, enterrada nas dobras da dupla papada.

Enlace de sangue

Uma hora mais tarde, Maurice se apresentou sem avisar na pensão de Tété. Fazia sete anos que ela não o via, mas aquele jovem alto e sério, com uma cabeleira desordenada e óculos redondos, era igual ao menino que ela havia criado. Maurice tinha a mesma intensidade e ternura da infância. Abraçaram-se longamente, ela repetindo seu nome e ele sussurrando *maman*, *maman*, a palavra proibida. Estavam na empoeirada salinha da pensão, que se mantinha sempre na penumbra. A luz escassa que passava entre as persianas punha em evidência os móveis desconjuntados, o tapete em farrapos e o papel amarelado das paredes.

Rosette, que tanto havia esperado por Maurice, não o cumprimentou, aturdida de felicidade e desconcertada ao vê-lo abatido, tão diferente do belo jovem com quem havia dançado duas semanas antes. Muda, observava a cena como se a visita intempestiva de seu amado não tivesse nada que ver com ela.

— Rosette e eu sempre nos amamos, *maman*, você sabe. Desde que éramos crianças falávamos em nos casar, lembra-se? — disse Maurice.

— Sim, filho, eu me lembro. Mas é pecado.

— Nunca tinha ouvido você dizer essa palavra. Tornou-se católica, por acaso?

— Meus *loas* sempre me acompanham, Maurice, mas também vou à missa de Père Antoine.

— Como o amor pode ser pecado? Foi Deus quem nos deu este amor. Antes de nascer, nós já nos amávamos. Não somos culpados de ter o mesmo pai. O pecado não é nosso, mas dele.

— Há consequências... — murmurou Tété.

— Já sei. Todo mundo se empenha em me lembrar que podemos ter filhos anormais. Estamos dispostos a correr esse risco, não é mesmo, Rosette?

A garota não respondeu. Maurice se aproximou e colocou um braço sobre os ombros dela, num gesto de proteção.

— O que vai ser de vocês? — perguntou Tété, angustiada.

— Somos livres e jovens. Vamos para Boston e, se nos dermos mal lá, acharemos outro lugar. A América é grande.

— E a cor? Em lugar nenhum vão aceitar vocês. Dizem que nos Estados livres o ódio é pior, porque brancos e negros não convivem nem se misturam.

— Certo, mas isso vai mudar, eu prometo. Há muitas pessoas trabalhando para abolir a escravidão: filósofos, políticos, religiosos, todas as pessoas minimamente decentes...

— Não viverei para ver, Maurice. Mas sei que, mesmo emancipando os escravos, não haverá igualdade.

— Com tempo vai ter que haver, *maman*. É como uma bola de neve, que começa a rolar, vai crescendo, ganha velocidade e, então, nada pode detê-la. Assim acontecem as grandes mudanças na história.

— Quem disse isso para você, filho? — perguntou Tété, que não sabia bem o que era a neve.

— Meu professor, Harrison Cobb.

Tété compreendeu que seria inútil argumentar com ele, porque as cartas estavam lançadas fazia quinze anos, quando ele se inclinara pela primeira vez para beijar o rosto da menina recém-nascida que era Rosette.

— Não se preocupe, vai dar tudo certo — acrescentou Maurice. — Mas precisamos de sua bênção, *maman*. Não queremos fugir como bandidos.

— Vocês têm a minha bênção, filhos, mas ela não basta. Vamos pedir conselho a Père Antoine, que sabe das coisas deste mundo e do outro — concluiu Tété.

Caminhando na brisa de fevereiro, foram até a casa do capuchinho, que acabava de terminar sua primeira ronda de caridade e estava descansando um pouco. Recebeu-os sem demonstrar surpresa, porque estava esperando por eles desde que começaram a lhe chegar os boatos de que o herdeiro da fortuna Valmorain pretendia se casar com uma mulata. Como sempre estava informado de tudo que acontecia na cidade, seus fiéis imaginavam que o Espírito Santo lhe soprava a informação. Ofereceu seu vinho de missa, áspero como verniz.

— Queremos nos casar, *mon père* — anunciou Maurice.

— Mas existe o pequeno detalhe da raça, não é mesmo? — sorriu o padre.

— Sabemos que a lei... — continuou Maurice.

— Cometeram o pecado da carne? — interrompeu Père Antoine.

— Como pode pensar isso, *mon père*! Dou-lhe a minha palavra de cavalheiro que a virtude de Rosette e a minha honra estão intactas — proclamou Maurice, perturbado.

— Que pena, filhos! Se Rosette tivesse perdido a virgindade e você desejasse reparar o dano perpetrado, eu seria obrigado a casá-los para lhes salvar a alma — explicou o santo.

Então, Rosette falou pela primeira vez desde o baile do *Cordon Bleu*.

— Vamos dar um jeito nesta mesma noite, *mon père*. Faça de conta que já aconteceu. E agora, por favor, salve a nossa alma — disse ela, com o rosto vermelho e o tom decidido.

O santo possuía uma admirável flexibilidade para driblar as regras que considerava inconvenientes. Com a mesma imprudência infantil com que desafiava a Igreja, costumava furtar o corpo à lei, e até aquele momento nenhuma autoridade religiosa ou civil havia se atrevido a lhe chamar a atenção. Pegou uma navalha de barbeiro dentro de uma caixa, molhou a lâmina num copo de vinho e ordenou aos apaixonados levantarem as mangas e lhes apresentar um braço. Sem hesitar, fez um cortezinho no pulso de Maurice com a destreza de quem realizara aquela operação várias vezes. Maurice lançou uma exclamação e chupou o corte, enquanto Rosette apertava os lábios e fechava os olhos com a mão estendida. Em seguida, o padre juntou os braços dos dois, esfregando o sangue de Rosette no pequeno corte de Maurice.

— O sangue é sempre vermelho, como podem ver, mas, se alguém perguntar, agora você pode dizer que tem sangue negro, Maurice. Assim o casamento é legal — esclareceu o padre, limpando a navalha em sua manga, enquanto Tété rasgava seu lenço para vendar os pulsos dos dois.

— Vamos à igreja. Pediremos à irmã Lucie que seja testemunha neste casório — disse Père Antoine.

— Um instante, *mon père* — deteve-os Tété. — Não resolvemos uma coisa: esses jovens são meios-irmãos.

— O que está dizendo, filha?! — exclamou o santo.

— Você conhece a história de Rosette, *mon père*. Eu lhe contei que monsieur Toulouse Valmorain era seu pai, e o senhor sabe que ele também é pai de Maurice.

— Não me lembrava. A memória anda me falhando. — Père Antoine se deixou cair numa cadeira, derrotado. — Não posso casar esses jovens, Tété. Uma coisa é burlar a lei humana, que costuma ser absurda, mas outra é burlar a lei de Deus...

Saíram de cabeça baixa da casinha do Père Antoine. Rosette tentava conter o choro, e Maurice, arrasado, segurava-a pela cintura. “Como gostaria de ajudar vocês, meus caros! Mas não está em meu poder fazê-lo. Ninguém pode casá-los nesta terra”, foi a triste despedida do santo. Enquanto os apaixonados arrastavam os pés, desconsolados, Tété caminhava dois passos atrás, pensando na ênfase que Père Antoine havia dado à última palavra. Talvez não tivesse havido ênfase, talvez ela tivesse confundido o sotaque maltratado com que o santo espanhol falava o francês, mas a frase lhe pareceu rebuscada e ouviu-a de novo como um eco de seus pés nus golpeando os paralelepípedos da praça, até que, de tanto repeti-la em silêncio, pensou ter entendido um significado chave. Mudou de direção para se encaminhar ao Chez Fleur.

Andaram quase uma hora e, quando chegaram à discreta porta da casa de jogo, viram uma fila de carregadores com fardos de provisões, vigiados por Fleur Hirondelle, que anotava cada pacote em seu livro de contabilidade. A mulher os recebeu carinhosa como sempre, mas, como não podia atendê-los, indicou-lhes que fossem para o salão. Maurice se deu conta de que era um lugar de reputação duvidosa e lhe pareceu pitoresco que sua *maman*, sempre tão preocupada com a decência, se achasse ali como em sua própria casa. Àquela hora, na luz cruel do dia, com as mesas vazias, sem clientes, *cocottes* e nem músicos, sem a fumaça e o barulho, sem o cheiro de perfume e bebida, o salão parecia um teatro pobre.

— O que estamos fazendo aqui? — perguntou Maurice em tom de funeral.

— Esperando que a sorte mude, filho — disse Tété.

Um pouco mais tarde, apareceu Zacharie em roupa de trabalho e com as mãos sujas, surpreendido com as visitas. Já não era o homem bonito de antes, tinha a cara como uma máscara de carnaval. Ficara assim depois do assalto. Era noite, e ele apanhara muito. Não conseguira ver os homens que lhe caíram em cima com garrotes, mas, como não roubaram o dinheiro nem a bengala com castão de marfim, soube que não eram bandidos do Pântano. Tété havia avisado mais de uma vez que sua figura elegante demais e sua generosidade com o dinheiro ofendiam alguns brancos. Mas foi encontrado a tempo, retirado de uma sarjeta, moído de pancadas e com a cara toda arrebentada. O doutor Parmentier o consertou com tanto cuidado que conseguiu colocar seus ossos no lugar e lhe salvar um olho, e Tété o alimentou com um tubinho até que pudesse mastigar. Aquela desgraça, que não mudou seu porte nobre, o fez mais prudente: agora andava sempre armado.

— O que posso oferecer a vocês? Rum? Suco de frutas para a menina? — sorriu Zacharie com seu novo sorriso de mandíbula torta.

— Um capitão é como um rei, pode fazer o que quiser em seu barco, inclusive enforcar alguém. Não é mesmo? — perguntou Tété.

— Só quando está navegando — esclareceu Zacharie, limpando-se com um pano.

— Conhece algum?

— Vários. Sem ir muito longe, Fleur Hirondelle e eu nos associamos a Romeiro Toledano, um português que tem uma galeota.

— Tornaram-se sócios para quê, Zacharie?

— Digamos que para importação e transporte.

— Nunca me falou desse tal de Toledano. É de confiança?

— Depende. Para umas coisas, sim; para outras, não.

— Onde posso falar com ele?

— Está no porto agora. E certamente virá esta noite para tomar uns tragos e jogar umas partidas. O que é que você quer, mulher?

— Preciso de um capitão que case Maurice e Rosette — informou Tété, diante do assombro dos dois interessados.

— Como pode me pedir isso, Zarité?

— Porque ninguém mais o faria, Zacharie. E tem que ser agora mesmo, porque Maurice vai para Boston num barco que sairá depois de amanhã.

— A galeota está no porto, onde mandam as autoridades de terra.

— Pode pedir a Toledano que solte as amarras, navegue algumas milhas mar adentro e case estes dois?

Desse modo, quatro horas mais tarde, a bordo de uma maltratada galeota com bandeira espanhola, o capitão Romeiro

Toledano, um homenzinho que media menos de sete palmos, mas que compensava a indignidade de seu porte minguado com uma barba negra que mal deixava os olhos descobertos, casou Rosette Sedella e Maurice. Foram testemunhas Zacharie, com traje de gala, mas com as unhas ainda sujas, e Fleur Hirondelle, que, para a ocasião, vestiu uma casaca de seda e um colar de dentes de urso. Enquanto Zarité secava as lágrimas, Maurice tirou a medalha de ouro de sua mãe, que sempre usava, e a colocou no pescoço de Rosette. Fleur Hirondelle distribuiu taças de champanhe, e Zacharie fez um brinde por "este casal que simboliza o futuro, quando as raças estarão misturadas e todos os seres humanos serão livres e iguais perante a lei". Maurice, que tinha ouvido com frequência as mesmas palavras do professor Cobb e ficara sentimental com o tifo, soluçou longa e profundamente.

Duas noites de amor

Na falta de outro lugar, os recém-casados passaram o único dia e as duas noites de amor que tiveram no apertado camarote da galeota de Romeiro Toledano, sem suspeitar de que, num compartimento secreto embaixo do assoalho, um escravo escondido podia ouvi-los. A embarcação era a primeira etapa da perigosa viagem para a liberdade de muitos fugitivos. Zacharie e Fleur Hirondelle achavam que a escravidão acabaria em breve e, enquanto isso, ajudavam os mais desesperados que não podiam mais esperar.

Naquela noite, Maurice e Rosette se amaram numa cama estreita de tábuas, embalados pelas correntes do delta, na luz filtrada por uma surrada cortina de flanela vermelha, que cobria a janelinha. No começo, tocavam-se inseguros, com timidez, embora tivessem crescido se explorando e não existisse um só canto de suas almas fechado para o outro. Haviam mudado e agora tinham de aprender a se conhecer de novo. Diante da maravilha de ter Rosette em seus braços, Maurice se esqueceu do pouco que havia aprendido na sua ginástica com Giselle, a trapaceira de Savannah. Tremia. "É por causa do tifo", disse como desculpa. Comovida por aquela doce inexperiência, Rosette tomou a iniciativa de começar a se despir sem pressa, como Violette Boisier havia lhe ensinado, em particular. Ao pensar nisso, teve um ataque de riso, que levou Maurice a achar que estava zombando dele.

— Não seja bobo, Maurice, como vou zombar de você? — respondeu ela, secando as lágrimas do riso. — Estou me lembrando das aulas de fazer amor que madame Violette teve a ideia de dar às alunas do *plaçage*.

— Não me diga que dava aulas para elas!

— Claro, ou você acha que pode se improvisar a sedução?

— *Maman* sabe disto?

— Dos detalhes, não.

— E o que essa mulher ensinava a vocês?

— Pouco, porque, no fim, madame teve que desistir das aulas práticas. Loula a convenceu de que as mães não iam tolerar aquilo e o baile ia acabar indo pros quintos dos infernos. Mas conseguiu ensaiar seu método comigo. Usava bananas e pepinos para me explicar.

— Explicar o quê? — indagou Maurice, que começava a se divertir.

— Como vocês são, os homens, e como é fácil manipulá-los, porque têm tudo de fora. Tinha que me ensinar de alguma maneira, não acha? Eu nunca vi um homem nu, Maurice. Bem, só você, mas quando você era um menino.

— É, acho que alguma coisa mudou desde então — sorriu ele. — Mas não espere bananas ou pepinos. Iria pecar pelo otimismo.

— Mesmo? Me deixe ver.

Em seu esconderijo, o escravo lamentou que não houvesse uma fresta entre as tábuas do assoalho para grudar o olho. Aos risos seguiu um silêncio que lhe pareceu longo demais. O que aqueles dois estavam fazendo tão calados? Não podia imaginar, porque, em sua experiência, o amor era barulhento. Quando o barbudo capitão abriu o alçapão para que saísse para comer e estirar os ossos, aproveitando a escuridão da noite, o fugitivo esteve a ponto de lhe dizer que não se incomodasse, que podia esperar.

Romeiro Toledano previu que os recém-casados, de acordo com o costume reinante, não sairiam de seu aposento e, obedecendo às ordens de Zacharie, levou-lhes café e rosquinhas, que deixou discretamente diante da porta do camarote. Em circunstâncias normais, Rosette e Maurice teriam passado, pelo menos, três dias, mas eles não contavam com tanto tempo. Mais tarde, o bom capitão lhes deixou uma bandeja com delícias do Mercado Francês, que Tété havia mandado: mariscos, queijo, pão quentinho, frutas, doces e uma garrafa de vinho, que rapidamente mãos ávidas arrastaram para dentro.

Nas horas curtas demais daquele único dia e das duas noites que passaram juntos, Rosette e Maurice se amaram com a ternura que haviam compartilhado na infância e a paixão que agora os acendia, improvisando uma coisa e outra para se alegrarem mutuamente. Eram muito jovens, estavam apaixonados desde sempre e existia o incentivo terrível da separação: não necessitaram nem um pouco das instruções de Violette Boisier. Em algumas pausas, sempre abraçados, arrumaram tempo para falar de alguns assuntos pendentes e planejar seu futuro imediato. A única coisa que lhes permitia suportar a separação era a certeza de que iriam se reunir logo, assim que Maurice tivesse trabalho e um lugar onde receber Rosette.

O segundo dia amanheceu, e tiveram de se vestir, beijar-se pela última vez e sair recatadamente para enfrentar o mundo. A galeota havia atracado de novo; no porto os esperavam Zacharie, Tété e Sancho, que havia levado o baú com os pertences de Maurice. O tio também lhe entregou quatrocentos dólares, que se gabou de ter ganhado numa só noite jogando cartas. O jovem havia adquirido a passagem com seu novo nome, Maurice Solar, o sobrenome de sua mãe, abreviado e pronunciado à inglesa. Aquilo ofendeu um pouco Sancho, porque se sentia orgulhoso do sonoro García del Solar, pronunciado como se devia.

Rosette ficou em terra arrasada de tristeza, mas fingindo a serena atitude de quem tem tudo que se pode desejar neste mundo, enquanto Maurice lhe acenava da coberta do clíper que o levaria a Boston.

O purgatório

Valmorain perdeu o filho e perdeu a saúde de uma só vez. No mesmo momento em que Maurice saiu da casa paterna para não voltar mais, algo se rompeu em seu interior. Quando Sancho e os outros conseguiram levantá-lo, comprovaram que tinha um lado do corpo morto. O doutor Parmentier determinou que não havia sido o coração que falhara, como tanto se temia; Valmorain tinha sofrido um derrame cerebral. Estava quase paralisado, babava e carecia do controle dos esfíncteres. "Com tempo e um pouco de sorte, você poderá melhorar bastante, *mon ami*, mas não vai voltar a ser o mesmo", disse Parmentier. Acrescentou que conhecia pacientes que tinham vivido muitos anos depois de um ataque semelhante. Por sinais, Valmorain indicou que desejava falar a sós com ele, e Hortense Guizot, que o vigiava como um abutre, teve de sair do quarto e fechar a porta. Seus balbucios eram quase incompreensíveis, mas Parmentier conseguiu entender que ele tinha mais medo da mulher do que da sua doença. Hortense podia ficar tentada a apressar a morte, porque, sem dúvida, preferia ficar viúva a cuidar de um marido inválido que se mijava todo. "Não se preocupe, dou um jeito nisso com três frases", tranquilizou-o Parmentier.

O médico deu a Hortense Guizot os remédios e as instruções necessárias para o doente, e aconselhou-a a arrumar uma boa enfermeira, porque a recuperação de seu marido dependia muito dos cuidados que recebesse. Não deviam contrariá-lo nem lhe dar preocupações: o descanso era fundamental. Ao se despedir, reteve a mão da mulher entre as suas, num gesto paternal de consolo. "Desejo à senhora que seu marido saia bem deste problema, porque não acho que Maurice esteja preparado para substituí-lo", disse. E lembrou a ela que Valmorain não tinha conseguido fazer os trâmites para mudar o testamento e que, legalmente, Maurice ainda era o único herdeiro da família.

Dias mais tarde, um mensageiro entregou a Tété um bilhete de Valmorain. Ela não esperou Rosette; foi diretamente a Père Antoine. Tudo que provinha de seu antigo dono tinha o poder de lhe contrair o estômago de nervosismo. Imaginou que, àquela altura, Valmorain já estivesse sabendo do precipitado casamento e da partida do filho — toda a cidade sabia —, e sua raiva não se voltaria apenas contra Maurice, a quem os fofoqueiros já tinham absolvido como vítima de uma negra feiticeira, mas contra Rosette. Ela era culpada pela dinastia dos Valmorain ficar sem continuidade e acabar sem glória. Depois da morte do patriarca, a fortuna passaria às mãos dos Guizot, e o sobrenome Valmorain só ficaria na lápide do mausoléu, porque suas filhas não poderiam passá-lo à sua descendência. Havia muitas razões para temer a vingança de Valmorain, mas a ideia não ocorrera a Tété, até que Sancho lhe sugeriu que vigiasse Rosette e não permitisse que saísse sozinha à rua. Quisera adverti-la do quê, exatamente? Sua filha passava o dia na casa de Adèle, costurando seu modesto enxoval de recém-casada e escrevendo para Maurice. Lá estava segura, e ela sempre ia buscá-la à noite, mas de qualquer forma andava apreensiva, sempre alerta: o braço comprido do antigo patrão podia ir muito longe.

O bilhete que recebeu consistia em duas linhas de Hortense Guizot, notificando que seu marido precisava falar com ela.

— Deve ter custado muito a esta senhora orgulhosa chamar você — comentou o padre.

— Prefiro não ir àquela casa, *mon père*.

— Não se perderá nada indo. Que coisa mais generosa você poderia fazer neste caso, Tété?

— O senhor sempre diz as mesmas coisas — suspirou ela, resignada.

Père Antoine sabia que o doente estava espantado diante do silêncio abismal e da solidão inconsolável do sepulcro. Valmorain havia deixado de acreditar em Deus aos treze anos e, desde então, gabava-se de um racionalismo prático no qual não cabiam fantasias sobre o Além, mas, ao ver-se com um pé na cova, recorrera à religião de sua infância. Atendendo a seu chamado, o capuchinho lhe levou a extrema-unção. Em sua confissão, resmungada entre soluços com a boca torta, Valmorain admitiu que havia se apoderado do dinheiro de Lacroix, único pecado que lhe parecia relevante. "Fale-me de seus escravos", impôs o religioso. "Eu me acuso de fraqueza, *mon père*, porque, em Saint-Domingue, algumas vezes, não pude evitar que meu chefe dos capatazes se excedesse nos castigos, mas não me acuso de crueldade. Sempre fui um patrão bondoso." Père Antoine lhe deu a absolvição e lhe prometeu rezar por sua saúde, em troca de suculentas doações para seus mendigos e órfãos, porque apenas a caridade abranda o olhar de Deus, como lhe explicou. Depois dessa primeira visita, Valmorain pretendia se confessar a todo instante, para que a morte não fosse surpreendê-lo despreparado, mas o santo não tinha tempo nem paciência para escrúpulos tardios e só concordou em lhe dar a comunhão, com outro religioso, duas vezes por semana.

A casa dos Valmorain adquirira o odor inconfundível da doença. Tété entrou pela porta de serviço, e Denise a levou à sala, onde Hortense Guizot esperava de pé, com olheiras roxas e o cabelo sujo, mais furiosa do que cansada. Tinha trinta e oito anos que pareciam cinquenta. Tété conseguiu divisar quatro das meninas, todas tão parecidas que nem pôde distinguir as que havia conhecido. Em muito poucas palavras, cuspidas entre dentes, Hortense lhe indicou que subisse para o quarto do marido e ficou ruminando a frustração de ver aquela desgraçada em sua casa, aquela maldita que havia conseguido se dar bem e desafiar nada menos que os Valmorain, os Guizot e a sociedade inteira. Uma escrava! Não entendia como havia perdido o controle da situação. Se seu marido a tivesse escutado, teriam vendido aquela puta da Rosette quando ainda era uma menina de seis anos, e nada daquilo estaria acontecendo. Era tudo culpa do teimoso do Toulouse, que não soubera educar o filho e não tratava os escravos como se devia. Tinha que ser um emigrante mesmo! Chegam aqui e acham que podem se limpar com os nossos costumes. Vejam só, emancipar essa negra, e a filha, ainda por cima! Uma coisa dessas jamais aconteceria entre os Guizot, isso ela podia jurar.

Tété encontrou o doente afundado entre os travesseiros, com a cara irreconhecível, os cabelos desalinhados, a pele cinzenta, os olhos lacrimosos e uma das mãos como uma garra no peito. O ataque havia provocado em Valmorain uma intuição tão portentosa que era uma forma de clarividência. Imaginou que uma parte adormecida de sua mente havia despertado, enquanto outra parte, a que antes calculava os lucros do açúcar em poucos segundos ou movia as peças do dominó, agora já não funcionava. Com a nova lucidez, adivinhava os motivos e as intenções dos outros, em especial de sua mulher, que já não podia manipulá-lo com a mesma facilidade de antes. As emoções próprias e alheias adquiriram uma transparência de vidro, e, em alguns instantes sublimes, pareceu-lhe que atravessava a densa neblina do presente e avançava, aterrorizado, para o futuro. Tal futuro era um purgatório onde pagaria eternamente os pecados que havia esquecido ou que talvez não tivesse cometido. "Reze, reze, meu filho, e faça caridade", aconselhara-o Père Antoine, e o mesmo lhe repetia o outro padre que trazia a comunhão às terças-feiras e aos sábados.

O doente despachou com um grunhido a escrava que o acompanhava. A saliva lhe caía pela comissura dos lábios, mas ainda podia impor sua vontade. Quando Tété se aproximou para ouvi-lo, porque não o entendia, pegou-a com força pelo braço, empregando a mão saudável, e a obrigou a se sentar ao seu lado na cama. Não era um ancião desamparado, ainda era temível. "Vai ficar aqui para cuidar de mim", explicou. Era a última coisa que Tété esperava ouvir, e ele teve que repetir. Espantada, compreendeu que seu antigo patrão não tinha a menor suspeita do quanto ela o detestava, nada sabia da pedra negra que levava no coração desde que ele a violara aos onze anos, não conhecia a culpa ou o remorso; talvez a mente dos brancos nem mesmo registrasse o sofrimento que causavam aos outros. O rancor só a havia angustiado, sem sequer ter passado perto dele. Valmorain, cuja nova clarividência não foi suficiente para adivinhar o sentimento que provocava em Tété, acrescentou que ela havia cuidado de Eugenia por muitos anos, que havia aprendido com Tante Rose e, segundo Parmentier, não havia melhor enfermeira do que ela. Um silêncio tão longo acolheu suas palavras, que Valmorain terminou por se dar conta de que já não podia dar ordens àquela mulher e mudou de tom. "Pagarei o que for justo. Não. O que você pedir. Faça isso em nome de tudo que passamos juntos e dos nossos filhos", disse entre ranho e baba.

Tété lembrou o conselho habitual de Père Antoine e sondou muito fundo em sua alma, mas não conseguiu achar nenhum lampejo de generosidade. Quis explicar a Valmorain que, por aquelas mesmas razões, não podia ajudá-lo: pelo que haviam passado juntos, pelo que sofrera quando era sua escrava e por seus filhos. O primeiro ele arrancara dela ao nascer, e a segunda seria destruída a qualquer momento, se ela se descuidasse. Mas não conseguiu dizer nada daquilo. "Não posso. Me perdoe, monsieur", foi a única coisa que disse. Levantou-se hesitante, trêmula pelas batidas do próprio coração, e, antes de sair, deixou sobre a cama de Valmorain a carga inútil do seu ódio, que já não desejava continuar arrastando consigo. Retirou-se silenciosamente daquela casa pela porta de serviço.

Longo verão

Rosette não pôde ir ao encontro de Maurice com a rapidez que ambos haviam planejado, porque o inverno foi muito rigoroso e a viagem se tornou impossível. A primavera ficou atrasada em outras latitudes, e, em Boston, o gelo durou até fins de abril. Nessa época, ela já não podia embarcar. Ainda não se notava a barriga, mas as mulheres próximas já haviam adivinhado sua gravidez, porque sua beleza parecia sobrenatural. Estava corada, com o cabelo brilhante como cristal, tinha os olhos mais profundos e doces, irradiava calor e luz. Segundo Loula, era normal: as mulheres grávidas têm mais sangue no corpo. "De onde vocês pensam que a criança tira o sangue?", dizia Loula. Para Tété essa explicação era irrefutável, porque tinha visto vários partos e sempre se espantava com a quantidade de sangue que saía das mães. Mas ela mesma não exibia os mesmos sintomas de Rosette. O ventre e os seios lhe pesavam como pedras, tinha manchas escuras no rosto, haviam-lhe saltado veias nas pernas e não podia andar mais de duas quadras por causa dos pés inchados. Não se lembrava de ter se sentido tão fraca e feia em suas duas gestações anteriores. Ficava envergonhada de se encontrar no mesmo estado de Rosette; ia ser mãe e avó ao mesmo tempo.

Uma manhã, no Mercado Francês, viu um mendigo batendo com sua única mão um par de tambores de lata. Também lhe faltava um pé. Pensou que talvez o dono o tivesse libertado para ganhar o pão como pudesse, já que se tornara inútil. Ainda era jovem, tinha um sorriso de dentadura completa e uma expressão travessa que contrastava com a sua condição miserável. Levava o ritmo na alma, na pele, no sangue. Tocava e cantava com tal alegria e entusiasmo desbocado que um grupo se juntara ao seu redor. Os quadris das mulheres se moviam sozinhos ao compasso daqueles irresistíveis tambores, e as crianças de cor ecoavam a letra, que pelo visto haviam escutado muitas vezes, enquanto lutavam com espadas de pau. No começo, as palavras eram incompreensíveis para Tété, mas logo se deu conta de que cantavam no *créole* fechado das plantações de Saint-Domingue e pôde traduzir mentalmente o estribilho para o francês: *Capitaine La Liberté / protegé de Macandal / c'est batu avec son sable / por sauver son general.* Os joelhos dela fraquejaram, e teve que se sentar sobre um caixote de fruta, equilibrando a duras penas sua enorme barriga, onde esperou que o músico terminasse e recolhesse a esmola do público. Fazia muito que não usava o *créole* aprendido em Saint-Lazare, mas conseguiu se comunicar com ele. O homem tinha vindo do Haiti, que ele ainda chamava Saint-Domingue, e lhe contou que havia perdido a mão numa trituradora de cana, e o pé, sob o machado do carrasco, porque tentara fugir. Ela lhe pediu que repetisse a letra da canção lentamente, para entendê-la direito, e assim soube que Gambo já era uma lenda. Segundo a canção, havia defendido Toussaint Louverture como um leão, lutando contra os soldados de Napoleão, até cair finalmente com tantas feridas de bala e de espada que não podiam ser contadas. Mas o capitão, como Macandal, não morrera: levantara-se transformado em lobo, disposto a continuar lutando para sempre pela liberdade.

— Muitos o viram, madame. Dizem que esse lobo ronda Dessalines e outros generais, porque traíram a revolução e estão vendendo as pessoas como escravas.

Fazia muito tempo que Tété havia aceitado a possibilidade de que Gambo estivesse morto, e a canção do mendigo lhe confirmara a suspeita. Naquela noite, foi à casa de Adèle ver o doutor Parmentier, a única pessoa com quem podia compartilhar sua tristeza, e lhe contou o que tinha ouvido no mercado.

— Conheço essa canção, Tété. Os bonapartistas a cantam quando se embebedam no Café des Émigrés, mas lhe acrescentam uma estrofe.

— Qual?

— Algo sobre uma vala comum, onde apodrecem os negros e a liberdade, e que viva a França e viva Napoleão.

— Isso é horrível, doutor!

— Gambo foi um herói em vida e continua sendo na morte, Tété. Enquanto essa canção circular, ele estará dando um grande exemplo de coragem.

Zacharie não soube do luto que vivia sua mulher, porque ela se encarregou de dissimulá-lo. Tété defendia como um segredo seu primeiro amor, o mais poderoso de sua vida. Raramente o mencionava, porque não podia oferecer a Zacharie uma paixão da mesma intensidade; a relação que compartilhavam era prazerosa e sem urgência. Alheio a tais limitações, Zacharie apregoava aos quatro ventos sua futura paternidade. Estava acostumado a se exibir e a mandar, inclusive em Le Cap, onde fora escravo, e a surra que quase o matara e lhe deixara o rosto em pedaços mal colados não tinha sido suficiente: continuava sendo ostentoso e expansivo. Distribuía bebida de graça entre os clientes do Chez Fleur para que brindassem pelo filho que sua Tété esperava. Sua sócia, Fleur Hirondelle, precisou contê-lo, porque os tempos não estavam para esbanjamentos nem para causar invejas. Nada irritava tanto os americanos como um negro fanfarrão.

Rosette os mantinha em dia com as notícias de Maurice, que chegavam com um atraso de dois ou três meses. O professor Harrison Cobb, depois de escutar os pormenores da história, oferecera a Maurice a hospitalidade de sua casa, onde vivia com uma irmã viúva e sua mãe, uma anciã maluca que comia flores. Mais tarde, quando soubera que Rosette estava grávida e daria à luz em novembro, pedira para ele não procurar outro alojamento, mas para trazer sua família para viver com eles. Agatha, sua irmã, era a mais entusiasmada com a ideia, porque Rosette a ajudaria a cuidar de sua mãe, e a presença da criança alegraria a todos. Aquela casa enorme, atravessada por correntes de ar, com quartos vazios, onde ninguém havia posto o pé em muitos anos, e com antepassados vigiando de seus retratos nas paredes, necessitava de um casal apaixonado e de uma criança, anunciara.

Maurice compreendeu que Rosette também não poderia viajar no verão e se resignou a uma separação que se prolongaria por mais de um ano, até que passasse o inverno seguinte, ela tivesse se recuperado do parto e a criança pudesse suportar a travessia. Enquanto isso, alimentava o amor com um rio de cartas, como havia feito sempre, e se concentrou em estudar em todo minuto livre. Harrison Cobb o empregou como secretário, pagando-lhe muito mais do que o devido para classificar seus papéis e ajudá-lo a preparar suas aulas, um trabalho leve que dava tempo para Maurice estudar leis, e para a única coisa que Cobb achava importante: o movimento abolicionista. Iam juntos a manifestações públicas, redigiam panfletos, percorriam os jornais, lojas e escritórios, falavam em igrejas, clubes, teatros e universidades. Harrison Cobb encontrou nele o filho que nunca tivera e o companheiro de luta com que havia sonhado. Com aquele jovem a seu lado, o triunfo de seus ideais lhe parecia ao alcance da mão. Sua irmã Agatha, também abolicionista como todos os Cobb, inclusive a dama que comia flores, contava os dias que faltavam para ir ao porto receber Rosette e o bebê. Uma família de sangue mestiço era o melhor que podia lhes acontecer, era a encarnação da igualdade que pregavam, a prova mais contundente de que as raças podem e devem se misturar e conviver em paz. Que impacto teria Maurice quando se apresentasse em público com sua esposa de cor e seu filho para defender a emancipação! Isso seria mais eloquente do que um milhão de panfletos. Para Maurice, os discursos incendiários dos seus benfeitores pareciam um pouco absurdos, porque, na realidade, nunca havia considerado Rosette diferente dele.

O verão de 1806 se fez muito longo e trouxe a Nova Orleans uma epidemia de cólera e vários incêndios. Toulouse Valmorain, acompanhado por uma freira que cuidava dele, foi levado para a plantação, onde a família se instalou para passar a parte mais quente da temporada. Parmentier diagnosticou que a saúde do paciente era estável e o que o campo certamente o aliviaria. Os remédios, que Hortense diluía na sopa, porque o marido se negava a tomá-los, não haviam melhorado seu temperamento. Tinha ficado tão raivoso que nem ele se suportava. Tudo lhe causava irritação, desde as assaduras das fraldas até o riso inocente de suas filhas no jardim; porém, mais que tudo, Maurice. Tinha fresca na memória cada etapa da vida de seu filho. Lembrava cada palavra que se disseram no final e as repassava mil vezes, buscando uma explicação para aquela ruptura tão dolorosa e definitiva. Pensava que Maurice havia herdado a loucura de sua família materna. Por suas veias corria o sangue fraco de Eugenia García del Solar, e não o sangue forte dos Valmorain. Não reconhecia nada próprio naquele filho. Maurice era igual à mãe, com olhos verdes iguais, sua enfermiça propensão à fantasia e um impulso autodestrutivo.

Ao contrário do que supunha o doutor Parmentier, seu paciente não encontrou descanso, porém mais preocupações na plantação, onde pôde comprovar a decadência que Sancho lhe havia anunciado. Owen Murphy havia ido embora com a sua família para o norte, com o objetivo de ocupar a terra que havia adquirido penosamente, depois de trabalhar trinta anos como um animal de carga. Em seu lugar havia um jovem capataz, recomendado pelo pai de Hortense. Um dia depois da chegada, Valmorain decidiu procurar outro, porque o homem não tinha experiência para lidar com uma plantação daquele tamanho. A produção diminuíra de forma notória, e os escravos pareciam desafiadores. Pela lógica, deveria ter sido Sancho a se encarregar de tais problemas, mas ficou óbvio para Valmorain que seu sócio só cumpria um papel decorativo. Isso o obrigou a se apoiar em Hortense, mesmo sabendo que, quanto mais poder lhe concedia, mais ele afundava na cadeira de rodas.

Discretamente, Sancho havia se proposto reconciliar Valmorain com Maurice. Tinha de fazê-lo sem despertar as suspeitas de Hortense Guizot, para quem as coisas estavam saindo melhor do que o esperado: agora tinha controle sobre seu marido e todos os seus bens. Sancho mantinha-se em contato com seu sobrinho por intermédio de cartas muito curtas, porque não escrevia bem em francês; em espanhol o fazia melhor que Góngora, garantia, embora ninguém em seu meio soubesse quem era esse senhor. Maurice lhe respondia com os detalhes de sua vida em Boston e profusos agradecimentos pela ajuda que dava à sua mulher. Rosette havia lhe contado que recebia dinheiro com frequência do tio, que jamais o mencionava. Maurice também comentava os passos de formiga com que avançava o movimento antiescravagista, e outro assunto que o obcecava: a expedição de Lewis e Clark, enviada pelo presidente Jefferson para explorar o rio Missouri. A missão consistia em estudar as tribos indígenas, a flora e fauna daquela região quase desconhecida pelos brancos, e alcançar, se possível, a costa do Pacífico. A ambição americana de ocupar mais e mais terra deixava Sancho descrente, "quem muito abraça, pouco aperta", pensava, mas a imaginação de Maurice se inflamava e, não fosse por Rosette, o bebê e o abolicionismo, teria partido no rasto dos exploradores.

Na cadeia

Tété teve sua filha no sufocante mês de junho, ajudada por Adèle e Rosette, que queria ver de perto o que a esperava dali a alguns meses, enquanto Loula e Violette passeavam pela rua tão nervosas quanto Zacharie. Quando teve a menina nos braços, Tété começou a chorar de felicidade: podia amá-la sem medo de que a tirassem. Era sua. Deveria defendê-la de doenças, acidentes e outras desgraças naturais, como qualquer criança, mas não de um dono com direito a dispor dela como bem entendesse.

A felicidade do pai foi exagerada, e os festejos que organizou, tão generosos que Tété se assustou: podiam trazer má sorte. Por precaução, levou a recém-nascida à sacerdotisa Sanité Dédé, que cobrou quinze dólares para protegê-la com um ritual de cuspidas próprias e sangue de galo. Depois foram todos à igreja, para que Père Antoine a batizasse com o nome de sua madrinha: Violette.

O resto daquele verão úmido e quente se tornou eterno para Rosette. À medida que seu ventre crescia, mais falta Maurice lhe fazia. Vivia com a mãe na casinha que Zacharie havia comprado e estava rodeada de mulheres que nunca a deixavam sozinha; mesmo assim, sentia-se vulnerável. Sempre havia sido forte — achava que tinha muita sorte —, mas agora ficara temerosa, sofria pesadelos e lhe assaltavam pressentimentos nefastos. “Por que não fui com Maurice em fevereiro? E se acontecer alguma coisa? E se a gente não se vir nunca mais? Nunca devíamos ter nos separado!", chorava. "Não pense coisas ruins, Rosette, porque o pensamento faz com que elas aconteçam", dizia-lhe Tété.

Em setembro, algumas famílias que haviam ido para o campo já estavam de volta, e entre elas Hortense Guizot com as filhas. Valmorain ficara na plantação, porque ainda não conseguira substituir o capataz e porque estava farto de sua mulher, e ela dele. Não só o capataz cometia falhas, como também não podia contar com Sancho para acompanhá-lo, porque viajara para a Espanha. Haviam lhe informado que podia recuperar algumas terras de certo valor, embora abandonadas, pertencentes aos García del Solar. Essa herança insuspeita era uma verdadeira amolação para Sancho, mas ele desejava ver de novo seu país, de onde saíra fazia trinta e dois anos.

Valmorain ia se recuperando aos poucos do ataque, graças aos cuidados da freira, uma alemã severa e completamente imune aos acessos de seu paciente, que o obrigava a dar alguns passos e se exercitar apertando uma bola de lã com a mão doente. Além do mais, ela estava curando a incontinência dele na base de humilhá-lo com o assunto das fraldas. Enquanto isso, Hortense se instalara com seu séquito de babás e outros escravos na casa da cidade e tratara de desfrutar a temporada social, livre daquele marido que lhe pesava como um cavalo morto. Talvez pudesse se organizar para mantê-lo vivo, como convinha, mas sempre longe.

Havia transcorrido apenas uma semana desde que a família voltara a Nova Orleans, quando, na rua Chartres, onde tinha ido com sua irmã Olivie comprar fitas e penas, pois conservava o costume de transformar seus chapéus, Hortense Guizot encontrou Rosette. Nos últimos anos, vira a jovem de longe umas duas vezes e não tivera dificuldade em reconhecê-la. Rosette estava vestida de lãzinha escura, com um xale tecido à mão nos ombros e os cabelos recolhidos num coque, mas a modéstia das suas vestes em nada diminuía a altivez do seu porte.

Hortense sempre achara a beleza daquela jovem uma provocação, e agora mais do que nunca, quando ela mesma se sufocava na própria gordura. Sabia que Rosette não tinha ido embora com Maurice para Boston, mas ninguém lhe contara que estivesse grávida. Imediatamente sentiu um toque de alarme: aquela criança, principalmente se fosse homem, poderia ameaçar o equilíbrio de sua vida. Seu marido, tão fraco, aproveitaria o pretexto para se reconciliar com Maurice e lhe perdoar tudo.

Rosette não prestou atenção às duas senhoras, até que as notou muito perto. Deu um passo para o lado, para deixá-las passar, e as cumprimentou com um bom-dia cortês, mas sem nada da humildade que os brancos esperavam das pessoas de cor. Hortense se plantou na frente dela, desafiando-a. "Olhe, Olivie, que atrevida é esta", disse à irmã, que se sobressaltou tanto quanto a própria Rosette. "E olhe o que usa, é de ouro! As negras não podem usar joias em público. Merece umas chibatadas, não acha?", acrescentou. Sua irmã, sem entender o que estava acontecendo, pegou-a pelo braço para levá-la embora, mas ela se desprendeu e, com um puxão, arrancou de Rosette a medalha que Maurice havia lhe dado. A jovem se jogou para trás, protegendo o pescoço, e então Hortense lhe acertou o rosto com uma bofetada.

Rosette vivera com os privilégios de uma criança livre; primeiro, na casa de Valmorain, e, depois, no colégio das ursulinas. Nunca se sentira escrava, e sua beleza lhe dava uma grande segurança. Até aquele momento não havia sofrido abuso dos brancos e não suspeitava o poder que tinham sobre ela. Instintivamente, sem se dar conta do que fazia nem imaginar as consequências, devolveu a bofetada daquela desconhecida que a atacara. Hortense Guizot, pega de surpresa, cambaleou, desequilibrou-se em um dos saltos e quase caiu. Começou a gritar como uma endemoniada, e num instante se formou um grupo de curiosos. Rosette se viu rodeada de pessoas e quis fugir, mas a seguraram por trás, e momentos depois dois guardas a levaram presa.

Tété soube meia hora depois, porque muitas pessoas haviam presenciado o incidente, a notícia voou de boca em boca e chegou aos ouvidos de Loula e Violette, que moravam na mesma rua, mas não pôde ver sua filha até a noite, quando Père Antoine a acompanhou. O santo, que conhecia a cadeia como sua casa, afastou o guarda e levou Tété por um corredor estreito, iluminado por um par de tochas. Através das grades, entreviam-se as celas dos homens e, no fim, estava a cela comum onde se amontoavam as mulheres. Eram todas de cor, menos uma moça de cabelos amarelados, possivelmente uma criada, e havia dois meninos negros, maltrapilhos, dormindo colados a uma das presas. Outra tinha um bebê nos braços. O chão estava coberto por uma camada fina de palha, havia alguns cobertores imundos, um balde para aliviar o corpo e um jarro com água suja para beber; para o fedor do ambiente contribuía o cheiro inconfundível de carne em decomposição. Na pálida luz que se filtrava do corredor, Tété viu Rosette sentada num canto entre duas mulheres, enrolada em seu xale, com as mãos no ventre e o rosto inchado de tanto chorar. Correu para abraçá-la, aterrorizada, e tropeçou nos pesados grilhões que haviam posto nos tornozelos de sua filha.

Père Antoine vinha preparado, porque conhecia de sobra as condições em que os presos se encontravam. Em sua cesta, trazia pão e pedrinhas de açúcar para repartir entre as mulheres, e um cobertor para Rosette. "Amanhã mesmo vamos tirar você daqui, Rosette, não é, *mon père?*", disse Tété, chorando. O capuchinho ficou em silêncio.

A única explicação que Tété pôde imaginar foi que Hortense Guizot quisera se vingar pela ofensa que ela havia feito à sua família, ao se negar a cuidar de Valmorain. Não sabia que apenas a existência dela e a de Rosette constituíam uma injúria para aquela mulher. Derrotada, foi à casa de Valmorain, onde havia jurado não botar os pés de novo, e se atirou ao chão diante de sua antiga dona para lhe suplicar que libertasse Rosette e, em troca, ela cuidaria de seu marido, faria o que lhe pedisse, "qualquer coisa, tenha piedade, senhora". A outra mulher, envenenada de rancor, teve o prazer de lhe dizer tudo o que lhe ocorrera e depois colocá-la porta afora aos empurrões.

Tété fez o possível para aliviar os dias de Rosette, com seus recursos limitados. Deixava a pequena Violette com Adèle ou com Loula, e levava comida diariamente à cadeia para todas as mulheres, porque tinha certeza de que Rosette compartilharia o que recebesse e não podia suportar a ideia de que passassem fome. Devia deixar as provisões com os guardas, porque raramente a deixavam entrar, e não sabia o quanto aqueles homens entregavam para as presas e do quanto se apropriavam. Violette e Zacharie se encarregaram das despesas, e ela passava metade da noite cozinhando. Como, além disso, trabalhava e cuidava de sua filhinha, vivia extenuada. Lembrou-se de que Tante Rose prevenia doenças contagiosas com água fervida e rogou às mulheres que não bebessem a água da jarra, mesmo que estivessem morrendo de sede; que bebessem somente o chá que levava para elas. Nos meses anteriores, várias tinham morrido de cólera. Como já fazia frio de noite, conseguiu roupa grossa e mais cobertores para todas, porque sua filha não podia ser a única agasalhada, mas a palha úmida no chão e a água que as paredes vertiam produziram em Rosette uma dor no peito e uma tosse persistente. Não era a única doente, havia outra que estava pior, com uma ferida gangrenada produzida pelos grilhões. Diante da insistência de Tété, Père Antoine conseguiu que permitissem levar a mulher para o hospital das freiras. As outras já não a viram mais, porém, uma semana depois, souberam que haviam lhe cortado a perna.

Rosette não quis que avisassem Maurice do que havia acontecido, porque estava certa de que ia sair livre antes de ele receber a carta, mas a justiça era lenta. Passaram-se seis semanas antes que o juiz examinasse seu caso, mas ele agiu com relativa pressa somente porque se tratava de uma mulher livre e por pressão de Père Antoine. As outras presas podiam esperar nada menos que anos para saber por que haviam sido presas. Os irmãos de Hortense Guizot, advogados, haviam apresentado a acusação contra ela "por ter atacado a pancadas uma senhora branca". A pena consistia em chibatadas e dois anos de cadeia, mas o juiz cedera diante do santo e suprimira as chibatadas, em vista de Rosette estar grávida e de a própria Olivie Guizot ter descrito os fatos tal como haviam acontecido e se negado a dar razão à sua irmã. O juiz também se comovera com a dignidade da acusada, que se apresentara com seu vestido limpo e respondera às acusações sem se mostrar soberba, mas sem fraquejar, apesar de que lhe custasse falar por causa da tosse e de que as pernas mal a sustentassem.

Ao ouvir a sentença, um furacão despertou em Tété. Rosette não sobreviveria a dois anos numa cela imunda, e menos ainda seu bebê. "Erzuli, *loa* mãe, me dê forças." Ia libertar sua filha fosse como fosse, mesmo que tivesse que demolir os muros da cadeia com as próprias mãos. Enlouquecida, anunciou, a quem passou diante dela, que ia matar Hortense Guizot e toda aquela família desgraçada; então, Père Antoine decidiu intervir antes que ela também fosse presa. Sem dizer nada a ninguém, foi até a plantação falar com Valmorain. A decisão lhe custou bastante, primeiro porque não podia abandonar por vários dias as pessoas que ajudava, depois porque não sabia andar a cavalo, e viajar de bote pelo rio contra a corrente era caro e difícil, mas deu um jeito para chegar.

O santo encontrou Valmorain melhor do que esperava, embora ainda inválido e falando enrolado. Antes que conseguisse ameaçá-lo com o inferno, deu-se conta de que o homem não tinha a menor ideia do que sua mulher havia feito em Nova Orleans. Ao ouvir o que acontecera, Valmorain se indignou mais porque Hortense dera um jeito de ocultar tudo dele, tal como lhe ocultava tantas outras coisas, do que pela sorte de Rosette, a quem chamava “a vagabunda”. No entanto, sua atitude mudou quando o sacerdote esclareceu que a jovem estava grávida: percebeu que não teria esperanças de se reconciliar com Maurice, se alguma coisa má acontecesse a Rosette e à criança. Com a mão boa fez soar o cincerro de vaca para chamar a freira, e lhe ordenou que mandasse preparar o bote para ir à cidade imediatamente. Dois dias mais tarde, os advogados Guizot retiraram todas as acusações contra Rosette Sedella.

zarité

Passaram-se quatro anos, estamos em 1810. Perdi o medo à liberdade, mesmo nunca tendo perdido o medo aos brancos. Já não choro por Rosette. Quase sempre estou contente.

Rosette saiu da cadeia infestada de piolhos, abatida, doente e com úlceras nas pernas por causa da imobilidade e dos grilhões. Eu a mantive de cama dia e noite, fortalecendo-a com sopas de tutano de boi e os ensopados consistentes que nos traziam as vizinhas, mas nada disso evitou que desse à luz antes do tempo. O menino ainda não estava pronto para nascer, era pequeno e tinha a pele translúcida como papel molhado. O nascimento foi rápido, mas Rosette estava fraca e perdeu muito sangue. No segundo dia, começou a febre, e no terceiro, ela delirava chamando Maurice. Então compreendi, desesperada, que ia perdê-la. Recorri a todos os conhecimentos que me legara Tante Rose, à sabedoria do doutor Parmentier, às rezas de Père Antoine e às invocações a meus loas. *Coloquei o recém-nascido sobre o peito dela, para que sua obrigação de mãe a fizesse lutar pela própria vida, mas acho que não o percebeu. Agarrei-me à minha filha, tentando segurá-la, rogando-lhe que tomasse um gole de água, que abrisse os olhos, que me respondesse, Rosette, Rosette. Às três da madrugada, enquanto a sustentava, ninando-a com canções africanas, notei que murmurava e me inclinei para seus lábios ressecados. "Amo você,* maman*", disse-me, e, em seguida, se apagou com um suspiro. Senti seu corpo leve em meus braços e vi seu espírito se desprender suavemente, como um fio de neblina, e deslizar para fora pela janela aberta.*

Não dá para contar a angústia atroz que senti, mas não preciso fazê-lo: as mães a conhecem, porque somente umas poucas, as mais felizes, têm todos os seus filhos vivos. De madrugada, chegou Adèle para me trazer a sopa, e coube a ela soltar Rosette de meus braços contraídos e estendê-la em sua cama. Por um instante, deixou-me gemer de dor, dobrada no chão, e depois me colocou um prato de sopa nas mãos e me lembrou das crianças. Meu pobre neto estava encolhido ao lado de minha filha Violette no mesmo berço, tão pequeno e desamparado que a qualquer momento podia ir atrás de Rosette. Então lhe tirei a roupa, coloquei-o sobre o pano comprido de meu tignon e o amarrei cruzado sobre meu peito nu, encostado em meu coração, pele contra pele, para que pensasse que ainda estava dentro de sua mãe. Assim o carreguei durante várias semanas. Meu leite, como meu carinho, era suficiente para minha filha e meu neto. Quando tirei Justin de seu envoltório, ele estava pronto para viver neste mundo.

Um dia, monsieur Valmorain veio à minha casa. Dois escravos o desceram de seu coche e o trouxeram suspenso até a porta. Estava envelhecido. "Por favor, Tété, quero ver o menino", pediu-me com a voz debilitada. E eu não tive coração para deixá-lo lá fora.

— Lamento muito por Rosette... Juro que não tive nada a ver com isso.

— Eu sei, monsieur.

Ficou olhando nosso neto por muito tempo e depois perguntou seu nome.

— Justin Solar. Seus pais escolheram esse nome, porque quer dizer justiça; se tivesse sido uma menina, teria se chamado Justine — expliquei.

— Ah! Espero não morrer antes de corrigir alguns dos meus erros — disse, e achei que ele ia chorar.

— Todos nos enganamos, monsieur.

— Este menino é um Valmorain por parte de pai e mãe. Tem olhos claros e pode passar por branco. Não devia ser criado entre negros. Quero ajudá-lo, para que tenha uma boa educação e leve meu sobrenome, como é o devido.

— Deve tratar disso com Maurice, monsieur, não comigo.

Maurice recebeu na mesma carta a notícia de que havia nascido seu filho e de que Rosette morrera. Embarcou imediatamente, embora estivéssemos em pleno inverno. Quando chegou, o menino completara três meses e era um bebê calmo, de feições delicadas e olhos verdes, parecido com o pai e a avó, a pobre dona Eugenia. Maurice o apertou num longo abraço, mas estava como que ausente, seco por dentro, sem luz no olhar: "Vai ter que cuidar dele por um tempo, maman*", disse-me. Ficou conosco menos de um mês e não quis falar com monsieur Valmorain, apesar do muito que seu tio Sancho, que voltara da Espanha, tenha pedido. Père Antoine, que sempre andava consertando agravos, se negou a servir de intermediário entre pai e filho. Maurice decidiu que o avô poderia ver Justin de vez em quando, mas só na minha presença, e me proibiu de aceitar qualquer coisa dele: nem dinheiro, nem ajuda de nenhum tipo, e muito menos seu sobrenome para o menino. Disse que falasse de Rosette para Justin, para que sempre tivesse orgulho dela e de seu sangue mestiço. Achava que seu filho, fruto de um amor imenso, tinha o destino marcado e faria grandes coisas na vida, as mesmas que ele queria fazer antes que a morte de Rosette lhe quebrasse a vontade. Por fim, ordenou-me que o mantivesse afastado de Hortense Guizot. Mas não havia necessidade de me avisar isto.*

Logo Maurice se foi, mas não voltou para seus amigos de Boston: abandonou os estudos e se transformou num viajante incansável — percorreu mais terra do que o vento. Costuma escrever algumas linhas, por isso sabemos que está vivo, mas, nestes quatro anos, veio apenas uma vez ver o filho. Chegou vestido com peles, barbudo e bronzeado de sol, parecia um kaintock*. Na sua idade, ninguém morre por causa de um coração partido. Maurice só necessita de tempo para se casar. Caminhando e caminhando pelo mundo, irá se consolar aos poucos, e um dia, quando já não puder dar mais um passo de cansaço, entenderá que não pode fugir da dor; é preciso domesticá-la, para que não incomode. Então, sentirá Rosette a seu lado, acompanhando-o, como a sinto eu, e talvez recupere seu filho e volte a se interessar pelo fim da escravidão.*

Zacharie e eu temos outro filho, Honoré, que já começa a dar seus primeiros passos de mãos dadas com Justin, seu melhor amigo e também seu tio. Queremos mais filhos, mesmo que esta casa fique apertada e não sejamos mais jovens — meu marido tem cinquenta e seis anos, e eu, quarenta —, porque gostaríamos de envelhecer entre muitos filhos, netos e bisnetos, todos livres.

Meu marido e Fleur Hirondelle ainda têm a casa de jogo e continuam sócios do capitão Romeiro Toledano, que navega pelo Caribe, transportando contrabando e escravos fugidos. Zacharie não conseguiu crédito, porque as leis se tornaram muito duras para as pessoas de cor, de modo que a ambição de possuir várias casas de jogo não deu certo. Quanto a mim, vivo muito ocupada com as crianças, a casa e os remédios para o doutor Parmentier, que agora preparo em minha própria cozinha, mas à tarde me dou tempo para um café com leite no pátio das buganvílias de Adèle, onde as vizinhas vão conversar. Vemos menos madame Violette, porque agora ela se reúne, principalmente, com as senhoras da Société du Cordon Bleu, *todas muito interessadas em cultivar sua amizade, já que ela organiza os bailes e pode determinar a sorte de suas filhas no* plaçage. *Levou mais de um ano para se reconciliar com dom Sancho, porque desejava castigá-lo por seus devaneios com Adi Soupir. Conhece a natureza dos homens e não espera que sejam fiéis, mas exige que, pelo menos, seu amante não a humilhe passeando com sua rival pelo dique. Madame não pôde casar Jean-Martin com uma mulata rica, como planejava, porque o rapaz ficou na Europa e não pensa voltar. Loula, que mal pode caminhar por causa da idade — deve ter mais de oitenta anos —, me contou que seu príncipe largou a carreira militar e vive com Isidore Morisset, aquele pervertido, que não era um cientista, mas um agente de Napoleão ou dos Laffitte, um pirata de salão, como ela dizia entre suspiros. Madame Violette e eu nunca falamos do passado, e, de tanto guardar o segredo, acabamos convencidas de que ela é a mãe de Jean-Martin. Poucas vezes penso nisso, mas gostaria que um dia se reunissem todos os meus descendentes: Jean-Martin, Maurice, Violette, Justin e Honoré, e os outros filhos e netos que terei. Nesse dia, convidarei os amigos, cozinharei o melhor* gumbo créole *de Nova Orleans e haverá música até o amanhecer.*

Zacharie e eu já temos história, podemos olhar para o passado e contar os dias que estivemos juntos, somar tristezas e alegrias; assim vai se fazendo o amor, sem pressa, dia a dia. Gosto dele como sempre, mas me sinto mais à vontade com ele do que antes. Quando era bonito, todos o admiravam, principalmente as mulheres, que se ofereciam com descaramento, e eu lutava contra o medo de que a vaidade e as tentações o afastassem de mim, embora ele nunca tenha me dado motivos de ciúmes. Agora, é preciso conhecê-lo por dentro, como eu o conheço, para saber o que vale. Não me lembro de como era; gosto de seu rosto estranho quebrado, o remendo no olho morto, suas cicatrizes. Aprendemos a não discutir por ninharias, só pelo que é importante, o que não é pouco. Para lhe evitar preocupações e desgostos, aproveito suas ausências para me divertir à minha maneira — essa é a vantagem de ter um marido muito ocupado. Não gosta que eu ande descalça pela rua, porque já não sou escrava, que eu acompanhe Père Antoine e socorra pecadores no Pântano, porque é perigoso, nem que vá às bambousses *da Praça do Congo, que são muito vagabundas. Nada disso eu conto a ele, e ele não me pergunta. Ontem mesmo estive dançando na praça com os tambores mágicos de Sanité Dédé. Dançar e dançar. De vez em quando, vem Erzuli,* loa *mãe,* loa *do amor, e monta Zarité. Então vamos juntas, a galope, visitar meus mortos na ilha sob o mar. Assim é.*

Este livro foi impresso no
Sistema Digital Instant Duplex da Divisão Gráfica da
DISTRIBUIDORA RECORD DE SERVIÇOS DE IMPRENSA S.A.
Rua Argentina, 171 - Rio de Janeiro/RJ - Tel.: (21) 2585-2000